PLANIFICATION ET ÉVALUATION DES BESOINS EN SANTÉ MENTALE

Chez le même éditeur

Psychiatrie années 2000 : organisations, évaluations et accréditation, par V. Kovess, A. Lopez, J.-C. Pénochet et M. Reynaud

Le livre de l'interne : psychiatrie, par J.-P. Olié, T. Gallarda et E. Duaux

Cas cliniques en psychiatrie, par H. Loo et J.-P. Olié

Tranquillisants, hypnotiques, vivre avec ou sans ? Risques et bénéfices de la sérénité chimique, par P. Lemoine

Psychologie, par D.G. Myers

La personnalité, par S.C. Cloninger

Neuropsychologie du développement, par C. M.-J. Braun

Collection Psychiatrie dirigée par L. Colonna :

Épidémiologie et santé mentale, par V. Kovess

Les maladies dépressives, par J.-P. Olié, M.-F. Poirier et H. Loo

Les schizophrénies. Aspects actuels, par J.-C. Scotto et T. Bougerol

Psychanalyse et psychothérapies, par A. Widlöcher et A. Braconnier

Psychiatrie du sujet âgé, sous la direction de J.-M. Léger, J.-P. Clément et J. Wertheimer

Thérapeutique médicamenteuse des troubles psychiatriques de l'adulte, par D. Ginestet et V. Kapsambelis

Soins infirmiers en psychiatrie, par D. Guerinet

Traité de médecine, par P. Godeau, S. Herson et J.-C. Piette

Traité de médecine interne Cecil, par J.C. Bennett et F. Plum

La petite encyclopédie médicale Hamburger, par M. Leporrier

Viviane Kovess, Alain Lesage
Bénédicte Boisguerin, Louise Fournier,
Alain Lopez, Aubert Ouellet

PLANIFICATION ET ÉVALUATION DES BESOINS EN SANTÉ MENTALE

COMITÉ DE LA SANTÉ MENTALE
DU QUÉBEC

Médecine-Sciences
Flammarion
4, rue Casimir-Delavigne, 75006 Paris
http://www.medecine-flammarion.com

DIRECTION GÉNÉRALE DE LA SANTÉ
FRANCE

Pour recevoir le catalogue Flammarion Médecine-Sciences,
il suffit d'envoyer vos nom et adresse à

Flammarion Médecine-Sciences

4, rue Casimir-Delavigne
75006 PARIS

ISBN : 2-257-15570-X.

Printed in France.

LISTE DES COLLABORATEURS

Adekunle Adesina, Médecin, Chargé de projet, Mapi Values, Bollington.

Lise Bergeron, Chercheur, Centre de recherche de l'Hôpital Rivière-des-Prairies, Montréal.

Bénédicte Boisguérin, Statisticienne, Direction de la recherche, des études, de l'évaluation et des statistiques, Sous-direction Observation de la santé et de l'assurance maladie, ministère de l'Emploi et de la Solidarité.

Jean-Pierre Bonin, Infirmier et étudiant au doctorat en Santé communautaire, Université de Montréal.

Catherine Briand, Ergothérapeute et étudiante au doctorat à l'Université de Montréal et au Centre de recherche Fernand-Seguin de l'Hôpital Louis-H Lafontaine, Québec.

Françoise Chastang, Psychiatre, CHU Côte de nacre, Caen.

Marie-Pierre Emery, Directrice du Centre d'information Qualité de vie, Mapi Research Institute, Lyon.

Louise Fournier, Chercheur, Direction de la Santé publique de Montréal-centre.

Alain Jourdain, Professeur, École nationale de Santé publique, Rennes.

Viviane Kovess, Psychiatre, Directrice du département de Recherche et d'Étude en Santé publique, MGEN, Paris, associé à l'Université Paris V ; Professeur, Université Mc Gill, Montréal.

Denis Leguay, Psychiatre, Les ponts de Cé.

Alain Lesage, Chercheur titulaire, Université de Montréal, Chercheur national de la santé du Fonds de la recherche en santé du Québec; Centre de recherche Fernand-Seguin de l'Hôpital Louis-H Lafontaine, Québec.

Alain Lopez, Psychiatre, Directeur régional des Affaires sanitaires et sociales, Clermont-Ferrand.

Patrick Marquis, Médecin, Directeur scientifique, Mapi Values, Lyon.

Gabrielle Mercier Le Blond, Conseillère, Fédération des CLSC du Québec.

Aubert Ouellet, Économiste, travailleur social et ancien sous-ministre à la planification du Ministère des Affaires sociales du Québec.

Léo Roch Poirier, Agent de recherche, Direction de la Santé publique de Montréal-centre.

Daniel Reinharz, Médecin et chercheur en Santé publique, Centre Hospitalier Universitaire de Québec, Hôpital St-François d'Assises, Québec.

Michèle Vigeoz, Psychologue, Direction générale de CLSC (Centre local de services communautaires), Conseillère cadre à l'Association des CLSC et des CHSLD du Québec.

Gaetan Waagenar, Psychiatre, Mission d'appui, Paris.

Hubert Wallot, Professeur titulaire à la Télé-université du Québec, Psychiatre, Hôpital Robert-Giffard, Québec, et Médecin conseil à la Direction de la Santé publique du Saguenay-Lac Saint-Jean.

SOMMAIRE

Deuxième partie : Fiches techniques

Troisième partie : Commentaires

AVANT-PROPOS

La coopération franco-québécoise en matière de santé mentale existe depuis plusieurs décennies. La Direction générale de la santé (DGS), en France, et le Comité de la santé mentale du Québec (CSMQ), un organisme conseil au Ministre de la Santé et des Services sociaux, ont été des acteurs clés dans cette coopération. Des échanges d'information et diverses missions eurent lieu, qui portèrent notamment sur l'évolution des orientations et des politiques de santé mentale en France et au Québec.

C'est dans la foulée des échanges de Québec et de Nantes, qui s'échelonnèrent de 1993 à 1995, que fut initié le projet sur la mesure des besoins en santé mentale, échanges auxquels contribua particulièrement, du côté français, la Direction régionale des Affaires sanitaires et sociales des pays de la Loire. La DGS et le CSMQ constituèrent alors un groupe de travail composé de six auteurs, trois français et trois québécois, choisis en fonction de leur expertise complémentaire dans les domaines de l'épidémiologie, de la planification et de l'administration de la santé. Le mandat qui leur était confié consistait à produire un rapport sur la mesure des besoins en santé mentale à des fins de planification et d'évaluation. C'est ce rapport, résultat de plusieurs années de recherche et de réflexion et des contributions de nombreux individus et organismes, que nous avons le plaisir de présenter ici.

Dès son origine, ce projet a bénéficié de l'appui de la Commission permanente de coopération franco-québécoise. Appui financier, certes, mais aussi soutien de la part des différents acteurs des ministères et organismes concernés, soient le ministère des Affaires Étrangères de France et le consulat général de la France au Québec, ainsi que le ministère des Relations Internationales du Québec et la Délégation générale du Québec à Paris. Nous ne saurions passer sous silence, non plus, les contributions du ministère de la Santé et des Services sociaux du Québec et du ministère de l'Emploi et de la Solidarité de France.

Cet ouvrage décrit les points de convergence et de divergence entre les concepts, les pratiques et les perspectives françaises et québécoises. Il propose une définition des besoins centrée sur les interventions susceptibles de soulager ou de stabiliser les problèmes de santé mentale et leurs conséquences. Même si la définition proposée se veut large, et ne se limite pas aux interventions cliniques, incluant le champ de la prévention, de la promotion et celui de la réhabilitation psychosociale, elle ne saurait couvrir toutes les définitions que l'on retrouve dans la littérature. Des perceptions différentes des besoins émergent selon le statut des personnes concernées par les problèmes de santé mentale : personnes souffrant de problèmes de santé mentale, utilisateurs des services, familles et proches, intervenants des institutions, associations et des collectivités territoriales, planificateurs ou élus. Tout en évoquant différentes définitions des besoins, les auteurs ont clairement fait le choix d'une définition qui soit utile aux planificateurs.

À partir d'une telle définition, les auteurs recensent des outils concrets de mesure des besoins. Ils proposent des stratégies d'utilisation des différentes sources de données pour en arriver à estimer les besoins. Ils suggèrent aussi des pistes pour mieux tenir compte des besoins dans le processus de planification. Aussi le lecteur à la recherche d'un livre de recettes permettant de déduire les besoins d'une population donnée à partir de quelques études ou de formules toutes faites sera vite déçu. La mesure des besoins à des fins de planification ne peut pas être un simple exercice technique. Elle constitue plutôt un processus de raisonnement systématique qui doit être éclairé par des mesures rigoureuses et des données probantes telles que décrites dans cet ouvrage. Au bout du compte, une décision sera prise qui prendra en considération l'ensemble des informations utiles pour établir les besoins. Suivront les étapes d'établissement des priorités et l'organisation de la réponse aux besoins en fonction des ressources disponibles aux niveaux national, régional et local.

Nous ne doutons pas que le présent ouvrage puisse aider les planificateurs à mesurer les besoins en santé mentale. Par contre, le choix de répondre ou non à certains besoins de santé renvoie à des processus de décision plus complexes. En effet, dans des sociétés démocratiques comme la France et le Québec, cette responsabilité ne saurait être le seul fait d'une élite administrative, si compétente soit-elle. La complexité des phénomènes de santé, et particulièrement ceux de santé mentale, rend nécessaire une analyse collective des besoins dans la mesure où la santé d'une population dépend largement des déterminants sociaux, économiques, culturels et politiques de ses conditions de vie.

Ce rapport fait état des principaux travaux et réflexions réalisés à ce jour sur la prise en considération des besoins dans la planification en santé mentale. Ses auteurs insistent sur la nécessité d'établir un équilibre entre l'organisation de l'offre de services, l'allocation des ressources et l'évaluation. Ainsi, nous espérons que le présent ouvrage sera utile aux planificateurs, en les aidant à trouver les approches les plus adaptées à leur mission et qu'il contribuera de ce fait à améliorer la prise en considération des besoins de la population dans toute planification de services en santé mentale. Nous souhaitons également qu'il trouve sa place dans les milieux universitaires et dans les écoles de santé publique, pour la formation des planificateurs et des décideurs publics à tous les niveaux.

Professeur Lucien Abenhaïm
Directeur général de la Santé

Docteur Luc Blanchet, MD, FRCPC,
Président du Comité de la Santé mentale du Québec

INTRODUCTION

Les dépenses de santé représentent une part importante de la richesse de la France et du Québec. Quiconque connaissant mal les modalités de gestion de ces dépenses pourrait penser que jamais les états n'auraient consenti de tels efforts s'ils n'avaient disposé de mesures sérieuses des besoins de leur population. Force est pourtant de constater que, le plus souvent, ni l'organisation des services spécialisés en matière de santé des populations, ni la détermination des moyens utiles à leur fonctionnement ne sont fondées sur la connaissance des besoins.

La faiblesse des mesures de besoins utiles à la planification dans les deux états amène à une situation lourde de conséquences, en particulier quant aux réponses apportées pour améliorer la santé de la population.

Le choix des objectifs à se fixer, la détermination des moyens nécessaires et l'évaluation des résultats obtenus exigent de pouvoir s'appuyer sur une connaissance solide des besoins. À défaut, il convient de douter de l'efficacité de nos actions et du bon usage des ressources mobilisées. Vu son importance, ce doute est inacceptable à une époque où les fonds publics demandent une gestion rigoureuse.

Pour ces raisons, il a semblé utile que les personnes impliquées aux divers niveaux de la planification disposent d'un document facilement accessible, faisant le point sur les expériences entreprises dans les différents pays et proposant des instruments et des méthodes qui permettent de mesurer les besoins en soins, en prévention et en réinsertion-réadaptation.

La tâche était vaste puisqu'elle devait porter sur la mesure des besoins utiles à la planification en santé mentale aux niveaux national et régional. Le domaine de la santé mentale est en effet bien plus étendu que celui de la pathologie psychiatrique et de ses modes de prise en charge. De plus, si l'on veut avoir une idée de l'étendue du problème des besoins à l'origine des démarches planificatrices en santé mentale, on doit couvrir à la fois l'échelle nationale, où il s'agit de définir les grands traits d'une politique, et l'échelle régionale, où il s'agit plutôt de formuler de façon plus concrète les mesures à prendre.

Pour mener à bien sa mission le groupe de travail devait suivre la démarche suivante :

– réaliser, ou faire réaliser, une revue des articles américains et européens sur le sujet ;

– procéder, ou faire procéder, à des consultations ;

– prendre contact avec les équipes qui se consacrent aux travaux les plus importants sur le sujet, au besoin les rencontrer ou les faire rencontrer ;

– examiner la mesure des besoins de la population en santé mentale en France et au Québec, identifier les améliorations nécessaires dans chacun des deux états et formuler les recommandations conséquentes ;

– établir un rapport sur les connaissances acquises par le groupe dans son étude et sur ses recommandations.

Plusieurs rencontres des membres du groupe de travail ont été organisées au Québec et en France (sept rencontres entre mars 1996 et décembre 1998). De nombreux documents ont été échangés, discutés, critiqués et corrigés à partir des remarques de chacun, et une enquête a été conduite dans les deux états auprès des acteurs compétents, aux diverses étapes de la planification. Ce travail collectif a permis de conduire une démarche d'analyse et de réflexion utilisant les expériences et les compétences différentes des membres du groupe.

Dans un premier temps, il a été nécessaire de définir un cadre de référence à partir duquel il est devenu possible d'apprécier les modalités de prise en compte des besoins dans une planification en santé mentale. Ce cadre de référence propose ou reprend les définitions d'un certain nombre de concepts afin de mieux cerner le sens à donner à celui de besoin en santé mentale. Il reprend aussi les principaux modèles de planification décrits dans la littérature.

Les Québécois et les Français ont ensuite mené, dans leurs états respectifs, une enquête auprès de ceux qui se trouvent confrontés à une planification en santé mentale, afin d'estimer la réalité de leurs pratiques, leurs attentes, leurs projets. Cette enquête, réalisée sous la forme d'interviews semi-directifs, a montré que le problème posé n'est pas tant celui de l'absence d'évaluation des besoins et de la place accordée à ces mesures au sein du processus de planification, que celui de la nature et de la mesure des besoins.

Après avoir tiré quelques enseignements de l'examen des pratiques de la planification au Québec et en France, une revue de la littérature en langue française et anglaise sur ces questions a été réalisée. De nombreux auteurs ont en effet publié dans diverses revues scientifiques des études sur les besoins utiles à la planification en santé mentale et ont décrit les procédés permettant d'arriver à cette connaissance. Il était donc nécessaire de reprendre les résultats de ces travaux pour en extraire les acquis les plus pertinents. C'est là l'objet de la troisième partie de ce travail, la description de certains outils de mesure figurant à la fin, dans des fiches techniques.

La revue de littérature a révélé la diversité des approches possibles. Elle a surtout montré la nécessité de bien apprécier, au départ, la stratégie de mesure des besoins la mieux adaptée au projet de planification envisagé. Elle reprend toutes les informations dont disposent les planificateurs et propose des instruments et des méthodes.

La dernière partie développe diverses propositions qui découlent tout à la fois des situations observées dans les deux états et des connaissances rapportées dans la littérature.

Le livre comprend par ailleurs plusieurs fiches techniques, signalées dans les chapitres correspondants. Le report de l'information plus technique dans des fiches permet d'alléger le rapport et de lui conserver un fil directeur tout en permettant au lecteur qui souhaiterait plus de précisions de connaître les méthodologies ou les détails concernant certaines situations spécifiques.

C'est de cette façon que l'on trouvera dans des fiches les descriptions respectives des systèmes sanitaires et sociaux des différents états et leurs enjeux actuels, les résultats détaillés de l'enquête auprès des planificateurs, les instruments de mesure des différentes dimensions évoquées dans le livre (santé mentale, fonctionnement social, qualité de vie, expérience des familles et mesure individuelle du besoin de soin), mais aussi la description détaillée des systèmes d'information et des textes, normes, recommandations de bonne pratique et règlements dans les deux états.

Cet ouvrage tente de résumer les travaux et réflexions actuels sur la prise en compte des besoins dans la planification en santé mentale. Il ambitionne aussi de faire progresser la compréhension de certains concepts et des stratégies possibles pour prendre en compte les besoins. Il confirme l'importance d'établir un équilibre entre organisation de l'offre de structures et services, allocation de ressources et évaluation. Il aspire à devenir un ouvrage utile aux planificateurs, en les aidant à trouver les approches les plus adaptées à leurs projets.

Les auteurs de cet ouvrage espèrent avoir su apporter les éléments nécessaires à chacun pour connaître la voie à suivre pour tenir compte des besoins et pour se situer par rapport à d'autres approches envisageables. Cette coopération entre deux états, la France et le Québec, a rendu plus aisée la mise en perspective de ces approches multiples, grâce au recul qu'elle a permis par rapport au vécu national de chacun.

PREMIÈRE PARTIE

PLANIFICATION ET ÉVALUATION DES BESOINS EN SANTÉ MENTALE

Chapitre 1

PLANIFICATION, SANTÉ MENTALE ET BESOIN DE SOINS

CADRE CONCEPTUEL DE LA SANTÉ MENTALE ET DE LA PLANIFICATION

PLANIFICATION

Définition de la planification

La rareté des ressources contraint à s'organiser pour utiliser au mieux les moyens dont nous disposons pour améliorer la santé des populations. Quand il s'agit de la santé, ce devoir d'organisation devient un impératif moral fort. Quand les moyens sont faibles, toute forme de gaspillage entraîne une perte de chance pour des êtres malades ou souffrant, qui ne bénéficieront pas des secours nécessaires. Par ailleurs, les techniques médicales et les maladies évoluent, de même que les caractéristiques socio-démographiques des populations changent. Il faut donc non seulement s'organiser, mais aussi savoir s'adapter à ces évolutions. Ainsi chaque pays est-il donc inévitablement confronté à la nécessité d'établir des priorités et de faire des choix parmi les moyens destinés à améliorer la santé des populations. Les questions éthiques posées par cette nécessité sont difficiles à traiter, même dans les pays démocratiques ; et la façon d'aborder ces questions ne sera pas sans conséquence sur la nature des priorités retenues et des choix adoptés. La planification devrait permettre l'opérationnalisation de ces choix ; cependant sa définition même ne fait pas l'unanimité.

Pineault et Daveluy [59] identifient un certain nombre d'éléments qui caractérisent la démarche de planification :

– la planification concerne l'avenir ;

– elle implique une relation de cause à effet entre l'action entreprise et les résultats escomptés ;

– l'objet ultime de la planification, c'est l'action, le changement ;

– la planification est un processus continu et dynamique, et la démarche doit continuellement s'adapter aux situations particulières. Cela implique qu'un processus d'évaluation doit faire partie intégrante de la démarche ;

– la multidisciplinarité dans l'exercice de la planification est nécessaire pour arriver à une analyse plus riche des situations et des décisions ;

– la planification est intimement liée au contexte socio-politique dans lequel elle s'applique ; par conséquent, le planificateur se doit d'identifier les différents acteurs, de reconnaître leurs intérêts respectifs et de les associer aux diverses étapes du processus de planification de manière que les solutions retenues puissent être applicables et appliquées.

Nous proposons quant à nous de considérer la planification comme un processus méthodique consistant à définir un problème par analyse, à repérer les besoins et des demandes non satisfaits qui constituent le problème, à fixer des buts réalistes et réalisables, à déterminer l'ordre des priorités, à recenser les ressources nécessaires pour les atteindre et à projeter les actions en évaluant les diverses stratégies d'intervention possibles pour résoudre le problème [66].

En d'autres termes, il s'agit d'une méthode qui dégage les points de convergence en regard des problèmes et des besoins, des objectifs à atteindre, des actions à privilégier, des modalités de réalisation et des mécanismes d'évaluation. Dans tous les cas, la finalité de la planification est d'offrir une réponse adéquate aux besoins de santé des personnes en mettant à leur disposition, autant que faire se peut, les ressources nécessaires.

Champs de la planification

La première préoccupation d'une démarche de planification pour la santé mentale doit demeurer l'amélioration de l'état de santé mentale de la population. La santé est considérée comme la variable que l'on souhaite modifier et les actions entreprises viseront à agir sur les quatre déterminants habituellement reconnus : les facteurs biologiques ou endogènes, les facteurs liés à l'environnement, les facteurs liés aux habitudes de vie et, enfin, les facteurs liés au système de soins. Les services et moyens qui concourent à la bonne santé d'une population sont donc nombreux. Le dispositif de soins est certainement le plus coûteux pour assurer la santé d'une population, et c'est lui, bien sûr, qui intéresse en priorité les planificateurs. Mais il n'est pas sûr que son impact sur la santé de la population soit plus important que celui d'autres services œuvrant dans le domaine de la prévention. Par conséquent, il apparaît important d'englober dans le champ de la planification toute la gamme des actions contribuant à l'amélioration ou au maintien de la santé de la population. Dans ce cas, il est probable qu'elle dépassera le strict champ du sanitaire pour couvrir également celui du social. En France, ces deux champs font l'objet d'une planification différente alors que, au Québec, ils relèvent de la même instance de planification. La gamme d'actions concernera également l'éducation, la culture, l'environnement, l'emploi. La planification en santé mentale implique de toute façon une pluridisciplinarité des approches, ce qui ne signifie pas forcément que le système de soins doive prendre en charge tous les aspects de la santé mentale car plusieurs d'entre eux doivent être gérés par d'autres systèmes. Le problème est plutôt celui du décloisonnement et de l'interconnexion de ces différents systèmes de planification.

Le concept de la planification en santé mentale ne recouvre pas exactement le même champ en France et au Québec. En France, la planification consiste à définir l'organisation souhaitable du dispositif de soins. D'un autre côté sont identifiés des outils pour répartir les moyens au sein de l'organisation choisie et des outils pour évaluer les résultats obtenus. Ainsi l'allocation des moyens est-elle au service de la planification ; et l'évaluation entraîne la planification. Planifier, répartir les moyens et évaluer sont étroitement liés, mais s'inscrivent dans un mouvement décomposé. Au Québec, c'est ce mouvement complet qui est appelé planification. Pourquoi cette différence, alors que, les finalités sont les mêmes ?

La question du champ couvert par la planification des services et des moyens sera, de fait, abordée de façon très différente selon le degré d'intégration du sanitaire et du social au sein d'une organisation administrative, la place accordée à l'initiative privée dans l'offre de soins, et le mode de financement choisi ou selon les règles de gestion adoptées.

Le champ de la planification en santé mentale peut donc être extrêmement vaste et il importera aux acteurs d'un cycle de planification de bien le délimiter au départ.

Niveaux de planification

Le souci de la planification ne prend pas toujours forme au même niveau. Tantôt démarche appliquée au niveau national, pour dessiner l'architecture générale d'une offre de services, la planification est aussi l'approche utilisée au plus près d'une population très réduite, celle d'un quartier par exemple, pour mieux répondre à ses besoins particuliers. Entre ce général et ce particulier existent plusieurs degrés, et il est certain que la place prise par l'analyse des besoins ne sera pas la même selon le niveau auquel est pratiquée la démarche de planification. Si une politique s'identifie à un ensemble de choix à partir desquels des décisions seront ensuite prises et mises en œuvre, la planification peut être vue tantôt comme un outil permettant d'identifier une politique, tantôt comme un processus au service d'une politique préalablement établie.

Nous reconnaissons, de manière à peu près similaire au Québec comme en France, des niveaux différents de planification. Au plus haut niveau qui est celui des ministères de la Santé, les fonctions de planification consistent à établir une politique de santé mentale, les grandes orientations, les objectifs généraux, les ressources financières affectées au domaine et leur répartition entre les régions, ainsi que les critères qui serviront de base à l'évaluation (planification normative et structurelle). Au second niveau qui est celui des régies régionales pour le Québec ou des DRASS ou des ARH (Agences régionales de l'hospitalisation) pour la France, par exemple, se décident les priorités d'action et les choix, et se déterminent les objectifs spécifiques et les objectifs opérationnels (planification stratégique, tactique et opérationnelle). Au troisième niveau, celui du bassin de vie ou de population, les types de planification sont similaires à ceux du niveau précédent mais, dans ce cas, l'unité territoriale est plus petite et plus homogène ; il s'agit, à ce niveau, de mettre à profit les ressources disponibles. Au dernier niveau, celui des ressources locales (hôpitaux, CLSC, équipes de secteur), les types de planification pourront être les mêmes que dans les niveaux précédents mais, dans ce cas, une seule organisation est en jeu. Ces quatre niveaux de planification – national, régional, bassin de vie et institutionnel – apparaissent importants à distinguer puisque l'évaluation des besoins risque de prendre un sens différent à l'un ou l'autre de ces niveaux. Ce travail s'intéressera principalement aux deux premiers niveaux.

Pratique de la planification

La planification peut adopter une perspective relative à l'organisation ou à la population desservie. La première met l'accent sur les besoins de l'organisation alors que la seconde est orientée sur les besoins de la population. Notre choix entre ces deux perspectives est clair, tout en reconnaissant qu'il pourrait être naïf d'adopter une perspective purement épidémiologique, ignorant de ce fait les contraintes que pose l'organisation des services. Dans un processus de planification, on ne peut certes faire abstraction des pressions et des limites que les organisations imposent ; par exemple, on ne pourra faire abstraction des conventions collectives dans le cas de fermeture de lits dans les hôpitaux. Des compromis en matière d'organisation semblent absolument indispensables pour mener à bien le processus de planification. Il faut se garder cependant de laisser les impératifs organisationnels prendre une place trop importante et de confondre les besoins de la population avec les contraintes des organisations.

La planification ne peut être fondée uniquement sur les données scientifiques et de recherche ; elle doit également être pragmatique et tenir compte des éléments de faisabilité, sinon les chances de succès de la planification élaborée seront faibles. Par ailleurs, elle ne peut être que pragmatique car elle risque de se dérouler « essentiellement en réaction et en adaptation continuelles aux événements extérieurs et, plus particulièrement, à l'opinion des groupes de pression » [59]. S'appuyer sur une démarche de planification permet de rationaliser les décisions.

Planifier des services et des moyens sans référence à un cadre de contraintes pré-défini, c'est, au bout du compte, risquer de poursuivre des chimères. Mais se plier à un réel imposé, sans en mesurer les conséquences sur la santé des populations, c'est servir aveuglément un ordre peut-être contestable.

Le planificateur n'est pas extérieur au système qu'il cherche à bâtir. Il œuvre, au contraire, à l'intérieur d'un dispositif existant. Le recul qu'il aura trouvé, par rapport à l'ensemble qu'il veut faire évoluer, est donc toujours relatif. Ce recul, il peut l'obtenir en adoptant un cadre éthique explicite qu'il appliquera très tôt dans le processus de planification. Tansella et Thornicroft [68], après avoir examiné plusieurs cadres éthiques utilisés à travers le monde, résument en neuf grands principes les règles à respecter dans le processus de planification. Ces neuf principes sont subdivisés en trois axes que les auteurs nommeront « *the 3 aces* ». Le tableau 1-I montre l'organisation de ces trois axes et de ces neuf principes en prenant en compte le niveau géographique où ils acquièrent toute leur signification. Le tableau 1-II fournit en traduction libre les définitions de chacun des neuf principes.

Thornicroft et Tansella [70] rappellent ainsi que la planification ne peut pas seulement se faire à partir des principes de coûts-bénéfices, car il existe des principes éthiques à respecter. Dans la séquence temporelle « intrants-processus-résultats », certains principes seront davantage associés à un élément de la séquence qu'à l'autre. Ainsi, à l'étape des intrants, les principes de responsabilité, d'équité et d'accessibilité sont-ils plus importants ; dans le processus, ce seront davantage les principes de globalité, de coordination et de continuité qui le seront, et enfin, à l'étape des résultats, l'on retrouve ceux d'efficacité, d'efficience et d'autonomie.

Étapes du processus de planification

La plupart des méthodes de planification impliquent dans leur processus différentes étapes. Nutt [53] en distingue plusieurs. La première est la formulation, où l'on clarifie l'objet de la planification par une définition du problème en statuant habituellement sur la différence entre l'état actuel et l'état désiré. Elle est suivie par la conceptualisation, par laquelle on essaie d'établir des relations de causalité à partir des informations recueillies et de proposer des options d'interventions. Au stade suivant, chaque option est analysée de façon détaillée afin d'y relater les implications qu'elle soustend. Les options sont évaluées selon différents critères comme les coûts, les bénéfices, l'acceptation, etc., et une alternative est retenue. Vient enfin l'implantation, l'étape la plus critique, parce qu'il s'agit ici de chose concrète, d'opérationnalisation. Quel que soit le type de planification envisagée, il faut souligner qu'il s'agit d'un processus itératif [63] dans lequel le planificateur peut intervenir à n'importe quel niveau. Pour mener à bien le processus, des activités comme la recherche d'informations, la synthèse et l'analyse doivent être pratiquées à chacune des étapes. La première étape est réalisée pour recueillir systématiquement de l'information pertinente à différents moments du processus et fait appel à un effort de créativité de la part du planificateur ; la synthèse permet d'établir des liens entre les différents éléments. Avec l'analyse, on peut d'une manière ou d'une autre étudier ou tester des solutions envisagées de façon à sélectionner et à établir les priorités.

Le processus élaboré par Pineault et Daveluy [59] est spécifique à la santé et relie les types de planification. La figure 1-1 montre les étapes de la démarche de planification en santé et les types de planification correspondants. Cette démarche se déroule en plusieurs étapes, se succédant selon un ordre précis. Pour mieux s'organiser, il faut savoir ce qui va mal et, pour cela, il faut d'abord évaluer les besoins d'une population. Ainsi l'évaluation des besoins est-il le premier temps de la planification. Ensuite, la confrontation de la connaissance de ces besoins avec les réponses existantes doit permettre d'identifier les problèmes qui se posent. Les priorités

TABLEAU 1-I. – NEUF PRINCIPES ANNONÇANT LES RÈGLES À RESPECTER DANS LE PROCESSUS DE PLANIFICATION : LES TROIS AXES DE CES PRINCIPES, EN TENANT COMPTE DU NIVEAU GÉOGRAPHIQUE

		NIVEAU DU MODÈLE DE PLANIFICATION		
	Principes	**Individuel**	**Local**	**Région**
1e axe (ACE)	1. Autonomie *(autonomy)*	√		
	2. Continuité (*continuity*)	√	√	
	3. Efficacité (*effectiveness*)	√	√	
2e axe (ACE)	4. Accessibilité (*accessibility*)		√	
	5. Globalité (*comprehensiveness*)		√	√
	6. Équité (*equity*)		√	
3e axe (ACE)	7. Responsabilité (*accountability*)		√	√
	8. Coordination (*coordination*)		√	√
	9. Efficience (*efficiency*)		√	√

TABLEAU 1-II. – DÉFINITION DES NEUF PRINCIPES DE THORNICROFT ET TANSELLA
(d'après Thornicroft G, Tansella M. Translating ethical principles into outcome measures for mental health service research. Psychol Med, 1999, 29 (*4*) : 761-767. Reproduit avec l'autorisation de Cambridge University Press)

PRINCIPES	DÉFINITION
Autonomie (*autonomy*)	Caractéristique de l'usager concernant sa capacité à faire des choix ou à prendre des décisions de manière indépendante, en dépit de la présence de symptômes ou de handicaps. La promotion de l'autonomie doit être faite par des soins ou un traitement efficaces
Continuité (*continuity*)	Capacité des ressources à offrir des interventions, soit à l'usager, soit au niveau local, (1) faisant référence à la cohérence des interventions sur une courte période de temps, à la fois à l'intérieur et entre les équipes (continuité transversale), ou (2) des séries de contact sans interruption sur une plus longue période de temps (continuité longitudinale)
Efficacité (*effectiveness*)	Pour l'usager, bénéfices démontrés ou intentionnels de traitements fournis dans des situations de vie réelles Pour le niveau local, bénéfices démontrés ou intentionnels des services fournis dans des situations de vie réelles
Accessibilité (*accessibility*)	Caractéristique d'un service vécue par les usagers et leurs proches, qui leur permet de recevoir les soins au lieu et au moment où ils sont nécessaires
Globalité (*comprehensiveness*)	Caractéristique d'un service ayant deux dimensions. *Globalité horizontale* : jusqu'à quel point un service répond au continuum complet de gravité des troubles mentaux et à une grande variété de caractéristiques des usagers. *Globalité verticale* : disponibilité des composantes de base des soins (soins dans la communauté et en externe, soins de jour, hospitalisation de courte durée et services résidentiels à long terme, liaison avec les autres services) et leur utilisation par des groupes de patients jugés prioritaires
Équité (*equity*)	Juste distribution des ressources. Explicitation du rationnel utilisé pour fixer les priorités entre des besoins concurrents et des méthodes utilisées pour l'allocation des ressources
Responsabilité (*accountability*)	Fonction par laquelle les relations dynamiques et complexes entre les services en santé mentale, les usagers, leurs familles et le public en général, qui tous ont des attentes légitimes par rapport aux services, se jouent de manière responsable
Coordination (*coordination*)	Caractéristique d'un service démontrée par des plans de soin cohérents pour les usagers. Chaque plan devrait avoir des buts clairs et inclure les interventions nécessaires qui sont efficaces, ni plus ni moins. On distingue la *coordination transversale* qui signifie la coordination des informations et des services à l'intérieur d'un épisode de soins (à la fois à l'intérieur et entre les services) et la *coordination longitudinale* qui signifie une continuité entre le personnel et entre les ressources sur une plus longue période de traitement, couvrant souvent plusieurs épisodes
Efficience (rendement) (*efficiency*)	Caractéristique d'un service qui minimise les intrants (*inputs*) nécessaires pour atteindre un niveau donné de résultats (*outcomes*) ou qui maximalise les résultats pour un niveau donné d'intrants

peuvent ensuite être définies, notamment par rapport à l'importance objective et subjective des problèmes identifiés, la possibilité d'apporter des solutions efficaces, économiques et acceptables à ces problèmes. Ces deux étapes, ajoutées à la fixation des buts, relèvent de la planification normative. La politique, la mission et la philosophie des soins sont définies à cette phase. La démarche de planification tactique ou structurelle comprend la fixation des objectifs généraux et spécifiques, la détermination des actions pour atteindre les objectifs et la prévision des ressources requises. Enfin viennent les étapes de planification opérationnelle où l'on retrouve la fixation des objectifs opérationnels, la mise en œuvre des programmes et l'évaluation. Mais, arrivé à ce terme, rien ne s'arrête. L'évaluation dira ce qu'il en est des résultats et pourra nous ramener à chacune des étapes précédentes et même à la case départ, celle où est constaté ce qui va mal. La planification est un processus itératif. Ces allers-retours doivent pouvoir avoir lieu librement, sans entraver l'action, c'est-à-dire que les décisions à prendre n'auront pas à attendre le résultat de ces navettes. La planification des services et des moyens concourant à la santé des populations doit obéir à un mouvement perpétuel dont le moteur est l'évaluation. Ce cheminement est bien connu, sa logique est claire. Pourtant, rien n'est simple tout au long de ce parcours.

Modèles de planification de la santé en fonction des besoins

Plusieurs modèles de planification en fonction des besoins, plutôt rationnels, sont relevés dans la littéra-

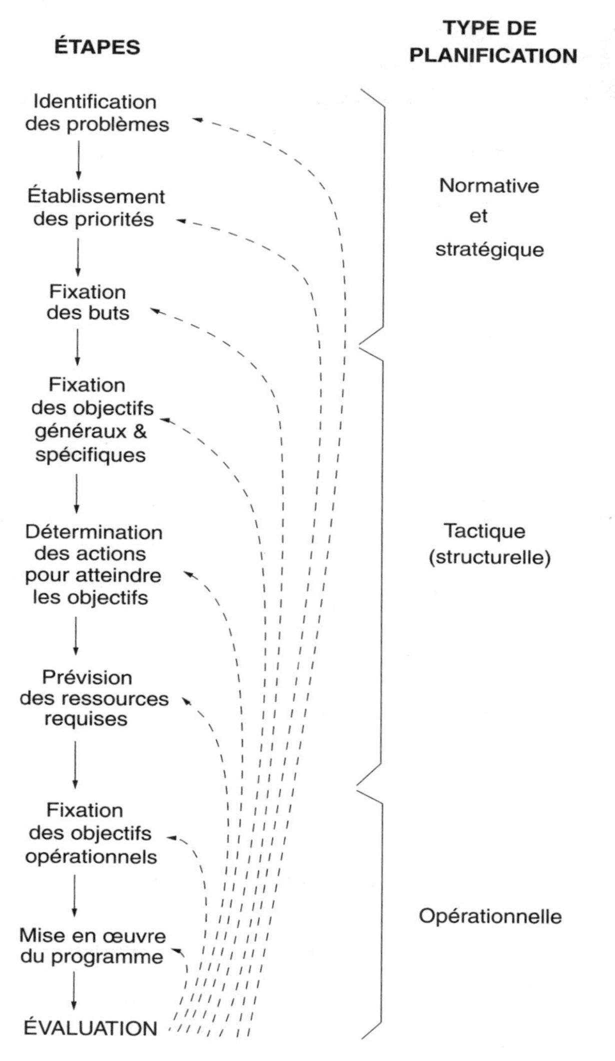

FIG. 1-1. – ÉTAPES DE LA DÉMARCHE DE PLANIFICATION EN SANTÉ ET TYPES DE PLANIFICATION CORRESPONDANTS (d'après Pineault R, Daveluy C. La planification de la santé : concepts, méthodes et stratégies. Québec, Canada, Agence d'ARC, 1993. Reproduit avec l'autorisation de l'Agence d'ARC, une division du Groupe Éducalivres inc.).

ture. La structure de ces modèles est très souvent la même, ce qui les différencie étant plutôt la façon de concevoir et d'argumenter les problèmes identifiés ou les besoins. Le modèle de Pineault et Daveluy [59] a été choisi comme cadre de référence pour nos travaux. Nous l'avons adapté et il est représenté à la figure 1-2. Ce modèle inspiré de Donabedian [18] a pour point de départ l'état de santé de la population.

L'analyse de la *situation actuelle* se fait par rapport à quatre composantes. Elle nécessite d'abord la connaissance de l'état de santé mentale de la population. Ensuite, on tentera de déterminer dans quelle mesure les ressources disponibles produisent des services de façon productive et appropriée, et jusqu'à quel point ces services sont utilisés de façon pertinente pour maintenir et améliorer l'état de santé. Cette analyse de la situation actuelle prend en considération et incorpore les autres déterminants de la santé, par exemple, les conditions socio-économiques (pauvreté, chômage), le soutien de l'entourage et les événements stressants. Ainsi tout converge vers l'état de santé mentale de la population. La deuxième colonne de la figure correspond à la *situation désirée* : c'est là que se fixent les objectifs de santé dans une planification, par exemple diminuer la mortalité due au suicide ou diminuer la prévalence de la dépression majeure, ou encore améliorer le niveau fonctionnel des personnes présentant des troubles mentaux graves. Les objectifs de santé conduiront à fixer des buts à atteindre sur le plan des interventions, par exemple améliorer l'accessibilité aux soins, s'assurer que les interventions sont conformes aux normes de bonne pratique. Suivra ensuite la fixation d'objectifs sur le plan des ressources, par exemple assurer une équité interrégionale de la distribution des ressources. C'est également à cette étape que l'on ciblera les autres déterminants de manière à atteindre les objectifs de santé, par exemple en favorisant le développement social. Les flèches horizontales rappellent que la situation désirée est dépendante de la situation actuelle, pour chacune des quatre composantes. La troisième colonne de la figure correspond aux besoins, c'est-à-dire aux *écarts à combler*. Ainsi doit-on comprendre qu'un certain niveau de santé, d'interventions et de ressources sera maintenu (ce qu'expriment les flèches horizontales) et que les écarts seront les cibles prioritaires. La dernière colonne concerne les *actions* et révèle combien la politique de services et de ressources doit s'articuler avec la politique de santé et combien cette dernière doit tenir compte des déterminants de la santé.

SANTÉ MENTALE

Dans le cadre de ce projet, la notion de santé mentale est capitale ; il nous faut donc la clarifier pour la rendre opérationnelle.

Textes proposés par différentes instances

Depuis 1978, la notion de santé mentale a complété, voire remplacé celle de maladie mentale. Dans l'élan porteur d'espoir de l'après-guerre, l'Organisation mondiale de la santé [54] définira alors la santé, non plus comme l'absence de maladie, mais comme un « état complet de bien-être physique, mental et social ». À la suite de la définition par l'OMS de la santé, différentes définitions de la santé mentale ont été proposées, faisant intervenir de nombreux facteurs selon les idéologies et les découvertes des différentes époques.

Le modèle bio-psychosocial, qui est largement admis, implique trois dimensions :

– une dimension biologique à la fois génétique et physiologique ;

– une dimension psychologique ou psychodéveloppementale, qui comprend les aspects affectifs, cognitifs et relationnels ;

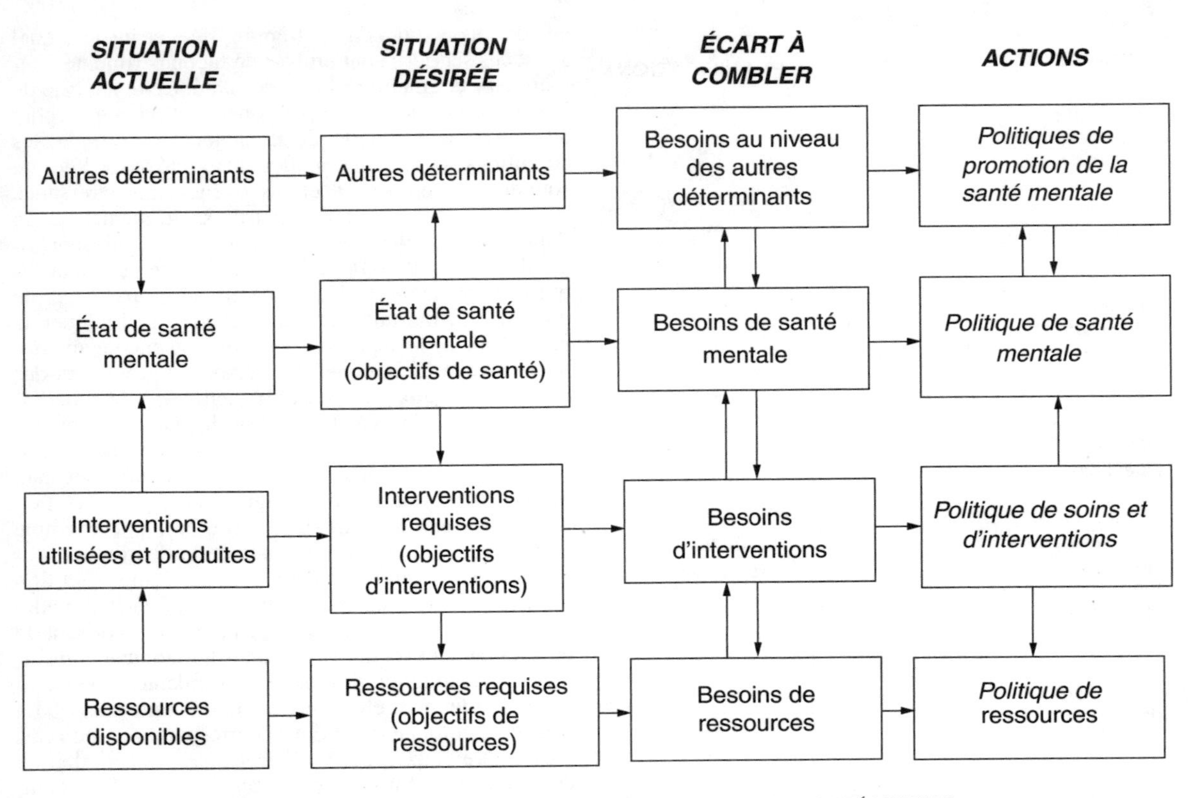

FIG. 1-2. – CADRE DE RÉFÉRENCE POUR LA PLANIFICATION DE LA SANTÉ MENTALE (adapté d'après Pineault et Daveluy [59]).

– une dimension sociale ou contextuelle qui fait référence à l'insertion de l'individu dans son milieu, sa culture et aux relations qu'il entretient avec celui-ci, qu'il s'agisse d'un niveau micro- ou macroscopique.

Si tous s'accordent sur ces trois dimensions, leurs apports relatifs sont en revanche plus discutés, les uns mettant l'accent sur le biologique, les autres sur le psychologique et les derniers, enfin, sur le social. Ces différences de sensibilité sont d'autant plus compréhensibles que la connaissance exacte des processus en cause dans la santé mentale n'est pas complètement établie et laisse, dans une certaine mesure, place à un débat. Le débat oppose en quelque sorte les partisans d'une santé mentale de nature individuelle qui est la capacité pour l'individu à faire face aux inévitables tourments de l'existence et ceux d'une santé mentale résultante des influences des groupes et des environnements sur les individus. En fait, on admet généralement que la santé mentale est en quelque sorte le résultat d'une interaction entre l'environnement, la société et les individus qui la composent. Cette interaction est, bien entendu, d'intensité différente suivant les problèmes rencontrés qui vont d'une maladie mentale sévère, où le processus pathologique prend le pas sur les conditions extérieures, aux troubles réactionnels à une situation catastrophique où cet environnement joue un rôle essentiel.

Cette conceptualisation de la santé mentale fait donc intervenir l'environnement au sens large du terme et tient compte des relations entre le social, l'environnemental et le mental, et les définitions proposées tiennent diversement compte de ces interactions.

Par exemple, dans le document qui sert de base à la politique de santé mentale du Québec [49], la santé mentale est définie ainsi : « C'est l'aspect du psychodéveloppement qui caractérise le mieux la santé mentale. Ainsi, la santé mentale d'une personne s'apprécie à sa capacité d'utiliser ses émotions de façon appropriée dans les actions qu'elle pose (affectif), d'établir des raisonnements qui lui permettent d'adapter ses gestes aux circonstances (cognitif) et de composer de façon significative avec son environnement (relationnel). Tout en reconnaissant cette spécificité, il demeure fondamental d'agir à la fois sur les dimensions biologique, psychologique, sociale et ainsi d'élargir l'action en santé mentale. »

Selon la définition proposée par Santé et Bien-Être au Canada [48], « la santé mentale est la capacité de l'individu, du groupe et de l'environnement d'avoir des interactions qui contribuent au bien-être subjectif, au développement et à l'emploi optimum des capacités mentales (cognitives, affectives et relationnelles), à la réalisation de buts individuels et collectifs justes et à la création de conditions d'égalité fondamentale ».

Le comité de la Santé mentale du Québec [15] complète cette définition en en respectant l'esprit : « La santé mentale, définie comme l'état d'équilibre psychique d'une personne à un moment donné, s'apprécie à l'aide des éléments suivants : le niveau de bien-être subjectif, l'exercice des capacités mentales et la qualité des relations avec le milieu. Elle résulte d'interactions entre des facteurs de trois ordres : biologiques relatifs aux caractéristiques génétiques et physiologiques des personnes, des facteurs psychologiques, liés aux aspects cognitifs, relationnels et affectifs et des facteurs contextuels qui ont trait aux relations entre la personne et son environnement. Ces facteurs sont en évolution et s'intègrent de façon dynamique chez la personne. »

En France, il n'existe pas à notre connaissance de définition officielle de la santé mentale. Cependant, il existe une circulaire émanant du ministère de la Santé [46] qui décrit les principaux objectifs et orientations de la politique dans le domaine de la santé mentale. Il y est précisé que l'« on doit envisager les problèmes de santé mentale sous un angle élargi et selon une conception positive et dynamique de la santé : en cherchant à promouvoir des facteurs de santé, en s'intéressant davantage aux aptitudes des individus et des groupes vis-à-vis de leur santé. Pour ce faire, trois niveaux sont à considérer : l'individu, la famille et le groupe social ou communauté. »

Ces textes émanent d'instances gouvernementales et résultent de larges consultations des milieux professionnels. Ainsi peut-on dire qu'en France, d'une façon générale, la psychiatrie est empreinte d'une forme d'humanisme traditionnel, où l'influence psychanalytique n'est pas absente, tendant à considérer l'individu comme le centre vers lequel convergent les actions, même si l'environnement familial et social est pris en compte. La participation des familles, dont le fonctionnement a été remis en cause par les théories psychanalytiques, reste encore parfois conflictuelle, et la mise en place de psychothérapies familiales inspirées des théories systémiques est relativement rare. Enfin, un certain nombre de psychiatres français sont réticents quant à la prise en charge des malades qui ont des problèmes sociaux importants, de crainte de voir le fardeau des troubles sociaux reporté sur la psychiatrie qui devrait alors sortir d'une mission de soins pour devenir un régulateur des carences sociales. Pour toutes ces raisons et quels que soient les pathologies et les symptômes de l'individu et ses difficultés sociales, l'attention portera sur la façon dont il vit ces difficultés dans son monde intérieur, ce qui n'exclut en aucune manière des interventions dans les sphères sociales. Mais la conception même de la prise en charge est notablement différente de ce qu'elle est au Québec, même si les objectifs sont les mêmes.

Le groupe sur les indicateurs de santé en Angleterre, mis sur pied par le Mental Health Authority [29], reprend la définition de l'OMS et y ajoute que la santé mentale est une partie de la santé et qu'elle constitue une ressource dont nous avons besoin dans la vie quotidienne pour nous permettre de gérer notre vie avec succès. En revanche, il y est noté qu'il n'existe pas de définition consensuelle de la maladie mentale sévère et que cette absence constitue un handicap pour l'organisation des soins aux personnes qui en souffrent. Là encore, le groupe mentionne que la santé mentale est une combinaison complexe de comportements, de sentiments et de pensées, à la fois personnels et interpersonnels, qui font intervenir les domaines biologiques, psychologiques et sociaux. La santé mentale est alors définie comme la capacité à gérer les changements, à reconnaître et à communiquer des sentiments tant négatifs que positifs, à établir et à maintenir des relations, à réagir aux stress et/ou à modifier les environnements ou les relations qui causent ces stress. La santé mentale est un équilibre, mais c'est aussi la capacité de ressentir des sentiments extrêmes, d'être heureux et malheureux, plein d'espoir et désespéré.

Dans cette optique, la santé mentale implique le sentiment et la conviction que l'on a des droits, de la valeur, du pouvoir et un certain degré de contrôle et d'influence sur ce qui nous arrive. Elle implique aussi la compréhension et l'acceptation que des problèmes psychologiques peuvent nous arriver et arriver aux autres et qu'ils arrivent à tout le monde à certaines périodes de la vie. La santé mentale implique des sentiments positifs sur soi et les autres, le sentiment d'être heureux, joyeux et aimé [43].

Toutes ces définitions, souvent données dans le contexte de planification, montrent des aires de consensus sur les domaines impliqués dans la santé mentale mais aussi des sensibilités différentes dans la participation de la société à la santé des individus. Ainsi certaines définitions insistent-elles sur le rôle central de l'individu dans sa gestion du monde et des difficultés, tandis que d'autres insistent sur le rôle social dans le maintien ou la détérioration de la santé mentale des individus.

Elles montrent aussi des divergences sur le niveau « idéal » de la santé mentale. La définition la plus ambitieuse évoque une situation d'égalité fondamentale, conséquence de buts individuels et sociaux « justes ». Peut-être plus réalistes, d'autres définitions introduisent les notions de hauts et de bas qui sont fonction des aléas de l'existence, la santé devenant alors la capacité d'intégrer et de vivre ces différentes périodes. Ces divergences peuvent, en partie, être rapprochées d'un idéal de bonheur pour tous qui a été opérationnalisé dans des enquêtes de type Alameda County [61] ou Santé Canada dans lesquelles le niveau de bonheur des individus était évalué selon le score positif ou négatif à l'échelle de Bradburn [9]. Le bonheur est alors considéré en quelque sorte comme un dû que la société devait apporter aux individus tandis que l'Ancien Monde propose plutôt le bonheur comme une expérience personnelle d'intégration des contraintes externes permettant de les gérer positivement. Ces divergences ont forcément des conséquences sur la conception de la nature et de l'étendue de la prise en charge par les différents systèmes ainsi que sur les exigences des clients. Enfin, recoupant partiellement ces différentes sensibilités et les expliquant en partie, le domaine d'exercice et la formation des personnes jouent un rôle déterminant dans leur conception de la santé mentale.

Opérationnalisation et définitions du cas en épidémiologie

La mise en pratique de ces concepts qui sont souvent proches de la déclaration d'intention permet en fait de décrire trois critères permettant éventuellement de mesurer la santé mentale :

– la présence d'un diagnostic ;

– la détresse psychologique ;

– le fonctionnement social.

Présence d'un diagnostic

La mise au point de classifications de plus en plus précises des troubles mentaux permet aux intervenants de se mettre d'accord sur la description des personnes dont ils ont la charge et, éventuellement, de comparer leurs résultats.

Les deux principales classifications adoptées aujourd'hui à travers le monde sont la classification internationale des maladies de l'OMS, version 10 (CIM-10) dont le chapitre V correspond aux maladies mentales [55] et celle de l'American Psychiatric Association, version IV (DSM-IV) [3]. Elles sont le résultat de consensus entre psychiatres œuvrant en clinique. Chacune d'elles a fait l'objet de plusieurs révisions successives. La révision la plus récente de la CIM permet une bonne compatibilité avec la classification américaine. Elle comporte une version pour les cliniciens et une version dite de recherche qui propose des critères diagnostiques précis. Les versions successives du DSM ont toujours été construites sur la base de critères précis (description des symptômes, durée, coïncidence sur une même période) permettant une meilleure fidélité interjuge. Dans un contexte de recherche, la cotation de ces critères se fait habituellement à l'aide d'un instrument diagnostique. Les principaux instruments diagnostiques sont décrits dans la fiche technique 1.

Ainsi la santé mentale peut-elle être décrite suivant un axe santé/maladie, la maladie signifiant la présence d'un trouble tel que décrit dans l'une de ces classifications. La gravité de ces troubles peut varier considérablement, allant de la réaction brève à un stress à des maladies sévères et chroniques comme la schizophrénie.

Détresse psychologique ou « démoralisation[1] »

Dès 1973, Frank [21] proposait le concept de « démoralisation » : état dans lequel les possibilités psychiques des individus sont dépassées, que ce soit pour une raison extérieure (stress) ou pour une raison intérieure (névrose). Il se fondait en fait sur une réalité clinique : la démoralisation est l'état dans lequel sont les patients quand ils viennent consulter ; à ce stade, le diagnostic exact a peu d'importance, il faut leur proposer une aide.

La démoralisation a été évaluée à l'aide de questionnaires ou d'échelles constitués d'énoncés de symptômes choisis parmi ceux les plus fréquemment retrouvés chez les personnes présentant des états névrotiques ou des réactions psychophysiologiques. Ces questionnaires dont l'utilisation est très simple puisqu'ils peuvent être remplis par le sujet lui-même, ont permis de décrire ce qui a ensuite été appelé détresse psychologique. Cependant, la relation entre le score obtenu selon ces échelles et la présence d'un trouble pouvant être considéré comme un diagnostic, voire le risque de survenue d'un tel trouble, n'est pas évidente.

En fait, historiquement, ces questionnaires ont été largement utilisés dans les enquêtes de santé mentale dites de la deuxième génération (dans les années 1960), tout en posant des problèmes complexes aux chercheurs qui souhaitaient fournir des informations sur la prévalence des problèmes et le besoin de soins. Leighton et al. [40] les ont, par exemple, utilisés conjointement à d'autres informations provenant de généralistes, ou de dossiers de soins psychiatriques, tandis que deux psychiatres classaient indépendamment les personnes au regard de l'ensemble du matériel collecté en cas et non cas. On a aussi utilisé des techniques d'analyse factorielle pour repérer certains diagnostics spécifiques (anxiété, dépression). Du fait de leur origine, les facteurs les plus fréquents sont la dépression, l'anxiété et les réactions psychophysiologiques [28] et ils sont retrouvés à peu près constamment dans toutes les échelles de symptômes.

Finalement, certains chercheurs expérimentés comme Dohrenwend et al. [17] proposent de revenir au concept de départ (la démoralisation) plutôt que de les considérer comme un véritable indicateur d'états névrotiques diagnosticables. Ces instruments doivent donc être considérés comme de bons indices de stress vécu ou de détresse psychologique [72], sans qu'il faille leur attribuer des propriétés plus précises au niveau d'un diagnostic. Il s'agit cependant d'une dimension pertinente qui, bien que liée à celle de santé/maladie, ne la recouvre pas entièrement et constitue donc une dimension autonome, d'autant que les résultats obtenus avec ces instruments concordent avec la demande d'aide, et cela autant si ce n'est mieux que les diagnostics en tant que tels.

Fonctionnement social

Le concept de fonctionnement social, imprécis et encore peu documenté, a de façon surprenante fait l'objet de peu d'efforts de conceptualisation. En effet, les concepts et modèles théoriques concernant le fonctionnement social sont bien souvent confus, peu définis, englobent plusieurs composantes et font appel à une terminologie très différente. Wiersma [74] tente de définir le fonctionnement social et d'en identifier un modèle théorique privilégié. Il suit le modèle linéaire de l'Organisation mondiale de la santé [77] : la classification internationale des déficiences, incapacités et handicaps (CIDIH). Ce cadre de référence explique la présence des limitations fonctionnelles (incapacités) et sociales (handicaps) comme résultant des atteintes de la structure – anatomique ou physiologique – liées à la maladie. Un comité québécois (CQCIDIH) [20] dispose également d'un modèle qui s'en rapproche, mais

(1) Terme également utilisé pour désigner, d'un point de vue épidémiologique, la détresse psychologique.

qui est plus développé en ce qui concerne le concept de handicap ; ce modèle n'est toutefois pas spécifique au champ de la santé mentale.

Il n'est pas toujours évident de départager le dysfonctionnement social du symptôme psychiatrique [58]. Les atteintes du fonctionnement social peuvent être utilisées pour établir un diagnostic dont ils constituent un critère, comme c'est parfois le cas dans le DSM-IV. Elles peuvent aussi constituer une dimension autonome dite de fonctionnement global, comme c'est le cas dans l'évaluation de l'axe V (fonctionnement social) du DSM-IV. Cependant, les instruments utilisés pour évaluer cet axe – comme la *global assessment scale* (GAS) [19] et la *global assessment functioning scale* (GAF) [2, 24] – reflètent la tendance à combiner psychopathologie et fonctionnement.

Les différents instruments permettant d'évaluer le fonctionnement social sont décrits dans la fiche technique 2.

Santé mentale : diagnostic, détresse et dysfonctionnement

Reconnaissant l'importance de ces trois dimensions pour évaluer les besoins de soins d'une population générale, une équipe de chercheurs du Colorado a mené une enquête épidémiologique [1, 14] qui a permis de connaître les prévalences respectives : 1) des troubles mentaux DSM-III (troubles dépressifs et anxieux, abus de substances, personnalité antisociale, schizophrénie et troubles cognitifs) ; 2) du dysfonctionnement social (retentissement) ; 3) de la détresse psychologique. La figure 1-3 qui suit illustre le recoupement entre ces différentes dimensions.

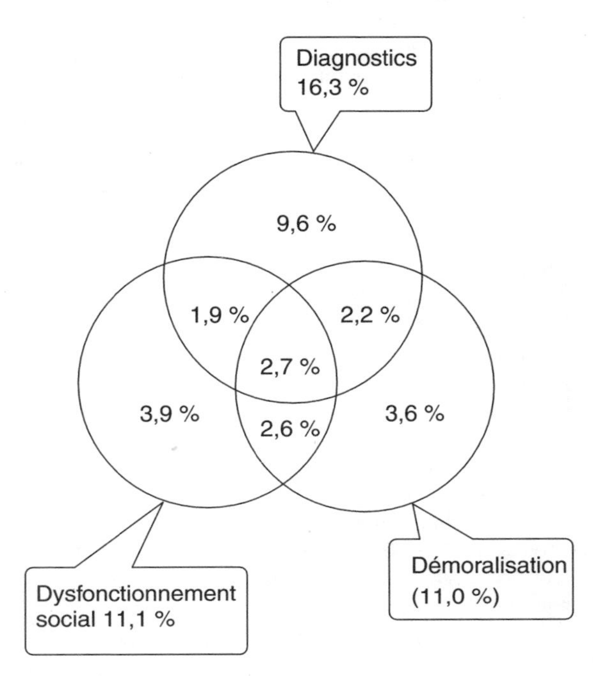

FIG. 1-3. – RECOUPEMENT ENTRE LES DIFFÉRENTES DIMENSIONS (D'après Ciarlo JA, Shern DL, Tweed DL et al. The Colorado social health survey of mental health service needs. Evaluation and Program Planning, 1992, *15* : 133-147. Reproduit avec l'autorisation de Elsevier Science).

L'évaluation du dysfonctionnement social est faite à partir d'un instrument qui mesure le retentissement des troubles dans les différents rôles de la vie quotidienne : activités physiques, soins de base, productivité du travail à l'école, à la maison ou dans un emploi, relations interpersonnelles, problèmes légaux. Cette enquête montre que les champs du diagnostic psychiatrique, de la gêne fonctionnelle et de la détresse psychologique ne se recouvrent que très partiellement. Dans le mois précédant l'entrevue, 16,3 p. 100 de la population présentaient les critères d'un diagnostic psychiatrique, 11 p. 100 ceux d'une détresse psychologique et 11,1 p. 100 présentaient une gêne significative dans les activités quotidiennes ; les deux tiers de ces personnes présentaient deux de ces critères, soit 9,7 p. 100, et seuls 2,7 p. 100 cumulaient les trois types de critères.

Ces trois dimensions sont donc relativement autonomes. Certaines personnes ont des diagnostics classifiables sans retentissement fonctionnel et, inversement, d'autres personnes présentent une détresse psychologique ou un dysfonctionnement d'origine psychologique, mais n'ont pas de diagnostic, du moins aucun de ceux mesurés dans cette enquête.

Ces dimensions peuvent être combinées de diverses façons pour produire des indicateurs de besoins. Avec au moins l'un des trois critères, on peut définir que 26,5 p. 100 de la population auraient un besoin de soins [14] ; avec deux critères, 9,7 p. 100 auraient un besoin de soins et c'est avec ce deuxième type de définition que l'on obtient la meilleure correspondance à un besoin de soins. Si l'on ne considère que ceux ayant un diagnostic et un autre critère (dysfonctionnement/retentissement ou détresse), la prévalence tombe à 7 p. 100, à 2,5 p. 100 si l'on prend uniquement ceux qui ont un diagnostic sévère (schizophrénie, manie, dépression majeure, trouble cognitif) et à 1,6 p. 100 en prenant ceux qui ont un trouble sévère. On peut ensuite voir dans quelle mesure ces définitions se recoupent avec l'utilisation des soins dont, bien entendu, on ne sait s'ils sont adéquats.

Vers une définition de problématiques et de clientèles

Une façon de synthétiser les définitions de la santé mentale serait d'aborder la santé mentale à travers différentes problématiques qui correspondent à des clientèles et à des typologies d'intervention. On remarque cependant que ces problématiques coïncident et/ou ont des incidences sur l'organisation des soins. De ce point de vue, on peut décrire :

– la vision française fondée sur la théorie du secteur : zone de population dont est responsable une équipe, quelle que soit la pathologie aiguë ou chronique des personnes atteintes, et qui refuse en principe toute séparation des patients fondée sur cette distinction ;

– le système québécois qui reconnaît une première, une deuxième et une troisième ligne, ce qui le conduit à différencier des pathologies dites graves et persistantes et des pathologies dites chroniques, même si la sectorisation est présente quant à la répartition géographique des usagers de deuxième ligne. Cette distinction aiguë/chronique correspond à une répartition des usagers sur le terrain.

Les découpages ne sont donc pas les mêmes en théorie et en pratique et, de fait, les discours et les enjeux sont différents. La politique de santé mentale du Québec propose une distinction fondée sur l'intensité des problèmes, « sans égard aux typologies conçues à des fins diagnostiques ». On distingue ainsi :

– les personnes qui présentent des troubles mentaux sévères généralement persistants, associés à la détresse psychologique et à un niveau de fonctionnement d'incapacité qui interfère de façon significative avec leurs inter-relations personnelles et leur compétence sociale de base ;

– les personnes qui vivent des troubles mentaux transitoires d'intensité variable et que l'on peut ramener à leur niveau de fonctionnement psychologique et social antérieur ;

– les personnes dont la santé mentale est menacée parce qu'elles vivent des situations ou affrontent des conditions de vie qu'elles jugent intolérables et qui affectent leur équilibre psychique ;

– certains groupes susceptibles de développer des problèmes de santé mentale en raison de conditions de vie sociale, culturelle ou économique, ou parce qu'ils sont exposés à la violence, au suicide, à l'alcoolisme et aux toxicomanies ;

– les personnes qui présentent d'autres types de problèmes : déficience intellectuelle, délinquance, criminalité, itinérance.

Ce mode de présentation reflète en partie l'organisation du système de soins et ses subdivisions.

Pour le lecteur français, cette façon de classer les patients sans tenir compte de leur pathologie est difficile à saisir, même si la pathologie ne résume pas les besoins de soin. Par exemple, la distinction persistant/transitoire ne correspond pas à la vision clinique des problèmes en France où la ligne de démarcation serait plutôt entre problèmes de type névrotique et problèmes de type psychotique, sachant que les premiers peuvent être plus chroniques et invalidants qu'on ne l'admet généralement et que les seconds peuvent s'accompagner d'un pronostic relativement favorable s'ils bénéficient d'un traitement médical et social adapté. Viennent ensuite les troubles du comportement tels que personnalité antisociale ou problèmes de drogue et d'alcool qui sont souvent associés aux précédents (double diagnostic) et qui peuvent poser des problèmes de prise en charge spécifique. Ces problèmes tirent leur spécificité du fait que les patients sont en réalité peu demandeurs de soins, que les soins sont difficiles et que le poids social se fait particulièrement sentir, mettant les intervenants dans une position parfois ambiguë. Le suicide est l'un des comportements survenant dans ce contexte, le grande majorité des suicidants ayant un trouble mental associé.

En amont, on reconnaît également l'existence de problèmes réactionnels qui peuvent ou non atteindre un niveau de syndrome clinique ; c'est le domaine de la souffrance psychique.

Ces différenciations prennent tout leur sens dans le contexte d'un système de soin unique, même si ce dernier a des ramifications avec les généralistes et le système associatif, très présents dans la réadaptation, que le secteur doit en quelque sorte coordonner.

On peut enfin décrire des problématiques en suivant le schéma orthogonal bi-axial proposé par Santé et Bien-Être Canada [48]. Ce schéma comprend un axe horizontal de type médical – santé/maladie – correspondant à l'absence ou à la présence d'une maladie psychiatrique telle que décrite dans une classification reconnue (CIM-10, DSM-IV) et un axe vertical de type bien-être/détresse psychologique permettant de décrire la santé mentale sur un continuum. Ainsi chaque personne pourra-t-elle voir sa santé mentale décrite en fonction des deux axes ; elle pourra souffrir d'une maladie sévère et être en bonne santé mentale ou, à l'inverse, ne pas souffrir de maladie mais être en mauvaise santé mentale. Par ailleurs, la même personne pourra être décrite tout au long des différentes phases de sa maladie en tenant compte à la fois de sa symptomatologie et de la façon dont elle vit sa maladie.

Propositions

En tenant compte de tous les éléments mentionnés plus haut, on peut considérer la santé mentale suivant trois axes :

• L'axe *santé/maladie* qui recouvre des problématiques diverses qu'il convient de décliner :

– troubles mentaux psychotiques ;

– troubles mentaux névrotiques (états d'anxiété et de dépression) : 1) troubles correspondant à un syndrome clinique ; 2) troubles subcliniques pouvant être en relation avec des situations à risque ;

– troubles de la personnalité incluant les troubles des conduites, les troubles liés à la consommation de drogues et d'alcool ;

– déficiences intellectuelles ;

– démences ;

– appartenance à un groupe à risque (particulièrement pertinent en ce qui concerne les enfants) ;

– absence de troubles et absence de risques particuliers.

• L'axe *bien-être/détresse psychologique.*

• L'axe du *fonctionnement social.*

L'état de santé de la personne peut donc être décrit selon une ou plusieurs (comorbidité) problématique(s) de type santé/maladie et selon un degré de bien-être et de fonctionnement social. À cette description, il s'agira ensuite de faire correspondre des besoins tant dans le contexte du soin que de celui de la réadaptation et de la prévention, de manière à les transcrire dans une planification des services.

Soin, réadaptation, réinsertion et prévention

Cette partie porte sur les interventions qui feront l'objet de la planification, c'est-à-dire le soin, la réadaptation, la réinsertion et la prévention.

Généralités

Les soins apportés aux personnes souffrant de maladies mentales comportent, en grande partie, les mêmes caractéristiques que ceux apportés aux personnes souffrant d'autres types de maladies : traitement médicamenteux parfois prolongé, hospitalisation brève ou longue. Quelques rares traitements sont spécifiques comme l'électroconvulsivothérapie.

Ces soins doivent suivre des règles édictées par des recommandations de bonne pratique qui en délimitent les indications et les modalités. Cependant, les interactions entre les troubles mentaux et le fonctionnement social sont telles que plus on se rapproche de la description des situations vécues par les personnes qui ont des problèmes de santé mentale, plus les frontières sont difficiles à établir entre le monde du soin et celui de la réadaptation. Ces mondes coïncident souvent avec des répartitions différentes des tâches et des ressources, et leur articulation est essentielle.

Une tentative de classification internationale des ressources et services en psychiatrie (International Classification of Mental Health Care [72]), en quatre secteurs d'activités, avait été proposée, à savoir :

– activités de soins ;

– activités de prévention ;

– activités de réadaptation ;

– activités de recherche et d'enseignement.

Cette classification avait entraîné un débat entre ceux qui souhaitaient distinguer le champ du soin (*cure*), qui se situe dans le champ médical, de celui de la réadaptation (*care*), qui se situe plutôt dans le champ social et ceux qui ne souhaitaient pas faire cette distinction. Finalement, Bachrach [4], qui fait autorité dans ce domaine, a souhaité ne faire qu'une classification dans laquelle on distinguerait pour chaque service deux niveaux complémentaires :

– le *champ du soin* : « type d'actions et d'interventions conçues pour traiter la maladie mentale et restaurer dans la mesure du possible la santé mentale », les objectifs de ces soins étant « des interventions ou des actions dont le but est la diminution et, in fine, la disparition des symptômes et signes caractéristiques de la maladie mentale. Les soins concernent également la diminution des rechutes et la prévention des incapacités et handicaps, conséquences de la maladie, ainsi que la promotion de la santé mentale » ;

– le *champ de la réadaptation psycho-sociale* : « type d'actions et d'interventions conçues pour soulager les incapacités, handicaps et inconvénients résultant de la maladie mentale et pour améliorer autant que faire se peut la qualité de vie de la personne » ; les objectifs peuvent être formulés ainsi : « interventions et actions dont le but est de maximiser la participation et l'intégration dans la famille, la vie sociale et la société. Ces interventions et actions ont aussi pour but la prévention et la diminution des incapacités et handicaps, la diminution des rechutes, la promotion de l'intégration sociale et la participation de l'individu à sa propre réadaptation ».

Les recoupements entre ces deux champs sont nombreux et les actions sont complémentaires, mais l'esprit est quelque peu différent. À certains moments, l'accent est mis sur le traitement, à d'autres, c'est la réadaptation qui devient prioritaire. Cette dernière doit toutefois toujours rester présente dans le soin, même en début de prise en charge. Nous proposons quelques exemples à titre d'illustration.

Dans le cas de patients souffrant de troubles psychotiques sévères, on distingue une phase de maladie à proprement parler, où les traitements psychiatriques sont essentiels, et une phase de réadaptation, puis de réinsertion, dans laquelle l'attention se déplace du soin vers l'organisation de la vie du patient (logement, loisirs, relations familiales). Cette réinsertion devrait idéalement sortir le patient du circuit de soins psychiatriques, même s'il continue par ailleurs à recevoir un traitement, et le replacer dans la vie dite « normale » même s'il conserve un handicap comme une diminution de ses capacités professionnelles et relationnelles. On cherche donc à lui procurer une bonne « santé mentale » que certains ont désigné comme la qualité de vie.

Dans le cas d'une personne souffrant d'une maladie dite névrotique (dépression par exemple), le même schéma peut s'appliquer. Après une phase dite de maladie, nécessitant ou non une hospitalisation, suivra une sorte de phase de réadaptation, dans une version différente du cas précédent, mais qui s'apparente à de la prévention tertiaire, à savoir la prévention des rechutes. Celle-ci peut impliquer une prise en charge psychothérapeutique permettant éventuellement à la personne de gérer sa vie et de modifier certains aspects de sa personne et de son environnement.

Le problème de la détresse psychique des personnes vivant dans des conditions sociales difficiles (catégorie des personnes à risque) est plus complexe car celle-ci se situe à la limite des frontières santé/maladie. Bien entendu, les classifications reconnaissent les troubles dits réactionnels à une situation. Ces troubles dits d'adaptation doivent cependant être liés à la situation et posent aussi le problème de la personnalité sous-jacente et de son adaptation antérieure. Il devient alors difficile de faire la part entre ce qui relève des antécédents d'un individu et de sa fragilité singulière et ce qui relève de la situation elle-même.

La sémiologie même de la dépression dans ces situations a été remise en cause, et certains s'interrogent sur l'interprétation à donner aux symptômes dépressifs ressentis par les « exclus », même s'ils correspondent en tout point aux classifications psychiatriques de la dépression : s'agit-il d'une maladie ou d'une réaction normale à une telle situation ? En fait, les études concordent sur le fait que toutes les personnes vivant dans des conditions de précarité ne présentent pas nécessairement une pathologie psychiatrique et que, a fortiori, toutes ne sont pas cliniquement déprimées. En revanche, toutes présentent une souffrance psychique importante qui n'est toutefois pas synonyme de maladie.

Réinsertion/réadaptation : le handicap dans le contexte de la santé mentale

Nous utiliserons les travaux de l'OMS qui, en l'occurrence, se sont inspirés de ceux de Wood [76]. En ce qui concerne les déficits provoqués par la maladie, ce dernier identifie quatre plans :

– le plan des processus morbides décrits par le diagnostic ;

– le plan des fonctions et des organes dont l'altération s'appelle déficience ;

– le plan des gestes et actes élémentaires de la vie dont l'altération s'appelle incapacité ;

– le plan des rôles sociaux dont l'altération s'appelle désavantage social.

Précisons que ces plans sont interactifs.

Ces distinctions sont très utiles dans la délimitation des champs d'action et, par conséquent, dans la planification. Les plans de la maladie et de la déficience appellent des réponses qui sont de l'ordre du soin. La restauration ou l'amélioration des incapacités est le but poursuivi par la réadaptation. Le plan du désavantage social implique une réponse à dominante sociale, visant la réinsertion de la personne.

De manière générale, on note un bon degré de consensus entre le récent rapport du groupe de travail français sur l'évolution des soins en psychiatrie et la réinsertion des malades mentaux [47] et le texte du comité de la Santé mentale du Québec [69] sur la réadaptation psychosociale en psychiatrie. Toutefois, les sensibilités divergent sur certains points.

Le texte français insiste pour que la dimension psychopathologique de l'analyse soit un préalable ; « l'utilisation des seuls niveaux incapacités et désavantage social sans référence aux processus mentaux ferait perdre tout sens à cette démarche et aurait des effets réducteurs tout à fait opposés à l'esprit de Wood ».

Le texte québécois exprime le souci du respect de la personne dans sa dimension plutôt sociale ; il souligne l'importance de sa participation dans le processus de réadaptation, le droit à une vie sociale, les moyens de développer ses talents, l'importance d'avoir des activités qui correspondent à ses désirs. On craint l'adaptation abusive du modèle de la réadaptation physique à celui de la maladie mentale, d'autant qu'il n'existe pas, à proprement parler, de définitions de la réadaptation dont la mise en pratique suit dans les faits les valeurs et la philosophie des intervenants. On propose une définition tout en soulignant combien son interprétation et les mises en pratique qui en découlent peuvent varier considérablement : « La réadaptation est le processus qui facilite le retour d'un individu à un niveau optimal de fonctionnement autonome dans la communauté. Alors que la nature du processus et les méthodes utilisées peuvent varier selon les différents programmes, la réadaptation encourage invariablement les personnes à participer activement avec d'autres à l'atteinte des buts concernant la santé mentale ou la compétence sociale. Dans de nombreux programmes, les participants sont appelés membres. Le processus met l'accent sur l'intégrité et les forces de l'individu et cherche une approche globale à travers des services professionnels, résidentiels, de loisirs sociaux, éducationnels et d'adaptation personnelle. »

Cette définition sous-entend que les personnes cherchent à maîtriser et à développer leurs compétences dans les secteurs d'activités qui vont leur permettre de se sentir plus indépendantes et d'avoir confiance en elles-mêmes. Un certain nombre de principes semblent se dégager des pratiques de réadaptation :

– développer les habiletés ;

– favoriser l'autodétermination des individus ;

– permettre aux individus de vivre dans les lieux les moins restrictifs possibles ;

– individualiser le processus de réadaptation pour ce qui est des services, de leur fréquence et de leur durée ;

– déprofessionaliser les services ;

– structurer l'environnement des individus de façon qu'ils puissent obtenir un maximum de soutien et ne pas restreindre le processus de réadaptation aux changements intrapsychiques ;

– changer l'environnement au sens de ce qui, dans la société, peut nuire à la réadaptation ;

– donner la priorité au social par rapport au médical.

Cette réadaptation se ferait en deux étapes :

– l'amélioration du fonctionnement social de la personne par des traitements psychologiques et des programmes d'entraînement aux habiletés sociales et de travail ;

– la création et le maintien d'un système de soutien à long terme permettant de préserver le fonctionnement de la personne dans la communauté et de minimiser sa détérioration.

Enfin, le comité insiste sur la notion d'*empowerment* qu'il traduit par le fait de donner à la personne atteinte de troubles mentaux le plus de pouvoir possible. Cela est obtenu grâce à l'entraide des usagers entre eux : « qu'est-ce qui peut être plus apaisant que de ressentir l'espoir en étant entouré de gens en voie de guérison, de partager cette expérience unique avec ses pairs et d'aider les personnes qui souffrent des mêmes problèmes ? » [56].

Les articles québécois insistent donc sur le respect de la personne et sur le maintien de son autonomie.

Les changements sociaux y sont aussi évoqués. Les études longitudinales tendent à démontrer que la détérioration sociale des malades mentaux résulte plus de l'absence d'information sur la maladie et du manque de soutien social que de la maladie elle-même. Ainsi ne suffit-il pas seulement de traiter, mais il faut aussi aider une personne vulnérable à trouver une place satisfaisante dans la société, comme tout autre citoyen. Cela implique de poursuivre trois objectifs :

– redonner à la personne les moyens de maîtriser sa vie en l'aidant à comprendre la nature de sa maladie et sa vulnérabilité au stress ;

– aider la personne à vivre un quotidien satisfaisant et à développer sa capacité d'action ;

– aider l'environnement immédiat et la société en général à diminuer les sources de stress.

De ce point de vue, les thèses françaises rejoignent les thèses québécoises. On y pose comme préalable que les personnes souffrant de maladies mentales doivent trouver une place pleine et entière au sein de la société et non dans des lieux qui les accueillent en marge du réseau social ; la société doit aussi se préoccuper des besoins propres des individus dans leur diversité pour assurer de façon adaptée sa mission de solidarité et permettre à chaque individu d'exercer sa citoyenneté.

On distingue là aussi la prise en compte du patient, de ses aptitudes personnelles, de leur évolution, et les capacités de la société à proposer une aide permettant un réel retour dans leur milieu de vie. Ainsi précise-t-on que le premier élément est un besoin de soin psychiatrique, impliquant la responsabilité du dispositif de soins psychiatriques pour faire évoluer l'état de santé des personnes afin qu'elles retrouvent leur milieu de vie. Le deuxième élément est ensuite social et concerne la société civile où la psychiatrie n'est pas maître d'œuvre, mais doit contribuer à assurer une fonction d'appui technique dans le cadre de sa mission d'intervention dans la communauté.

Les articles français s'inquiètent également du respect de l'individu dans le cadre de la réadaptation. « Le but des soins de réadaptation est de développer les capacités compensatoires du sujet et de son environnement immédiat, familial en particulier, en mettant en œuvre un projet thérapeutique utilisant un objet concret qui a une valeur intrinsèque ; le soin de réadaptation n'est pas un simple apprentissage. Dans le cadre thérapeutique et la réalité qu'il délimite, le travail d'élaboration psychique du soignant répond à l'investissement par le patient. » Il en résulte que les soins de réadaptation sont des soins psychiatriques à part entière qui demandent du temps et du personnel qualifié.

Sur ces points, les textes français et québécois divergent considérablement. Les Québécois insistent sur l'« autonomisation » et considèrent en quelque sorte la personne qui souffre de problèmes de santé mentale comme un individu qui doit choisir ses buts en fonction de ses désirs ; il met l'accent sur les groupes d'entraide, la déprofessionnalisation et l'importance du social vis-à-vis du médical. Quant aux Français, ils considèrent les personnes souffrant de maladies mentales comme des patients et insistent sur le respect du fonctionnement psychique qui est au centre même de la maladie.

Au-delà de cette divergence importante, les buts sont les mêmes et les demandes faites au social et à la communauté sont identiques, si ce n'est que les textes français mettent l'intervenant psychiatrique dans une position d'appui technique dans le cadre de sa mission d'intervention dans la communauté.

Ces différents points de vue ont des conséquences en termes de planification puisque la réadaptation doit être intégrée au système de soin spécialisé dans un pays alors qu'elle doit au contraire être le plus déprofessionnalisée possible dans l'autre. Ces divergences reflètent des concepts concernant la maladie mentale que nous avons déjà évoqués lors de sa définition, quoiqu'il semble que, sur le terrain, les différences soient moins évidentes : la politique québécoise encourage les collaborations entre tous les systèmes tandis que la politique française soutient évidemment les collaborations entre les secteurs public, privé et associatif.

On doit ajouter qu'en France, la désinstitutionalisation a aussi entraîné, dans une certaine mesure, une évolution vers la non-professionnalisation, en particulier, un passage des responsabilités vers les familles, les associations et le milieu communautaire (les municipalités, par exemple). Si cette évolution semble souhaitable, elle peut parfois être perçue comme un transfert de charges financières et psychologiques sur des personnes qui n'ont pas toujours les compétences requises pour y faire face. Dans cette optique, les groupes d'usagers et les groupes d'entraide ne peuvent être substitués à des professionnels qui ont assez de recul et d'expérience pour aider les personnes à gérer leurs problèmes. Il importe donc de bien préciser le champ d'intervention des uns et des autres, en veillant à ne pas couvrir une sorte de désengagement du secteur de la santé de ses responsabilités. Les recommandations vont, bien entendu, dans le sens d'une collaboration et d'un partenariat.

Identification des besoins spécifiques. Une autre façon d'aborder les problèmes de réadaptation est d'envisager les problèmes spécifiques. Le champ des problèmes rencontrés dans l'insertion des malades fait l'objet d'un consensus entre les deux pays :

– relations familiales et sociales ;

– ressources financières ;

– logement, hébergement ;

– emploi ;

– formation.

Cependant, les textes français précisent bien que ces problèmes résultent d'une intrication entre des difficultés liées aux processus mentaux eux-mêmes et des difficultés liées à la conjoncture économique et aux changements intervenus dans l'organisation sociale. L'objet de la réadaptation n'est pas « d'envisager toutes les difficultés consécutives aux maladies mentales : la réinsertion ne prend son sens que lorsque le sujet souffre d'une pathologie suffisamment sévère pour engendrer des difficultés importantes dans la gestion de sa vie quotidienne et au plan de ses rôles sociaux ».

Les textes français reprennent les différentes données disponibles pour étayer les problèmes rencontrés par les personnes dans ces différents domaines et proposent diverses mesures pour améliorer cet état. Ces mesures concernent, par exemple, le maintien de certaines allocations lors de l'hospitalisation pour ne pas perdre son logement, l'importance de développer des formules de travail protégé en soulignant le rôle des structures associatives.

Quelles que soient les manières d'envisager ces problématiques, différents niveaux d'intervention sont nécessaires : psychiatrique, psychologique et social. Ces interventions doivent cependant être complémentaires. Ces notions sont essentielles en matière de planification puisqu'elles impliquent des champs de compétence différents et parfois difficiles à harmoniser.

Facteurs de risque, prévention et promotion de la santé

Facteurs de risque de la santé mentale

Un facteur de risque peut être défini comme : « n'importe quelle caractéristique associée à une probabilité augmentée d'avoir une maladie mentale » [52]. Cependant, on doit distinguer le *facteur de risque*, qui est une caractéristique qui précède le début d'une psychopathologie et augmente sa probabilité de survenue, de l'*indicateur de risque*, qui est simplement une *variable associée* à la fréquence de cette psychopathologie. Parmi ces indicateurs, on retrouve les marqueurs qui sont des caractéristiques dites indépendantes (sexe, âge).

Les facteurs de risque peuvent concerner le risque d'apparition d'un problème ou celui de sa persistance une fois le problème constitué (facteurs de chronicisation) ; ces deux types de facteurs peuvent ne pas être identiques.

Un certain nombre de variables sont liées à la prévalence de problèmes de santé mentale. Parmi ces variables, certaines sont très simples à évaluer et font partie des informations recueillies dans la plupart des enquêtes : le sexe, l'âge, le statut matrimonial, la classe sociale, la catégorie et le statut professionnels. Par exemple, la dépression est généralement plus fréquente chez les femmes que chez les hommes, tandis que les problèmes de comportement et l'alcoolisme sont plus fréquents chez les hommes que chez les femmes.

Cette approche s'applique aussi à l'étude des situations à risque, c'est-à-dire des événements de vie et des difficultés chroniques [12], qui mettent les personnes dans des situations où le risque de développer des troubles de type dépressif devient très élevé. Ainsi certains facteurs de risque de problème de santé s'appuient-ils sur des données de plus en plus nombreuses à savoir :

– l'histoire familiale des maladies mentales, qui combine des facteurs de différents niveaux (génétiques, situationnels et développementaux) ;

– les événements de la vie récents et les difficultés ;

– les événements de la vie au cours de l'enfance.

Lors d'enquêtes épidémiologiques qui mesurent de nombreux facteurs environnementaux, on peut quantifier les facteurs déterminants grâce à la conduite d'analyse prenant en compte l'ensemble des facteurs comme la régression logistique.

Par exemple, dans une enquête réalisée en Île-de-France en 1991 [36], les risques de dépression dans sa forme la plus grave étaient multipliés par 2,66 pour une femme et par 2,32 quand la personne avait été placée hors de sa famille avant l'âge de 12 ans ; le risque était également plus élevé pour les adultes de moins de 65 ans. Quand on considérait l'ensemble des troubles dépressifs, les facteurs de risque étaient légèrement différents. Le fait d'être de sexe féminin et d'avoir été placé hors de sa famille avant l'âge de 12 ans constituait toujours un facteur de risque ainsi que l'absence d'études au-delà du baccalauréat.

On doit aussi insister sur le rôle des difficultés chroniques. Avoir une personne handicapée dans son foyer, souffrir de difficultés financières majeures, vivre dans un habitat très inadéquat ont été rapportés comme étant des facteurs de risque de la dépression, en particulier par rapport à l'évolution de la dépression sur un mode chronique. En outre, l'amélioration de certains de ces facteurs a été corrélée à l'amélioration de l'état de santé mentale.

De telles études ont aussi été conduites dans la population infantile [6, 11] et de nombreux facteurs de risque ont été mis en évidence, dont la présence d'une maladie physique et les difficultés scolaires, mais ce sont surtout les facteurs qui ne sont pas inhérents à l'enfant qui ont été étudiés, en particulier les facteurs ayant trait à la cellule familiale. La psychopathologie des parents, c'est-à-dire les troubles dépressifs et les troubles liés à la consommation d'alcool, certains événements stressants comme la perte d'un parent, ont été associés à la survenue d'épisodes dépressifs chez les enfants[(2)].

Il faut cependant comprendre que l'attribution de causalité est quasi impossible dans la survenue d'un trouble mental et, a fortiori, en ce qui concerne les facteurs environnementaux qui ne peuvent pas, par définition, être contrôlés. Qui plus est, toute recherche de ce type repose sur un *modèle plurifactoriel* qui intègre des caractéristiques individuelles (biologique, génétique, psychologique) et environnementales (familiale, sociale et culturelle).

De fait, la plupart des études [64, 65] admettent un modèle dit de vulnérabilité dans lequel des facteurs de risque préexistants, pouvant remonter à l'enfance, exercent en cas de stress (événements de vie et/ou difficultés) une influence qui est modulée par des facteurs actuels aggravants ou protecteurs (réseau social, qualité de la relation du couple par exemple). Cependant, il devient bien difficile de séparer ce qui est une conséquence de la personnalité de l'individu et de son mode de relation aux autres, de l'influence propre de la survenue d'événements apparemment extérieurs à l'individu. Malgré ces réserves, ces facteurs de risque sont l'un des éléments essentiels d'une politique de prévention.

Depuis Cowen [16], on distingue trois niveaux de prévention :

– primaire : diminution de l'incidence ;

– secondaire : détection et traitement précoces visant à limiter la durée de la maladie ;

– tertiaire : réduction du handicap secondaire à la maladie.

---

(2) La fiche technique 4 décrit en détail les principaux facteurs de risque.

Les causes des maladies mentales n'étant pas connues, la prévention primaire a longtemps été considérée comme relativement inaccessible en psychiatrie. Cette position a récemment été révisée et l'on propose maintenant une prévention « non spécifique » plurifactorielle, à composantes psychologique et sociale.

Du point de vue des cibles de la prévention, on distingue :

– une prévention dite universelle, fondée sur des mesures qui visent l'ensemble de la population comme des conseils pour réguler la consommation d'alcool et de tabac ou faire de l'exercice ;

– une prévention dite sélective, s'adressant à un sous-groupe de population qui présente un risque plus élevé que la normale, comme les personnes âgées isolées ou les adolescentes enceintes ;

– des interventions spécifiques qui s'adressent à des groupes à très haut risque comme les enfants de parents schizophrènes ou les personnes ayant subi des traumatismes importants (sévices, catastrophes, etc.).

L'inclusion de la première cible dans le cadre de la prévention primaire ouvre le débat sur la frontière entre la prévention primaire et la promotion de la santé. Cette dernière se réserverait-elle les mesures universelles valables pour tous, tandis que la prévention se confinerait à des groupes spécifiques ? Goldston [25] propose de considérer que la promotion de la santé fait partie du champ « éducationnel », et non du champ clinique, puisqu'il s'agit d'augmenter les capacités des personnes à gérer les crises et à améliorer leur vie personnelle. Cette différenciation a, bien entendu, des conséquences directes dans le domaine qui nous concerne ici. Selon ce modèle, la promotion de la santé est donc réduite à la partie « éducative » des mesures de prévention primaire dites universelles.

Le comité de la Santé mentale du Québec distingue, quant à lui, ces deux domaines relativement aux :

– *objectifs* : diminuer l'incidence versus accroître le bien-être personnel et collectif ;

– *moyens* : éliminer ou réduire les facteurs de risque versus développer les facteurs de résistance et les conditions favorables à la santé mentale ;

– *cibles* : population générale dans les deux cas mais sous-groupes différents ;

– *moments* : avant l'apparition des symptômes versus à tout moment ;

– *modèles* : épidémiologie clinique versus psychologie du développement, modèle écologique et socioculturel.

Avec une définition large de la santé mentale comme celle que nous avons adoptée, on est bien obligé d'admettre que tout ce qui concoure à la santé mentale fait partie du champ de la planification.

Ressources

Dans un projet qui a pour but d'aider à la planification, il paraît difficile de ne pas s'interroger sur les ressources, souvent appelées moyens humains ou matériels, qui sont en quelque sorte l'objet de cette planification, directement ou indirectement. Les ressources des deux états sont décrites dans les fiches techniques 7 et 8. Le lecteur pourra également se référer à la fiche technique 12 qui traite des systèmes d'information et propose des résultats. Cependant, nous évoquerons ici les aspects les plus récents en matière de description des systèmes à des fins de comparaison. Quel que soit l'état, la description des moyens doit être replacée dans le contexte de la désinstitutionnalisation.

Désinstitutionnalisation

Dans le secteur des soins de santé mentale, le mouvement de désinstitutionnalisation qui consiste à faire sortir les patients des hôpitaux psychiatriques et à leur proposer des soins à l'extérieur est en marche depuis au moins quatre décennies [42]. Malheureusement, ce mouvement qui visait à améliorer les conditions de vie des patients s'est fait dans un contexte de restriction budgétaire qui, dans certains pays, a littéralement jeté dans la rue les malades mentaux.

En France, la politique dite de secteur a été mise en place dans ce but dès 1960 pour n'être effective qu'après de nombreuses années. La diversification des ressources a, en revanche, été relativement bien mise en œuvre, et la plupart des secteurs qui couvrent une population d'environ 70 000 habitants pour les adultes comportent, outre des lits d'hospitalisation plein temps, des ressources alternatives : appartements supervisés, familles d'accueil, hôpitaux de jour et centres d'accueil à temps partiel placés sous la responsabilité d'une équipe pluridisciplinaire unique pour favoriser la continuité des soins. De plus, une allocation pour adulte handicapé, à laquelle s'ajoute une aide au logement, permet en principe une certaine autonomie financière.

Cette désinstitutionnalisation n'est toutefois pas terminée. Il existe encore quelques secteurs dans lesquels les durées de séjour sont très longues et où les alternatives n'ont pas encore été mises en place. De plus, la complémentarité avec le secteur social chargé du handicap, dont la responsabilité est celle des collectivités locales, a du mal à se mettre en place, ce qui fait que les personnes souffrant de maladies mentales trouvent difficilement des places dans les ateliers protégés et plus généralement dans la vie active. On note aussi la présence, parmi les sans-abri, d'un certain pourcentage de personnes souffrant de problèmes psychiatriques sévères et qui ont été en contact avec le système de soins spécialisés. Les relations avec le système de soins primaires, et plus spécifiquement les généralistes, restent aléatoires quoique très satisfaisantes dans de nombreux secteurs [36].

Au Québec, ce mouvement a connu des rythmes différents, des essoufflements, de nouveaux acteurs et un ressourcement récent grâce au plan d'action du ministère [50].

L'une des réformes majeures des services sociaux et de santé a été dénommée « virage ambulatoire ». Elle fut mise en œuvre à la suite du rapport d'une commission qui avait diagnostiqué une sclérose dans le système québécois et la nécessité de passer d'un système centré sur les soins hospitaliers à un système axé sur la personne dans son milieu de vie. Le virage ambulatoire reposait, entre autres choses, sur la possibilité de limiter les durées d'hospitalisation, en partie par le passage à la chirurgie ambulatoire (1995).

De fait, le secteur psychiatrique avait, quant à lui, effectué le « virage ambulatoire » bien avant les autres spécialités médicales. Néanmoins, dans cette période comprise entre 1995 et 1998, il n'a pas échappé à une accélération du processus de fermeture de lits psychiatriques et de réduction du personnel : on estime que le nombre de lits est passé en quatre ans de 1 pour 1 000 à 0,68 pour 1 000 habitants. De plus, on a assisté au déploiement plus récent de modalités de suivi intensif dans la communauté, autorisant un soutien à domicile des personnes souffrant des troubles mentaux les plus sévères [22].

La prise en compte de ces différents mouvements repose, entre autres choses, sur une méthode de description des services qui permette des comparaisons dans le temps et l'espace.

Description des services

La description des services, au sens des services effectivement délivrés aux usagers, est complexe en raison, par exemple, des problèmes de délimitation du champ des interventions, de la diversité des ressources tant à l'intérieur d'un pays qu'à travers les différents pays. Cette diversité englobe les intervenants, les lieux d'intervention et les systèmes d'organisation des services.

Au Québec, par exemple, il n'existe pas de système uniforme de description des ressources. Bien entendu, il existe des définitions de certains types de ressources qu'on peut trouver de manière éparse dans un texte de loi ou un cadre de référence quelconque (par exemple, celui sur les ressources de type familial). Lorsque le planificateur souhaite faire des comparaisons sur les ressources de différentes régions ou sous-régions, la tâche s'avère pratiquement impossible tant les modèles et les terminologies diffèrent géographiquement. Dans une telle situation, une classification des ressources allant au-delà des termes utilisés pour les désigner dans un endroit particulier s'avérerait un instrument fort utile au planificateur.

Un premier niveau concerne la description des équipements :

– nombre de lits en hospitalisation complète ;

– nombre de places en « alternative » : famille d'accueil, centres de réadaptation ;

– nombre de places/lits en hospitalisation partielle ;

– nombre de places/actes en centre de soin à temps partiel ou en centre de crise ;

– nombre de consultations, visites à domicile.

On constate déjà comme il est difficile d'obtenir des lits, des places, des soins voire des actes suivant les ressources, et l'on voit bien que, suivant le type de ressource, l'unité de mesure sera différente. En outre, la distinction entre ressources supervisées et non supervisées peut être complexe, comme dans le cas des appartements « thérapeutiques » ou « associatifs », voire dans une hospitalisation à domicile ou encore un maintien à domicile comportant de nombreuses visites à domicile. En France, un arrêté paru en 1986 [45] permet, en principe, une description assez précise de toutes les ressources du système de santé. Il existe aussi des descriptions des ressources du système d'aide sociale ou mixte de type médico-social. Ces définitions – qui ont amélioré la description des services – ne peuvent, bien entendu, pas être utilisées telles quelles lorsque l'on fait des comparaisons internationales, d'où la nécessité de trouver un système international.

D'autres caractéristiques sont également à prendre en compte :

– le statut de la ressource et ses modalités de financement : public/privé ; privé avec ou sans but lucratif, santé/social ou mixte ;

– le lieu : hôpital général, hôpital psychiatrique ;

– la taille.

Ces caractéristiques semblent décrire les principales ressources, mais bien d'autres éléments sont nécessaires incluant les modalités d'organisation : intégration des systèmes intra- et extrahospitaliers, système fondé sur une territorialité (sectorisation), intégration du système de soins primaires (CLSC, généraliste) au système de soins psychiatriques, intégration des ressources de type « social » ou « médico-social » aux ressources médicales, relations entre les différents éléments des systèmes. En outre, les personnes qui prodiguent des soins peuvent avoir des formations et des appartenances professionnelles très différentes suivant les pays. Par exemple, des infirmières peuvent être responsables de prescription et des généralistes peuvent pratiquer des psychothérapies dans un pays tandis que cela est tout à fait impossible dans un autre.

Toutes ces caractéristiques peuvent servir à décrire les ressources et permettre des comparaisons entre les nations comme dans la description proposée par l'OMS [78] dans un projet comparatif, le Mental Health Treatment System Survey (MHTSS). Nous avons récemment adapté ce document dans le cadre d'une comparaison européenne des systèmes de soins psychiatriques [37]. Cet outil permet de recueillir les éléments de base sur les systèmes de soins indispensables à la description des ressources. On doit cependant le compléter par la classification internationale des services de santé mentale (ICMHC) à laquelle nous avons déjà fait allusion. Cette classification définit des modalités de soins qui sont réalisés dans les lieux de soins, dans des proportions variables, telles que :

– établir et maintenir des relations ;

– évaluer les problèmes et les habiletés ;

– coordonner les soins ;

– apporter des soins de santé physique ;

– apprendre à gérer les activités quotidiennes ;

– pratiquer des interventions psycho-pharmacologiques et somatiques ;

– pratiquer des interventions de type psychologique ;

– apprendre ou réapprendre les habiletés de base, relationnelles et sociales ;

– s'occuper des activités quotidiennes ;

– proposer des interventions concernant la famille, les proches ou d'autres personnes.

Toutes les interventions doivent pouvoir entrer dans ces catégories, qu'elles soient de type curatif ou de réadaptation. Chaque ressource est considérée comme un module dans lequel se font un ou plusieurs types d'interventions dans des proportions qui peuvent être précisées. La description du module comporte également son nom, sa position dans le système, le type de lieu dans lequel il opère (hôpital, centre de jour), la population desservie (jeunes, personnes âgées), les techniques principales utilisées et son orientation générale.

Ce système de classification est relativement complexe, mais il semble être la seule façon de prendre en compte les nombreuses interventions qui se font dans des contextes très divers. Ainsi se doit-on de partir des besoins et des interventions pour, en quelque sorte, reconstituer la ressource et la situer dans le système auquel elle appartient. De cette manière seulement, il devient possible de faire des comparaisons inter- ou intranationales. À ce système peut s'ajouter un instrument qui permet de décrire graphiquement les services : la cartographie européenne des services (European Service Mapping Schedule [ESMS]) [30] qui est une procédure standardisée permettant de produire un « arbre des services ».

Cet instrument comporte quatre sections principales :

1. Les *questions d'introduction* concernent la zone de recrutement et la population à laquelle le plan s'adresse.

2. Les *arbres de cartographie des services* constituent une méthode standardisée pour lister et classer les services pour la population d'une zone de recrutement, sur la base des principales fonctions de service.

3. Les *arbres de comptabilisation des services* constituent une méthode standardisée pour mesurer les niveaux de recours aux services par la population d'une zone de recrutement donnée, pour chacune des principales catégories de service.

4. L'*inventaire des services* permet de présenter de manière plus détaillée les caractéristiques des services donnés ; il complète l'information apportée par le deuxième point et fournit une structure visant à réaliser un inventaire complet des services locaux.

Le plan permet ainsi de réaliser les tâches suivantes de manière standardisée :

– dresser un inventaire des services de santé mentale s'adressant à la population adulte atteinte de troubles mentaux dans une zone de recrutement donnée, avec la description de leurs principales caractéristiques. Cet inventaire inclut la prestation de services par les services de santé, les services sociaux, le secteur du bénévolat et le secteur privé ;

– enregistrer les évolutions, au cours du temps, des services assurés dans une zone de recrutement donnée ;

– décrire et comparer la structure et l'éventail des services de santé mentale dans les différentes zones de recrutement ;

– mesurer et comparer entre zones de recrutement les niveaux de prestation des principaux types de services de santé mentale.

Le plan de cartographie des services a été conçu pour permettre des comparaisons internationales, ou du moins européennes. Il devrait être possible d'affecter la plupart des services hospitaliers, de jour, ambulatoires et communautaires destinés aux malades mentaux dans des catégories proposées.

BESOIN DE SOINS EN SANTÉ MENTALE : CADRE DE RÉFÉRENCE

Dans le domaine de la santé mentale, plus que dans les autres disciplines médicales, la « demande » peut être très différente du « besoin ». Elle est d'ailleurs, contrairement aux idées reçues, généralement en deçà du besoin. L'accès aux soins doit, bien entendu, être équitable pour tous les membres de la société qui en ont « besoin » et se faire dans un souci d'économie de moyens. En outre, la prise en charge des problèmes de santé mentale implique une participation de tout le système de santé, y compris le système de soins primaire et du système de soutien social.

LA QUESTION DE LA DEMANDE DE SOINS EN SANTÉ MENTALE

La demande de soins en psychiatrie est l'aboutissement d'un cheminement complexe dans lequel interviennent de nombreuses variables personnelles et sociologiques et souvent d'autres soignants qui œuvrent en amont [32] (fig. 1-4). Goldberg et Huxley [23] proposent un modèle qui illustre ces différents « filtres » d'accès aux soins en psychiatrie. Le cercle D représente les patients détectés par le généraliste et adressés au psychiatre qui peut ou non, suivant le système de santé du pays, recevoir des usagers sans cet intermédiaire, tandis que le cercle B représente la morbidité psychiatrique dans la population. Ce modèle correspond globalement à la prise en charge de troubles qui font l'objet d'une démarche personnelle et ne concerne pas les troubles de type délirant pour lesquels les circuits d'accès aux soins sont relativement différents.

On voit que si ces cercles se recoupent, ils ne sont pas identiques. Le diagramme illustre, notamment, l'importance quantitative de la participation des généralistes dans la prise en charge des problèmes psychiatriques et la quantité des cas qui ne sont pas reconnus par lui comme tels. Il montre aussi qu'une partie des personnes souffrant de troubles psychiatriques ne consultent pas dans le circuit médicalisé. De fait, la demande de soin implique de la part du patient la prise de conscience d'une souffrance exagérée qui

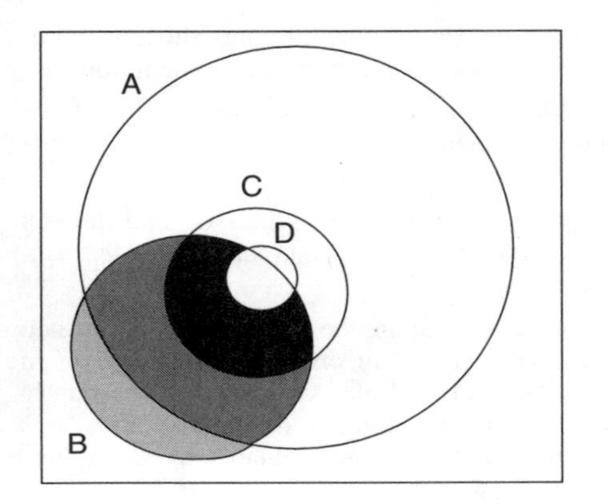

A (80 p. 100) a vu son médecin de famille dans la dernière année

B (10-25 p. 100) a présenté un trouble de santé mentale dans la dernière année

C (5-15 p. 100) reconnu comme ayant un trouble de santé mentale par son médecin

D (2 p. 100) référé et vu par les services psychiatriques

FIG. 1-4. – RAPPORT ENTRE LA PRÉVALENCE DES TROUBLES MENTAUX ET L'UTILISATION DES SERVICES (d'après Goldberg et Huxley [23]).

serait reconnue comme un problème de santé mentale ou, plus précisément, désignée par exemple comme nervosité ou dépression. Or, les relations entre les maladies telles qu'elles sont décrites dans les principales classifications admises par le corps professionnel et telles qu'elles sont perçues par les sujets sont très variables.

Par exemple, lors d'une enquête menée auprès de personnes vivant dans des conditions sociales difficiles (enquête sur les conditions de vie des défavorisés, INSEE, 1986-1987) seulement 25 p. 100 des personnes considérées comme déprimées suivant les critères d'un épisode dépressif majeur DSM-III se déclaraient déprimées en réponse à une question directe sur cet état. La plupart des symptômes ressentis – perte d'appétit, de sommeil, d'envie de vivre, culpabilité excessive – n'étaient pas vécus comme des signes de dépression [35]. Au Québec, dans une étude où la dépression vécue par les personnes a été comparée à celle rapportée par leur entourage, on remarquait que ce dernier était beaucoup plus sensibilisé à l'incapacité de la personne à accomplir ses fonctions habituelles qu'à ses sentiments de désespoir ou de profonde tristesse [37].

Non seulement la conscience de ressentir une forme de souffrance de type « maladie » ou même d'avoir un « problème de santé mentale » est variable suivant les classes sociales, mais elle est aussi influencée par d'autres facteurs tels que les opinions de l'entourage. Vient ensuite l'attitude par rapport au système de soins. Pour formuler une demande de soin, il ne suffit pas au sujet de concevoir qu'il a un problème, il lui faut également admettre que ce problème peut se soigner. Or, nombreuses sont les personnes qui pensent que les troubles de santé mentale sont incurables ou encore, à l'opposé, qu'ils s'amélioreront d'eux-mêmes avec le temps. Si la possibilité d'une amélioration apportée par des soins est acquise, et envisagée par le demandeur, celui-ci devra ensuite prendre la décision de s'adresser à un médecin généraliste, à un psychologue ou, plus rarement, à un psychiatre.

La consultation faite auprès du médecin généraliste peut aboutir à un diagnostic psychiatrique. La personne est alors soit prise en charge par le généraliste, ce qui est le cas le plus fréquent, soit adressée au système de soin spécialisé, public ou privé, qui peut par la suite réadresser cette personne au généraliste pour son suivi. Dans certains systèmes, le transfert au spécialiste ne peut avoir lieu sans une décision du généraliste (*gate keeper*, dans le système anglais). Dans d'autres systèmes, la personne peut s'adresser directement à un psychiatre ou à une consultation dans le système public sans passer par le généraliste.

Parfois, cette même consultation ne donne pas lieu à la reconnaissance du diagnostic psychiatrique par le médecin généraliste et, par conséquent, n'est pas prise en charge. Cette reconnaissance dépend, en effet, elle aussi de nombreux facteurs comme le style d'entretien (directif, centré sur les symptômes physiques), l'intérêt éprouvé par le praticien pour le domaine de la psychiatrie, sa formation, la présentation du patient et sa propre réticence à aborder ses problèmes de santé mentale.

Les personnes ayant un problème de santé mentale consultent fréquemment les généralistes car la plupart des problèmes de dépression ou d'anxiété coexistent avec des migraines, des maux de dos ou encore certains troubles digestifs. Si cela est généralement admis, il est en revanche plus difficile d'établir la manière dont sont diagnostiqués les problèmes psychiatriques lors de ces consultations. À cela s'ajouteront les problèmes d'accessibilité aux soins : présence ou éloignement des spécialistes, listes d'attente parfois assez longue, voire perte des droits à la protection sociale.

Toutes ces notions doivent être intégrées dans les mesures du besoin puisqu'un problème qui n'est pas ressenti comme tel n'aboutira pas à une demande. Dans ce cas, il est préférable de proposer des actions d'information, tant sur les symptômes que sur leur possibilité de traitement, plutôt que de mettre en place des offres de prises en charge qui risquent de ne pas être utilisées.

LA QUESTION DU « RETENTISSEMENT[3] » ET DE LA GÊNE

La question du retentissement est un concept charnière entre le symptôme et le besoin de soin. Elle a été introduite dès 1952 par l'équipe de Stirling County [51] qui considérait qu'il fallait ajouter « quelque chose » à la morbidité pour avoir un besoin de soin. Ce « quelque chose » a été formalisé par le retentissement et repris dans l'étude de Hagnell [27] qui recherchait le retentissement dans la vie quotidienne.

Ce concept a depuis été repris dans plusieurs études où l'on considère que le besoin de soin est à la fois la présence d'un trouble et un retentissement sur le fonctionnement. Bebbington [5] l'a également repris récemment. Il estime que les mesures des troubles mentaux en population générale concernent souvent des troubles relativement modérés et que, par conséquent, il faut introduire des mesures supplémentaires pour arriver à traduire ces troubles en besoin de soins. Par ailleurs, soulignons que Leighton et Murphy [41] considéraient que, par définition, les troubles psychotiques étaient synonymes d'un besoin de soins et qu'il n'était nécessaire de prendre en compte le retentissement seulement que pour les troubles névrotiques. Cette position a été reprise dans des enquêtes récentes.

Le retentissement est en général fonctionnel mais il peut être psychique : c'est la souffrance. Dans les deux cas, on parle de troubles significatifs. La sévérité des troubles est un élément lié au retentissement : plus le trouble est sévère, plus le retentissement est important, même si le parallélisme n'est pas total. De plus, le retentissement ou la sévérité sont des notions difficiles à mesurer. Dans une étude de validation du CIDIS où cet instrument était comparé à un instrument clinique, le SCAN, c'est l'évaluation du retentissement des symptômes sur la vie quotidienne qui posait le plus de problèmes car, dans un cas, il s'agissait de l'opinion déclarée de la personnes interviewée et, dans l'autre, de l'évaluation d'un clinicien. Il est important de noter qu'il pouvait y avoir des variations dans les deux sens : sur- et sous-estimation du retentissement. La sévérité est, quant à elle, mesurée par des échelles de valeurs spécifiques qui correspondent aux différents troubles ; il existe aussi des échelles globales de sévérité.

Enfin, la notion de durée des symptômes semble une composante clef dans la définition du besoin de soins ; dans une certaine mesure le besoin concerne les troubles qui durent. La mesure de cette notion de durée n'est toutefois pas évidente. Bebbington [5] propose, par exemple, d'utiliser une période de six semaines pour considérer l'existence d'un besoin de soin, quoique les critères diagnostiques d'un épisode dépressif majeur n'exigent qu'une période de deux semaines. À un degré supérieur, on pourrait établir que seuls les troubles qui ne s'arrêteraient pas spontanément sur une certaine période constitueraient des besoins de soins. Cet argument serait valable s'il existait des critères permettant de prévoir l'évolution spontanée du trouble vers la guérison. Par exemple, on sait que les troubles névrotiques sont réputés spontanément curables dans 40 p. 100 des cas [62]. En fait, on manque d'études de suivi en population générale avec groupe contrôle permettant de comparer les différents traitements, y compris la prise en charge dans le système de soins primaire ou spécialisé et l'évolution sans traitement.

MESURE DES BESOINS INDIVIDUELS

Le prototype de la réponse aux besoins de santé dans nos sociétés est celui de la demande d'aide d'un individu. Dans le modèle qui prévaut dans le contexte des services sanitaires et sociaux, cette demande donne lieu à une évaluation au cours de laquelle le besoin ressenti par la personne est mesuré par l'intervenant en fonction de sa formation (médecin, infirmier, travailleur social, etc.) et de sa conception des problèmes pour lesquels son intervention peut aider. De cette évaluation s'engage une négociation d'où découle un contrat thérapeutique sur les problèmes ciblés, les interventions offertes et les résultats attendus. Ce modèle se rapporte facilement aux notions évoquées dans les paragraphes précédents au niveau de la demande (besoin exprimé), des ressources (offre de service) et de l'utilisation des services (résultat de la négociation entre l'usager et les intervenants).

Pour la plupart des intervenants en santé mentale, répondre aux besoins des usagers ne représente rien de nouveau, les intervenants ont toujours tenu compte des besoins. Il importe de préciser que le degré de négociation entre l'intervenant et la personne peut varier et a évolué dans les dernières décennies. D'une relation à caractère autocratique où l'intervenant dominait la négociation avec ses connaissances et son statut social, on évolue, sur la pression du mouvement des consommateurs, vers une ère de partage d'information sur la nature de la condition, de l'impact des interventions et des alternatives. Dans le champ de la réadaptation psychosociale, on se dirige même d'une approche centrée sur les besoins des usagers vers une approche menée par les usagers [13].

Les intervenants de la santé mentale, en particulier ceux œuvrant dans les secteurs en France ou au Québec, ou dans le champ de la réadaptation psychosociale, ont aussi été regroupés en équipes multidisciplinaires, ce qui doit en principe améliorer la prise en compte des différentes dimensions des états de santé mentale, des déficits et des handicaps. On peut soutenir que, dans de telles équipes, l'approche professionnelle se lit aussi comme une approche par résolution de problème, où l'évaluation conduit à identifier les problèmes pour lesquels on détermine l'action à mener après négociation entre l'équipe et la personne ; la séquence se boucle par l'évaluation qui mesure le succès des actions prises et qui conduit d'autres actions. Ce modèle individuel et professionnel indique que la perception des besoins de la part de la personne et de la

(3) Le retentissement désigne ici le dysfonctionnement social.

part de l'intervenant peut différer et que le besoin négocié devient l'action réalisable. Cette action peut différer de celle qui est jugée la plus efficace par d'autres intervenants, par d'autres experts, et peut aussi ne pas être disponible. On peut enfin imaginer des situations où les intervenants agissent sans qu'il y ait demande ou négociation – exemple quand une personne, jugée dangereuse pour elle-même ou autrui et souffrant de trouble mental, est amenée de force dans les services d'urgence.

Les procédures individuelles de mesure des besoins que nous décrirons plus loin dans ce rapport (*voir* fiche technique 5) ont misé sur ces considérations et offrent des méthodologies qui n'excluent pas les différences de point de vue et examinent de façon systématique les problématiques de santé mentale et les interventions requises.

BESOIN DE SOINS

Définition

« *Un besoin existe : 1) si une personne souffrant de maladie mentale présente un problème significatif dans les sphères cliniques ou sociales ; et 2) si une intervention thérapeutique ou sociale peut réduire ou contenir le problème* [75]. »

On voit donc surgir certains concepts clefs : la nécessité d'avoir un problème de santé mentale clairement identifié et « significatif », c'est-à-dire d'une certaine intensité et l'existence d'une intervention efficace. On remarque par ailleurs l'importance donnée aux problèmes sociaux, pour autant qu'ils soient présents chez une personne souffrant de maladie mentale identifiée puisque ces interventions peuvent être de nature clinique ou sociale et impliquer le secteur sanitaire ou social. Cette notion de besoins implique trois niveaux :

– les problèmes ou les conséquences de l'état de santé mentale ;

– les interventions pour améliorer, contenir, maintenir cet état ou ses conséquences ;

– la réponse aux besoins, soit les ressources pour fournir ces interventions.

Cette définition implique clairement que la présence de problèmes de santé mentale n'équivaut pas à un besoin de santé mentale. De même, l'identification d'un volume d'intervention ou de ressources n'équivaut pas à déclarer ces derniers comme étant équivalents aux besoins. En effet, tous les problèmes n'ont pas une solution ; toutes les interventions ne sont pas justifiées (il peut s'agir d'une prestation excessive de services ; de plus, dans un souci d'efficience, il faut tenir compte du niveau minimal de spécialisation pour prodiguer une intervention qui peut parfois être faite par un intervenant trop spécialisé pour la tâche). La mesure de ces états de santé mentale, de ces interventions ou de ces ressources n'équivaut donc pas à mesurer les besoins, même s'ils représentent des mesures essentielles pour y arriver, ou même si parfois, à l'intérieur de certaines balises, ils représentent des mesures indirectes des besoins.

Mesure des besoins en santé mentale d'une population

Les besoins d'une population représentent plus que la somme des besoins individuels de santé mentale et des interventions requises. Ils sont en effet définis également par la vision collective, politique et culturelle de la santé mentale. La réponse aux besoins d'un individu ne peut se poser dans la seule vision d'une motivation et d'une action de ce dernier, mais aussi dans un contexte social et culturel qui codifie la manière dont on définit et l'on répond à ses besoins. Ainsi les besoins de santé mentale perçus par les individus vont-ils varier selon les perceptions différentes d'avoir un problème de santé mentale, selon les possibilités d'être aidé, l'accès aux ressources et les expériences antérieures [33, 44, 57, 60]. Cette vision a été reflétée dans les lignes précédentes sur la santé mentale et les soins, par les notions de besoins ressentis, de besoins exprimés, de demande et d'utilisation des services. Notre définition de besoin a pris soin de traiter le besoin comme des états de santé mentale pour lesquels il existe des interventions – et nous devrions ici préciser, des interventions qui seraient acceptées par la personne.

L'interprétation des différentes mesures des besoins des populations devra tenir compte de notre définition et de ces contextes. Bradshaw [10] avait ainsi proposé de prendre en compte et de distinguer des mesures au niveau des besoins ressentis, des besoins exprimés, des besoins normatifs et des besoins comparatifs. Si les deux premiers sont explicites, le troisième implique des besoins définis par les experts, par exemple les guides de bonne pratique qui décrivent les interventions les plus adaptées aux conditions. Le quatrième implique que, pour une condition donnée, les besoins d'intervention des personnes n'utilisant pas les services seraient les mêmes que ceux des personnes bénéficiant actuellement des services. Ces dernières stratégies se retrouvent dans des procédures d'évaluation de besoins utilisées pour les enquêtes menées auprès de populations pour en établir les besoins : si elles sont les seules considérées, on ne peut que souligner comment on peut errer face aux besoins et aux stratégies pour y répondre. Ainsi l'identification de sous-groupes de la population présentant des troubles mentaux mais qui ne les voient pas comme tels, et qui ne consulteront pas même si les ressources sont disponibles, appelle-t-elle plus une stratégie de déploiement des programmes de promotion pour sensibiliser aux problèmes de santé mentale et aux interventions potentiellement efficaces. De même, l'étude du Colorado et la figure qui l'accompagne, présentées précédemment (*voir* fig. 1-3) pour définir les états de santé mentale, ne doivent pas être vues comme une définition des besoins en santé mentale. En effet, il serait tentant de considérer que le nombre de personnes présentant un trouble mental et un dysfonctionnement représentent les personnes ayant des besoins de soins en santé mentale. Cependant cette définition ne tiendrait pas compte des personnes qui n'ont pas conscience de leurs problèmes, de celles qui refuseraient les interventions et de celles pour lesquelles aucune intervention efficace n'est disponible.

Une définition des besoins des populations axée sur la réponse aux problématiques de l'usager est également insuffisante pour déterminer les priorités, l'organisation et la formation des ressources les plus efficaces. Il faut admettre qu'une certaine réponse aux besoins d'une population peut être néfaste à certains individus ; par exemple, choisir de cesser d'offrir une forme de traitement très onéreuse bénéficiant à quelques individus pour diriger les ressources vers des interventions bénéficiant à un plus grand nombre, mais pas aux premiers individus. Par ailleurs, une réponse excessive aux besoins des usagers peut produire des effets délétères au niveau de la population si l'on considère la manière dont un déplacement excessif des ressources dans ces systèmes de soins et de services sociaux peut défavoriser des systèmes comme l'éducation et l'emploi, qui représentent aussi des déterminants majeurs de la santé mentale.

Enfin, les besoins sont conditionnés par les moyens que la société accepte de mettre en œuvre pour faire face à un problème donné. Dans les pays démocratiques, cette décision doit être débattue devant les représentants élus et décidée par un vote. Plus localement, cette représentation peut être obtenue par la participation de citoyens non malades à la définition des besoins, parallèlement aux représentants des usagers et de leur famille qui représentent un point de vue parfois différent.

Pour favoriser la négociation nécessaire à l'arbitrage des décisions, tout en gardant à l'esprit les besoins des individus, nous avons proposé de distinguer dans notre définition les besoins d'intervention et les ressources nécessaires pour répondre à ces besoins. Ces derniers sont fonction des premiers et sont constitués du personnel soignant et des lieux de soins, étant entendu qu'on recherchera les méthodes d'organisation ayant la meilleure efficience.

Suivant cette logique des besoins définis au niveau d'une population, il est plus facile de soutenir qu'une logique d'efficience représente une valeur incontournable si l'on veut répondre aux besoins du plus grand nombre à l'intérieur des ressources disponibles. Ainsi des auteurs britanniques ont-ils proposé de délimiter quatre grands types de besoins pour faire ressortir que, à l'intérieur d'une enveloppe budgétaire finie, la marge de manœuvre financière doit être trouvée à l'intérieur des autres catégories [67] :

– personnes pouvant bénéficier d'interventions (besoins non comblés) ;

– personnes recevant des interventions inefficaces pour leur état (ces interventions potentiellement efficaces par ailleurs pourraient être fournies à d'autres personnes) ;

– personnes recevant des interventions fournies de façon non efficiente (c'est-à-dire avec une intensité trop grande ou avec des ressources trop spécialisées et donc plus onéreuses : les ressources pourraient être réservées à d'autres personnes) ;

– personnes recevant des interventions inadéquates pour leur état (et qui pourraient bénéficier d'interventions plus appropriées).

Dans une telle optique de ressources finies, un plus grand nombre de personnes pourraient bénéficier de soins si l'on parvenait à identifier celles qui reçoivent des interventions inefficaces ou non efficientes et celles qui peuvent bénéficier d'interventions.

Les « vrais » besoins, la réponse à ces derniers se situent non pas au niveau strictement individuel, ni au niveau de la population, mais dans une constante mesure de l'un et l'autre pour faire émerger à leur rencontre la meilleure réponse aux besoins définis selon ces perspectives [75].

Besoin de soins et planification

La figure 1-5 permet de mieux saisir la définition que nous proposons et ses liens avec les paragraphes sur la santé mentale, les soins et l'utilisation des ressources, et la planification. Considérons d'abord les éléments de la définition et de la figure.

Il convient de signaler rapidement sur le plan sémantique que cette définition, comme celles évoquées précédemment, évite de faire appel à la notion de besoins de services. En effet, la notion de services peut impliquer dans certains contextes des interventions, dans d'autres des intervenants ou des programmes. Il est certes parfois difficile d'évoquer une intervention sans penser à une ressource la fournissant. On note ensuite comment les besoins représentent une *charnière* entre les états de santé mentale et les interventions. La réponse à ces besoins, en termes de ressources pour accomplir ces interventions, correspond à ce que nous appelons les besoins de ressources. La figure 1-5 rappelle que notre cadre conceptuel et la définition des états de santé mentale englobent les trois dimensions de trouble mental, de dysfonctionnement social et de détresse psychologique ; les interventions comprennent celles de soin, de réadaptation et de réinsertion, mais aussi celles de prévention et de promotion faites à un niveau individuel. La définition rappelle aussi que les interventions ne sont pas ici limitées aux traitements médicaux ou psychologiques, mais comprennent des interventions sociales individuelles et sur l'environnement de l'individu. Les interventions ne se limitent pas à celles en provenance du secteur sanitaire : spécialisé ou généraliste (primaire), mais incluent celles en provenance des secteurs social et associatif. Les ressources comprennent les personnels (par exemple, les médecins, les psychologues, les intervenants de ressources associatives), les points de services (par exemple, une unité hospitalière, un atelier protégé, un centre de jour) et les programmes (par exemple, programme d'admission dans les lits de long séjour).

Nous avons choisi de souligner de façon distincte dans la figure 1-5, les besoins de prévention et de promotion, définis au niveau de populations, pour garder une cohérence avec le modèle de Pineault et Daveluy [59], présenté dans la section de ce chapitre sur la planification. Nous aurions pu l'intégrer dans le niveau des interventions, établissant alors un lien plus direct avec

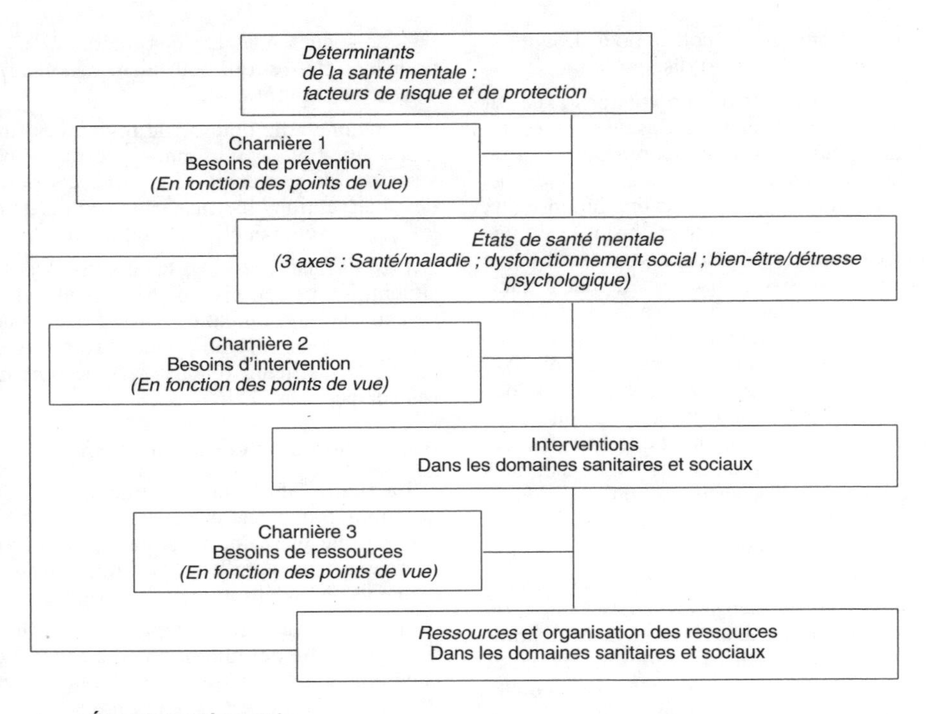

États de santé mentale

Axe Santé/maladie

Troubles psychotiques
Troubles névrotiques (y compris subcliniques)
Troubles de la personnalité, abus de substances
Déficiences
Démences
Groupes à risque
Pas de trouble ou de risque

Axe dysfonctionnement social (« retentissement »)
Axe bien-être/détresse psychologique

Interventions

Promotion
Prévention
Soins (traitements)
Réadaptation
Réinsertion

Ressources et Organisation des ressources

Personnel et volontaires
Points de services
Programmes

Planification au niveau de l'installation dispensant le service, par exemple établissement
Planification niveau bassin de vie, niveau local
Planification régionale
Planification nationale

Points de vue

Usagers/proches
Intervenants
Planificateurs
Citoyens, communauté, société

FIG. 1-5. – REPRÉSENTATION DES BESOINS DE SANTÉ MENTALE.

les ressources. Ces besoins de prévention comprennent, par exemple, un programme national de prévention du suicide.

Toujours en rapport avec le modèle de Pineault et Daveluy présenté plus tôt, on notera que la notion de besoins ici proposée est plus large et ne se limite pas à définir les besoins uniquement en termes d'écart entre ce qui est souhaitable et ce qui existe. En effet, il n'existe pas que des besoins non comblés, mais aussi des besoins en santé mentale actuellement satisfaits : notre définition des besoins en santé mentale comprend à la fois ces besoins comblés et ceux non comblés. On risque moins, avec la définition proposée ici, de passer sous silence ce qui est actuellement comblé et qui pourrait facilement être oublié dans les exercices de planification si l'on ne définit les besoins qu'en fonction de ce qui est non satisfait.

La figure 1-5 a pour but de souligner comment la définition des besoins doit tenir compte des niveaux de planification/allocation des ressources. Elle inclut ainsi la dimension de l'espace géopolitique où s'effectuent la planification et l'allocation des ressources car, comme nous le verrons dans les chapitres suivants, les tâches à chaque niveau, tant des planificateurs que des groupes d'intervenants ou d'usagers ne sont pas les mêmes, non plus que les types de stratégies et d'outils de mesures des besoins les plus à même de les éclairer.

La figure 1-5 souligne aussi l'importance des points de vue des usagers et de leurs proches, de ceux des intervenants (professionnels, cliniciens, travailleurs des ressources associatives) et, enfin, de ceux des planificateurs et des membres de la collectivité. Les intervenants, après évaluation, proposent à la personne des options d'interventions et des priorités d'action. Les besoins pour cette personne ne se résument pas à cette approche professionnelle, car elle peut avoir développé une vision différente de ses problèmes, des priorités d'intervention et de qui devrait les fournir. Les familles peuvent aussi avoir une vision différente tant de la personne que des intervenants (*voir aussi* fiche technique 6). Notre proposition de définition des besoins doit prendre en compte les différences de perception et de situation selon la personne, l'intervenant, le planificateur et leur contexte. La définition des besoins tient compte de la diversité de perception des besoins. La détermination des besoins et des priorités dans les besoins nécessite la rencontre de la vision individuelle et de la vision épidémiologique des besoins. Elle nécessite le point de vue complémentaire, parfois contradictoire, des usagers, des proches, des intervenants, des planificateurs et de la communauté. Notre définition se fonde sur la reconnaissance de la légitimité et de la nécessité de tous les points de vue sur les besoins.

Si la réponse aux besoins est reconnue comme légitime par tous (planificateurs, intervenants, usagers), les besoins invoqués par les uns et les autres peuvent cependant avoir une signification différente. La tâche du planificateur et celle des intervenants est fort différente. Le planificateur doit s'assurer que les ressources nécessaires seront disponibles pour que les programmes et les intervenants soient en place au bon moment et à la bonne place pour fournir les interventions requises. On se doit de reconnaître comme légitime le planificateur qui cherche à allouer équitablement les ressources financières pour s'assurer que chaque région dispose des moyens pour offrir une gamme diversifiée de programmes en santé mentale, le clinicien qui fournit à son patient les interventions requises, le proche qui requiert des conseils, ou l'usager qui aspire à une vie sociale. Tous parlent de besoins en santé mentale ; tous définissent des besoins en santé mentale, tous surtout sont impliqués dans un système qui cherche à définir et combler les besoins en santé mentale [31].

Finalement, la grille de la figure 1-5 reprend des éléments clefs de ce cadre conceptuel des besoins présenté dans la définition précédente et intègre les définitions pertinentes des sections précédentes. Elle pourra aussi servir de point de repère opérationnel pour situer les mesures de besoins décrites dans les chapitres suivants.

RÉFÉRENCES

1. ALTAFER F, FISHER W. Applying the Colorado social health survey to mental health needs assessment in Massachussets. Evaluation and Program Planning, 1992, *15* : 215-216.
2. AMERICAN PSYCHIATRIC ASSOCIATION. Diagnostic and statistical manual of mental disorders, 3rd ed. 1987, Washington, American Psychiatric Association.
3. AMERICAN PSYCHIATRIC ASSOCIATION. Diagnostic and statistical manual of mental disorders, 4 th ed. 1992, Washington, American Psychiatric Association.
4. BACHRACH LL. Psychosocial rehabilitation and psychiatry : what are the boundaries ? Can J Psychiatry, 1996, *41* : 28-35.
5. BEBBINGTON P. Assessing the need for psychiatric treatment at the district level : the role of surveys. *In* : G Thornicroft, CR Brewin, J Wing. Measuring mental health needs. London, Gaskell, 1992 : 99-117
6. BERGERON L, TURGEON-KRAWCZUK F, VALLA JP et al. Dépistage des problèmes de santé mentale et des indicateurs de risque dans une population d'enfants de 4 à 8 ans fréquentant les écoles primaires de quatre territoires défavorisés de l'île de Montréal. Rapport d'étape. Conseil scolaire de l'île de Montréal, 1998 : 156 et annexes.
7. BLUM HL. Planning for health : generics for the eighties, 2nd ed. New York, Human Science Press, 1981 : 54.
8. BOYER R, PREVILLE M, LÉGARÉ G, VALOIS P. Psychological distress in a non-institutionalized population of Quebec : normative results of the Quebec health survey. Can J Psychiatry, 1993, *38 (5)* : 339-343.
9. BRADBURN NM. The measurement of psychological well-being. Health goals and health indicators, 1978 : 84-94.
10. BRADSHAW J. A taxonomy of social need. *In* : G McLachlan. Problems and progress in medical care. Essays on current research, 7 th series. Nuffield Provincial Hospitals Trust. London, Oxford University Press, 1972.
11. BRETON JJ. Prévalence des troubles mentaux et utilisation des services. Enquête québécoise sur la santé mentale des jeunes. Québec, Hôpital Rivière des Prairies/ Santé Québec, 1993.
12. BROWN GW, HARRIS T. Social origins of depression : a study of psychiatric disorder in women. New York, The Free Press ; London, Tavistock Publications, 1978.

13. CARPENTER M. Normality is hard work. Trade unions and the politics of community care. London, Lawrence et Wishart, 1994.
14. CIARLO JA, SHERN DL, TWEED DL et al. The Colorado social health survey of mental health service needs. Evaluation and Program Planning, 1992, *15* : 133-147.
15. COMITÉ DE LA SANTÉ MENTALE DU QUÉBEC. Recommandations pour développer et enrichir la politique de santé mentale. Sainte Foy (Québec), Les Publications du Québec, 1994.
16. COWEN EL. Baby-steps toward primary prevention. Am J Comm Psychol, 1977, *5* : 1-22.
17. DOHRENWEND BP, SHROUT PE, EGRI G, MENDELSOHN FS. Non specific psychological distress and other dimensions of psychopathology. Measures for use in the general population. Arch Gen Psychiat, 1980, *37* : 1229-1236.
18. DONABEDIAN A. The quality of medical care : how it can be assessed ? JAMA, 1988, *260* (*12*) : 1743-1748.
19. ENDICOTT J, SPITZER RL, FLEISS JL, COHEN J. The global assessment scale. Arch Gen Psychiat, 1976, *33* : 766-771.
20. FOUGEYROLLAS P, NOREAU L, BERGERON H et al. Social consequences of long term impairments and disabilities : conceptual approach and assessment of handicap. Int J Rehabil Res, 1998, *21* (*2*) : 127-141.
21. FRANK JD. Persuasion and healing Baltimore. Baltimore, John Hopkins Press, 1973.
22. GÉLINAS D. Le suivi dans le milieu de vie des personnes. Santé Mentale au Québec, 1999, XXIII, *2*, 7-16.
23. GOLDBERG D, HUXLEY P. Mental illness in the community : the pathway to psychiatric care. London, Tavistock Publications, 1980.
24. GOLDMAN HH, SKODOL A, LAVE TR. Revising axis V for DSM-IV : a review of measures of social functioning. Am J Psychiatry, 1992, *149* : 1148-1156.
25. GOLDSTON SE. Mental health education in a community mental health center. Am J Public Health, 1968, *58* (*4*) : 693-699.
26. GOLDSTON SE. National conference on mental health in public health training. Public Health Report, 1969, *84* (*2*) : 135-138.
27. HAGNELL O. Repeated incidence and prevalence studies of mental disorders in a total population followed during 25 years : the Lundby study, Sweden. Acta Psychiatr Scand, 1989, *348* (*suppl.*) : 61-77, 167-178 (discussion).
28. ILFELD FW. Psychological status of community residents along major demographic dimensions. Arch Gen Psychiat, 1978, *35* : 716-724.
29. JENKINS R. Towards a system of outcome indicators for mental health care. Indicators for mental health in the population. London, Department of Health, 1991 : 61-86.
30. JOHNSON S, KUHLMANN R ET LE GROUPE EPCAT. Le plan européen de cartographie des services (European Service Mapping Schedule [ESMS]), version 3, février 1997. Traduction française préliminaire par la firme pharmaceutique Lundbeck.
31. JORDAN J, DOWSWELL T, HARRISON S et al. Whose priorities ? Listening to users and the public. Br Med J, 1998, *316* (*7145*) : 1668-1670
32. KADUSHIN C. The friends and supporters of psychotherapy : On social circles in urban life. American Sociological Review, 1966, *31* (*6*) : 786-802.
33. KADUSHIN C. Mental health and the interpersonal environment : a reexamination of some effects of social structure on mental health. American Sociological Review, 1983, *48* (*2*) : 188-198.
34. KOVESS V. Mental health service description. Prospects for the future. Epidemiologia e Psichiatria Sociale, 1997, *6* (*suppl. 1*) : 91-103.
35. KOVESS V, BOURGET-DEVOUASSOUX J, CHASTAND A, ORTUN M. Enquête conditions de vie des défavorisés, INSEE 1986-1987. Paris, INSEE, 1992.
36. KOVESS V, GYSENS S, POINSARD R, CHANOIT PF. La psychiatrie face aux problèmes sociaux : la prise en charge des RMIstes à Paris. Information Psychiatrique, 1995, *3* : 273-285.
37. KOVESS V, MURPHY HB, TOUSIGNANT M. Are depression perceived by the public and depression described by DSM-III the same ? Can J Psychiatry, 1989, *34* (*9*) : 913-920.
38. KOVESS V, VALLA JP, TOUSIGNANT M. Psychiatric epidemiology in Quebec : an overview. Can J Psychiatry, 1990, *35* (*5*) : 414-418.
39. LEFEBVRE J, LESAGE A, CYR M et al. Factors related to utilization of services for mental health reasons in Montreal, Canada. Social Psychiatry & Psychiatric Epidemiology, 1998, *33* : 291-298.
40. LEIGHTON AH, HARDING JS, MACKLIN DB et al. The character of danger. New York, Basic Books, 1963.
41. LEIGHTON AH, MURPHY J. Primary prevention of psychiatric disorders. Acta Psychiatr Scand, 1987, *337* (*suppl.*) : 76.
42. LESAGE AD. Quatre décennies de désinstitutionnalisation au Québec : la longue marche vers un hôpital sans murs. *In* : J-P Claveranne, C Lardy. Colloque « La santé demain : vers un système de soins sans murs ». Centre Jacques-Cartier, Lyon, France, 8-10 décembre 1997. Paris, Economica, 1999.
43. MAC DONALD A. How can we measure mental health ? *In* : R Jenkins, S Griffiths. Indicators for mental health in the population. London, Department of health, 1991 : 25-29.
44. MECHANIC D. Health and illness behavior and patient-practitioner relationships. Social Science & Medicine, 1992, *34* (*12*) : 1345-1350
45. MINISTÈRE FRANÇAIS DE LA SANTÉ PUBLIQUE ET DE L'ASSURANCE MALADIE. Arrêté du 14 mars 1986 sur les équipements et services de lutte contre les maladies mentales comportant ou non des possibilités d'hébergement. Paris, 1986.
46. MINISTÈRE FRANÇAIS DE LA SANTÉ PUBLIQUE ET DE L'ASSURANCE MALADIE. Orientations de la politique dans le domaine de la santé mentale. Circulaire du 14 mars. Paris, 1990 : 6-7.
47. MINISTÈRE FRANÇAIS DE LA SANTÉ PUBLIQUE ET DE L'ASSURANCE MALADIE. Évolution des soins en psychiatrie et la réinsertion des malades mentaux. Rapport du groupe de travail. Paris, juin 1995.
48. MINISTÈRE DE LA SANTÉ NATIONALE ET DU BIEN-ÊTRE SOCIAL. La santé mentale des Canadiens : vers un juste équilibre. Santé et bien-être social Canada. Ottawa, Le Ministère, 1988 : 1-23.
49. MINISTÈRE DE LA SANTÉ ET DES SERVICES SOCIAUX DU QUÉBEC. Un cadre pour l'action. *In* : Politique de santé Mentale. Québec, Gouvernement du Québec, 1989 : 21-22.
50. MINISTÈRE DE LA SANTÉ ET DES SERVICES SOCIAUX DU QUÉBEC. Plan d'action pour la transformation des services de santé mentale. Québec, Direction de la planification et de l'évaluation, Gouvernement du Québec, 1998.
51. MURPHY JM. Continuities in community-based psychiatric epidemiology. Arch Gen Psychiatr, 1980, *37* (*11*) : 1215-1223.
52. NATIONAL INSTITUTE OF MENTAL HEALTH. Risk factor research in the major mental disorders. DHHS Publ. N° (ADM) 83-1068. Rockville, The Institute, 1983.
53. NUTT PC. A transactional approach to planning management. Planning methods for health and health related organizations. New York, Wiley & Sons Medical Publication, 1984 : 65-73, 437-439.
54. ORGANISATION MONDIALE DE LA SANTÉ. Déclaration d'Alma-Ata. Conférence internationale sur les soins de santé primaires. Alma-Ata (URSS), 1978.

55. ORGANISATION MONDIALE DE LA SANTÉ. Classification internationale des maladies, dixième révision. Chapitre V : troubles mentaux et troubles du comportement ; critères diagnostiques pour la recherche, CIM-10/ICD-10. Genève, OMS ; Paris, Masson, 1994.
56. PARRISH J. The consumer movement : a personal perspective. Community Support Network News, November 1988, *(5) 2* : 2.
57. PESCOSOLIDO BA. Beyond rational choice : the social dynamics of how people seek help. Am J Sociology, 1992, *97* : 1096-1138.
58. PHELAN M, WYKES T, GOLDMAN H. Global function scales. Social Psychiatry and Psychiatric Epidemiology, 1994, *29* : 205-211.
59. PINEAULT R, DAVELUY C. La planification de la santé : concepts, méthodes et stratégies. Québec, Canada, Agence d'Arc, 1993.
60. REGIER DA, NARROW WE, RAE DS et al. The de facto US mental and addictive disorders service system. Epidemiologic catchment area prospective 1-year prevalence rates of disorders and services. Arch Gen Psychiat, 1993, *50 (2)* : 85-94.
61. ROBERTS RE, VERNON SW. Depression in the community : prevalence and treatment. Arch Gen Psychiat, 1982, *39 (12)* : 1407-1409.
62. ROBINS LN. Psychiatric epidemiology : a historic review. Social Psychiatry and Psychiatric Epidemiology, 1990, *25 (1)* : 16-26.
63. RODWIN VG. The health planning predicament (France, Québec, England, USA). San Francisco, University of California Press, 1984 : 159.
64. RUTTER M. Resilience in the face of adversity. Protective factors and resistance to psychiatric disorder. Br J Psychiatry, 1985, *147* : 598-611.
65. RUTTER M. Connections between child and adult psychopathology. European Child and Adolescent Psychiatry, 1996, *5 (1)* : 4-7.
66. SCHAEFER MM. L'administration des programmes de salubrité de l'environnement : approche systémique. Genève, OMS, 1975 : 130.
67. STEVENS A, GILLAM S. Needs assessment : from theory to practice. Br Med J, 1998, *316 (7142)* : 1448-1452.
68. TANSELLA M, THORNICROFT G. A conceptual framework for mental health services : the matrix model. Psychol Med, 1998, *28 (3)* : 503-508.
69. TESSIER L, CLÉMENT M. La réadaptation psychosociale en psychiatrie : Défis des années 90. Comité de la Santé mentale du Québec. Québec, Gaëtan Morin, 1992.
70. THORNICROFT G, TANSELLA M. Translating ethical principles into outcome measures for mental health service research. Psychol Med, 1999, *29 (4)* : 761-767.
71. TOUSIGNANT M. Maladie mentale, suicide et prévention. Faut-il changer son fusil d'épaule ? Équilibre en tête. L'Association Canadienne pour la Santé Mentale, Filiale de Montréal, 1999, vol. 3, *4* : 1-5.
72. TOUSIGNANT M, DENIS G, LACHAPELLE R. Some considerations concerning the validity and use of the health opinion survey. Journal of Health and Social Behavior, 1974, *15 (3)* : 241-252.
73. WIERSMA D. Psychological impairments and social disabilities : on the applicability of the ICDH to psychiatry. Int Rehabil Med, 1990, *8 (1)* : 3-7.
74. WIERSMA D. Measuring social disabilities in mental health. *In* : G Thornicroft, M. Tansella. Mental health outcome measures. Berlin, Springer, 1996 : 111-112.
75. WING J, BREWIN CR, THORNICROFT G. Defining mental health needs. *In* : G Thornicroft, CR Brewin, JK Wing. Measuring Mental Health Needs. London, Gaskell1, 1992.
76. WOOD PH. Appreciating the consequences of disease : the international classification of impairments, disabilities, and handicaps. World Health Organization Chron, 1980, *34 (10)* : 376-380.
77. WORLD HEALTH ORGANIZATION. International classification of impairments, disabilities and handicaps : a manual of classification relating to the consequences of disease. Geneva, WHO, 1980 : 1-205
78. WORLD HEALTH ORGANIZATION. Evaluation of methods for the treatment of mental disorders. Report of a WHO scientific group. Technical report series. Geneva, WHO, 1991, 1-79.

Chapitre 2

CONTEXTES FRANÇAIS ET QUÉBÉCOIS

Dès le début de ses travaux, le groupe franco-québécois a voulu recueillir l'avis des représentants du principal public auquel son rapport était destiné. C'est ainsi qu'il a mené une enquête, au Québec et en France, auprès de milieux nationaux et régionaux impliqués dans la détermination des besoins et la planification en santé mentale. Des groupes de discussion ont été constitués dans le but de décrire les pratiques et de clarifier les principaux enjeux de la planification en fonction des besoins. Ce chapitre vise à rapporter les principaux résultats de cette enquête. Il débute par des informations supplémentaires pour mieux saisir les contextes français et québécois avant de décrire l'étude et ses résultats. Les dispositifs de ces deux états sont décrits respectivement dans les fiches techniques 7 et 8.

CONTEXTE DE LA PLANIFICATION SANITAIRE ET SOCIALE EN FRANCE

En France, deux démarches sont complémentaires l'une de l'autre pour organiser l'offre de soins hospitalière :

• *Carte sanitaire* : elle délimite les espaces géo-démographiques au sein desquels seront répartis les équipements destinés à répondre aux besoins de soins de la population. Elle fixe également les indices d'équipements déterminant le nombre de lits et places[1] à attribuer pour 1 000 habitants. Les espaces géo-démographiques délimités par la carte sanitaire sont des secteurs ou des groupes de secteurs d'environ 70 000 habitants en psychiatrie générale et d'environ 200 000 habitants en psychiatrie infanto-juvénile. Pour ces secteurs ou ces groupes de secteurs, l'indice d'équipement doit se situer dans une fourchette de 1 à 1,8 lit et place pour 1 000 habitants en psychiatrie générale et de 0,8 à 1,4 lit et place pour 1 000 habitants âgés de 0 à 16 ans, en psychiatrie infanto-juvénile. Afin de favoriser le développement des alternatives à l'hospitalisation à temps plein, à l'intérieur de cet indice, le nombre de lits d'hospitalisation doit rester compris entre 0,5 et 0,9 lit pour 1 000 habitants en psychiatrie générale, et entre 0,1 et 0,3 lit pour 1 000 habitants de 0 à 16 ans en psychiatrie infanto-juvénile.

• *Schéma d'organisation des équipements et services psychiatriques* : dans le cadre des espaces géo-démographiques et des indices d'équipements déterminés par la carte sanitaire, le schéma d'organisation est chargé de répartir et de structurer l'offre de soins hospitalière publique et privée. Le schéma s'élabore au niveau des départements, c'est le schéma départemental d'organisation (SDO), et au niveau des régions, c'est le schéma régional d'organisation sanitaire (SROS). Le SROS définit la politique hospitalière régionale que les SDO doivent ensuite suivre. Il est valable pour cinq ans. La carte sanitaire est surtout un outil de contention de l'offre de soins par l'intermédiaire de ses indices d'équipement. Le SROS et le SDO définissent, de leur côté, l'organisation permettant d'assurer à la population un accès à des soins de qualité qui soit le plus équitable possible.

La planification de l'offre de soins hospitalière, avec ses deux composantes, carte sanitaire et schémas d'organisation, se conduit au sein d'un dispositif de concertation défini par la loi et les règlements, associant très largement les professionnels de santé mentale, les représentants élus de la population, les représentants des usagers, les services de l'État et de l'assurance maladie. Trois instances sont obligatoirement consultées sur les projets de carte sanitaire et de schémas d'organisation :

– les commissions départementales en santé mentale (CDSM) ;

– les conférences de secteur sanitaire (constituées pour des secteurs sanitaires d'au moins 200 000 habitants) ;

(1) Les lits et places comprennent les lits d'hospitalisation complète, les places en hôpital de jour, les lits en hôpital de nuit, les places en appartements thérapeutiques, en foyers de post-cure, en placements familiaux thérapeutiques et en centres de crise.

– la commission régionale de l'organisation sanitaire et sociale (CROSS).

Ces trois instances ont une composition assurant la représentation de tous les acteurs du dispositif de soins et les usagers.

Depuis les ordonnances d'avril 1996 ont été instituées des conférences régionales de santé. Ces conférences régionales composées, selon l'importance des régions, de 100 à 300 personnes, ouvertes au public et réunies chaque année, cherchent à ce qu'un débat démocratique se développe sur les problèmes de santé qui se posent à la population. La conférence régionale de santé est chargée de déterminer les priorités de santé sur la base desquelles des projets régionaux de santé (PRS) sont élaborés, organisant les actions à mener dans les domaines de la prévention, des soins, de la réinsertion-réadaptation. Ainsi la planification sanitaire dispose-t-elle, aujourd'hui, de plusieurs approches complémentaires pour structurer une politique de santé globale :

– la carte sanitaire et les schémas d'organisation dans le domaine hospitalier, sous l'autorité du directeur de l'ARH (agence régionale de l'hospitalisation) ;

– les PRS dans le domaine de la prévention, des soins, de la réinsertion-réadaptation, pour quelques priorités de santé, sous l'autorité du préfet de région.

En parallèle se met en place un dispositif d'accréditation, géré par une agence nationale, l'ANAES, afin d'améliorer la qualité dans les établissements de santé publics et privés. Tous les établissements de santé devront s'engager dans une démarche d'accréditation ; la loi les y oblige dans un délai limité. Entre la planification d'un côté, et l'accréditation de l'autre, des liens évidents devront être tissés. Là est l'évolution toute prochaine vers laquelle doit tendre le dispositif de soins français.

CONTEXTE DE LA PRATIQUE DE PLANIFICATION SANITAIRE ET SOCIALE AU QUÉBEC

Le mandat de planification du ministère, tel qu'il est précisé dans son organigramme, comprend les éléments suivants :

– proposer les priorités et les orientations ;

– concevoir les politiques, les orientations et les stratégies appropriées pour faire face aux problèmes prioritaires ;

– proposer les paramètres d'organisation des ressources ;

– proposer les paramètres d'allocations des ressources financières et institutionnelles.

Pour réaliser ce mandat, le ministère dispose de différentes unités de travail qui ont des responsabilités spécifiques. Ainsi le service de la santé physique et mentale doit-il notamment :

– analyser l'évolution des besoins des clientèles ;

– dégager les enjeux relatifs à l'organisation des services de santé physique et mentale ;

– suivre l'évolution des connaissances quant aux réponses les plus efficaces, efficientes et pertinentes, de manière à établir les priorités et à proposer les stratégies appropriées dans les champs de la santé physique et mentale ;

– concevoir les politiques sectorielles ;

– s'assurer que les volets prévention et promotion sont intégrés aux politiques ;

– planifier la gamme de services de façon à rendre accessibles aux différentes clientèles des champs de la santé physique et mentale dans une perspective intégrant promotion, prévention, accueil-évaluation-orientation, traitement, réadaptation, réinsertion, protection et compensation ;

– proposer les modes d'organisation de services appropriés aux besoins des clientèles sur une base suprarégionale, régionale ou sous-régionale.

Pour sa part, le service des normes et des critères d'allocation des ressources doit assumer notamment les responsabilités suivantes :

– proposer le cadre d'allocation des ressources susceptibles de répondre aux besoins de la population et d'assurer une plus grande équité interrégionale ;

– proposer une enveloppe d'allocation des ressources interprogrammes respectant les besoins de la population et les orientations et politiques ;

– comparer le Québec aux autres états en ce qui concerne l'utilisation des ressources et les modes d'allocation des ressources.

Enfin, le service des standards et des guides d'organisation de services doit :

– promouvoir, en collaboration, la conception, la diffusion et l'utilisation d'outils d'information, afin d'assurer l'efficacité des services et d'optimiser l'utilisation des ressources ;

– proposer de nouveaux modèles ou guides d'organisation et de distribution des services.

On peut donc constater que le mandat de planification est large, englobant l'analyse des besoins, l'élaboration des politiques et des programmes, l'allocation des ressources et les modes d'organisation des services.

La même direction générale est aussi responsable de la recherche et de l'évaluation. Cette dernière responsabilité comprend, notamment, l'évaluation des politiques et des programmes (impact, pertinence, cohérence, efficacité et efficience) et l'évaluation des systèmes et des modes d'organisation des services.

Le territoire du Québec est divisé en dix-huit régions administratives que chaque ministère est tenu de respecter. Il n'y a pas à la tête de chaque région une instance élue chargée de diriger ou de coordonner l'ensemble des activités des divers ministères. Chaque ministère se dote de l'organisation régionale qu'il juge la plus appropriée à son secteur de responsabilité. Typiquement, les ministères se dotent de directions régionales, unités déconcentrées qui assurent, dans leur région respective, l'application des décisions prises centralement par le ministère et gèrent les divers programmes applicables dans leur région.

En matière de santé et de services sociaux, un modèle fort différent est en vigueur. Le ministère n'a aucune direction régionale. On retrouve plutôt dans chaque région une régie de la santé et des services sociaux(2) qui exerce, sur le plan régional, un rôle similaire à celui que remplit le ministère dans l'ensemble du Québec. Le conseil d'administration de chaque régie régionale est élu par la population. À l'intérieur de chaque région, le territoire est subdivisé à des fins sanitaires et sociales, regroupant généralement des municipalités régionales de comté dans les zones semi-urbaines (il y en a une centaine au Québec), ou définissant des districts propres au secteur sanitaire et social en milieu urbain, définissant ainsi 147 territoires de centres locaux de services communautaires (CLSC) au Québec.

Le ministère ayant précisé les orientations, les priorités et les objectifs nationaux, ayant également défini le modèle général d'organisation des services et attribué les budgets à chaque région, la régie régionale doit arrêter ses propres priorités et objectifs, élaborer un plan détaillé d'organisation des services et attribuer à chaque établissement ou organisme communautaire son budget annuel, sur la base du territoire qu'il dessert et de sa vocation propre.

Dans le domaine spécifique de la santé mentale, le ministère a publié une politique en 1989. Chaque régie régionale a ensuite procédé à l'élaboration d'un plan régional d'organisation des services (PROS). Ce premier PROS a fait depuis l'objet d'une évaluation, et un nouveau cycle de planification a été entamé en 1997 avec la publication d'un document de consultation rendu public par le ministère [1]. Par la suite et après de larges consultations, le ministère a déposé en décembre 1998 un plan d'action pour la transformation des services de santé mentale [2].

ENQUÊTE QUÉBEC-FRANCE SUR LA PLANIFICATION EN FONCTION DES BESOINS EN SANTÉ MENTALE

HYPOTHÈSES DE DÉPART

Au début de cette enquête, le groupe franco-québécois se fondait sur ses propres connaissances acquises à partir de la littérature concernant la mesure des besoins à des fins de planification en santé mentale et sur un premier canevas de discussion qu'il avait développé. Les hypothèses de départ du groupe franco-québécois pouvaient se résumer ainsi : la planification dans le domaine de la santé est un exercice difficile qui requiert idéalement une procédure d'aide à la décision bien structurée et largement acceptée. À cet égard, la santé mentale ne se distingue pas d'autres champs couverts par le système de soins.

Il est communément admis dans la littérature que les besoins des populations concernées devraient représenter l'élément central du processus de prise de décision. Or, cette même littérature relève que les modes de planification actuels ne se préoccupent que marginalement de la mesure des besoins. La planification s'effectue souvent d'abord en fonction de l'utilisation actuelle et des services disponibles [3].

OBJECTIFS

Au moment d'entreprendre l'étude, les objectifs consistaient à :

– évaluer la prise en compte, dans la planification de services de santé mentale : 1) des besoins des patients pour des services ; 2) des besoins en prévention ; 3) des besoins en promotion de la santé ;

– évaluer les outils et les processus de mesure des besoins utilisés par les planificateurs et les intervenants en santé mentale ;

– évaluer la satisfaction et la perception des lacunes face à la prise en compte des besoins en santé mentale, de la part des planificateurs, des intervenants et des patients ainsi que leurs proches.

MÉTHODES

Les catégories suivantes d'acteurs de la planification en fonction des besoins ont été recherchées en France et au Québec, au niveau national et dans trois régions :

– pour les planificateurs, des hauts fonctionnaires des ministères et des régies et directions régionales ;

– pour les intervenants, des représentants des services spécialisés, des services de base, des groupes associatifs et communautaires ;

– pour les populations, des représentants des élus, des usagers et des familles.

Au terme de l'étude menée au Québec et en France, plus de dix groupes de discussion ont été réunis au Québec et neuf en France. Les régions françaises de Rhônes-Alpes, d'Aquitaine et de Pas-de-Calais et les régions québécoises de Montréal-centre, Bas-Saint-Laurent et Outaouais ont participé à l'enquête.

RÉSULTATS

La synthèse des résultats regroupant les réponses aux questions selon les niveaux régionaux/nationaux et les groupes est présentée dans la fiche technique 9. Les principaux éléments qui se dégagent de cette synthèse sont les suivants.

En France et au Québec, il apparaît clairement que la planification dans le domaine de la santé est un exercice difficile. Tous souhaitent que les besoins des populations concernées constituent l'élément essentiel du processus de prise de décision, mais beaucoup estiment que les modes de planification actuels ne se

(2) Dans l'une des régions du grand nord québécois, il s'agit d'un conseil régional.

préoccupent que marginalement de la mesure des besoins et déplorent que la planification s'effectue en fonction de l'utilisation actuelle et des services disponibles. La volonté de tenir compte des besoins apparaît chez tous les participants aux groupes, qu'ils soient planificateurs, intervenants, usagers ou proches et membres de la communauté. Des régions du Québec ont pu faire part d'exercices de planification satisfaisants impliquant planification, allocation de ressources et évaluation – le processus d'évaluation a donc permis la prise en compte de certains besoins. En France, certains chercheurs sont en mesure de citer les moyens permettant de mesurer les besoins et connaissent l'articulation entre la planification, l'allocation et l'évaluation. Au Québec comme en France, il manque une vision claire des mécanismes adéquats d'articulation des besoins et de l'enchaînement rationnel d'opérations logiques, d'où les nombreux écueils. Résumons-les brièvement en reprenant les trois grands problèmes posés, à savoir la planification en santé mentale, la prise en compte des besoins et les outils disponibles pour la mesure des besoins.

En France comme au Québec, on considère que l'allocation des ressources apparaît comme un exercice qui est fortement influencé par des facteurs qui n'ont rien à voir avec la planification et qui, en principe, ne devraient pas constituer des éléments déterminants dans les décisions. Les intérêts professionnels, institutionnels et économiques des différentes communautés, de même que des luttes politiques, pour ne nommer que ces facteurs, sont largement en cause. Il se dégage en fait une grande similitude, même si en France les exercices de planification, d'organisation et d'allocation des ressources sont séparés et objets de processus distincts, car les mêmes personnes peuvent se retrouver dans chacun des processus.

Au Québec, la distinction entre planification et organisation au niveau national est plus nette. En effet, il s'agit d'abord de donner des orientations, de fixer des objectifs et d'allouer des ressources à chaque région. Les planificateurs des régions doivent ensuite se les approprier et mener à bien leurs missions de planification qui comprennent l'organisation des services, l'allocation aux divers dispensateurs de services dont dispose la région, ainsi que l'évaluation de ces services. À toutes ces étapes, on peut parler de besoins : besoins des personnes, besoins de programmes et d'interventions, besoins de ressources, etc. En France, ce sont plutôt les clivages entre le public et le privé ou encore entre le sanitaire et le social, qui peuvent rendre plus complexes les processus de planification, d'organisation et évidemment d'allocation des ressources.

Dans les deux états, on s'accorde à dire que le champ de la santé mentale est très vaste, couvrant des personnes souffrant de troubles mentaux graves et chroniques, mais aussi d'autres troubles mentaux moins sévères et d'autres problèmes associés avec des troubles mentaux, comme le suicide ou les dépendances. Au Québec et en France, tous les intervenants reconnaissent l'impact des facteurs sociaux sur les différents problèmes de santé mentale, que ce soit comme causes de certains problèmes ou comme facteurs associés. On envisage également que l'intervention en amont comme en aval des problèmes de santé mentale ne peut se limiter au champ sanitaire et social, mais implique d'autres secteurs comme l'éducation, le logement et le travail. Dans les faits cependant, la planification concerne d'abord les personnes souffrant de troubles mentaux graves et chroniques, lesquels utilisent la majorité des ressources allouées à la santé mentale. On souhaiterait consacrer plus d'énergie à la prévention et à la promotion. On est également conscient que des personnes qui attirent moins l'attention ont néanmoins des besoins importants dont la planification devrait mieux tenir compte. Enfin, les pratiques sur le terrain peuvent dissocier le sanitaire et le social : en France, par les structures mêmes et par les conceptions que l'on se fait du rôle des thérapeutes ; au Québec, par les idéologies qui tendent à cantonner les services psychiatriques au traitement et qui attribuent la réadaptation et la réinsertion sociale aux organismes associatifs et communautaires.

Au Québec, on distingue le niveau national où l'on définit les valeurs fondamentales, comme celles contenues dans le document de la politique de santé mentale de 1989, et le niveau régional où l'on détermine les priorités en partenariat avec les intervenants, les usagers et les groupes communautaires. Dans les deux états on admet que les acteurs de la planification ne sont pas seulement les gestionnaires nationaux ou régionaux, mais aussi tous les acteurs, dont les intervenants du système public et privé, les associations, les groupements d'usagers, de proches, les élus et de la collectivité en général. On déplore l'implication limitée de certains groupes, tels les généralistes ou encore les usagers, en particulier en France. L'idée d'un partenariat entre tous les acteurs concernés, fortement préconisé par la politique de santé mentale du Québec de 1989, ne se traduit que partiellement dans la réalité. On admet facilement, dans le même temps, que l'implication de l'ensemble des acteurs qui participent au processus de planification ne vient pas diminuer l'importance du rôle du gestionnaire et du planificateur au niveau national ou régional. On fait appel à un processus démocratique à toutes les étapes de la planification, de la détermination des priorités, de l'organisation et de l'allocation des ressources.

Deux conclusions importantes se dégagent : d'une part, la nécessité d'en arriver à une vision qui soit la plus consensuelle possible et, d'autre part, la reconnaissance que les priorités devraient être l'aboutissement d'une logique démocratique, et non d'une logique purement technique. On craint justement, dans certaines régions, des solutions techniques pour la détermination des besoins, par exemple par une pondération des ressources en fonction d'indicateurs socio-économiques. En France, où l'on ne retrouve pas l'équivalent de la politique de santé mentale québécoise de 1989, on souligne comment une politique au niveau national peut être un outil d'aide à la décision, notamment en ce qu'elle décline des valeurs et des orientations utiles par la suite à la détermination des priorités.

La prise en compte des besoins dans le processus de la planification semble être plus efficace dans les régions ayant adopté un processus plus complet allant de la détermination des objectifs à l'organisation, l'allocation des ressources et l'évaluation. Dans un tel cas, la prise en compte des résultats de l'évaluation dans le cycle de planification qui suit se fait mieux. En France, par exemple, la nécessité de déclencher un processus de planification pour faire face au problème du suicide ayant été reconnue au niveau national, les régions s'y sont plus spontanément engagées, laissant entrevoir qu'une question plus ciblée et mettant moins en cause un redéploiement important des ressources aboutissait plus facilement à un consensus.

La définition même des besoins ne fait pas l'unanimité ; elle est même difficile à établir. On a pu voir, d'un côté, les perspectives plus épidémiologiques des planificateurs nationaux et régionaux et, par ailleurs, les perspectives plus individuelles des proches des usagers et des intervenants. Au risque de confusion entre les perspectives collectives et individuelles dans la définition des besoins peut s'ajouter le risque de confondre les préoccupations des acteurs de la planification se situant dans des espaces géographiques différents. Au Québec, il existe un accord sur le modèle théorique de planification qui conçoit la définition des grandes orientations au niveau national et les décisions tactiques et opérationnelles au niveau régional ou sous-régional. On craint certes trop de rigidité qui créerait des barrières à la circulation des personnes entre les territoires en fonction de leurs besoins ou qui empêcherait de tenir compte adéquatement des exigences des établissements spécialisés qui ont des fonctions régionales et suprarégionales. En France, la confusion peut venir des chevauchements entre les cartes départementales, socio-sanitaires et préfectorales. Pour éviter ces confusions, on souhaite une cohérence entre les acteurs de la planification sur l'espace, l'objet et le temps de planification.

Une dernière confusion peut naître au niveau des outils de mesure des besoins. La pertinence des indicateurs que nous avons évoqués dans la troisième partie de la discussion a été reconnue par plusieurs groupes ; d'autres groupes en ont même ajouté. Par exemple, on parle de l'organisation de tables de concertation autour desquelles les besoins sont discutés. Cela ne satisfait pourtant pas les différents groupes. D'un côté, certains indicateurs ne sont pas utilisés ; par exemple, une région du Québec disposait d'une enquête épidémiologique récente sur la prévalence des troubles mentaux, mais elle a été ignorée dans l'exercice de planification subséquent. D'autres milieux craignent que des indicateurs n'amènent des solutions techniques, par des formules d'algorithmes appliqués automatiquement dans la détermination des besoins des populations et l'allocation des ressources en fonction de ces besoins. L'écart des perspectives semble ainsi considérable entre ces modifications statistiques sophistiquées et les tables de concertation sous-régionales où les différents acteurs de la planification s'expriment sur leur vécu des besoins.

On déplore le manque de système d'information intégré, en particulier entre les secteurs médicaux et sociaux. Cependant, il faut se rappeler comment, au Québec, la tentative de mettre en place un tel système s'est heurtée aux objections des ressources communautaires alternatives en santé mentale qui craignaient une enquête trop approfondie sur la vie des personnes souffrant de troubles mentaux et sur les groupes communautaires eux-mêmes, tout en invoquant l'insuffisance des ressources pour ce faire. Il ressort assez clairement de ces constatations que, sans une reconnaissance de la légitimité des différentes perspectives épidémiologiques et individuelles, des planificateurs, des intervenants, des groupes associatifs, d'usagers et de proches comme de la communauté, la mesure et la prise en compte des besoins dans la planification demeureront insuffisantes.

RÉFÉRENCES

1. Ministère de la Santé et des Services sociaux du Québec. Orientations pour la transformation des services de santé mentale. Document de consultation, 14 avril 1997. Québec, Ministère de la Santé et des Services sociaux.
2. Ministère de la Santé et des Services sociaux du Québec. Plan d'action pour la transformation des services de santé mentale. Direction de la planification et de l'évaluation, Gouvernement du Québec, 1988 : 1-46.
3. Wing J, Brewin CR, Thornicroft G. Defining mental health needs. *In* : G Thornicroft, CR Brewin, JK Wing. Measuring Mental Health Needs. London, Gaskell : 1992.

Chapitre 3

MÉTHODES DE MESURE DES BESOINS À DES FINS DE PLANIFICATION

Toute la difficulté d'un travail de planification nourri par une analyse aussi objective que possible des besoins est d'établir ces charnières permettant de passer d'un état de santé à la définition des interventions nécessaires, puis à la reconnaissance des ressources à mobiliser, et cela au niveau d'une population. Le modèle à suivre ne saurait être mathématique, ne serait-ce, comme nous l'avons vu, parce que les perceptions des besoins peuvent être différentes entre professionnels eux-mêmes, entre professionnels et usagers, entre professionnels, usagers et représentants de la communauté. Le constat de ces différences ne doit pas empêcher la recherche d'un objectif, et la volonté d'insister sur cet objectif toujours relatif : décider d'une planification. Il est donc utile, pour un planificateur, de rassembler le plus d'éléments quantitatifs et qualitatifs susceptibles de lui permettre de mieux connaître les facteurs de risque auxquels est exposée la population, son état de santé, les activités réalisées en faveur de sa santé et leur évaluation, le cadre de contraintes au sein duquel il s'agira d'organiser les services et les équipements nécessaires.

Tous ces éléments sont présentés dans ce chapitre et regroupés en quatre grandes catégories :

1. Les données tirées des enquêtes de population.

2. Les données recueillies suite à des enquêtes dans des populations dans le système de soins.

3. Les données tirées des modélisations à l'aide des indicateurs sociaux.

4. Les données tirées des résultats des évaluations des services.

Ils sont décrits en précisant succinctement les méthodologies et les stratégies qui ont été proposées pour les utiliser. Cependant, plusieurs écueils sont à éviter :

– les éléments d'information dont dispose le planificateur sont nombreux et il importe de dresser un bilan des éléments existants et pertinents avant de se lancer dans la collecte d'informations supplémentaires, d'autant que de nombreuses informations peuvent être extrapolées, sous certaines conditions, d'une situation à une autre ou d'une échelle à une autre ;

– le planificateur doit définir avec le plus grand soin les objectifs à atteindre, avant de puiser les éléments susceptibles de lui être utiles à travers les nombreuses enquêtes possibles. De toute façon, aucune enquête ne saurait, à elle seule, répondre à toutes les questions que se pose un planificateur pour organiser les services et les équipements nécessaires en fonction des besoins de la population ;

– il n'existe pas de modèle « clef en mains » permettant de lever toutes les difficultés posées par les charnières séparant les différentes étapes à franchir pour aller de la connaissance des facteurs de risque à la mobilisation des ressources souhaitables. Mais, le planificateur ayant bien défini ses objectifs saura trouver, parmi les outils présentés dans ce chapitre, ceux qui lui permettront de proposer les meilleures décisions possibles à partir de constats aussi objectifs que possible. Le chapitre 4 proposera des stratégies pour agencer ces données dans le cycle de planification et d'établissement des besoins en santé mentale.

DONNÉES TIRÉES DES ENQUÊTES DE POPULATION

POPULATIONS GÉNÉRALES

Enquêtes en population générale : généralités

L'approche par population dite générale signifie que les personnes interrogées sont tirées au sort dans une population dite générale, accessible par diverses listes qui n'ont a priori rien à voir avec le fait d'avoir un problème ou d'utiliser le système de santé, comme le sont le recensement ou les listes électorales. Idéalement, les enquêtes devraient être faites à l'échelle pertinente pour la planification ; cependant, des extrapolations sont possibles dans certaines conditions.

Les enquêtes de population les plus récentes permettent de mesurer les troubles mentaux à partir d'instruments dits diagnostiques qui permettent d'approcher les diagnostics suivant la plupart des classifications utilisées (DSM ou CIM) et qui sont décrits dans la fiche technique 1. Comme ces approches partent du recueil des symptômes regroupés ensuite en syndromes, il est aussi possible de mesurer les troubles qui n'atteignent pas le seuil requis pour porter un diagnostic. Certaines enquêtes utilisent des échelles de détresse psychologique qui mesurent le retentissement subjectif et souvent quelques éléments permettant d'évaluer le retentissement social (dysfonctionnement social ; *voir* fiche technique 2). Les enquêtes en population générale relèvent aussi souvent des facteurs de risque familiaux, sociaux et environnementaux. L'utilisation des soins fait généralement partie des informations recueillies ainsi que, dans certains cas, les raisons de non-utilisation voire les intentions quant au recours en cas de problème.

Enquêtes de prévalence des troubles mentaux

Même si elles présentent des limites, il existe d'assez nombreuses enquêtes de ce type tant en France qu'au Québec, dont nous présenterons les principaux résultats.

Enquêtes françaises

Enquêtes nationales. D'après le dernier rapport de l'observatoire national des prescriptions et consommations des médicaments (Agence du médicament), il n'existe pas d'enquête nationale française sur un échantillon représentatif de la population, faite avec un instrument validé pour l'étude des principaux troubles de la santé mentale. Pourtant, tous les dix ans, une enquête INSEE-CREDES sur un échantillon représentatif de la population française étudie la consommation de soins et la santé des Français. Malheureusement, en ce qui concerne l'état de santé mentale, ces études n'utilisent pas d'instruments standardisés ; il s'agit d'autodéclaration de pathologies, symptômes, événements de vie, hospitalisations, consultations et consommation de médicaments dont les psychotropes. Toutefois, lors de l'enquête annuelle réalisée par le CREDES sur un échantillon représentatif de la population d'assurés sociaux établi avec la CNAM, en 1996-1997, des questions sur la dépression ont été posées.

Une autre enquête, l'enquête DEPRESS, a été réalisée par une firme pharmaceutique sur un échantillon de 14 500 personnes, « représentatif » de la population française. Cette enquête a utilisé la méthode des quotas qui pose le problème de sa représentativité ; de plus, elle n'a évalué que la dépression et sa prise en charge.

Enquêtes régionales ou locales. Deux *enquêtes régionales* utilisant le *composite international diagnostic interview* (CIDI) dans une version légèrement modifiée (CIDI-S), l'une conduite en 1991 en Île-de-France auprès de 2 267 sujets de 18 ans et plus, et l'autre en Basse-Normandie en 1997 auprès de 1 445 sujets adultes ont permis d'obtenir des diagnostics DSM-III et IV des troubles les plus fréquemment rencontrés [81, 84]. Ces enquêtes ont été menées en collaboration avec l'INSEE sur des échantillons représentatifs des régions et leur taux de réponse s'est situé entre 75 et 80 p. 100. Elles ont été menées dans le cadre de pluri-partenariat et dans le contexte d'une collaboration avec les organismes de gestion des soins et de planification (DRASS, CRAM, etc.) ; l'enquête Île-de-France comportait un échantillon spécifique de personnes recevant le RMI. Ces enquêtes ont donc été conduites dans des contextes de planification régionale.

Une *enquête locale* a été menée par Lépine [100] dans une ville de banlieue parisienne au moyen du DIS/CIDI. Elle a conduit à une évaluation des troubles fréquents. L'échantillon a été constitué à partir des annuaires téléphoniques, ce qui exclut les personnes sur liste rouge(1). Le taux de réponse s'est situé autour de 60 p. 100 (les femmes étant notoirement plus représentées que les hommes).

Ces enquêtes régionales et locales (tableau 3-I) ont permis d'évaluer non seulement la prévalence des troubles les plus fréquents mais aussi une certain nombre de facteurs de risque, de même que l'utilisation des services et la consommation de médicaments. L'enquête Basse-Normandie a évalué en outre les raisons de non-consultation.

Études canadiennes et québécoises

Enquête Santé Ontario-supplément Santé mentale (1994). L'enquête porte sur un échantillon aléatoire (stratifié pour mieux représenter les jeunes de 15 à 24 ans) de 13 002 personnes âgées de plus de 15 ans, qui ont été interrogées par des agents de recherche formés par Statistiques Canada [20]. Les 9 953 personnes (76 p. 100) qui ont accepté de répondre ont complété avec l'intervieweur un instrument standardisé pour évaluer la présence de troubles mentaux, le CIDI ; ils ont répondu à des questions sur leurs caractéristiques socio-démographiques et sur des expériences de séparation et d'abus dans l'enfance et l'adolescence, et sur des événements de vie. Ils ont également répondu à des questions sur le degré d'incapacité reliée à la présence de troubles mentaux (*voir* plus haut), et ils ont donné des précisions sur les professionnels, les agents ou points de services consultés pour des problèmes de santé mentale.

Le tableau 3-II indique la prévalence dans la dernière année de différents troubles mentaux répertoriés à l'aide de l'instrument. On constate que, si l'on fait l'addition des colonnes, on obtient un chiffre plus grand que le total ; c'est que souvent il y a « comorbidité », c'est-à-dire présence de plus d'un désordre chez la même personne (par exemple, l'existence d'un trouble affectif et d'un trouble anxieux).

La prévalence des troubles mentaux variait en fonction des cinq régions administratives de l'Ontario :

(1) Personnes qui refusent la publication de leur numéro dans l'annuaire.

TABLEAU 3-I. – PRÉVALENCE DES TROUBLES PSYCHIQUES CIM-10 DANS LES DEUX ENQUÊTES FRANÇAISES RÉGIONALES ET VARIATIONS INTRARÉGIONALES

Prévalences sur 1 an	ÎdF	Paris	Pte cour	Gde cour	BN	Urb	Per urb	Pôle urb	Rur	Rég	Intra-ÎdF	Intra-BN
Dépression majeure[1]	5,9	8,3	6,1	4,7	7,2	7,2	8,2	6,2	6,7	NS	0,03	NS
Panique	0,3	0,2	0,4	0,2	0,4	0,3	0,9	0	0,3	NS	NS	NS
Anxiété paroxystique	5,3	8,3	5,3	3,9	4,7	5,5	5,6	3,3	4,6	NS	0,04	NS
Phobies	3,4	5,9	4,0	1,8	1,4	0,5	2,5	1,2	0,6	0,001	0,001	NS
Cage[2] ≥ 2	0,2	0,2	0,2	0,2	1,2	0,6	1,1	1,3	1,6	0,001	NS	NS
Dépendance/abus alcool	0,4	0,5	0,2	0,4	1,4	1,1	1,1	1,7	1,6	0,001	NS	NS

ÎdF : Île-de-France ; Pte cour : petite couronne ; Gde cour : grande couronne ; BN : Basse-Normandie ; Urb : zone urbaine ; Per urb : perurbain ; Pôle urb : pôle urbain ; Rur : zone rurale ; Rég : régional ; Intra-ÎdF : intra-Île-de-France ; Intra-BN : intra-Basse-Normandie ; NS : non significatif.
(1) DSM-III-R.
(2) Instrument de détection des problèmes d'alcool en quatre questions.

22 p. 100 dans le sud-ouest (n = 885 000) ; 19 p. 100 dans le centre-ouest (n = 1 249 900) ; 16 p. 100 dans le centre-est (n = 2 995 500 ; région comprenant la métropole Toronto) ; 22 p. 100 dans la région est (n = 930 800) et 22 p. 100 dans la région nord (n = 574 000).

Enquêtes québécoises régionales. L'enquête Santé mentale sur la prévalence des troubles de santé mentale dans le Bas-Saint-Laurent a été réalisée par Santé Québec et la direction régionale de la Santé publique comme un pilote pour vérifier la faisabilité d'une enquête épidémiologique psychiatrique assistée par ordinateur [93]. Elle représente la première enquête épidémiologique chez l'adulte au Québec utilisant un instrument d'entrevue psychiatrique standardisé, ici le DIS-DSM-III (*voir* fiche technique 1). Un échantillon représentatif de 523 personnes a été tiré de cette région de 200 000 habitants. La prévalence des troubles mentaux, en pourcentage, est indiquée dans le tableau 3-III.

Enfin, dans le cadre d'une étude visant à évaluer les besoins de soins [103, 105], une première phase a consisté en une enquête épidémiologique auprès de 893 personnes du territoire de l'est de Montréal (356 077 adultes au moment de l'enquête). L'échantillon représentatif provenait de la liste téléphonique et des numéros non publiés (liste rouge). Dans l'enquête téléphonique, le CIDIS était utilisé pour évaluer la présence des troubles psychiatriques non psychotiques. Des questions étaient également posées sur les attitudes

TABLEAU 3-II. – PRÉVALENCE DES TROUBLES MENTAUX DANS LA DERNIÈRE ANNÉE POUR LA POPULATION DE 15 À 64 ANS (ONTARIO [CANADA])

	Hommes (p. 100)	Femmes (p. 100)	Total (p. 100)
Troubles de l'anxiété[1]	9	16	12
Troubles affectifs[2]	3	6	4,5
Problème d'alcoolisme/drogues[3]	8	2	5
Comportement antisocial	4	1	3
Au moins un désordre	18	19	19

(1) Phobie sociale, phobie simple, agoraphobie, panique, anxiété généralisée.
(2) Dysthymie, dépression majeure, manie.
(3) Abus et dépendance.

TABLEAU 3-III. – PRÉVALENCE DES TROUBLES MENTAUX DANS LE BAS-SAINT-LAURENT EN 1992

TROUBLE	PRÉVALENCE LA DERNIÈRE ANNÉE (p. 100)	PRÉVALENCE À VIE (p. 100)
Abus/dépendance aux drogues	0,8	1,8
Abus/dépendance à l'alcool	5,2	12,6
Troubles de l'anxiété	3,5	6,3
Troubles affectifs	6,4	10,5
Tous troubles	14,5	27,1

face aux soins et sur l'utilisation des services à des fins de santé mentale, essentiellement les mêmes que celles de l'enquête Santé Ontario. Le tableau 3-IV montre la prévalence en pourcentage des troubles mentaux dans cet échantillon.

S'il est difficile de comparer les troubles de l'anxiété dans la mesure où les diagnostics pris en compte sous cette rubrique ne sont pas toujours les mêmes, les comparaisons sont possibles concernant les dépressions majeures sur six mois à un an.

La prévalence est de 4,5 en Ontario et de à 8,5 à Montréal ; en Île-de-France, elle est de 5,9 (moyenne entre une prévalence de 8,3 dans la ville de Paris et de 4,7 dans la grande banlieue) et de 7,2 en Basse-Normandie où les différences entre les zones ne sont pas significatives.

TABLEAU 3-IV. – PRÉVALENCE DES TROUBLES MENTAUX DANS L'EST DE MONTRÉAL EN 1993

TROUBLE	PRÉVALENCE LES SIX DERNIERS MOIS (p. 100)	PRÉVALENCE À VIE (p. 100)
Abus/dépendance aux drogues	0,9	5,9
Abus/dépendance à l'alcool	3,4	12,1
Panique	1,7	4,0
Anxiété généralisée	3,5	12,4
Dépression majeure	8,5	33,0
Au moins un désordre	13,6	43,6

Une comparaison rigoureuse exigerait un taux standardisé permettant de comparer des populations comparables en tenant compte des différences de compositions socio-démographiques. Au-delà de ces considérations, on peut remarquer que les variations sont dans une fourchette de 4,5 à 8,5 et que les chiffres élevés concernent les grandes métropoles.

La figure 3-1 permet de comparer la présence des problèmes de santé mentale (DSM-III-R), sur une période de six mois, dans deux populations de quartiers relativement défavorisés, l'un à Montréal et l'autre dans la région parisienne ; on remarque une prévalence plus élevée des troubles à Montréal, particulièrement des troubles liés à l'usage de substances toxiques (alcool et drogues).

Enquêtes utilisant les mesures de détresse psychologique

Au Québec, les enquêtes générales de santé de 1987, 1992 et 1998 contiennent une échelle de détresse psychologique (*voir* fiche technique 1). Elles contiennent également des questions sur l'abus d'alcool et de drogues, sur les idéations et les gestes suicidaires, sur l'utilisation des services sociaux et de santé, sur la consommation de médicaments et sur le fonctionnement social. À l'exception des questions sur les spécialistes et les médicaments psychotropes, il n'est pas possible de déduire si les consultations ont été faites pour des problèmes de santé mentale ou pour d'autres problèmes de santé. Cependant, l'enquête permet de suivre l'évolution de certains problèmes au cours du temps. Ainsi lors des deux vagues de l'enquête Santé Québec de 1987 et 1992, menée auprès de plus de 19 000 personnes représentatives de la population du Québec, a-t-on observé une augmentation de la détresse psychologique, particulièrement chez les jeunes adultes.

Retentissement (« dysfonctionnement social »)

Le retentissement est au mieux mesuré à partir d'une évaluation du fonctionnement social qui permet de

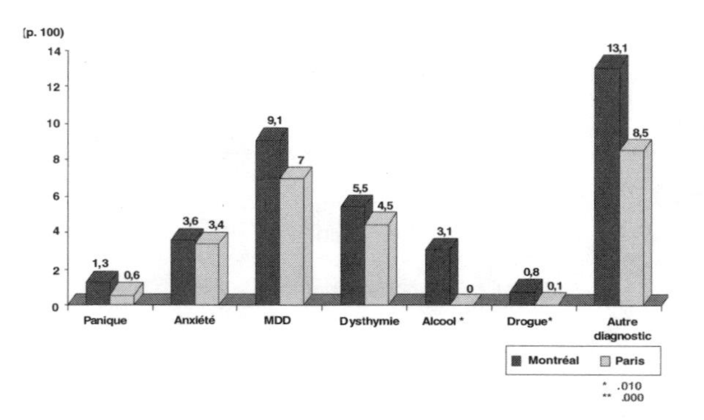

FIG. 3-1. – COMPARAISON DE LA PRÉVALENCE DES TROUBLES MENTAUX DANS LES QUARTIERS DÉFAVORISÉS (DSM-III-R, période de six mois).

mesurer le retentissement sur les différents rôles de la vie. De fait, il est souvent demandé parmi les signes de gravité des symptômes et les réponses ne sont pas utilisées comme telles. On retrouvera dans la fiche technique 2 des instruments de mesure du dysfonctionnement social, auxquels il faut ajouter l'approche souvent retenue de mesurer les arrêts de travail.

Arrêts de travail

Le retentissement est au mieux mesuré par les arrêts de travail. Dans l'enquête Santé Ontario [20], plus de 20 p. 100 des personnes présentant un trouble mental (douze derniers mois) ont connu, le mois précédent l'entrevue, des journées où elles ont été absolument incapables de travailler ou de mener leurs activités habituelles, comparativement à 13 p. 100 des autres personnes. Également, ces personnes affectées d'un trouble mental ont éprouvé plus de difficultés à exercer leur activité principale (20 p. 100 versus 11 p. 100) et à vaquer à leurs occupations quotidiennes (11 p. 100 versus 2 p. 100).

Dans l'enquête Basse-Normandie [81], 3,9 p. 100 de la population avaient eu un arrêt de travail pour un problème de santé mentale au cours de l'année précédente. Ce pourcentage était de 10,1 p. 100 pour les déprimés.

Prévalence d'utilisation des services

La prévalence d'utilisation des soins a été mesurée lors d'études ponctuelles. Par exemple, dans l'enquête téléphonique menée dans l'est de Montréal déjà citée [103, 105], des questions sur la fréquentation des services pour un problème de santé mentale ont été posées sur le modèle de l'enquête Santé Ontario et de l'étude américaine du National Comorbity Survey [51]. Le tableau 3-V montre les résultats obtenus. Il indique que les médecins de famille sont les professionnels de santé les plus consultés pour des raisons de santé mentale. Ce tableau signale aussi les services consultés. Si l'on fait le total des hospitalisations, des visites en urgence ou en ambulatoire, l'on s'aperçoit que près de 1,5 p. 100 de la population a fréquenté les services psychiatriques sectorisés. Ces derniers chiffres sont très comparables à ceux décrits en France pour l'utilisation des services psychiatriques sectorisés.

TABLEAU 3-V. – SERVICES FRÉQUENTÉS POUR DES FINS DE SANTÉ MENTALE AU COURS DE LA DERNIÈRE ANNÉE, 1992 (ENQUÊTE ÉPIDÉMIOLOGIQUE DE L'EST DE MONTRÉAL [103])

	p. 100
Cabinet de médecin généraliste	4,0
Cabinet d'autre professionnel privé	3,0
CLSC	1,3
Clinique externe de psychiatrie	1,2
Urgences psychiatriques	0,6
Hospitalisation psychiatrique	0,3
Services externes pour alcoolisme et toxicomanie	0,3

Dans l'enquête montréalaise, près de 8 p. 100 de la population de 15 à 64 ans avaient consulté à des fins de santé mentale dans la dernière année ; de ce groupe, 58 p. 100 avaient présenté un trouble dans la dernière année selon l'instrument diagnostique. Les femmes et les personnes âgées de 25 à 44 ans consultaient le plus. Plus de la moitié des cas consultant pour des problèmes de santé mentale l'ont fait auprès de leur médecin de famille, 24 p. 100 auprès d'un psychiatre, 22 p. 100 auprès d'un travailleur social, 10 p. 100 auprès d'un psychologue et autant auprès d'un prêtre. On peut aussi associer le fait de consulter à la présence d'un trouble de santé mentale comme cela est illustré dans le tableau 3-VI.

L'étude montre aussi que le retentissement est différent suivant les troubles et les zones et que les modalités d'utilisation des soins suivent assez fidèlement cette dimension. Cela est particulièrement évident de la dépression : les niveaux les plus sévères par rapport au nombre de symptômes déclarés sont considérés comme ayant le plus de retentissement. Ils entraînent plus de demandes de soin de manière générale, plus de demandes de soins spécialisés, et sont associés à une consommation accrue d'antidépresseurs. Les personnes déclarant des niveaux plus modérés, pour leur part, sont prises en charge par les psychologues et consomment moins d'autres traitements.

La comorbidité influence également considérablement l'utilisation des soins. Les personnes qui souffrent de plusieurs troubles comme l'anxiété et la dépression ou de troubles liés à l'usage de l'alcool et ou de dépression consultent plus de manière générale et utilisent plus fréquemment le réseau spécialisé. Ce recrutement particulier du système de soin spécialisé est un phénomène connu sous le terme de biais de Berkson [53].

On peut aussi tenter de comparer les types d'utilisation des soins pour des troubles apparemment similaires. Toujours dans cette étude comparative franco-québécoise, on remarque (fig. 3-2) que les personnes souffrant de dépression ont plus souvent recours aux psychologues au Québec qu'en France. Par ailleurs, les Français sont plus nombreux à consommer des psychotropes (fig. 3-3). Bien entendu, ces résultats nécessiteraient d'être confirmés, mais ils permettent d'illustrer les informations que l'on peut obtenir dans ce type d'enquêtes.

L'enquête Basse-Normandie relevait également les facteurs de non-utilisation des soins. Ainsi en France, où les soins sont a priori très accessibles, les raisons de non-consultation relèvent-elles essentiellement de la mauvaise perception des personnes sur leurs troubles et de leur relation avec les soins psychiatriques, tandis

TABLEAU 3-VI. – UTILISATION DES SOINS EN ÎLE-DE-FRANCE ET EN BASSE-NORMANDIE PAR TYPE DE PROBLÈME

	DÉPRESSION		PANIQUE		ANXIÉTÉ PAROXYSTIQUE		PHOBIES		PROBLÈME D'ALCOOLISME	
	ÎdF	BN	ÎdF	BN	ÎdF	BN	ÎdF	BN	ÎdF	BN
Généraliste	75,5	77,3	100	100	57,5	65,1	59	81,6	25	39,1
Consultation :	81,5	80,7	100	84,1	81,7	81,3	61,5	73,4	25	49,5
– généraliste	69,6	70,3	85,7	72,3	81,7	76,6	51,3	73,4	12,5	30,1
– psychiatre	23,0	27,0	42,9	37,5	20	29,7	16,7	14,8	25	26,9
– psychologue	8,1	9,5	42,9	10	4,2	4,7	10,3	10,2	0	2,8
Généraliste exclusivement(1)	53,3	67,3	42,9	72,3	65,8	74,2	35,9	66	0	24,2
Psychothérapie(2)		29,8		47,5		20,5		17,6		10,3
Médicaments :	73,3	64,7	85,7	84,1	68,3	61,1	51,3	61,6	25	22,5
– somnifères	37,0	34,3	57,1	11,7	16,7	31,4	20,5	14,7	12,5	5,8
– anxiolytiques	44,4	49,8	42,9	84,1	36,7	56,4	28,2	54,2	12,5	5,8
– antidépresseurs	36,3	50,1	42,9	47,5	19,2	34,2	29,5	37,5	12,5	22,5

ÎdF : Île-de-France ; BN : Basse-Normandie.
(1) Personnes qui n'ont vu que le généraliste à l'exclusion des autres professions.
(2) Cette question n'a pas été posée en Île-de-France.

que les autres facteurs d'accessibilité (connaissance d'un lieu de soin, trajet ou problèmes financiers) ne sont quasiment jamais évoqués.

On remarque aussi que consulter est en partie lié à la présence d'un problème mais que cette relation est complexe puisqu'elle dépend de nombreux facteurs, dont la gêne ressentie. Inversement, de nombreuses personnes utilisent les services de soin alors qu'elles ne remplissent pas les critères diagnostiques. Ainsi, dans l'enquête Santé Ontario, plus du quart des personnes consultant pour des fins de santé mentale dans la dernière année n'étaient-elles pas identifiées comme ayant eu un désordre recensé par l'instrument diagnostique standardisé [108]. Cela est retrouvé dans la plupart des enquêtes qui révèlent généralement qu'il s'agit de personnes ayant des problèmes mais dont la sévérité n'atteint pas le seuil requis pour porter un diagnostic ; pour d'autres, il s'agit de problèmes qui sont traités et dont les symptômes ont diminué.

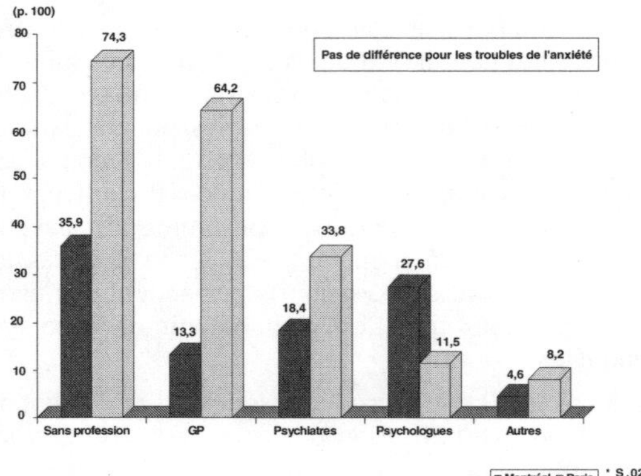

FIG. 3-2. – MODES DE PRISES EN CHARGE DES TROUBLES DÉPRESSIFS (prévalence sur une période de six mois).

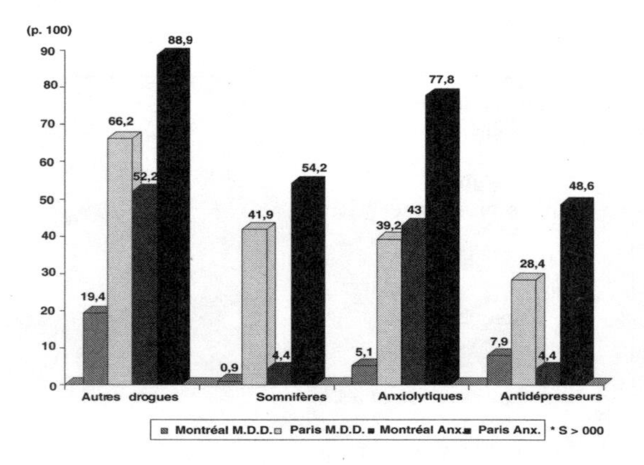

FIG. 3-3. – CONSOMMATION D'ANXIOLYTIQUES ET D'ANTIDÉPRESSEURS (prévalence sur une période de six mois).

Mesure des besoins de soins et de services

À partir de ces différentes informations, les auteurs ont tenté différentes approches pour évaluer le besoin de soin et de services. Lovell [109], dans un article de revue, propose de séparer l'approche américaine où le besoin en population générale est estimé à partir d'enquêtes relevant le diagnostic et d'autres informations pertinentes (approche indirecte), et les tentatives européennes finlandaises et anglaises pour évaluer les besoins en population générale suivant une méthode proche de celle utilisée en clinique où les cas probables sont identifiés par des cliniciens (approche directe). N'ayant obtenu que très peu de résultats de ce type dans les deux états, nous présenterons les approches qui ont été utilisées dans d'autres pays.

Approche par population

Approche indirecte. Pour évaluer l'ampleur des besoins de soins, Shapiro et al. [144] ont établi dans l'un des sites de l'étude ECA qu'un besoin n'existait qu'en présence d'un désordre dans la dernière année et selon des critères tels que : 1) soit un niveau de détresse psychologique mesuré par un instrument standardisé et dépassant un seuil donné ; 2) soit un arrêt de travail de plus d'une journée ; 3) soit une consultation dans la dernière année pour fins de santé mentale. Avec de tels critères, les besoins de soins de santé mentale touchaient près de 20 p. 100 de la population. Cependant, une meilleure prise en compte des trois axes des états de santé mentale, comme l'a fait Shapiro et al., n'indique pas, sauf de façon arbitraire, les interventions ou les services requis, bref les besoins. Il s'agit d'un indicateur indirect des besoins d'après une étude épidémiologique. Par exemple, on ne sait pas si ces personnes identifiées comme ayant un désordre et un certain niveau de détresse ou de dysfonctionnement accepteraient un traitement, ni lequel, ni par qui il devrait être fourni.

Dans l'enquête du Colorado déjà citée (*voir* chapitre 1, p. 11), les auteurs proposent d'utiliser les trois éléments de mesure (diagnostic, détresse et dysfonctionnement) pour rendre opérationnels les besoins de soin. En y ajoutant des critères de durée, ils aboutissent alors à cinq catégories qui correspondent à différents niveaux de besoin. Ces niveaux sont ensuite utilisés par les planificateurs pour établir leurs priorités et les types de moyens correspondants :

1. ceux qui présentent l'un des critères (27,7 p. 100 de la population) et représentent une cible trop large ;

2. ceux qui présentent deux critères (9,7 p. 100 de la population) correspondent à la catégorie cible ;

3. ceux qui ont un diagnostic et un autre critère (retentissement ou détresse) correspondent à la définition anglaise du besoin de soin et représentent 7 p. 100 de la population ;

4. ceux qui ont un diagnostic sévère (schizophrénie, manie, dépression majeure, trouble cognitif) (2,5 p. 100) nécessitent des soins plus lourds ;

5. ceux qui ont un diagnostic sévère et l'un des autres signes (1,6 p. 100 dont 1,1 p. 100 souffre de troubles chroniques, c'est-à-dire ayant duré plus d'un an) représentent une catégorie a priori très consommatrice de soins lourds et de longue durée.

À partir de ces groupes, les planificateurs peuvent déterminer leurs priorités et les différents systèmes de soin à appliquer. Les auteurs produisent par exemple le tableau d'utilisation des soins de ces différentes catégories selon que les personnes n'utilisent pas les services, sont des patients extra- ou intrahospitaliers. Ces données montrent, entre autres choses, que si l'on prend uniquement le diagnostic, il n'y a pas de différence entre les trois types d'utilisation des services alors que l'appartenance à deux catégories et, a fortiori, à trois permet de prédire l'utilisation des services.

Approche directe. D'autres études ont essayé d'aller plus loin dans la détermination du besoin de soins en différenciant le besoin de soins dans le réseau de soin primaire (généralistes) et dans le système de soin spécialisé.

Dans le cadre d'une étude épidémiologique en Finlande (Mini-Finland Health Survey) sur un échantillon représentatif des personnes âgées de plus de 30 ans, le groupe de Lehtinen [96] a adopté une stratégie en deux phases : 1) un dépistage avec le GHQ 36 ; 2) la passation d'un instrument diagnostique clinique, le PSE 9, par une infirmière. En outre, ce groupe utilisait des données provenant des différentes sources : pensions pour handicap et prise en charge d'un psychotrope sur une longue période.

Le besoin de soins était évalué en fonction des points de vue du répondant et de la personne qui menait l'enquête ; un questionnaire permettait en effet de connaître les opinions de la personne sur le bien-fondé des soins pour fins de santé mentale tandis que, suite à l'entrevue, la personne chargée de l'enquête, une infirmière spécialisée en psychiatrie, discutait des cas avec un psychiatre et établissait deux types de besoin. Le *besoin de soins spécialisés* était établi automatiquement si le niveau de gravité des symptômes mesurés à l'aide de l'entrevue psychiatrique standardisée (PSE) égalait ou dépassait l'indice de sévérité PSE-CATEGO de 6, ou encore si l'indice atteignait le niveau 5 et si l'équipe de recherche jugeait que le besoin de soins de santé mentale relevait d'un spécialiste. Le *besoin de soins primaires* pour fins de santé mentale était attribué aux autres cas de niveau 5 ou aux cas de niveau 4 qui étaient considérés par l'équipe de recherche comme nécessitant des soins de santé mentale.

Avec une telle approche, d'après les travaux de Lehtinen, le taux de personnes nécessitant des soins de santé mentale était de 7,3 p. 100 quand il était évalué par les répondants, mais il passait à 17,4 p. 100 lorsqu'il était fixé par l'équipe de recherche (la moitié pour des soins spécialisés et l'autre moitié pour des soins primaires).

Les travaux de l'équipe du MRC Social Psychiatry Unit [23] ont entraîné, au cours des quinze dernières années, le développement de procédures standardisées d'évaluation des besoins d'intervention pour les personnes souffrant de troubles mentaux graves, généralement psychotiques, déjà en contact avec les services. À partir de 1992, cette équipe a également développé une version permettant d'identifier les cas lors d'enquêtes épidémiologiques de population qui sont généralement affectés de troubles mentaux non psychotiques. Ces derniers travaux ont conduit à une procédure connue sous le nom de *needs for care assessment schedule-community version* (NFCAS-C [9]).

L'étude épidémiologique de cette équipe a été menée en deux temps auprès d'une population d'un quartier défavorisé de Londres. Un échantillon aléatoire de 760 adultes de 18 à 65 ans a répondu à un instrument de dépistage de type inventaire de la détresse psychologique, le General Health Questionnaire. Dans une seconde étape, un échantillon stratifié de 408 personnes a été interviewé par un agent de recherche avec formation clinique pour évaluer les troubles mentaux à l'aide d'un questionnaire standardisé, le SCAN, instrument fondé sur les critères de la CIM-10. L'entrevue visait également à établir les services reçus et les soins que la personne souhaiterait. Dans une troisième étape, un comité d'experts composé d'un psychiatre, d'un psychologue et de l'agent de recherche revoyait l'histoire de chaque cas et établissait les besoins d'interventions à l'aide du NFCAS-C.

La prévalence de l'ensemble des troubles selon la classification CIM-10 était de 9,8 p. 100 dans le dernier mois et de 12,3 p. 100 dans la dernière année. Pour la dépression majeure, cette prévalence était de 3,1 et 5,3 p. 100 respectivement le dernier mois et la dernière année. Enfin, elle était de 2,8 p. 100 pour les états anxieux. Près de 10,4 p. 100 de la population auraient un besoin de santé mentale selon l'évaluation émanant de la procédure NFCAS-C et moins de la moitié de ces besoins seraient comblés. L'étude montre aussi que certaines personnes présentant un désordre ne nécessitaient pas d'interventions (par exemple, on considérait que le désordre venait de débuter ou pourrait se résoudre ou se résolvait sans interventions des services). À l'inverse, d'autres personnes sans désordre selon le SCAN pourraient bénéficier d'intervention ; ces personnes présentent habituellement certains symptômes même si elles n'ont pas un trouble avéré selon la CIM-10, et l'on observe chez elles une détresse et des difficultés de fonctionnement social. D'autres personnes, enfn, présentant un désordre pouvaient être évaluées comme ayant des besoins impossibles à satisfaire soit parce qu'elles refusaient un traitement potentiellement efficace, soit parce que les traitements disponibles avaient failli dans leur cas.

La deuxième phase de l'étude de l'est de Montréal déjà citée [103] consistait à demander à un échantillon stratifié de 109 de ces 893 personnes de venir rencontrer un psychiatre et un psychologue pour une entrevue clinique visant à établir avec eux les besoins de soins. Les besoins d'intervention étaient codifiés sur la version française du NFCAS (*voir* fiche technique 5). L'entrevue était enregistrée et cotée indépendamment par deux autres cliniciens pour établir la fidélité de la mesure. L'échantillon était trop petit pour pouvoir, comme Bebbington et al. à Londres [10], donner une prévalence des besoins d'intervention dans une population donnée. Des besoins étaient identifiés chez 70 à 75 p. 100 des cas actuels (prévalence d'un trouble dans les six derniers mois), 31 à 35 p. 100 des cas antérieurs (auparavant dans leur vie), 3 à 13 p. 100 des non-cas. En extrapolant sur la base de ces paramètres, près de 23 p. 100 de la population adulte auraient des besoins d'intervention en santé mentale, taux plus élevé que dans l'enquête anglaise, mais plus proche des enquêtes américaines utilisant des évaluations indirectes, comme Shapiro et al. [144]. Les types d'interventions identifiées indiquaient que plus des deux tiers des besoins n'étaient pas comblés et relevaient majoritairement d'interventions psychothérapeutiques individuelles ou de groupes : psychothérapie interpersonnelle ou cognitive dans la dépression, thérapie comportementale dans le cas du trouble panique, counselling individuel ou de groupe pour les toxicomanies. Les besoins d'intervention médicamenteuse n'étaient identifiés que dans un cas sur quatre environ.

Facteurs de risque

Comme nous l'avons dit, l'étude des facteurs de risque permet de dégager des actions de prévention primaire, secondaire et tertiaire. Celles-ci doivent rester à l'esprit du planificateur même si elles ne rentrent pas exclusivement dans son champ d'action, quoique certains systèmes de santé comme la psychiatrie de secteur en France incluent explicitement les actions de prévention dans le mandat du système de soin spécialisé.

Comme le montre le tableau 3-VII portant sur les résultats de l'enquête Basse-Normandie déjà citée [81], les problèmes de santé mentale et, dans ce cas, de dépression majeure sont liés à la plupart des variables sociales.

L'enquête Ontario [20] montrait que certains facteurs de risque entraîneraient une prévalence plus élevée des troubles mentaux (tableau 3-VIII).

Le tableau 3-IX illustre l'importance de ces facteurs dans la prévalence des principaux désordres mesurés dans l'enquête Santé des Franciliens ; les chiffres présentés correspondent au facteur multiplicatif (ou, inversement, démultiplicatif) qui correspond au critère énoncé : par exemple, être une femme multiplie par 2,2 le risque de présenter une dépression. On y voit en particulier le rôle du sexe et des facteurs de risque remontant à l'enfance, notamment le placement hors de la famille avant l'âge de 12 ans.

Bien entendu, les facteurs liés aux problèmes sont nombreux ; en particulier, les stress ou événements de la vie ont fait l'objet de travaux considérables et la figure 3-4, tirée d'une comparaison Paris/Montréal, illustre l'importance donnée par les personnes déprimées aux facteurs qu'elles considèrent comme ayant déclenché leur dépression. On remarque les différences de fréquence respective dans ces sites.

POPULATIONS SPÉCIFIQUES

Enquête Santé Québec Enfants (1993)

L'enquête Santé Québec Enfants [22] a porté sur 2 400 enfants âgés de 6 à 14 ans, choisis au hasard dans

TABLEAU 3-VII. – FACTEURS SOCIO-DÉMOGRAPHIQUES ASSOCIÉS À LA DÉPRESSION DANS L'ENQUÊTE EN BASSE-NORMANDIE

POPULATIONS « EXPOSÉES »			POPULATIONS « PROTÉGÉES »
Populations plus « sensibles » à la dépression	Part des personnes ayant souffert d'une dépression dans chaque catégorie (p. 100)		Populations moins « sensibles » à la dépression
Population bas-normande	**30,9(1)**		**Population bas-normande**
Femmes	38,9	20,8	Hommes
Habitants des pôles urbains	35,7	27,9	Habitants des zones rurales
Chômeurs	44,8	30,0	Actifs ayant un emploi
Professions intermédiaires (ou anciennes professions intermédiaires)	34,6	17,1	Agriculteurs (ou anciens agriculteurs)
Ouvrières (ou anciennes ouvrières)	48,2	22,8	Ouvriers (ou anciens ouvriers)
Salariés du public	37,0	24,7	Non salariés
Divorcés	61,3	27,6	Mariés

(1) Les chiffres correspondent à la prévalence sur toute la vie.

la province de Québec (au total n = 7 349 600 habitants). La présence de troubles mentaux a été évaluée selon les critères du DSM-III-R, à l'aide d'entrevues standardisées avec les enfants, leurs parents et leurs professeurs. Pour tenir compte du niveau de développement et de capacité de réponse des enfants, l'instrument Dominique a été utilisé chez les 6-11 ans et le DIS-C-2 chez les 12-14 ans. Quand un trouble était détecté, on évaluait son retentissement sur l'adaptation à l'école, avec les pairs ou à la maison. Des variables de risques ont été relevées, tant en ce qui concerne le jeune et ses parents, de même que des variables socio-économiques et socio-démographiques. Enfin, on a posé des questions sur l'utilisation des services et les raisons de non-utilisation. Le tableau 3-X rapporte la prévalence des troubles mentaux dans les six mois précédents, pour les enfants de 6 à 11 ans, selon le sexe.

Selon les parents, 21,9 p. 100 des garçons et 20,8 p. 100 des filles présenteraient au moins un trouble, soit un enfant sur cinq ! Si l'on ajoute la difficulté d'adaptation à la présence d'un trouble mental tel que mesuré par les instruments diagnostiques, 19,9 p. 100 des enfants et adolescents ont présenté un trouble mental et 9,6 p. 100 un trouble mental avec indicateur de trouble d'adaptation sociale.

On constate que les garçons présentent plus de troubles extériorisés que les filles et que, à l'adolescence, le

TABLEAU 3-VIII. – FACTEURS ASSOCIÉS AUX TROUBLES MENTAUX CHEZ LES PERSONNES DE 15 À 64 ANS EN ONTARIO

	PAS DE DÉSORDRE (p. 100)	AU MOINS UN DÉSORDRE (p. 100)	DEUX DÉSORDRES ET PLUS (p. 100)
Abus sexuel ou physique grave	10	21	38
Trouble mental chez un parent	21	41	61
N'a pas terminé ses études secondaires	24	24	33
Sans emploi	7	6	14
Reçoit des prestations d'aide sociale	6	3	13
Bas revenu	13	9	20

TABLEAU 3-IX. – INFLUENCE DES VARIABLES SOCIO-DÉMOGRAPHIQUES (ÎLE-DE-FRANCE) EN *ODDS RATIOS* (RISQUES RELATIFS)

FACTEURS DE RISQUE	DÉPRESSION MAJEURE TOTALE	DÉPRESSION MAJEURE SÉVÈRE	PANIQUE	AGORA-PHOBIE	PHOBIE SOCIALE	PHOBIE SIMPLE	SOMATISA-TION	ALCOOL CAGE < 2
Être femme/homme	2,22	2,66	5,49			3,82	4,69	0,17
Bac ou moins/ bac plus	1,41							1,96
Célibataire, divorcé, veuf/marié								
Plus de 3 personnes dans la famille/moins	0,65						0,37	
Plus de 65 ans/moins		0,53						
Inactifs/actifs				2,21			2,68	2,33
Paris/banlieue			2,65	2,61			0,24	
Placement avant 12 ans/ pas de placement	1,81	2,32			3,49		3,63	

risque de troubles dépressifs est beaucoup plus important chez les filles. De plus, on relevait que 4,4 p. 100 des adolescents et 10,1 p. 100 des adolescentes avaient pensé au suicide dans les six derniers mois ; la prévalence de la dépression était 7,3 fois plus élevée chez ceux et celles qui avaient pensé au suicide que chez ceux qui n'y avaient pas pensé.

D'une façon générale, les résultats obtenus par les enquêtes de population sont du type de ceux présentés pour l'enquête Santé Québec Enfants. Les troubles mentaux les plus fréquents sont l'anxiété, la dépression et les abus d'alcool et de drogues. Les troubles mentaux chroniques comme la schizophrénie et la psychose maniaco-dépressive, qui ne touchent que 1 à 2 p. 100 de la population, ne sont généralement pas recherchés en raison de leur faible fréquence et des difficultés d'évaluation dans ce contexte.

Dans l'enquête menée chez l'enfant au Québec, l'utilisation des soins est la suivante : chez ceux âgés de 6 à 11 ans affectés d'un trouble mental avec difficul-

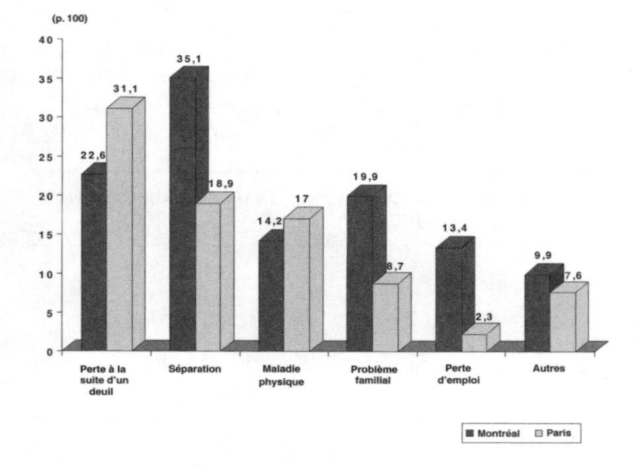

FIG. 3-4. — FACTEURS ASSOCIÉS À LA DÉPRESSION : COMPARAISON PARIS/MONTRÉAL.

TABLEAU 3-X. – PRÉVALENCE DES TROUBLES MENTAUX DANS LES SIX DERNIERS MOIS CHEZ LES ENFANTS DE 6 À 11 ANS AU QUÉBEC

	GARÇONS (p. 100)	FILLES (p. 100)
Phobie simple	1,3	3,2
Angoisse de séparation	3,2	3,4
Dépression majeure	4,1	2,7
Au moins un trouble d'anxiété ou de dépression	8,5	10,8
Hyperactivité	6,2	1,7
Trouble d'opposition	6,9	2,4
Troubles de conduite	2,4	1,3
Au moins un trouble « extériorisé »	11,0	3,8
Au moins un trouble	16,4	13,4

tés d'adaptation, 41,7 p. 100 avaient consulté à l'école et 27,5 p. 100 à l'extérieur. Chez les 12 à 14 ans, ces pourcentages sont respectivement de 25,9 p. 100 et 12,5 p. 100. Le tableau 3-XI détaille le type de professionnels consultés à l'école ou à l'extérieur.

Cette étude frappe par la richesse des informations obtenues sur l'état de la santé mentale des enfants et des adolescents. Elle ne peut qu'inquiéter par l'ampleur des troubles dépressifs chez les adolescentes et confirme, par ailleurs, que moins de la moitié des enfants et adolescents perturbés reçoivent des soins. Cependant, on ne sait pas quels besoins demeurent non comblés, quelles ressources devraient y être consacrées, et l'on ignore si les interventions actuelles sont bien adaptées et efficaces. Plus encore chez les enfants et les adolescents, l'identification de facteurs de risque ne permet pas les actions nécessaires pour les prévenir. Il n'existe aucune étude française de ce type.

Personnes âgées

L'une des principales sources de données françaises est le projet PAQUID [41]. Il s'agit d'un projet visant à étudier le vieillissement cérébral et fonctionnel après 65 ans, d'en distinguer les modalités normales et pathologiques et d'identifier les sujets à haut risque chez lesquels une prévention serait possible. Deux mille huit cent trente-cinq personnes de 65 ans et plus sont suivies depuis huit ans en Gironde et le seront pendant cinq ans au minimum. De nombreux aspects sont pris en compte, dont l'évolution des fonctions cognitives, la dépression (par le biais d'une échelle) et la survenue de handicaps. L'échantillon comprend des personnes vivant à domicile et des personnes vivant en institution.

Outre divers tests effectués à domicile par des psychologues, des données socio-démographiques sont recueillies à trois, cinq et huit ans d'évolution alternativement par courrier, par téléphone ou à domicile, ainsi que diverses informations dont la consommation médicamenteuse, le réseau familial et social pour n'en citer que quelques-unes. Notons une très forte association entre le niveau d'études et le risque de démence ; le niveau d'études le plus élevé est le meilleur prédicteur d'un moindre risque de démence. L'enquête est intégrée dans deux réseaux européens, l'un sur l'épidémiologie de la démence et l'autre sur celle de la maladie de Parkinson.

TABLEAU 3-XI. – UTILISATION DES SERVICES POUR FINS DE SANTÉ MENTALE PAR LES ENFANTS DE 6 À 11 ANS AU QUÉBEC

		p. 100
Services à l'école	Orthopédagogue	18
	Psychologue/ travailleur social	6,5
	Orthophoniste	5,9
Services à l'extérieur de l'école	Psychologue	4,6
	Orthopédagogue, psycho-éducateur et ergothérapeute	5,3
	Travailleur social	2,3
	Psychiatre	1,4

Dans la région de Sherbrooke au Québec, le centre de recherche en gérontologie a mené une étude auprès d'un échantillon de la population âgée (65 ans et plus) vivant à domicile ou en institution (n = 664) [130]. Le principal but était de documenter la prévalence de la détresse psychologique sévère chez les personnes âgées souffrant d'une limitation fonctionnelle significative. Les résultats indiquent que 39,5 p. 100 des sujets présentaient une symptomatologie sévère de détresse psychologique. Cette proportion était plus importante parmi les personnes vivant à domicile (45,6 p. 100). La prévalence des idées suicidaires au cours de la semaine précédant l'enquête était de 4,1 p. 100. Parmi les personnes rapportant un niveau sévère de détresse, 44,3 p. 100 ont rapporté n'avoir jamais consulté pour leurs symptômes. Par ailleurs, 59,5 p. 100 des sujets ayant un niveau sévère de détresse et ayant consulté pour leurs symptômes ont reconnu avoir utilisé des psychotropes au cours des douze mois précédant l'enquête.

Populations défavorisées

Population RMIste

En 1991, une enquête de santé mentale et physique a été menée auprès d'une population choisie au hasard parmi les habitants d'Île-de-France dont les Parisiens et les personnes bénéficiant du RMI dans la ville de Paris. L'enquête utilisait un questionnaire permettant de faire des diagnostics des principaux problèmes rencontrés en psychiatrie dans les classifications CIM-10 et DSM-III-R. Le taux de réponse a été de 75 p. 100. Des questions tirées d'un instrument diagnostic standardisé, le CIDI (*composite international diagnostic interview*) dans une forme simplifiée, permettaient de porter les diagnostics des troubles les plus fréquemment rencontrés en population générale. Elles permettaient aussi de recueillir des informations sur l'utilisation des soins dans le système spécialisé et non spécialisé, sur la prise des différentes catégories de psychotropes, sur les conduites suicidaires et sur différents facteurs de risque (événements survenus dans l'enfance et problèmes psychiatriques dans la famille).

Les résultats montrent que l'on trouve parmi les RMIstes pratiquement le même pourcentage de psychoses chroniques. En revanche, les RMIstes souffrent beaucoup plus fréquemment de troubles dépressifs sévères, de phobies graves, de troubles somatoformes, de troubles dus à l'usage de certaines substances, et ils utilisent peu les services de santé. Les tentatives de suicide sont plus fréquentes (8 p. 100 versus 3,4 p. 100 sur toute la vie, dont 3 p. 100 versus 1 p. 100 sont des récidives) chez les RMIstes [85, 86].

Population SDF

Cette population a été étudiée à Paris par Kovess et Mangin-Lazarus en 1996 avec la collaboration de l'INED [88]. Un échantillon représentatif de 838 sans-abri a été constitué à Paris par une méthode complexe représentant les sans-abri des refuges et les utilisateurs des points soupe ; le taux de réponse a été de 65 p. 100 (70 p. 100 dans les refuges). L'instrument fut le CIDI qui avait été préalablement validé sur 100 personnes de ce type l'année précédente, en particulier sur ses capacités à évaluer les troubles psychotiques : 57,9 p. 100 (prévalence vie entière) et 29,1 p. 100 (prévalence sur un an) présentent un trouble psychiatrique, dont 6 et 16 p. 100 de troubles psychotiques respectivement sur six mois et sur la vie. En général, les Parisiens sans domicile fixe ont accès aux soins : durant les six mois précédant l'enquête, 57,7 p. 100 d'entre eux ont consulté un médecin et 14,2 p. 100 ont été hospitalisés. Le pourcentage de personnes prises en charge après diagnostic est aussi évalué ; en revanche, cette enquête transversale ne permet pas d'évaluer la continuité de la prise en charge, ni son adéquation.

Au Québec, une enquête épidémiologique a été réalisée en 1988-1989 auprès de la clientèle des missions et refuges de Montréal [50]. Deux opérations préalables d'énumération ont permis de déterminer la taille de l'échantillon à interroger dans chacun des centres. Un échantillon probabiliste aléatoire de 299 clients a été interrogé ; le taux de réponse a été de 79 p. 100. Cette enquête couvrait, outre les troubles mentaux, les caractéristiques socio-démographiques, l'instabilité résidentielle, l'utilisation des services en santé mentale, le réseau social et la qualité de vie. Le statut de morbidité psychiatrique a été établi à partir des réponses à la *diagnostic interview schedule* (DIS) et du jugement clinique d'un psychiatre. Un peu plus de 10 p. 100 [(2)] de cette clientèle présentaient un trouble mental grave (schizophrénie ou trouble bipolaire) et, dans l'ensemble, environ 40 à 45 p. 100[(2)] présentaient une maladie mentale quelconque. Les deux tiers des personnes interrogées présentaient un trouble lié à la consommation d'alcool et 40 p. 100 [(2)] un trouble lié à la consommation de drogues. La comorbidité était importante : 74 p. 100 [(2)] des sujets atteints d'une maladie mentale présentaient également un trouble lié à l'usage de substances toxiques. Dans l'ensemble, 27 p. 100 des sujets avaient déjà été hospitalisés en psychiatrie, cette proportion était de 46 p. 100 chez les femmes. Les données de cette enquête montraient également que les taux d'utilisation des services en santé mentale au cours de la vie étaient beaucoup plus élevés que ceux observés dans la population générale. Cependant, plus récemment, ces taux ont baissé de manière importante, laissant supposer que ces personnes avaient perdu contact avec les services. Les résultats ne sont pas encore disponibles.

Dix ans plus tard (1998-1999), une enquête similaire a été menée auprès d'un échantillon d'environ 850 personnes à Montréal et au Québec. La répétition d'une telle enquête permettra de voir comment la composition de la clientèle de ce type de centres s'est modifiée au cours du temps.

Population carcérale

En France, il n'existe aucune étude sur cette population. Cependant, des études sont conduites sur des thèmes particuliers la plupart du temps à partir des lieux de soins spécialisés dans ce contexte. Ainsi des études sont-elles régulièrement menées chez les toxicomanes incarcérés et sur l'évolution au cours du temps (1992-1995) des caractéristiques de ces sujets [45].

Un rapport du haut comité à la Santé publique sur la prise en charge sanitaire des détenus (1993) estimait qu'« il n'existait pas à l'échelle nationale d'études épidémiologiques fiables permettant d'apprécier les troubles mentaux dans les établissements pénitentiaires ». Sont cependant citées deux études à Varces et Angoulême qui retrouvaient des troubles chez 45 et 60 p. 100 des détenus. Une étude [18] a porté sur l'ensemble des suicides en prison entre 1982 et 1991 pour cerner les facteurs de risque et les moments à risque au cours de la détention.

Au Québec, parmi les 2 972 détenus en pénitencier (peine de prison de plus de 2 ans), en 1988 un échantillon représentatif de 650 détenus a fait l'objet d'une enquête à l'aide de l'instrument diagnostique psychiatrique standardisé, le DIS (*diagnostic interview schedule*). Plus de 495 questionnaires ont été remplis (taux de réponse de 76 p. 100). Plus de 7,5 p. 100 avaient souffert au cours de leur vie de schizophrénie et plus de 16,9 p. 100 de dépression majeure ; 46,2 p. 100 des détenus interrogés souffraient d'un problème d'abus ou de dépendance à l'alcool, et 49,4 p. 100 d'un problème de dépendance aux drogues. Ces taux sont nettement plus importants que dans la population générale.

Groupes autochtones et groupes ethniques

Santé Québec a réalisé une grande enquête sur la santé des Inuits et des Cris du Québec en 1992 [69]. La santé mentale a été évaluée à l'aide du même questionnaire de mesure de la détresse psychologique utilisé dans les autres enquêtes Santé Québec ; des questions ont été posées sur les idéations et les gestes suicidaires. Menée chez les Inuits auprès d'un échantillon de près de 10 p. 100 des ménages, l'étude a couvert 400 ménages et plus de 650 individus. La détresse psychologique était plus importante chez les jeunes adultes et chez les femmes. À vie, les idéations suicidaires étaient rapportées par près de 12 p. 100 des Inuits, 7 p. 100 des Québécois et 4 p. 100 des Cris ; les tentatives de suicide étaient rapportées par 13 p. 100 des Inuits, 3 p. 100 des Québécois et 3 p. 100 des Cris. Ces phénomènes suicidaires étaient plus élevés chez les jeunes et doivent être mis en relation avec les taux de suicide plus élevés dans les territoires inuits (taux de 55,3 pour 100 000 entre 1982 et 1991, de 19,5 pour 100 000 dans l'ensemble du Québec en 1995).

---

(2) Prévalence sur le cours de la vie.

L'utilisation différentielle des services par les différents groupes ethniques de Montréal a été examinée par Kirmayer et al. [77]. Une enquête téléphonique a été menée auprès d'un échantillon stratifié de cinq groupes culturels du quartier Côte-des-Neiges à Montréal, le quartier le plus multi-ethnique de Montréal. La première partie de l'enquête a touché 2 246 répondants et impliquait le GHQ comme instrument de mesure de la détresse psychologique ; des questions ont été posées sur l'utilisation des services. Les taux de détresse psychologique étaient plus bas chez les immigrants des Caraïbes ou Philippins que chez les non-immigrants, à l'exception des Vietnamiens qui présentaient des taux plus élevés que les quatre autres groupes étudiés. Les taux globaux d'utilisation des services médicaux au cours de la dernière année sont similaires chez les groupes d'immigrants (78,1 p. 100) et de non-immigrants (76,4 p. 100). Toutefois, les taux d'utilisation des services de soins de santé pour des problèmes de détresse psychologique sont significativement inférieurs chez les immigrants (5,5 versus 14,7 p. 100). Cette différence est attribuable à la fois à un taux significativement plus bas d'utilisation de services spécialisés en santé mentale chez les immigrants (2,6 versus 11,6 p. 100) et à une différence dans l'utilisation de services médicaux pour des problèmes de détresse psychologique (3,5 versus 5,8 p. 100). Les facteurs les plus importants semblent être : 1) la compréhension et l'interprétation des symptômes psychologiques ; 2) le désir de faire face aux problèmes personnels seul ou au sein de la famille ; 3) la perception que les professionnels de santé qui pourraient comprendre la culture des immigrants ne sont pas disponibles. Seuls les Vietnamiens ont tendance à somatiser davantage, ce qui n'est pas le cas ni des Philippins, ni des Caribéens, ni des indigènes francophones ou anglophones.

DONNÉES RECUEILLIES À PARTIR DES SYSTÈMES DE SOINS

DONNÉES ÉMANANT DES GÉNÉRALISTES

Depuis les travaux de Shepherd, il y a plus de 30 ans en Angleterre, il a été démontré que les troubles mentaux représentent les causes les plus fréquentes de consultation auprès des généralistes [147]. En 1978, aux États-Unis, Regier et al. [131] décrivaient les médecins de famille comme le « système de soins en santé mentale de facto », d'après leurs données épidémiologiques qui démontraient que : 1) au moins 15 p. 100 de la population américaine sont affectés de trouble mental chaque année ; 2) seulement une personne affectée sur cinq va consulter ; 3) 60 p. 100 de ces consultations se font auprès du médecin de famille.

La majorité de la population consulte régulièrement un médecin généraliste. Au Canada, on estime aussi que 83 p. 100 de la population consultent leur médecin de famille chaque année ; 97 p. 100 des Canadiens ont un médecin de famille et près de 48 p. 100 ont eu le même médecin de famille au cours des dix dernières années [73]. Il apparaît que près de 25 p. 100 des patients qui consultent leur médecin de famille ont un trouble mental diagnosticable, les troubles dépressifs, anxieux et somatoformes représentant les désordres les plus fréquents [78]. Seulement 4 p. 100 de la population reconnaissent avoir consulté leur médecin de famille l'année précédente pour des problèmes de santé mentale au Québec, en Ontario ou aux États-Unis [51]. Le tiers à la moitié des personnes qui ont des problèmes est en fait identifiée par le médecin de famille comme souffrant de trouble mental [44].

Les facteurs invoqués pour expliquer le peu de reconnaissance de la maladie par l'usager et ce manque de traitement des troubles mentaux par les généralistes sont soit liés au médecin, soit liés au patient. Chez le médecin, on note : 1) son intérêt limité pour les problèmes psychosociaux et psychiatriques ; 2) ses difficultés dans sa relation avec le patient ; 3) son manque de temps et la faible rentabilité de la consultation psychosociale. Chez l'usager, on constate : 1) la stigmatisation associée à la maladie mentale ; 2) la confusion et la recherche d'une cause organique, provoquée par les signes somatiques associés aux problèmes psychologiques. Malgré ces limites, l'OMS recommande que les services de première ligne et les généralistes soient la pierre angulaire des soins de santé mentale et que les spécialistes soutiennent leur action [91, 142, 159]. Au Québec et aux États-Unis, les services ambulatoires spécialisés (hospitalisations, urgences psychiatriques, service ambulatoire de secteur ou psychiatre en privé) ne touchent que 1,5 à 2 p. 100 de la population chaque année [51].

L'importance des enquêtes est indéniable dans ce contexte. Leur réalisation est cependant difficile, car elles se heurtent à deux obstacles : la faible participation et les difficultés de reconnaissance des diagnostics dans le contexte de médecine générale. En effet, le taux de participation, en principe exprimé en taux de non-réponses, est généralement mauvais sauf dans des cas spécifiques comme celui des « réseaux sentinelles » qui regroupent des médecins généralistes, rompus aux enquêtes épidémiologiques et qui participent en priorité aux études menées dans cette région. L'ensemble des médecins généralistes n'est cependant pas concerné par ces réseaux sentinelles, ce qui pose la question de leur représentativité.

L'enquête OMS, multicentrique, menée en France par Lecrubier et Lellouch [91], sur les troubles psychologiques en médecine générale sur 400 patients montre une prévalence de l'ordre de 26 p. 100 de problèmes de santé mentale : les médecins généralistes en identifient environ un cas sur deux, cette proportion augmentant avec la sévérité des troubles. Cette étude, réalisée à partir de la clientèle de quelques médecins volontaires en région parisienne, a cependant une portée limitée pour l'ensemble du pays. Elle a été récemment refaite auprès d'un échantillon plus large de généralistes en provenance de plusieurs régions.

Un certain nombre d'études se font dans les régions à partir des réseaux de médecins sentinelles. Ainsi l'étude menée en Aquitaine sur les troubles de l'anxiété [112] donne-t-elle un taux de 25 p. 100.

DONNÉES ÉMANANT DES PSYCHIATRES LIBÉRAUX

Les enquêtes menées auprès des médecins exerçant en psychiatrie libérale sont assez difficiles, car le taux de réponse des médecins est souvent mauvais avec, en revanche, une très bonne coopération de la part des patients contactés par ce biais. Par exemple, dans l'enquête menée par Rouillon [138] auprès de psychiatres libéraux tirés au sort dans huit régions françaises, le taux de participation des psychiatres était inférieur à 26 p. 100, alors que le taux de réponse des patients est voisin de 90 p. 100. D'autres enquêtes ont des taux de réponses très supérieurs mais posent néanmoins un problème de représentativité : en effet, la plupart de ces enquêtes sont financées par l'industrie pharmaceutique qui travaille avec un panel de médecins, conçu en fonction de leur objectif de vente et non d'une représentativité épidémiologique qui les aurait tirés au sort. Or un psychiatre peut, en fonction de sa formation et de ses choix théoriques, avoir un abord plus chimiothérapique, plus psychothérapique, plus cognitiviste et, par conséquent, s'avérer être un prescripteur plus ou moins important et, ce faisant, être plus ou moins représenté dans ces pools ; l'échantillon des patients pourrait alors en être biaisé.

SYSTÈMES D'INFORMATION ET ENQUÊTES SYSTÉMATIQUES EN MILIEU HOSPITALIER

Parmi les sources utiles aux planificateurs pour la prise en compte des besoins, on peut citer les systèmes d'information permettant soit de recueillir des données en routine, soit de lancer des enquêtes ponctuelles. Dans le cadre du système de soin en psychiatrie, ces systèmes peuvent être plus ou moins complets en ce sens que les soins sont donnés dans des lieux très divers qui évoluent au cours du temps et que, par conséquent, les relevés peuvent comporter des informations sur les soins hospitaliers, extrahospitaliers, voire couvrir tous les soins dont bénéficie l'usager. Ces relevés d'information peuvent par ailleurs balayer des échelles diverses : nationale, régionale ou locale.

Toutefois, on notera qu'il existe en France une fiche de recueil nationale couvrant à la fois les soins intra- et extrahospitaliers ainsi qu'un relevé détaillé des ressources humaines et matérielles sur chacun des secteurs (adulte) et intersecteurs (infanto-juvéniles), permettant de produire annuellement des rapports de secteurs qui sont analysés au niveau national mais dont les données médicales sont exclues. La mise en place prochaine du PMSI (programme médicalisé des systèmes d'information) en psychiatrie permettra à terme d'obtenir une banque très complète de données médicales et socio-démographiques en rapport avec les interventions. Bien entendu, ce système ne concerne que le système psychiatrique public et exclut de ce fait la psychiatrie libérale, les hôpitaux généraux hors services de psychiatrie, les généralistes et le système médicosocial.

Au Québec, il n'existe pas actuellement de recueil conjoint des activités intra- et extrahospitalières, le système MEDECHO ne recueillant que l'information sur les hospitalisations.

Les systèmes d'information de chacun des états sont décrits dans la fiche technique 12. Il existe par ailleurs des enquêtes systématiques conduites en milieu hospitalier.

Enquêtes transversales sur la population suivie dans le dispositif de soins psychiatrique français

Ces enquêtes sont réalisées de manière ponctuelle par l'Institut national de la santé et de la recherche médicale (INSERM) en collaboration avec le ministère de la Santé. Elles portent sur la population suivie à un moment donné dans une partie du dispositif de soins psychiatriques et fournissent des données sur les caractéristiques socio-démographiques et diagnostiques des patients (données recueillies dans la fiche par patient), en relation avec les modalités de prise en charge ambulatoire, à temps partiel et à temps complet[3].

Ces enquêtes donnent lieu à une exploitation par région et au niveau national. Seuls les responsables médicaux sont destinataires des résultats par structure. Comme toutes les enquêtes transversales, ces enquêtes fournissent des éléments de connaissance sur la population suivie à un moment donné. Les résultats ne peuvent être appliqués à la population suivie tout au long de l'année car elles sur-représentent les patients suivis de manière intensive et sur des longues durées. Par ailleurs, les modalités de prise en charge décrites dans ces enquêtes ne concernent que les modalités de prise en charge suivies dans la partie du dispositif de soins étudié.

Par ailleurs, des enquêtes ponctuelles ont fourni en 1988 et en 1991 des informations sur les personnes hospitalisées en psychiatrie un jour donné, selon le mode d'hospitalisation (hospitalisation libre, hospitalisation sans consentement) et d'autres variables (âge, sexe, durée d'hospitalisation, département de résidence). Chaque année depuis 1992, les DDASS transmettent au ministère de la Santé un questionnaire concernant le nombre d'hospitalisations sans consentement effectuées au cours de l'année dans le département. Ces questionnaires donnent lieu à une exploitation nationale qui comprend des résultats par département.

Des enquêtes transversales sont également réalisées sur les populations hospitalisées dans les hôpitaux psychiatriques du Québec (1984, 1989, 1993). Elles ont pour but d'établir le nombre de personnes pouvant

---

(3) Pour la psychiatrie générale : enquête nationale sur la population prise en charge par les secteurs de psychiatrie générale du 16 au 29 mars 1993 ; enquête nationale sur la population prise en charge par les secteurs de psychiatrie générale du 16 mars 1998, par les cliniques psychiatriques privées du 16 au 22 mars 1998, par les établissements de réadaptation et de post-cure du 16 au 22 mars 1998.

Pour la psychiatrie infanto-juvénile : enquête nationale sur la population prise en charge par les secteurs de psychiatrie infanto-juvénile du 30 mars au 12 juin 1998 ; enquête nationale sur la population prise en charge par les secteurs de psychiatrie infanto-juvénile du 3 au 15 juin 1996, par les centres médico-psycho-pédagogiques du 3 au 15 juin 1996, par les hôpitaux de jour privés du 3 au 8 juin 1996.

bénéficier de sortie, ou encore de déterminer le coût des différents traitements. En 1998, une enquête a été réalisée sur la population hospitalisée dans les hôpitaux psychiatriques de Montréal à l'aide de l'inventaire de niveau de soins (*voir* fiche technique 5).

Enquêtes menées dans les cliniques privées dites à but commercial en France

Le système de soin spécialisé français comporte une part importante de lits dits à but commercial : 15 000 lits environ répartis dans 300 cliniques. Jusqu'à présent, on ne disposait que de peu de renseignements sur les cliniques privées et seules les enquêtes d'Angleraud et Leguay [6] avaient évalué, sur des territoires donnés, le nombre de patients des systèmes de soin privé et public. Dans le cadre du rapport Cléry-Melin (1996), Antoine (SESI) [7] a entrepris une enquête transversale des pathologies rencontrées dans les cliniques psychiatriques privées dont le profil peut être ainsi comparé à l'hospitalisation publique.

Dans cet esprit en 1998, l'enquête nationale [33] sur les secteurs de psychiatrie générale menée conjointement par la DGS et par le CCOMS de l'INSERM a été étendue aux cliniques privées. C'est la première étude épidémiologique nationale qui enregistre des données de morbidité dans le secteur privé, parallèlement à celles obtenues dans les secteurs publics de psychiatrie (tableau 3-XII).

Enquêtes menées dans les services hospitaliers généraux

On a mené des enquêtes hospitalières non spécifiques au dispositif de soins psychiatrique, mais donnant des informations sur le dispositif ou sur le recours au dispositif sanitaire ou social pour troubles mentaux. Chaque année, le service statistique du ministère de la Santé effectue une enquête (enquête SAE : statistique des établissements de santé) auprès des établissements hospitaliers publics et privés, qui fournit des données sur le personnel médical et non médical, l'équipement et l'activité. Elle donne lieu à une exploitation au niveaux national, régional et départemental et, fournit ces données pour l'ensemble des établissements publics et privés ayant des services de psychiatrie ; les données d'équipement et d'activité sont limitées à l'hospitalisation complète et partielle : nombre de lits, de places, d'entrées et de journées.

Le service statistique du ministère de la Santé effectue ponctuellement des enquêtes (enquêtes de morbidité hospitalières) sur les patients traités dans les services de médecine, chirurgie et obstétrique, sur un échantillon de séjours hospitaliers dans les hôpitaux publics et privés. Les informations recueillies concernent les caractéristiques socio-démographiques des usagers, la durée d'hospitalisation, les modes d'entrée et de sortie, les pathologies traitées (diagnostic principal cause du séjour et diagnostics associés, codés selon la CIM-9) et les actes pratiqués (résultats 1985-1987 et 1993). Ces enquêtes indiquent la part des séjours hospitaliers pour troubles mentaux, selon l'âge et le sexe au niveau national.

TABLEAU 3-XII. – CARACTÉRISTIQUES DES ADULTES DANS LE SYSTÈME PSYCHIATRIQUE PRIVÉ ET PUBLIC (p. 100)

	PUBLIC	PRIVÉ
Population	n = 130 519	n = 8 165
Consultation	68	0
Hôpital de jour	14	0
Hospitalisation	18	100
Célibataires	52	38
Schizophrénie	23	14
Dépression	17	40
Anxiété	13	9
Troubles de la personnalité	9	6
Alcool	7	7

ENQUÊTES SPÉCIFIQUES DANS LES SERVICES HOSPITALIERS

La disparité des services de médecine interne ne permet qu'une comparaison approximative des résultats entre eux. Les particularités d'un service de médecine interne sont liées, pour ne citer que les principales, à l'orientation spécifique du service, à la sur-représentation fréquente des sujets âgés et au mode de recrutement des patients.

Une enquête récente (1993) a été conduite par le SESI sur les hospitalisations publiques et privées de court séjour (médecine générale et spécialités médicales hors psychiatrie, chirurgie et gynéco-obstétrique) et publiée par Mouquet (SESI) [121]. Dans cette enquête qui a étudié 66 789 séjours tirés au sort au cours d'un sondage à deux degrés, les résultats concernent les diagnostics CIM-9 qui ont été codés à partir des renseignements fournis par les médecins des unités de soins sous la responsabilité d'un médecin de DIM. Ce sont les « manifestations cliniques » du trouble ayant motivé le séjour qui ont été retenues et les troubles dépressifs ont fait l'objet d'une étude détaillée. Cette étude démontre qu'au total 5 p. 100 des hospitalisations dans les services non psychiatriques sont en relation avec un trouble mental, dont la grande majorité sont hospitalisés en médecine où ils sont 13 p. 100 (21,6 p. 100) dans les services d'urgence. On peut cependant déjà remarquer que cette évaluation sous-estime l'ensemble des troubles dépressifs puisqu'elle implique une reconnaissance du trouble par le médecin de l'unité et qu'elle ne tient pas compte des diagnostics secondaires. Cependant, dans le contexte d'une étude sur les déprimés dans le système de soin, elle renseigne sur les séjours de ceux qui sont hospitalisés pour troubles dépressifs dans ce contexte [81].

D'une façon générale, ces problèmes de santé mentale sont généralement sous-estimés dans les services de soins somatiques. Lépine et al. [99] estime, à travers une revue de la littérature, que la non-reconnaissance, les oublis et les erreurs diagnostiques des problèmes de psychiatrie dans les services de médecine concernent 10 à 30 p. 100 des patients hospitalisés chez lesquels les troubles dépressifs sont fréquents. Pour ce qui est de l'extrapolation des résultats des enquêtes qui ont été faites à partir d'une évaluation systématique des symptômes, les mêmes auteurs remarquent que les résultats de morbidité dépressive peuvent varier dans des proportions importantes d'une étude à l'autre, en fonction des instruments retenus et du seuil à partir duquel est admise l'existence d'une pathologie dépressive, car il peut exister de grandes différences selon les échelles utilisées.

On peut aussi citer des études spécifiques sur les problèmes d'alcoolisme comme une étude en Côte d'Or sur la morbidité hospitalière due à l'alcoolisme (un patient hospitalisé sur cinq environ présente des stigmates d'alcoolisme) [2] ; une étude sur la prévalence de la morbidité alcoolique dans l'Yonne à partir des neuf établissements hospitaliers sur dix (72 p. 100 de participants) [55]. Des études sont aussi menées par l'Association nationale de prévention de l'alcoolisme (ANPA) chaque année depuis 1987, sur les caractéristiques des nouveaux consultants dans les centres spécialisés dans le traitement de l'alcoolisme (CHAA), leurs habitudes de consommation et leur trajectoire de soins. En 1996, 30 p. 100 des nouveaux consultants sont chômeurs ou inscrits au RMI ; 10 p. 100 ont eu des conduites suicidaires.

Enquêtes sur le dispositif résidentiel et social

Le service statistique du ministère de la Santé et des Affaires sociales effectue tous les deux ans une enquête auprès des établissements et services pour enfants et adultes handicapés. Ces enquêtes fournissent des données sur le personnel, l'activité de ces établissements et, tous les quatre ans, des données sur la clientèle. Elles décrivent la clientèle des établissements d'éducation spéciale et des services autonomes d'éducation spéciale et de soins à domicile (pour les enfants), des établissements d'hébergement, des établissements de rééducation et de réinsertion professionnelle et des établissements de travail protégé (pour les adultes) selon l'âge et la déficience principale (dont le retard mental et les « autres déficiences psychiques »).

L'enquête sur les bénéficiaires de l'aide sociale à l'enfance (ASE) permet de connaître le nombre d'enfants confiés à l'ASE ou bénéficiant d'une aide éducative en milieu ouvert (AEMO). L'ASE intervient en cas de difficultés sociales graves ou de dangers menaçant l'enfant, ou lorsque la famille ne peut assumer son rôle.

Enquêtes spécifiques auprès de groupes de patients pris en charge dans les lieux de soins spécialisés

En France, on peut citer un certain nombre d'études sur des cohortes de patients souffrant de schizophrénie, qui sont à la limite de la recherche clinique. Ces études sont en cours de publication : une étude porte sur la morbidité et la mortalité dans une cohorte de patients souffrant de schizophrénie ; une étude multicentrique est menée auprès de 200 patients traités dans le secteur public, qui viennent de sortir de l'hôpital et qui sont suivis sur deux ans [83] ; une étude multicentrique et européenne (ERGOS, RNSP) est conduite auprès de 150 patients français en provenance de quatre lieux de soin et 500 Européens suivis sur un an [83] ; une étude est menée dans les secteurs de Rennes sur les filières de soins [83] ; des données nationales sont obtenues sur les schizophrènes en soins [83].

Ces études évaluent le réseau social, la qualité de vie, les filières de soins, la prescription des psychotropes, différents aspects de la réinsertion du patient et les causes de décès ; elles sont à la limite de la recherche clinique et de l'épidémiologie. Elles utilisent des instruments standardisés et des échelles. L'une des études (ERGOS) utilise un instrument standardisé du besoin de soin (*need for care assessment* ; *voir* fiche technique 5) qui met en évidence les différences de besoin entre les populations de ces différents secteurs psychiatriques tant dans les types de besoin que dans les possibilités d'y faire face. Les résultats concernant les patients des différents centres français sont présentés dans les tableaux 3-XIII et 3-XIV. On y remarque l'hétérogénéité des problèmes cliniques entre les différents secteurs représentés, l'importance quantitative des problèmes cliniques, la présence de problèmes physiques dans un tiers de cas ainsi que des problèmes d'hygiène, de tâches ménagères et d'activité professionnelle.

Au Québec, une enquête a été menée avec le même instrument sur les besoins des patients psychotiques fréquentant les services au long cours d'un hôpital psychiatrique de Montréal [158]. Cette étude visait à comparer les caractéristiques et les besoins de patients souffrant de désordres psychotiques suivis soit en ambulatoire, soit hospitalisés récemment (H), soit hospitalisés depuis de longues périodes, dans des services dits de « longue durée » (HL), et enfin des patients se retrouvant dans des milieux résidentiels protégés (RP). Des entrevues intensives avec l'aide d'instruments standardisés ont mesuré les symptômes psychotiques et non psychotiques (PSE), le fonctionnement dans les rôles sociaux (SAS) et les habiletés de vie quotidienne (ILSS), les besoins de soins à l'aide du NFCAS (tableau 3-XV).

Cette étude montre que la mesure des besoins permet d'évaluer la pertinence des services et va plus loin que la mesure des états de santé mentale qui ne fait que constater que les personnes les plus handicapées se retrouvent dans des ressources plus structurées. On peut mesurer qu'il y avait une certaine adéquation dans la réponse aux besoins de ces personnes puisque la majorité des besoins sont comblés. Une analyse plus fine des différents besoins d'intervention utilisant les NFCAS montrait, par ailleurs, que les besoins de programmes structurés de stimulation sociale ou d'entraînement aux habiletés de vie comme l'utilisation des transports ou le fait de se faire à manger, afin d'accéder

TABLEAU 3-XIII. – POURCENTAGE DE PATIENTS SOUFFRANT DE SCHIZOPHRÉNIE PRÉSENTANT DES PROBLÈMES CLINIQUES ET SOCIAUX DANS QUATRE CENTRES FRANÇAIS (d'après Kovess V, Dubuis J, Lacalmonti E et al. Les soins donnés aux patients schizophrènes dans quatre secteurs de psychiatrie. Schizophrénie, Enfances, Données actuelles. Sous la direction de Gilles Vidon, Paris, Frison-Roche, 2000, 282 pages).

	LILLE	LYON	LA VERRIÈRE	SAINT-ÉTIENNE	MOYENNE	SIGN.
Nombre de patients	46	44	27	50	Total = 167	
A1. Symptômes psychotiques positifs	80	93	93	100	92	0,006
A2. Lenteur et niveau d'activité	37	66	82	68	61	0,000
A3. Dyskinésie	28	43	52	40	44	0,041
A4. Symptômes névrotiques	20	43	22	6	23	0,001
A5. Démence	0	0	0	0	0	
A6. Symptômes physiques	13	32	33	42	32	0,002
A7. Comportement dangereux	15	30	22	32	25	
A8. Comportement socialement gênant	15	27	11	12	17	
A9. Détresse	22	39	7	34	28	0,18
A10. Abus d'alcool	13	5	11	10	10	
A11. Abus de drogue	0	5	4	4	4	
B1. Hygiène personnelle	17	36	19	26	25	
B2. Emplettes	4	18	7	14	11	
B3. Préparation des repas	26	36	30	16	26	
B4. Tâches ménagères	30	43	26	26	32	
B5. Utilisation des transports en commun	7	11	19	10	10	
B6. Fréquentation des lieux publics	22	23	44	30	28	
B7. Instruction	2	9	4	6	4	
B8. Activité professionnelle	63	32	44	16	33	0,000
B9. Communication	7	5	7	8	4	
B10. Gestion du budget	22	34	19	32	18	0,000
B11. Gestion personnelle	67	61	33	40	42	0,000

à un milieu résidentiel plus autonome étaient plus souvent identifiés chez les personnes hébergées dans les unités de soin de longue durée ou dans les ressources résidentielles protégées. Par ailleurs, on montrait aussi que les services les plus structurés comblaient moins bien les besoins, confirmant l'impression que ces services sont relativement moins bien dotés en programme et en personnel, comparativement aux services ambulatoires ou aux services d'admission de courte durée. Il aurait été intéressant d'associer aux besoins d'intervention un processus d'évaluation des besoins en services ; cela aurait permis de mesurer les services requis et d'en estimer secondairement les coûts. Une nouvelle allocation subséquente des ressources pourrait alors améliorer la réponse aux besoins non comblés ainsi identifiés.

Au Québec, de vastes enquêtes ont été menées par le ministère et la régie régionale de Montréal-centre, auprès des patients hospitalisés dans les hôpitaux psychiatriques, afin de déterminer leur potentiel de sortie dans la communauté. Des enquêtes importantes ont été menées en 1985, 1989 et 1996, mais elles n'ont pas été publiées autrement que dans des rapports internes.

TABLEAU 3-XIV. – MOYENNE DU NOMBRE DE PROBLÈMES CLINIQUES ET SOCIAUX ET DU NIVEAU DE SATISFACTION À L'INCLUSION DE PATIENTS SOUFFRANT DE SCHIZOPHRÉNIE (d'après Kovess V, Dubuis J, Lacalmonti E et al. Les soins donnés aux patients schizophrènes dans quatre secteurs de psychiatrie. Schizophrénie, Enfances, Données actuelles. Sous la direction de Gilles Vidon, Paris, Frison-Roche, 2000, 282 pages).

	LILLE	LYON	LA VERRIÈRE	SAINT-ÉTIENNE	ENSEMBLE	SIGN.
Besoins cliniques	2,43	3,82	3,37	3,78	3,35	0,001
– satisfaits	1,76	2,95	3,11	2,74	2,59	0,000
– non satisfaits	1,00	1,14	0,00	1,47	1,28	0,049
– impossibles à satisfaire	0,39	0,59	0,11	0,52	0,44	0,108
Besoins sociaux	2,67	3,89	2,72	2,24	3,07	0,008
– satisfaits	1,70	2,09	1,67	1,16	1,63	0,002
– non satisfaits	1,64	2,00	1,33	0,56	1,74	NS
– impossibles à satisfaire	0,85	0,61	0,63	0,72	0,71	NS

Pilon et Arsenault [128] ont toutefois rapporté une enquête menée à l'hôpital psychiatrique Robert-Giffard de Québec, auprès de patients affectés ou non de déficience intellectuelle. Pour les patients souffrant de déficience intellectuelle, le SINFOID a été utilisé et un tableau de résultats avec description de l'instrument se trouve dans la fiche technique 5. Pour les personnes sans retard mental, l'inventaire de niveau de Soins (INS ; « grille New York ») a été utilisé pour évaluer le niveau de besoins. L'INS est décrit en détail dans la fiche technique 5. Dans l'étude, les 928 personnes hospitalisées en longue durée à l'hôpital Robert-Giffard en novembre 1995 ont été recensées avec l'INS. Le tableau 3-XVI indique les résultats des niveaux de

TABLEAU 3-XV. – CARACTÉRISTIQUES DE PATIENTS SOUFFRANT DE TROUBLES PSYCHOTIQUES SUIVIS PAR DIFFÉRENTS SERVICES PSYCHIATRIQUES

	AMBULATOIRES (n = 26)	HOSPITALISÉS (courte durée) (n = 25)	HOSPITALISÉS (longue durée) (n = 25)	MILIEU RÉSIDENTIEL PROTÉGÉ (n = 26)
Nombre moyen d'hospitalisations antérieures	2,9	6,0	5,9	8,1
Durée de l'hospitalisation actuelle ou de la dernière (en années)	0,2	0,3	9,2	2,3
Symptômes psychotiques (PSE)	1,2	5,2	8,0	2,5
Difficultés dans les rôles sociaux (SAS)	36,9	49,4	54,5	45,6
Habiletés de vie quotidienne :				
– difficultés avec l'hygiène	3,5	5,3	15,5	7,1
– difficultés dans la gestion de son argent	8,5	12,9	28,6	32,4
Évaluation des besoins :				
– besoins par usager	6,0	7,6	11,0	9,5
– besoins non comblés par usager	1,0	0,6	2,2	2,3

TABLEAU 3-XVI. – DISTRIBUTION DU NIVEAU DE SOINS PSYCHIATRIQUES (PSYCH) DE LA POPULATION DES 928 PERSONNES SOUFFRANT DE PROBLÈMES MENTAUX ET HOSPITALISÉS EN LONGUE DURÉE, EN FONCTION DE L'ÂGE ET DU SEXE

NIVEAU PSYCH		GROUPE D'ÂGE											
		18-34		35-54		55-64		65-74		75 et plus		Total	
		N	p. 100	N	p. 100	N	p. 100	N	p. 100	N	p. 100	N	p. 100
1	F	3	23,1	8	13,1	15	20,5	21	14,4	28	15,5	75	15,8
	H	6	46,2	21	21,2	28	27,7	32	25,5	19	16,7	106	23,3
2	F	1	7,7	3	4,9	4	5,5	16	11,0	22	12,2	46	9,7
	H			8	8,1	8	7,9	21	16,5	19	16,7	56	12,3
3	F	9	69,2	50	82,0	54	74,0	109	74,7	131	72,4	353	74,5
	H	7	53,8	70	70,7	65	64,4	74	58,3	76	66,7	292	64,3
Total	F	13	2,7	61	12,9	73	15,4	146	30,8	181	38,2	474	100,0
	H	13	2,9	99	21,8	101	22,2	127	28,0	114	25,1	454	100,0

1 : intégré ; 2 : réadaptation ; 3 : intensif.

soins psychiatriques établis avec l'INS dans cette population.

La majorité des personnes présentaient un profil de problèmes cliniques et psychosociaux tels que des soins hospitaliers intensifs étaient établis par l'algorithme de l'INS. Près de 20 p. 100 présentaient un profil compatible avec celui des personnes intégrées dans des ressources situées dans la communauté. Cependant, il faut être conscient qu'un instantané des problématiques dans un milieu donné ne garantit pas que la personne pourra soutenir la dynamique d'une sortie d'hôpital et ne renseigne pas sur le niveau de supervision requis à l'extérieur de l'hôpital. Des études récentes de la poursuite de la désinstitutionnalisation indiquent sa faisabilité, mais les personnes ayant connu de longs séjours hospitaliers requièrent, dans la majorité des cas, des ressources résidentielles supervisées [11].

ENQUÊTES SUR LES PROBLÉMATIQUES SPÉCIFIQUES : TENTATIVES DE SUICIDE

Comme indiqué pour les enquêtes chez les Inuits et les Cris, les enquêtes Santé Québec de 1987 et 1992 ont utilisé des questions pour relever la prévalence des idéations et des tentatives de suicide, dont les prévalences sont citées plus haut (*voir* p. 46). Il est remarquable de noter qu'en 1992, la prévalence dans la dernière année de ces deux phénomènes était comparable chez les hommes et les femmes au Québec (bien que l'on sache que les femmes ayant fait une tentative de suicide consultent plus, donnant ainsi l'impression que du point de vue du système de soins, les tentatives sont plus fréquentes chez les femmes que chez les hommes). Ces phénomènes étaient plus fréquemment retrouvés chez les jeunes, chez les personnes vivant seules, à bas revenus, ayant souffert de détresse psychologique, ayant des problèmes de consommation d'alcool ou de drogues, ayant eu des problèmes dans leur vie. En ce qui concerne la prévalence du suicide au Québec en une année, on constate que, chaque année sur 100 000 habitants, 20 personnes se suicident, 600 personnes reconnaissent avoir tenté de se suicider, 4 000 personnes ont pensé sérieusement au suicide. Le suicide demeure un phénomène rare, difficile à prédire car la majorité des personnes qui ont tenté de se suicider ou a fortiori ont pensé au suicide, ne se suicideront pas.

En France, une étude a été diligentée par PREMUTAM [49] (Caisse nationale d'assurance maladie et mutualité française) sur le suicide et les tentatives de suicide avec l'aide des ORS (observatoires régionaux de santé) dans cinq régions (Rhône-Alpes, Midi-Pyrénées, Aquitaine, Bretagne et Nord-Pas-de-Calais) choisies pour leur diversité concernant les prévalences du suicide, des taux les plus élevés (Bretagne, Nord-Pas-de-Calais) aux plus bas (Midi-Pyrénées). Cette étude porte sur la fréquence régionale des tentatives de suicide accueillies par les services d'urgences des hôpitaux non spécialisés, avec l'étude des caractéristiques de l'accueil et de la prise en charge des suicidants. Une enquête a aussi été menée dans les cinq régions auprès d'échantillons représentatifs de médecins généralistes avec 85 p. 100 de réponses, pour relever les caractéristiques du dernier cas rencontré et les pratiques de prise en charge habituelles autour du suicide.

Une enquête nationale téléphonique conduite par le CFES évalue à 6 p. 100 les tentatives de suicide sur toute la vie ; le taux de suicide moyen par foyer était de 19,3 pour 100 000 pour l'année 1996.

DONNÉES TIRÉES DES INDICATEURS SOCIAUX

UNE TRADITION DANS LA PLANIFICATION DES BESOINS EN SANTÉ

Comme on vient de le voir, toutes les études épidémiologiques citées ont montré que la plupart des problèmes de santé mentale sont liés à des variables sociales relativement simples : sexe, âge, emploi, statut social, statut matrimonial ou encore le fait de vivre seul. Ces corrélations ont amené à utiliser des variables sociales pour en inférer la prévalence des problèmes.

Pour un territoire donné, des indicateurs comme le taux de chômage, le taux de personnes à bas revenu, le taux de personnes séparées/divorcées, le taux des personnes en location, sont des données facilement accessibles en principe pour un territoire donné. Ces données sont non seulement corrélées à ces problèmes de santé mais aussi à l'utilisation des soins. Elles peuvent être utilisées dans le cadre de la planification et sont connues sous le terme d'indicateurs sociaux. Ces indicateurs sont généralement combinés et cette combinaison permet une distribution par territoire qui tient compte des quantités de besoin différentes, telles qu'elles sont perçues par les différents acteurs, en proposant une modulation relativement objective et acceptable par tous. L'utilisation de ces indicateurs sociaux fournit bien entendu une évaluation des besoins d'une population spécifique [16] et pose des problèmes de validation et d'extrapolation que nous décrirons.

L'adoption des indicateurs sociaux est particulièrement intéressante parce que, une fois définis, ils ne requièrent pas des coûts élevés ou le recours continuel à des consultants techniques. Ces indicateurs sont produits en routine par les pays industrialisés et détaillés à un niveau non seulement régional, mais aussi sous-régional et local. Par exemple, les secteurs de recensement de Statistiques Canada, de l'INSEE ou ceux du bureau fédéral américain de la Statistique comprennent des populations de moins de 6 000 habitants en moyenne. Ils se prêtent à des analyses statistiques rigoureuses et sophistiquées [25, 134] comme les analyses factorielles, les analyses en grappes, la régression multiple et la corrélation ; les indicateurs sociaux rendent plus objectif le processus de planification parce qu'ils sont fondés sur des données démographiques, des statistiques officielles et des enquêtes représentatives [25].

Des comparaisons faites avec d'autres approches d'évaluation des besoins dans une même région ont permis de constater que l'utilisation de ces indicateurs était l'approche la plus utile et la mieux acceptée par les gestionnaires. Le modèle produit des données quantitatives ayant une validité apparente : les décideurs politiques admettent que les régions jugées nécessiteuses par ces indicateurs ont plus de besoins que les autres [58].

En rapport direct avec la logique ayant présidé au développement des indicateurs sociaux de santé, on peut identifier une tradition d'utilisation des indicateurs sociaux pour mesurer indirectement les besoins en santé mentale. Des efforts considérables ont été consentis à cet effet aux États-Unis dans les années 1960-1970. Le National Institute of Mental Health américain a établi un programme d'analyse du milieu social pour identifier les régions qui ont des différences potentielles en santé mentale et des problèmes reliés à la santé mentale. Cet institut a développé une série de 130 indicateurs sociaux regroupés dans le MHDPS (Mental Health Demographic Profile System) à partir du recensement américain de 1970 [24, 48, 60], destiné à être utilisé par les centres de santé mentale communautaire dans la planification et l'évaluation des programmes pour les groupes à risque dans les communautés spécifiques. Les variables du profil régional socio-démographique sont groupées en sept catégories qui sont : le statut social incluant des mesures de statuts économique, social et éducationnel ; le style de vie qui mesure des dimensions comme le statut familial, la période dans le cycle de vie de la famille, le style de vie résidentielle ; le statut ethnique ; la stabilité résidentielle ; l'homogénéité sociale de la région. Le système de profil démographique a été conçu pour rendre possible, dans chaque communauté, l'utilisation d'un ensemble d'aspects démographiques dans le but de faciliter l'évaluation des besoins et la planification de programmes [16]. En effet, ces indicateurs en provenance des recensements de population sont disponibles en routine à un niveau territorial très fin (par exemple les secteurs de recensement ou de comtés américains avec des populations de 2 500 à 6 000 habitants environ).

Comme pour la santé en général, le principe même de l'utilisation des indicateurs sociaux émergeant de recensements et/ou d'enquêtes de population repose d'abord sur l'écologie spatiale de la maladie mentale. En effet, les études épidémiologiques ont établi depuis très longtemps que les troubles mentaux variaient selon les facteurs sociaux sur le plan individuel, que les indices socio-économiques des régions influaient sur les troubles mentaux, mais qu'ils étaient aussi associés à l'utilisation des services psychiatriques, en particulier l'hospitalisation. Les indicateurs sociaux montrent ainsi que des taux élevés de désorganisation sociale (pauvreté, chômage, taux élevés de mortalité, de morbidité et de crime, forte densité de population et forte migration) peuvent être corrélés à des taux élevés de maladie mentale [43, 71] ; d'autres études montrent l'association entre les caractéristiques sociales et la prévalence d'utilisation des services [90, 155].

La principale question est de savoir comment sélectionner, parmi cette multitude d'informations, celle que l'on pourrait collecter dans tout territoire sans avoir un guide théorique ou sans tenir compte d'une série de principes [16]. Pour que les indicateurs sociaux puissent servir d'indicateurs des besoins, il faut valider ces derniers en fonction de critères, autant que faire se peut, quantifiables.

Pour la santé mentale, deux sources de données ont été utilisées comme critères pour modéliser des indicateurs de besoins en santé mentale en fonction des indicateurs sociaux : les données d'utilisation des services de santé mentale (comme l'hospitalisation) et les données de prévalence des problèmes de santé mentale obtenues lors d'enquêtes de population. La première a été utilisée pour les besoins des personnes qui sont généralement à risque d'être hospitalisées et qui souffrent des troubles mentaux les plus sévères ; la seconde prend tout son sens pour modéliser les besoins de l'ensemble des personnes affectées dans leur santé mentale et dont la très grande majorité ne sera jamais hospitalisée.

ÉTUDE DU COLORADO

Tweed et al. [157], dans une démarche de modélisation des besoins, ont étudié six types d'indicateurs sociaux développés pour la santé et la santé mentale aux États-Unis qui sont : le NIMH *Rank by race model*, le *Grosser age-adjusted rate model*, le *prevalence-variability model*, le *Yarvis/Edward three-category need model*, le *Slem linear regression model* et le *synthetic estimation model*. Ils ont plus développé leur propre indicateur, le *Denver University indicator* (DU) (tableau 3-XVII).

Comme on peut le voir dans le tableau 3-XVII, ces indicateurs sont conceptuellement différents : les quatre premiers partent de données socio-démographiques et tentent d'estimer soit une classification des zones par rang (u plus nécessiteux au moins nécessiteux), soit des catégories (besoin élevé, moyen et modéré), soit encore d'établir un score plus précis (Slem). La cinquième catégorie tente d'évaluer directement les quantités des problèmes de santé à partir des données d'une enquête, en les mesurant suivant la présence de certains facteurs sociaux liés à la prévalence des différents problèmes. Notons aussi que ces indicateurs ont été validés sur des critères eux aussi très divers, à savoir la présence d'un problème relativement sévère, un indicateur de détresse psychologique ou encore l'utilisation du système de soins spécialisés. L'un d'entre eux prévoit des analyses par groupes d'âge.

L'enquête conduite dans le Colorado déjà citée a été précisément utilisée pour valider une approche par indicateur, le Denver University, proche de l'indicateur de Slem. Ce dernier repose sur deux indicateurs sociaux (pourcentage d'hommes divorcés, pourcentage de population sous le seuil de pauvreté). Les techniques statistiques de régression linéaire multiple visent à optimiser les paramètres de ces deux variables en fonction des différents critères ou de la combinaison de critères de besoin. Ils établissent les paramètres suivants pour leur indicateur DU en fonction de différentes combinaisons de critères pouvant être utilisés (même si le dernier critère des personnes avec troubles mentaux graves a des propriétés prédictives plus faibles) (tableau 3-XVIII). La prévalence de besoins dans chaque catégorie se calcule à l'aide de l'équation de régression linéaire suivante : prévalence de besoin dans le territoire = $B_0 + (B_1 \times$ pourcentage sous seuil pauvreté$) + (B_2 \times$ pourcentage d'hommes divorcés).

Ainsi, pour tout secteur de recensement qui représentait ici l'unité territoriale de base de la modélisation, peut-on établir la prévalence des besoins. Pour des régions, il s'agit de compiler les besoins des secteurs de recensement les composant. Ainsi, dans le tableau 3-XIX, les résultats finals sont-ils donnés pour certaines régions et pour l'ensemble de l'état du Colorado, selon différents critères de besoins de santé mentale.

Selon les critères de besoins choisis, la modélisation propose des nombres de personnes ayant des besoins de santé mentale dans chaque région et offre ainsi un tableau facile à comprendre à tous les acteurs de la planification. On constate, par ailleurs, que cette modélisation projette des différences entre les besoins relatifs entre les régions, de l'ordre de 2:1 entre les régions les

TABLEAU 3-XVII. – INDICATEURS UTILISÉS (d'après Ciarlo JA, Tweed DL, Shern DL et al. Validation of indirect methods to estimate need for mental health services. Evaluation and Program Planning, 1992, *15* : 115-131. Reproduit avec l'autorisation de Elsevier Science).

NIMH (p. 100)	GROSSER	TROIS CATÉGORIES	SLEM	SYNTHÉTIQUE
Rang	0-11, 12-17, 18-64, > 65	15, 25,5, 36 p. 100, fonction des scores	Données utilisation	Prévalence de besoins de sous-populations rapportées à la composition de la zone étudiée
1. Homme de CSP basses 2. Population seuil de pauvreté 3. Ménages non mariés 4. Monoparental 5. Jeunes dépendants 6. Âgés dépendants 7. Plus d'une personne par pièce 8. Nouvel arrivé	1. Minorités raciales 2. Seuil de pauvreté 3. Taux de divorce 4. Chômage 5. Suicide 6. Abus d'enfants (facteur 2/1) Désordres sévères ou modérés	1. Hommes séparés ou divorcés 2. Femmes séparées ou divorcées 3. Femmes veuves 4. Familles seuil de pauvreté 5. 18-24 ans < 8 années d'école Détresse psychologique	1. Famille avec une seule personne 2. Hommes divorcés ou séparés	1. Âge : 18-24, 25-44, 45-64, > 65 2. Sexe 3. Race 4. Statut marital (marié, célibataire, divorcé/séparé/veuf) CES-D/DIS

TABLEAU 3-XVIII. — PRÉVALENCE DES BESOINS (ÉTUDE MENÉE AVEC L'INDICATEUR DENVER UNIVERSITY) (d'après Ciarlo JA, Tweed DL, Shern DL et al. Validation of indirect methods to estimate need for mental health services. Evaluation and Program Planning, 1992, *15* : 115-131. Reproduit avec l'autorisation de Elsevier Science).

	B_0	B_1	B_2
Au moins 1 des 3 critères	12,2992	0,2309	1,6557
Au moins 2 des 3 critères	1,3623	0,1578	0,8454
Diagnostic et dysfonctionnement social ou démoralisation	0,9025	0,1227	0,6015
Diagnostic grave (psychose, troubles organiques)	0,7455	0,0929	0,0739
Diagnostic grave et dysfonctionnement	0,7676	0,0169	– 0,0069

plus nécessiteuses et celles plus privilégiées. On note aussi les différences entre les milieux fortement urbanisés (Denver) et ceux semi-urbains et ruraux comme le comté de Jefferson, avec des besoins plus importants en milieu urbain.

MODÉLISATION À MONTRÉAL : UTILISATION DES SERVICES COMME CRITÈRE

La sectorisation des services de Montréal fait que, dans certains secteurs, la grande majorité des personnes consultant les services spécialisés (hospitalisation, urgences psychiatriques, ambulatoire) proviennent de leur secteur géographique. Cela facilite des exercices de modélisation sur une base épidémiologique puisque l'on peut tenter de modéliser l'utilisation en fonction des indicateurs sociaux comme ici dans le secteur de l'est de Montréal attribué aux services de l'hôpital L.-H. Lafontaine [103].

L'approche de modélisation utilisée ici reprend celle suggérée par Jarman et Hirsh [67]. Comme pour la modélisation du Colorado, l'unité d'analyse est petite, soit les secteurs de recensement de Statistiques Canada (moins de 6 000 habitants ; dans l'est de Montréal, plus de 89 secteurs de recensement). Pour chaque secteur de recensement, on peut facilement trouver les indicateurs sociaux que sont les variables socio-démographiques publiées par Statistiques Canada ; grâce aux archives de l'hôpital, on peut connaître le nombre de personnes hospitalisées, en ambulatoire, vues en urgence ou ayant eu au moins un contact dans une année, pour cette étude-ci 1993.

Dans une première phase de modélisation de cette étude [103], plus de 69 variables socio-économiques ont été identifiées et rapprochées des variables britanniques de Jarman et Hirsh, variables couvrant les dimensions suivantes associées à l'utilisation des services psychiatriques : pauvreté, isolement social, groupe culturel, chômage, rapport propriétaire/locataire, milieu urbain/rural. À la suite d'analyses de corrélations entre ces variables, 33 variables ont été retenues pour l'analyse de régression linéaire sur les taux d'utilisation soit global, soit l'hospitalisation. Les analyses produisent les paramètres présentés au tableau 3-XX. Les taux attendus se calculent comme pour le modèle du Colorado, où : taux attendu d'utilisation dans un an dans un territoire = B_0 + (pourcentage de population née au Québec : 2,395) + (pourcentage de population née en Amérique centrale ou du Sud : 6,862) + etc.

TABLEAU 3-XIX. – BESOINS DE SANTÉ MENTALE POUR DES RÉGIONS CHOISIES DU COLORADO SUITE À LA MODÉLISATION EN FONCTION D'INDICATEURS SOCIO-ÉCONOMIQUES (*DENVER UNIVERSITY INDICATOR*). (Pour chaque critère de besoin, on indique le nombre de personnes en besoin et le pourcentage de la population de la région en besoin) (d'après Ciarlo JA, Tweed DL, Shern DL et al. Validation of indirect methods to estimate need for mental health services. Evaluation and Program Planning, 1992, *15* : 115-131. Reproduit avec l'autorisation de Elsevier Science).

RÉGION	POPULATION EN 1980	1 CRITÈRE DE BESOIN (p. 100)	AU MOINS 2 CRITÈRES DE BESOIN (p. 100)	DIAGNOSTIC ET DYSFONCTIONNEMENT (p. 100)	DIAGNOSTIC GRAVE (p. 100)	DIAGNOSTIC GRAVE ET DYSFONCTIONNEMENT (p. 100)
Comté de Jefferson	262 041	63 561 (24,3)	20 074 (7,6)	14 239 (5,4)	4 398 (1,7)	2 358 (0,9)
Denver nord-ouest	111 581	43 343 (38,8)	17 653 (15,8)	12 749 (11,4)	4 244 (3,8)	1 686 (1,5)
Denver nord-est	81 773	25 203 (30,8)	9 216 (11,3)	6 599 (8,1)	2 049 (2,5)	913 (1,1)
Nord-est Colorado	59 505	13 103 (22,0)	4 071 (6,8)	2 937 (4,9)	1 337 (2,2)	722 (1,2)
Total	2 010 695	525 006 (26,1)	177 404 (8,8)	127 024 (6,3)	44 384 (2,2)	22 028 (1,1)

TABLEAU 3-XX. – MODÉLISATION DE DEUX TYPES D'UTILISATION DE SERVICES EN 1993 DANS L'EST DE MONTRÉAL. (Les paramètres sont ceux de l'analyse de régression linéaire)

VARIABLES	TOUTE UTILISATION	HOSPITALISATION
B_0	– 6,123	– 0,525
Population née au Québec (p. 100)	2,395	
Population née en Amérique centrale ou du Sud (p. 100)	6,862	
Population active âgée de plus de 25 ans (p. 100)	0,034	
Foyers avec revenus de $20 000-$29 000 (p. 100)	5,214	
Foyers avec revenus de $40 000-$49 000 (p. 100)		1,317
Employé groupe emploi IV/V (p. 100)	– 4,906	
Population vivant seule (p. 100)	40,694	5,501
Femme de plus de 15 ans, séparée, veuve ou divorcée (p. 100)	5,710	3,779
Travailleurs autonomes (p. 100)	5,118	
Index Mayer-Renaud et Renaud (p. 100)	0,039	
Foyer avec personne seule (p. 100)		– 0,526
Foyer non propriétaire (p. 100)		– 0,371
Variance expliquée	**0,731**	**0,480**

On constate que le modèle est très puissant sur le plan statistique, justifiant plus de 73 p. 100 de variance pour l'utilisation de l'ensemble des services psychiatriques. Le modèle comprend plus de paramètres que celui du Colorado bien que, pour l'hospitalisation, seulement cinq variables soient requises. On remarque aussi comment les paramètres, B_i des équations de régression linéaires, varient selon le critère de besoin modélisé. Enfin, on remarque que ce ne sont pas non plus les mêmes variables qui possèdent le meilleur pouvoir de modélisation d'un critère de besoin à l'autre. L'application de la modélisation à l'échelle des sous-secteurs de L.-H. Lafontaine que sont les sept territoires correspondant à peu près à ceux des CLSC, conduit pour 1993 du tableau 3-XXI.

La modélisation confirme que les besoins ne sont pas les mêmes entre les sous-secteurs ou territoires de CLSC ; on projette des besoins deux à trois fois plus grands dans les sous-secteurs plus nécessiteux que dans les sous-secteurs plus favorisés. Cette modélisation se fonde sur l'utilisation observée dans le secteur, ce qui explique que le taux d'utilisation et le taux de besoin soient le même. Toutefois, entre les sous-secteurs, les besoins relatifs modélisés permettent d'observer que les besoins projetés dans certains sous-secteurs sont en deçà ou au-dessous des besoins observés, laissant entrevoir la possibilité d'une prestation excessive ou insuffisante de services.

INDICATEURS BRITANNIQUES

Les Britanniques ont suggéré une série d'indicateurs fondés à la fois sur des variables « a priori » et sur d'autres variables retenues à la suite d'analyses de régression à la recherche des meilleurs prédicteurs : dans les deux cas, on modélisait ces variables en fonction des taux d'admission dans les districts ou les régions sanitaires britanniques (un pays de 55 millions d'habitants). Dans un exemple de régression des taux d'admission standardisé pour la composition en âge, en genre, en statut marital, du district, le modèle retenu prévoyait ainsi un taux d'admission de :

$$SPARM_{asms} = 12 + 0,66 \times DRUGSTN + 0,82 \times SMR\ (IHD)$$

où DRUGSTN correspond à la proportion de toxicomanes et SMR au taux de mortalité standardisé par maladie cardiovasculaire.

Le second modèle recommandé pour les zones infradistricts ne disposant pas du DRUGSSTN est fondé sur l'indicateur UPA (*underpriviledged area index*) développé par les médecins généralistes pour refléter la lourdeur de leur zone de clientèle. L'UPA est composé des variables de recensement suivantes :

– personnes âgées vivant seules ;

– foyers avec enfants de moins de 5 ans ;

– familles monoparentales ;

TABLEAU 3-XXI. – MODÉLISATION CONFIRMANT QUE LES BESOINS NE SONT PAS LES MÊMES ENTRE LES SOUS-SECTEURS OU TERRITOIRES DE CLSC

	POPULATION	PATIENTS EN CONTACT AVEC LES SERVICES	PATIENTS HOSPITALISÉS	TAUX EN CONTACT (p. 100)	TAUX MODÉLISÉ DE BESOIN DE SERVICES SPÉCIALISÉS (p. 100)	TAUX D'HOSPITALISATION (p. 100)	TAUX MODÉLISÉ DE BESOIN D'HOSPITALISATION (p. 100)
Saint-Léonard	73 110	771	119	1,05	1,12	0,16	0,16
Rivières-des-Prairies	47 065	454	60	0,96	0,80	0,12	0,13
Anjou	37 205	454	77	1,22	1,81	0,28	0,21
Mercier-est	41 980	868	152	2,07	1,93	0,29	0,36
Mercier-ouest	43 650	726	93	1,66	1,61	0,25	0,21
Pointe-aux-Trembles	51 305	767	135	1,49	1,75	0,28	0,26
Hochelaga-Maisonneuve	47 415	847	140	1,79	1,73	0,27	0,30
Secteur	341 730	5 125	776	1,50	1,50	0,23	0,23

– travailleurs manuels ;

– population inactive ;

– personnes vivant dans des foyers surpeuplés ;

– personnes ayant déménagé dans la dernière année ;

– personnes des groupes ethniques (ici Nouveau Commonwealth et Pakistan).

La modélisation conduit à l'équation suivante des taux d'admission :

taux d'admission du district = 3,65 + 0,034 × UPA

Même si cet indicateur peut et doit être amélioré, on considère qu'il constitue un immense progrès par rapport à une distribution homogène des ressources.

LIMITES ET AVANTAGES DES INDICATEURS

Limites des indicateurs sociaux dans la modélisation des besoins en santé mentale

L'étude du Colorado constitue le seul exemple publié où les critères de besoin résultaient d'une enquête épidémiologique. Les autres modélisations des besoins ont été réalisées avec différentes mesures de l'utilisation des services. Considérer les taux d'utilisation comme indicateurs de besoins en soins est sujet à discussion [25, 52, 152]. Les taux d'utilisation ne permettent pas de définir adéquatement la demande, encore moins le besoin, ils constituent des indicateurs « proxy[(4)] » de la demande et des besoins. Ainsi la majorité des cas identifiés avec un diagnostic ou même un certain dysfonctionnement social n'utilisent-ils pas les services de santé mentale – prouvant que les taux d'utilisation n'expriment pas forcément le vrai besoin. Des taux élevés d'utilisation ne signifient pas que les besoins soient trop comblés et vice versa.

Il a été alors suggéré d'aller vers une petite série d'indicateurs qui seraient acceptables pour tous car, d'après certains chercheurs, le choix d'indicateurs acceptables pour le planificateur doit se situer entre 4 et 39 indicateurs [25]. Dans l'exemple du Colorado, on a vu comment, après avoir essayé les indicateurs du NIMH, les auteurs avaient préféré créer le *Denver University indicator* (DU) qui n'utilise que deux variables. Bien entendu, un état voisin ne peut utiliser a priori les paramètres développés et optimisés au Colorado sans une validation préalable ; notons cependant que cet indicateur a été utilisé avec succès dans un autre état américain, le Massachussets.

Les modélisations portent sur le nombre de personnes ayant des besoins. Elles reposent sur l'hypothèse que, à l'intérieur d'une même catégorie de personnes (par exemple celles ayant des troubles mentaux graves), les besoins sont en moyenne comparables entre les territoires, même si un territoire peut prévoir avoir plus de personnes de cette catégorie. L'étude de Montréal [103] et de récentes analyses britanniques à Londres des besoins projetés à l'aide d'indicateurs issus aussi de modélisation [76] indiquent que les territoires très défavorisés sur le plan socio-économique pourraient avoir des besoins beaucoup plus grands, non seulement parce qu'ils ont plus de personnes ayant des problèmes de santé mentale, mais aussi parce que les problèmes de ces personnes sont plus graves et plus complexes.

Bien entendu, la modélisation porte sur le nombre de personnes pouvant présenter des besoins pour des pro-

(4) On parle d'information « proxy » quand l'information est recueillie non pas directement auprès de la personne mais auprès d'un intermédiaire.

blèmes de santé mentale et non sur des interventions spécifiques. On obtient une mesure de l'ampleur des besoins relatifs entre les régions, les sous-régions et les territoires locaux ; vient ensuite l'étape qui permettra de décider des services nécessaires pour combler ces besoins.

Forces des indicateurs sociaux comme indicateurs des besoins

Comme pour les indicateurs utilisés dans le domaine de la santé, les indicateurs de besoins de santé mentale sont très attrayants pour les planificateurs. Premièrement, ils montrent ce que tous perçoivent bien, à savoir que les besoins ne sont pas les mêmes entre les régions. Deuxièmement, ils reposent sur des données objectives et sur des méthodes statistiques solides. Cette objectivité va faciliter l'acceptation d'allocation différentielle des ressources entre les planificateurs et les politiciens [32, 72, 120]. Troisièmement, les indicateurs fondés sur l'utilisation des services comme critères de besoins demeurent assez faciles et économiques à mesurer à un niveau régional ou national, tous pouvant développer leurs propres paramètres.

Les modélisations de l'utilisation des services ont été maintes fois répétées dans la littérature aux États-Unis, au Canada, en Grande-Bretagne et aux Pays-Bas ; elles ont porté sur divers indices d'utilisation des services – les taux d'hospitalisation en particulier, mais aussi l'utilisation des services ambulatoires, des services de réadaptation, des lits de longue durée [25, 72, 74, 103, 135, 140, 146, 152, 155]. Toutes ont montré une forte capacité prédictive, allant d'environ 40 p. 100 à près de 75 p. 100. Elles ont toutes produit des variables couvrant des dimensions comparables, mais avec elles-mêmes des variables différentes et surtout des paramètres statistiques différents – ce qui exclut de les extrapoler directement en dehors du pays ou de la région où ils ont été modélisés. Il s'agit d'une méthode sérieuse sur le plan statistique, facile à appliquer sans s'engager dans des enquêtes coûteuses. De plus, si la planification s'intéresse particulièrement aux besoins des personnes souffrant de troubles mentaux graves, cette approche se révèle très valable au niveau conceptuel (la majorité de ces personnes sont en contact avec les services) et la meilleure techniquement, car l'approche de modélisation à partir d'enquêtes épidémiologiques au Colorado a montré une faiblesse à ce niveau, probablement due à leur faible prévalence dans la population.

Les multiples études réalisées pour modéliser les besoins à l'aide de critères de besoins comme l'utilisation des services se comportent comme celle du Colorado, fondée sur une enquête épidémiologique et, par conséquent, plus apte sur le plan conceptuel à représenter de façon valable les besoins de santé mentale. Dans les deux cas, on montre que :

– les besoins varient en fonction d'indicateurs sociaux ;

– une modélisation statistique sérieuse peut être effectuée ;

– les besoins peuvent varier de façon importante d'un territoire à l'autre : plus l'unité territoriale est petite, plus les variations sont grandes, mais à un niveau de territoire de 50 000 à 200 000 habitants, les besoins peuvent être jusqu'à trois fois plus élevés entre les territoires les plus défavorisés et ceux moins favorisés.

Ces recoupements confirment la validité des approches fondées sur la modélisation de l'utilisation des services comme « proxy » des besoins.

DONNÉES TIRÉES DES RÉSULTATS DES ÉVALUATIONS DES SERVICES [5]

Le champ de l'évaluation peut être distingué de celui de la planification et de la mesure des besoins. Il est largement plus développé que celui de la mesure des besoins et mérite, à notre avis, une description détaillée de son histoire, de ses méthodes et de ses enjeux conceptuels. Les études évaluatives étant nombreuses, il ne s'agit pas d'en faire un inventaire exhaustif au Québec ou en France, mais plutôt, à l'aide de quelques exemples, de situer leur utilité.

DÉVELOPPEMENT DES PRATIQUES ÉVALUATIVES

Tout au long du XIXe siècle, la gestion des affaires, tant publiques que privées, se complexifie compte tenu de l'ampleur des problèmes à gérer et entraîne le développement de la bureaucratie. Nous devons à Max Weber d'avoir jeté les bases théoriques sur lesquelles repose encore aujourd'hui l'analyse de ce phénomène. L'un des concepts centraux de l'appareillage théorique wébérien porte sur les catégories fondamentales de la domination rationnelle à laquelle peut prétendre la bureaucratie (d'État ou d'entreprise) ; parmi celles-ci, mentionnons l'organisation d'autorités précises de contrôle (logique de surveillance) ainsi que l'élaboration de règles techniques et de normes (logique de pertinence).

Ce sont ces deux logiques qui orientent ce que nous pouvons désigner comme les travaux inauguraux de la recherche évaluative. Ainsi, pour prendre un exemple dans le domaine de la santé mentale, peut-on penser à la requête adressée au début du siècle à Binet. L'État français souhaite alors se doter d'outils permettant de repérer l'élève « en difficulté d'apprentissage » (pour employer un terme maintenant d'usage courant mais anachronique à l'époque), afin de le diriger vers des institutions spécialisées. C'est de cette façon qu'est né le premier « test d'intelligence » ; par la suite, des centaines d'outils semblables seront développés. C'est à la même époque, et toujours dans une optique de dénombrement et de repérage, que se perfectionnent, entre autres grâce à Fischer, les techniques d'analyse statistique.

---

(5) Cette section a été réalisée en grande partie par Léo-Roch Poirier, MSc, direction de la Santé publique de Montréal-centre.

L'étape suivante du développement des pratiques évaluatives prend la forme d'« étude scientifique des conditions de travail », ce qu'il est convenu d'appeler le taylorisme. Il implique l'observation exhaustive des mouvements et du temps requis pour les effectuer, afin de remplacer les mouvements lents, malhabiles ou inutiles par des mouvements rapides et efficaces. Nous en sommes donc rendus aux premières analyses du rendement et de l'efficience. Malgré leurs écueils, ces méthodes trouvent encore aujourd'hui de nombreuses applications.

Ces méthodes seront ensuite appliquées dans le domaine des politiques publiques où elles seront utilisées comme outils d'une gestion « scientifique » de la société. Ici aussi, comme dans le cas du taylorisme, c'est aux États-Unis que se manifeste avec le plus de vigueur ce mouvement. La crise économique des années 1930 conduit le gouvernement américain à proposer le New Deal, soit la mise en place de programmes pour venir en aide aux indigents et, plus généralement, pour accroître le rôle de l'État en vue de favoriser à la fois la reprise économique et le développement social. Parallèlement à cet effort prend forme une approche visant à évaluer les retombées de ces programmes et ainsi à porter un jugement sur eux en se fondant sur une démarche scientifique.

Sur le plan de la pratique d'évaluation, ce passage d'une logique de contrôle vers une démarche se réclamant du statut scientifique s'accompagne d'un changement majeur dans la pratique des sciences sociales. Jusqu'alors, ces dernières entretenaient toujours un rapport étroit avec les disciplines dont elles étaient issues : philosophie, philologie et études historiques. Comme le font remarquer Cuin et Gresle [40], jusqu'à la Première Guerre mondiale, rares sont les exemples attestant de la mise en œuvre d'un programme théorique et méthodologique dans une démarche empirique – l'étude de Durkheim à la fin du XIXe siècle sur le suicide constituant une exception notable. Toutefois, l'ère d'expérimentation sociale autant que le pragmatisme inhérent à la société américaine vont privilégier l'« élaboration de connaissances véritablement positives fondées sur la recherche empirique inductive et permettant des applications sociales immédiates » ([40], p. 27).

Cette approche positiviste, bénéficiant du développement remarquable des méthodes quantitatives(6), s'impose pour près d'un demi-siècle comme le paradigme dominant. On considère alors la société comme un vaste laboratoire dans lequel on expérimente des solutions à apporter aux problèmes sociaux qui accompagnent l'urbanisation et l'industrialisation massive : marginalité, ségrégation raciale, criminalité, délinquance, etc. On y réalise aussi les premiers travaux sur la maladie mentale dans une perspective écologique [46].

Des critiques à l'endroit de ce paradigme dominant se manifestent progressivement à partir du début des années 1970. Elles découlent d'un faisceau de facteurs, certains inhérents aux fondements mêmes de cette approche expérimentale, d'autres découlant des changements survenus dans l'environnement social. Parmi les principales critiques adressées à ce modèle, retenons :

– une certaine myopie : on ne mesure que l'atteinte des résultats visés sans tenir compte de l'impact global, y compris les effets délétères du programme ou de l'intervention à l'étude et sans tenir compte non plus des conditions particulières ayant favorisé la production des effets observés (contrôle des conditions expérimentales, importance des ressources investies, effets « Hawthorne »...) ;

– dans le même ordre d'idée, une tendance à ne s'intéresser qu'aux résultats positifs et à censurer les résultats négatifs ou même simplement neutres (les politiques qui président aux choix des revues scientifiques ne sont pas sans porter une partie de cette responsabilité). Un exemple récent de cet état de fait est fourni par l'évaluation des programmes de prévention des toxicomanies : les chercheurs qui mettaient en doute l'efficacité de ces programmes étaient considérés comme favorables à l'usage des drogues, et les résultats de leurs travaux rejetés jusqu'à ce que les données du gouvernement américain viennent confirmer que, après dix ans d'intervention auprès des jeunes et des investissements de plusieurs milliards de dollars dans ces programmes, la consommation de drogues illégales, particulièrement auprès de ce groupe d'âge, battait tous les records en 1997 ;

– malgré l'accent traditionnellement mis sur les aspects méthodologiques(7), dans ce chapitre plusieurs problèmes sont régulièrement escamotés. Donnons comme exemple la confusion des niveaux d'analyse(8) (*ecological fallacy*), le recours abusif aux variables dichotomiques grâce auxquelles il est plus facile d'arriver à des résultats significatifs, le choix parfois arbitraire de tests statistiques et le fait que l'on ne tienne que rarement compte de l'amplitude du résultat considéré significatif, encore moins de son importance pratique, etc. ;

– dans sa forme stricte, le modèle ne prend en compte qu'un seul point de vue et donc ne vérifie que la seule hypothèse à la base du programme considéré. Ce sujet dépasse le plan épistémologique et appelle des considérations éthiques et politiques ;

(6) Paul Lazarfeld (1970), d'origine viennoise mais qui fera carrière aux États-Unis et l'un des pionniers de cette approche empiriste et quantitative, rappelle néanmoins ce que les sciences sociales américaines doivent aux travaux réalisés en Europe : que l'on pense aux techniques d'échantillonnage de Booth, à l'analyse factorielle de Spearman, à la mesure des attitudes de Tarde, etc.

(7) Thomas Cook (1995), pourtant l'un des « méthodologues » les plus éminents de ce courant de recherche, estimait récemment que cette hypertrophie du développement méthodologique s'était faite au détriment d'une réflexion épistémologique pourtant hautement nécessaire, ainsi qu'au mépris d'une connaissance réelle des objets d'étude considérés.

(8) Par exemple, traiter au plan individuel des données valables au niveau du groupe.

– enfin, et surtout, on oublie que, ce qui est à l'étude dans ce type d'analyse, ce sont les attributs des phénomènes observés et non les phénomènes en tant que tels. Pour reprendre la formule d'Abbott [1] : que font les variables ? Comment se produisent les effets ?

À ces critiques par rapport au modèle s'ajoutent des changements dans le contexte social qui ont aussi modifié la mise. D'abord, il a bien fallu se rendre compte que les programmes mis en place durant ces années d'expérimentation tous azimuts avaient produit des résultats mitigés. Aux États-Unis en particulier, il devenait évident que ces programmes n'avaient pas réussi à amoindrir le clivage entre les classes, que ce soit par rapport à la santé, à l'éducation ou, plus généralement, aux conditions de vie. De plus, après une période de croissance économique continue, les fonds disponibles, autant pour la mise en place de nouveaux programmes que pour leur évaluation, se font plus rares. Enfin, on assiste en même temps un peu partout en Occident à la contestation des grands modèles (politiques, scientifiques ou philosophiques).

Il s'en est suivi, dans la pratique de l'évaluation, une certaine ouverture autant au plan épistémologique que méthodologique. Aux évaluations classiques, on adjoint des évaluations formatives ; on s'efforce d'ouvrir la « boîte noire » et de mieux appréhender les processus en cause dans la production des effets observés ; on accorde une importance accrue aux conditions de mise en œuvre ; on prend en considération, dès l'élaboration des protocoles de recherche, les points de vue des différents acteurs concernés, en particulier dans le domaine de la santé celui des usagers, d'où l'intérêt croissant des études de satisfaction et des mesures de qualité de vie. Les approches qualitatives, longtemps objet de mépris des « scientifiques », jouissent d'un important regain d'intérêt, sinon d'un effet de mode. D'ailleurs, sur le plan du développement méthodologique, les sujets en vogue deviennent l'intégration de méthodes multiples (recherches croisées et autres procédures de « triangulation », terme maintenant fortement galvaudé), les études de cas unique (pourtant classiques en médecine, sans parler des « études » de Piaget) ou, sujets plus pointus qui témoignent d'un certain néopositivisme, les analyses de regroupement, la cartographie de concepts (*cognitive mapping*), les procédures dérivées de la théorie de détection des signaux [63] et les séries temporelles interrompues [31].

Cette « révolution scientifique » toute relative laisse néanmoins en plan deux ordres de problèmes. D'abord, ce pluralisme qui se veut une solution limite des approches « technocratiques » et expérimentales n'est pas lui-même exempt de contradiction. S'il prend en considération différents points de vue, il risque néanmoins d'accorder une large place aux positions des groupes d'intérêts les mieux articulés ou de ceux plus familiers avec les processus évaluatifs [116]. De plus, à vouloir prendre en considération chacun des points de vue, des interrogations ou des positions des acteurs concernés, les travaux découlant de cette approche finissent souvent par juxtaposer des points de vue irréconciliables : c'est d'ailleurs le premier des principes fondamentaux de ces évaluations dites de « quatrième génération » : « *conflict rather than consensus must be the expected condition in any evaluation taking account of value differences* » [59].

Plus fondamentalement, c'est la question de la fonction et du rôle de l'évaluation que cette guerre de paradigme esquive, en la limitant à des considérations politiques. Il est possible, sur le plan conceptuel, de distinguer un certain nombre de fonctions :

– scientifique : dans une perspective plus ou moins positiviste d'accroissement des connaissances ;

– administrative : dernière étape du cycle de gestion ;

– politique : comme le fait remarquer Cronbach [39], l'information est une source de pouvoir et tout résultat d'évaluation est une information éventuellement précieuse.

Mais une autre dimension, englobant les précédentes et souvent passée sous silence, mérite d'être soulignée, à savoir la fonction symbolique. On évalue souvent dans une perspective de légitimation. Ainsi Degeorges et al. [42] ont-ils passé en revue les programmes d'évaluation de grandes organisations internationales (Banque mondiale, Nations-Unies, Commission des communautés européennes). Les objectifs de ces programmes sont à la fois clairs et vertueux : amélioration de l'efficacité, processus d'apprentissage progressif et de capitalisation du savoir, adéquation au contexte et aux missions de l'organisation. Les conclusions des auteurs sont tout aussi claires : « [...] dans la pratique, l'évaluation ne remplit que très partiellement ces objectifs ; elle est en revanche mise au service d'une stratégie d'autolégitimation, c'est-à-dire qu'elle contribue à faire écran entre l'organisation internationale et ses instances extérieures de contrôle ».

Ces observations doivent être mises en relation avec une préoccupation majeure à l'heure actuelle dans le domaine de l'évaluation : l'utilisation de données probantes comme intrants au processus décisionnel. Cette préoccupation est légitime, d'autant que l'on doit bien garder à l'esprit que le processus décisionnel n'obéit pas à la seule logique « scientifique » [110].

ASPECTS MÉTHODOLOGIQUES

Il convient de distinguer, dans un premier temps, l'évaluation dite administrative de la recherche évaluative à proprement parler. L'*évaluation administrative* applique à une dimension donnée des normes édictées généralement par un groupe d'experts selon des méthodes de discussion structurées (méthode Delphi, groupe nominal, etc.). Ces normes peuvent aussi avoir comme origine des études comparatives, par rapport à d'autres juridictions, par exemple. Mais il arrive aussi qu'elles soient tout simplement arbitraires et reposent sur des bases plus symboliques qu'empiriques.

L'approche par indicateurs, utilisée dans le cadre des activités de monitoring qui sont actuellement très en vogue, constitue un cas de figure de l'évaluation administrative. Ce sont généralement les résultats qui constituent alors la dimension de l'étude et les normes appliquées découlent des objectifs ciblés au départ. Cette approche, sous sa forme la plus courante, a pour avantage de produire des mesures répétées et donc d'estimer, de cette façon, l'impact des correctifs apportés à la situation à l'étude, le cas échéant. Elle est aussi habituellement peu coûteuse, une fois mis en place le processus de collecte de données. En revanche, elle a pour inconvénient de laisser de côté la mesure d'effets secondaires ou parallèles imprévus ; elle peut aussi avoir pour effet d'orienter l'action de façon restrictive en fonction de l'atteinte des objectifs fixés au départ, au détriment d'autres considérations importantes que peuvent commander des changements imprévus.

Un autre exemple important d'évaluation administrative dans le domaine de la santé concerne la qualité des soins. Cette préoccupation majeure a longtemps pris la forme d'application de normes explicites ou implicites : revue de dossiers, audit, cas traceurs. Depuis quelques années, on observe une tendance à mettre en relation cette dimension avec certaines mesures de résultats [62, 147]. Cette mise en relation de deux dimensions constitue le propre de la recherche évaluative. Comme on l'a vu précédemment, celle-ci s'est, jusqu'à une période récente, référée essentiellement à ce qu'il est convenu d'appeler le modèle classique qui, dans le domaine de la santé, correspond, sous sa forme pure, à l'essai clinique randomisé.

Dans ce cadre, présenté de façon schématique, les sujets faisant partie de l'étude sont affectés aléatoirement soit à un groupe dit expérimental, soit à un groupe témoin. Le groupe expérimental est exposé au traitement faisant l'objet de l'étude alors que le groupe témoin est exposé à un placebo – autrement dit, à l'absence de traitement. En principe, les sujets autant que l'observateur ne doivent pas savoir en cours d'expérience à quel groupe ils sont affectés. Une fois ce dispositif expérimental en place, il s'agit de recueillir suffisamment d'observations pour être en mesure, sur le plan statistique, de confirmer ou d'infirmer avec un certain degré de certitude l'hypothèse nulle qui correspond à l'absence de différence entre les deux groupes à la suite du traitement. L'écueil à éviter est double : on parle d'erreur du premier type, ou erreur alpha, si l'on rejette l'hypothèse nulle alors qu'elle est vraie ; inversement, l'erreur du deuxième type, ou erreur bêta, consiste à retenir l'hypothèse nulle alors qu'elle est erronée.

Ce modèle classique, qui continue de dominer le monde de la recherche biomédicale, a soulevé, au cours des dernières années, des controverses autant sur le plan épistémologique (nous y avons déjà fait allusion) qu'éthique. La question s'est notamment posée récemment dans le cas du traitement des personnes atteintes du SIDA : pourquoi s'en tenir aux contraintes rigoureuses de protocoles de recherche alors que, à la lumière de résultats préliminaires, il est déjà possible d'orienter le traitement de façon à soulager ne serait-ce que la souffrance de personnes condamnées à une mort certaine ? Par ailleurs, il est de plus en plus démontré que les conditions expérimentales diffèrent à ce point des conditions habituelles de pratique que l'efficacité clinique (où toutes les conditions propices à la production d'effets sont réunies) ne coïncide que d'assez loin avec l'efficacité dite réelle. Enfin, mentionnons que certaines des principales conquêtes sur le plan pharmacologique n'ont jamais fait, au départ, l'objet d'essais cliniques randomisés, que l'on songe à la pénicilline, à l'insuline ou, dans le domaine de la santé mentale, au lithium…

La *recherche évaluative* dans le domaine des services de santé peut rarement répondre aux critères du modèle expérimental pur. On parle alors de protocole quasi expérimental si l'on respecte l'ensemble des critères du modèle, à la seule exception de la constitution d'un échantillon aléatoire probabiliste.

Mais plus fréquemment encore, on se livre à ce qu'il est convenu d'appeler une expérimentation invoquée. Partant de conditions « naturelles », on exerce un contrôle moins grand sur l'ensemble des conditions expérimentales ; diverses stratégies sont alors mises en place pour contrer les biais potentiels. Les protocoles de ce genre les plus fréquents sont les devis avant-après et les études de cohorte. Dans le premier cas, on prend une mesure avant l'intervention puis une autre après ; pour plus de sûreté, on peut constituer un groupe témoin équivalent, auprès duquel on procède aussi à deux mesures entre lesquelles on ne se livre toutefois pas à l'intervention. Les études de cohorte procèdent un peu de la même logique à la différence que plusieurs mesures sont réalisées, parfois avec une expérimentation répétée entre chacune des mesures.

Les progrès importants que permet la recherche expérimentale dans le domaine de la santé ne doivent pas faire oublier que les biais inhérents à ces protocoles doivent aussi être pris en compte. Parmi les principaux, retenons :

– l'histoire : des événements se produisant dans le contexte présidant à l'expérimentation ont un impact sur les résultats ;

– la maturation : la condition des sujets s'est modifiée parallèlement à l'expérience à laquelle ils étaient soumis ;

– l'accoutumance au test ;

– la mortalité expérimentale : la perte de sujet en cours d'étude ;

– la régression vers la moyenne : des résultats extrêmes lors de la première mesure ont peu de chance d'être reproduits, indépendamment de l'expérience ;

– la sélection de sujets non représentatifs de l'ensemble de la population de référence ;

– les réactions compensatoires et le désir de plaire à la personne chargée de l'évaluation ;

– la relation causale incorrecte : par exemple, une variable qui n'est pas prise en compte lors de l'expérimentation explique les résultats observés.

Les questions de validité et de fiabilité, cruciales dans ce modèle expérimental, seront discutées plus loin, lorsqu'il sera question d'échelles de mesure auxquelles ces mêmes considérations s'appliquent.

Nous avons vu que d'autres approches, issues d'autres paradigmes scientifiques, sont maintenant d'usage courant en évaluation. Ce que l'on désigne de façon générique par le terme de *recherche qualitative* recouvre dans les faits plusieurs réalités. Il arrive même que ce type de recherche comprenne un volet quantitatif (recours aux analyses de correspondance, aux analyses factorielles, etc.). De façon générale, toutefois, on peut identifier les caractéristiques suivantes :

– elle part de narrations, de descriptions plutôt que de nombre et de statistiques ;

– elle procède par étude de cas, le cas n'étant pas nécessairement choisi parce qu'il est représentatif d'une classe d'éléments mais plutôt par son aspect « exemplaire » et sa richesse potentielle sur le plan heuristique ;

– l'analyse se veut inductive, la théorie n'est pas donnée au départ mais émerge de l'analyse ;

– elle favorise une perspective subjective, la mise en valeur de l'expérience du sujet ;

– on accorde une grande importance au contexte global dans lequel se situe le sujet à l'étude ;

– le changement y est abordé comme étant un processus dynamique et continu ;

– on vise à l'extrapolation plutôt qu'à la généralisation [124].

L'approche qualitative est à privilégier :

– si l'on souhaite tenir compte du contexte social, culturel, organisationnel ou historique ainsi que des acteurs clés du programme ou de l'intervention faisant l'objet de l'évaluation ;

– si l'on s'intéresse aux variations dans l'implantation, y compris sa transformation, sa « traduction » ou sa réinvention au cours de ce processus [26, 30] ;

– et plus particulièrement dans une perspective de développement théorique.

Les stratégies d'échantillonnage employées en recherche qualitative diffèrent beaucoup de celles familières aux approches quantitatives. Elles seront guidées par une logique de « révélation » plutôt que de représentativité, c'est-à-dire d'abord et avant tout par son potentiel d'enrichissement théorique. Les sources de données habituelles sont de trois types : des entrevues (individuelles ou en groupe, structurées, semi-structurées ou ethnographiques[9], du matériel écrit (questionnaire, discours, publications, dossiers, plans...) et des observations directes (structurées ou non). Une forme riche de sources de données sur les besoins au niveau régional et national, les groupes de consultation, sont davantage élaborées dans la fiche technique 11.

L'analyse de ces données fait ressortir une autre différence fondamentale par rapport aux approches quantitatives puisqu'elle vise la découverte de typologies, de structures ou de thèmes « endogènes » aux données, ce qui implique la construction de leur signification à partir d'elles-mêmes. Certaines écoles au sein de ce courant peuvent être distinguées (théorie ancrée de Glaser et Strauss [56], analyse matricielle de Miles et Huberman [117], modèle de Patton [124]...), mais toutes répondent à des degrés divers à ces caractéristiques générales. Ce type d'analyse implique donc un processus itératif qui peut s'avérer exigeant en temps et en coûts, surtout si l'on prend en considération le temps requis pour la transcription des entrevues (jusqu'à une dizaine d'heures par heure d'entrevue).

Enfin, il faut aussi tenir compte ici de certaines limites potentielles quant à la fiabilité et à la validité d'une évaluation qualitative :

– biais reliés à l'agent chargé de l'évaluation (n'a pas surmonté ses préjugés, son ethnocentrisme...) ;

– biais reliés à la disponibilité de données (manque d'exhaustivité) ;

– biais de plausibilité (*forcing fit*) et absence d'hypothèses alternatives ;

– biais d'élitisme (trop grande importance accordée aux informations provenant d'acteurs hiérarchiquement importants).

TYPES D'ÉVALUATION EN SANTÉ MENTALE

La figure 3-5 a pour objet d'identifier chacune des composantes d'un modèle d'utilisation des services de santé mentale. Elle comprend aussi l'ensemble des déterminants autres que le système de soins (habitudes de vie, environnement social, etc.) qui non seulement ont une influence sur le niveau des besoins, mais sont aussi susceptibles d'appeler des actions préventives qui, à leur tour, appelleront des recherches évaluatives. Les dimensions internes au modèle feront l'objet d'une explication à mesure que les différents types d'évaluation seront présentés. Ajoutons que ce modèle peut s'appliquer tout autant à l'évaluation d'un programme, expérimental ou non, qu'à une analyse portant sur un système de soins.

La relation entre les besoins et l'ensemble du système de soins peut être abordée à la fois sous l'angle de l'analyse stratégique et de l'analyse de l'intervention, alors que celle entre les résultats et ces besoins vérifie plutôt l'adéquation des services.

• L'*analyse stratégique* vise à déterminer si les ressources et les services mis en place sont justifiés par rapport aux problèmes identifiés.

• L'*analyse de l'intervention* s'assure que le modèle théorique sous-jacent au programme s'applique adéquatement à la situation étudiée et que les conditions présumées nécessaires à la production d'effet sont remplies. Ce type d'analyse implique généralement le recours à l'avis d'experts ou à une méta-analyse[10] d'expériences similaires à celle à l'étude. Une analyse de besoins ainsi qu'une analyse d'implantation lui sont habituellement intégrées.

---

(9) Entrevue visant l'approfondissement de la culture d'un groupe ou d'un milieu donné. Cette approche requiert un apprivoisement de conventions et de termes liguistiques. Le récit de vie et une technique particulière de cette approche.

(10) Procédure statistique qui, à partir de travaux répondant à des devis et à des conditions expérimentales comparables, regroupe les résultats afin de produire des analyses plus approfondies.

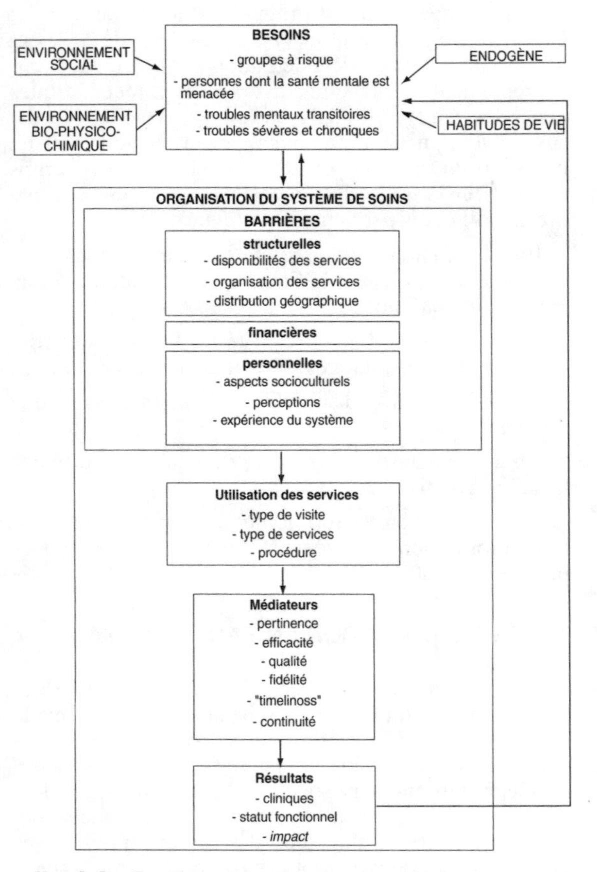

FIG. 3-5. – IDENTIFICATION DE CHACUNE DES COMPOSANTES D'UN MODÈLE D'UTILISATION DES SERVICES DE SANTÉ MENTALE.

• L'*adéquation des services* met en relation des mesures de résultats avec les besoins recensés ; une analyse des besoins est donc ici aussi un préalable à sa réalisation. Les mesures de résultats appellent un commentaire puisqu'elles ont fait l'objet de beaucoup d'attention de la part des chercheurs impliqués dans la recherche en santé mentale. Nous pensons ici en particulier aux échelles de mesure dites standardisées. Les qualités psychométriques de ces instruments doivent, bien que ce ne soit pas toujours le cas, faire l'objet d'une appréciation. Deux séries de critères sont en jeu : la validité et la fiabilité.

• La *validité* renvoie à la propriété que possède un instrument de mesurer réellement ce qu'il doit en principe mesurer. Il existe différentes façons d'estimer cette validité : validité de contenu, de critère, de construit. Il s'agit de s'assurer que l'outil est suffisamment sensible, c'est-à-dire en mesure de détecter un résultat positif (par exemple, la présence d'un problème de santé), en même temps qu'il est suffisamment spécifique, c'est-à-dire qu'il ne considère pas comme positif un résultat négatif.

• La *fiabilité* fait référence à la capacité d'un outil à fournir une mesure exacte et constante. Ici aussi, il existe des méthodes permettant de vérifier cette fiabilité. La fiabilité inter-juge s'assure que différents agents chargés de l'évaluation arrivent au même résultat lorsqu'ils appliquent l'outil aux mêmes sujets ; une mesure d'usage courant à cet effet est fournie par le kappa de Cohen qui vérifie jusqu'à quel point la concordance des résultats est due au seul hasard. La fiabilité test-retest décrit le degré de stabilité d'un score chez un même sujet qui repasse le test ; notons toutefois que, si les variables à l'étude ne sont pas suffisamment stables (si l'on pense à des mesures de niveaux d'anxiété, par exemple), ce processus est difficilement applicable.

• La relation entre les barrières, qu'elles soient considérées sur le plan structurel, financier ou personnel, et l'utilisation des services correspond à l'*analyse de l'accessibilité*. Cette dimension a fait l'objet de plusieurs travaux au cours des trente dernières années. Un modèle d'inspiration behaviorale développé par Andersen [4] a, en particulier, dominé ce champ de recherche. Toutefois, comme plusieurs modèles de ce type, sa vérification empirique n'a jamais conduit à des résultats d'emblée concluants.

Nous avons repris ici, en l'adaptant, une typologie développée par l'Institute of Medicine américain [118] qui distingue trois séries de barrières. Il y a d'abord les barrières structurelles, c'est-à-dire celles reliées à la disponibilité des services, à leur organisation et à leur distribution géographique. Les barrières financières sont peut-être moins importantes dans les juridictions où un système de soins de santé universel et gratuit est en place, mais on sait qu'aux États-Unis, par exemple, elles constituent toujours un frein important à l'utilisation des services pour une bonne partie de la population. Les barrières personnelles sont parfois négligées ; elles jouent pourtant un rôle important dans la décision d'utiliser ou non les services de santé lorsqu'un besoin est ressenti. Les aspects socio-culturels renvoient au sentiment que le patient a que les services qui lui sont dispensés respectent ses particularités culturelles et sociales. Les perceptions des utilisateurs face au système de soins, de même que leurs expériences antérieures dans l'utilisation des services jouent aussi un rôle majeur, souvent occulté. Les deux dimensions sont étroitement liées, l'une modulant l'autre.

Toutes ces barrières devraient intervenir non seulement dans la décision d'utiliser ou non les services, mais aussi dans le mode d'utilisation de ces services. C'est pourquoi nous proposons de considérer successivement le type de service utilisé (urgences hospitalières, clinique...), le type de visite (avec ou sans rendez-vous, volontaire ou par contrainte...) et, dans la mesure où le choix est offert au patient, le processus de soin retenu. La stratégie habituelle pour évaluer l'accessibilité aux services est l'enquête réalisée sur un plan épidémiologique, c'est-à-dire prenant autant en compte les utilisateurs que les non-utilisateurs de services.

• La relation entre l'utilisation des services et les résultats observés constitue l'évaluation des *effets* (si l'on s'en tient aux résultats cliniques et sur le plan fonctionnel) ou de l'*impact* (si l'on prend aussi en considération les *facteurs extérieurs*, soit tous les effets autres que cliniques ou reliés au statut fonctionnel – le fardeau de proches ou la perte de productivité, par exemple). Cette relation fait l'objet d'une médiation toutefois, comme on le voit dans la figure 3-5, dans la mesure où des conditions doivent nécessairement être remplies pour que les services consommés produisent des effets. On s'en est longtemps tenu à mesurer l'utilisation des services sans se demander si ces services étaient :

– adaptés au problème : le service offert correspond-il aux besoins réels ? peut-il le combler ? ;

– efficaces ;

– de qualité : les soins sont-ils dispensés selon les règles de l'art ? L'aménagement physique des lieux est-il adéquat ? La relation entre le patient et l'intervenant est-elle respectueuse des droits et privilèges de chacun ? ;

– favorisant la fidélité, l'observance du traitement, ce qui implique souvent d'associer le patient à la prise de décision, de prendre en considération ses préférences ;

– dispensés au moment opportun. Dans plusieurs cas, tout délai indu dans la prise en charge peut affecter le pronostic ;

– et présentant un caractère de continuité. Ce dernier élément est particulièrement crucial dans le domaine de la santé mentale, même si un certain travail reste à faire sur le plan conceptuel [70].

Il est important de noter que chacun de ces éléments peut faire l'objet d'une évaluation ; on échappe ainsi au modèle de la « boîte noire » où l'intervention est simplement traitée comme une variable dichotomique (absence ou présence d'une intervention). En particulier, les questions d'efficacité, de qualité (qui, telles que conceptualisées ici, comprennent la satisfaction de la clientèle) et de continuité ont donné lieu à plusieurs travaux remarquables, sans toutefois apporter toutes les réponses nécessaires.

Dans le domaine de la santé mentale, les mesures de résultat proviennent généralement d'observations réalisées au plan individuel, quoique certaines mesures plus systémiques, comme la proportion d'admissions volontaires, par exemple, soient possibles. Mentionnons :

– l'état de santé mentale, pour lequel de nombreux instruments sont disponibles (*voir* fiche technique 1) ;

– le fonctionnement social : incapacités, aptitude à remplir ses rôles sociaux, à accomplir les activités de la vie quotidienne, etc. (*voir* fiche technique 2) ;

– la qualité de vie (*voir* fiche technique 3) ;

– des mesures de processus utilisées comme mesures indirectes de résultat comme, par exemple, l'utilisation de services.

Pour la plupart de ces questions, la stratégie de choix demeure, malgré les limites exposées plus haut, l'essai clinique randomisé ou, plus souvent, les protocoles s'en inspirant. Il importe en revanche d'aller au-delà de ce cadre strict afin d'être en mesure d'appréhender l'ensemble des impacts de la situation à l'étude. Des outils d'enquête auprès de la clientèle peuvent, par exemple, s'avérer être un complément intéressant.

• Cette typologie serait incomplète s'il n'était fait mention de l'*analyse de l'implantation* dans le cas de l'introduction d'une innovation, soit les conditions rendant possibles à la fois le déploiement d'une intervention et la production d'effet par celle-ci. Ce type d'analyse est d'autant plus incontournable qu'il est directement relié au pouvoir de « transférabilité » des résultats observés. Cette transférabilité s'appuie en effet sur trois principes [111] : le principe de similitude (possibilité de généraliser des résultats à un univers empirique similaire), le principe de robustesse (réplication des résultats observés dans des contextes divers) et le principe d'explication (compréhension des facteurs de production ou d'inhibition des effets). C'est par rapport à ce troisième principe que l'évaluation de l'implantation est d'un apport incontournable.

L'intérêt pour ce type d'analyse est étonnamment récent. Patton a eu à ce sujet une influence substantielle, mais l'approche proposée par Champagne et Denis [30] nous semble plus satisfaisante sur le plan conceptuel. Elle fait appel à trois composantes :

– l'analyse des déterminants contextuels du degré de mise en œuvre de l'intervention – le terme de mise en œuvre faisant ici référence à un usage approprié et suffisamment intensif de l'intervention ;

– l'analyse de l'influence de la variation dans le degré d'implantation sur les effets observés ;

– l'analyse de l'influence de l'interaction entre le contexte d'implantation et l'intervention sur les effets observés.

La première composante ne vise qu'à vérifier le degré de mise en œuvre, constituant en quelque sorte un préalable aux deux autres composantes qui, elles, visent davantage à expliquer les effets observés suite à la mise en place de l'intervention. Plusieurs stratégies de recherche peuvent être mobilisées pour réaliser ce type d'analyse, mais l'étude de cas y occupe généralement une place de choix.

• Enfin, les divers types d'*analyse économique* mettent en relation les ressources financières consenties et les services produits (efficience ou analyse de la productivité) ou les résultats observés (coût-efficacité ou coût-bénéfice si l'on adopte un point de vue comparatif). Les résultats qu'ils offrent au planificateur sont d'une importance capitale, d'autant que leur interprétation est en général assez univoque. Sur le plan méthodologique, en revanche, leur réalisation requiert le recours à des techniques et à des compétences très particulières qui échappent au cadre général du présent volume ; nous renvoyons les lecteurs intéressés aux livres de Hargreaves et al. [64] et de Knapp [79].

ÉVALUATION DES PROGRAMMES EN SANTÉ MENTALE

L'application de la recherche évaluative au domaine de la santé mentale est un phénomène relativement récent. Jusqu'à la fin des années 1950, le traitement en asile allait de soi. Comme le fait remarquer Hargreaves [64], on considérait à l'époque qu'une durée d'hospitalisation de moins d'un an constituait un court séjour. Les services offerts dans la communauté étaient très peu nombreux. Le mouvement de désinstitutionnalisation, l'arrivée des antipsychotiques, des antidépresseurs et des anxiolytiques, le développement de la réadaptation et d'alternatives à l'hospitalisation – sans parler du rôle des groupes de pression et de certains travaux dénonçant les effets néfastes de l'institutionnalisation comme ceux de Goffman – allaient modifier substantiellement ce tableau. Ce mouvement de désinstitutionnalisation a donc été un élément déclencheur important dans le déploiement de pratiques évaluatives. Celles-ci, qui prendront forme dans le cours des années 1970, cherchent à vérifier si les grands préceptes humanistes à la base de la remise en cause de la tradition asilaire correspondent à la réalité.

Bachrach et Lamb [8] se sont livrés à un examen critique des premiers travaux réalisés dans le domaine. Ils en sont arrivés à la conclusion que la question principale concernant l'évaluation des impacts de la désinstitutionnalisation restait toujours en suspens : est-ce que toutes les personnes de l'« univers de planification » (*planning universe*) reçoivent les services qu'ils requièrent ou une fraction de cet univers subit-elle une discrimination par rapport aux services disponibles ? Cette question était d'autant plus pertinente que les premières études ne distinguaient pas avec assez de finesse les diverses clientèles affectées par ce mouvement.

Depuis, des progrès substantiels sur le plan des stratégies de recherche ont été réalisés. Par exemple, le projet TAPS (*team for the assessment of psychiatric services* [5]) a suivi une cohorte de 278 patients de longue durée qui retournaient dans la communauté dans la région londonienne. Ce groupe fut apparié à un groupe de patients n'ayant pas obtenu leur congé. Les variables d'appariement comprenaient l'âge, le sexe, le séjour hospitalier ainsi que des éléments diagnostiques. Quatre ans après le début de l'étude, les résultats ne démontraient pas de différence significative entre les deux groupes en ce qui a trait au fonctionnement social et au niveau clinique ; toutefois, le groupe vivant dans la communauté témoignait d'un haut degré de satisfaction par rapport à son milieu de vie [155].

L'étude de programmes modèles de maintien dans la communauté a aussi connu un développement important dans les années 1980. L'étude de Stein et Test [148] sur le suivi intensif de patients réalisé au Wisconsin, à partir d'essai clinique randomisé, fut d'une importance considérable. Elle comparait ce type de prise en charge à une approche hospitalière traditionnelle et à un simple suivi en clinique externe. Les symptômes cliniques, le fonctionnement social et occupationnel, le fardeau social et le coût des services furent les objets de cette évaluation. Les résultats furent dans l'ensemble positifs. Depuis, une trentaine d'études portant sur des programmes comparables et sur des clientèles diverses ont été réalisées et, dans l'ensemble, les résultats sont également positifs bien que des exceptions aient été notées [29]. On peut d'ailleurs se demander si ce ne sont pas les moyens mis en œuvre qui expliquent une partie de cet écart dans les résultats, ce qui souligne une fois de plus l'importance du contexte de l'implantation des services [14].

L'un des programmes de recherche les plus ambitieux, réalisé à la fin des années 1980 et au début des années 1990 dans neuf villes américaines, fut celui de l'évaluation du programme de la Robert Wood Johnson Foundation visant les personnes avec des troubles de santé mentale graves et chroniques. Ce projet voulait vérifier l'hypothèse selon laquelle l'accroissement du rôle des autorités locales dans le secteur de la santé mentale entraînerait le développement de services couvrant l'ensemble des besoins de cette clientèle, ce qui, à son tour, aurait un impact sur leur qualité de vie.

Si l'on se réfère au cadre d'analyse présenté précédemment, la formulation du projet correspond à l'enchaînement logique suivant : en modifiant l'organisation des services, la disponibilité des services sera affectée et, par conséquent, la qualité de vie des patients s'en trouverait améliorée. Les résultats ont modifié toutefois cet enchaînement : les changements escomptés au plan structurel se sont bien concrétisés mais l'impact de ces changements ne put être décelé sur la mesure de résultat ciblée. La continuité des soins – une variable intermédiaire essentielle – s'en trouva néanmoins grandement améliorée. Sur le plan méthodologique, ce programme de recherche avait ceci de particulier qu'il favorisa la réalisation de plusieurs études faisant appel à des approches diverses [57].

Une étude récente [104] compare la situation des personnes ayant reçu leur congé d'un grand hôpital psychiatrique de Montréal entre 1989 et 1998 à la situation de personnes qui sont demeurées hospitalisées durant toute cette période. L'analyse porte sur trois volets, soit la réponse aux besoins des malades, les coûts directs et l'organisation des services.

Dans le volet de l'étude s'adressant à la réponse aux besoins, un échantillon représentatif de tous les patients hospitalisés à l'hôpital depuis de nombreuses années en 1989 a permis de reconstituer 96 paires de patients, les uns ayant reçu leur congé entre 1989 et 1998, les autres étant demeurés hospitalisés. Les patients et le personnel ont été interviewés à l'aide de questionnaires standardisés pour évaluer leurs symptômes, leurs habiletés de vie quotidienne, l'autonomie autorisée par le milieu résidentiel ; un comité d'experts a évalué les besoins de soins et les besoins de services, en utilisant une procédure standardisée. Les résultats indiquent que les patients ayant reçu leur congé se sont déplacés vers des ressources résidentielles supervisées : des foyers de groupe, des résidences d'accueil et plus de 20 p. 100 dans des centres hospitaliers de soins de longue durée (CHSLD) à cause d'une perte d'autonomie liée à un désordre physique. Quatre patients ont été perdus pendant le suivi. Les besoins de soins des patients ayant reçu leur congé étaient généralement comblés et le milieu résidentiel était jugé approprié. Au fil des années, quelques patients se sont déplacés vers des milieux résidentiels où ils ont davantage d'autonomie. Les patients qui restent hospitalisés présentent d'importants problèmes cliniques et des déficits dans leurs habiletés de vie quotidienne ; plus de la moitié pourrait passer immédiatement ou après une préparation d'un ou deux ans à une unité de réinsertion, à l'extérieur, dans des ressources résidentielles supervisées ; 20 p. 100 devraient être dirigés vers des CHSLD. Plus de 25 p. 100 requièrent des traitements et une réadaptation intensive individualisée : de tels besoins sont actuellement non comblés.

Le second volet, économique, a considéré seulement les coûts directs. Les coûts totaux sur l'ensemble de la période de suivi sont supérieurs pour le groupe des patients demeurés hospitalisés par rapport à ceux ayant reçu leur congé. Les coûts demeurent fort importants dans un groupe comme dans l'autre.

Le troisième volet, organisationnel, a reposé sur des données provenant de documents écrits et d'entrevues réalisées avec des personnes-clefs de l'hôpital et de l'extérieur. Trois archétypes ont été constitués, correspondant à des moments clefs qui ont le plus particulièrement marqué l'histoire conjointe du réseau de la santé mentale et de l'hôpital dans les dix dernières années : le début de l'étude en 1989 ; une tutelle entre 1990 et 1992 et la situation à la fin de l'étude en 1998. Les résultats indiquent que l'hôpital et les médecins ont réussi à se maintenir au centre d'une restructuration qui assure une poursuite de la désinstitutionnalisation ; les organismes communautaires n'ont pas supplanté l'hôpital dans l'offre de services dans la communauté mais leur place s'est consolidée.

Les éléments disponibles à des fins de planification sont donc nombreux et très divers. Pourtant, nous n'avons présenté ici que les éléments principaux, choisissant pour des raisons de lisibilité de mettre en fiche technique les éléments tirés des textes des politiques et règlements, de la littérature, et plus généralement des recommandations de bonne pratique (*voir* fiche technique 10). Nous avons également choisi de présenter de cette manière les techniques des groupes de consultation (*voir* fiche technique 11), la description des systèmes d'information des deux états (*voir* fiche technique 12), ainsi que les méthodes qui permettent d'évaluer la qualité des soins (*voir* fiche technique 13) au moyen d'un système centralisé d'accréditation ou d'agrément ou de toute autre démarche générale. Ces choix ne signifient pas, au contraire, que ces classements ne soient pas indispensables, mais la description de leur méthode et mécanisme nous a fait craindre d'alourdir le texte. Cependant, leur présence en fiche technique doit permettre à ceux des lecteurs qui le souhaitent d'accéder à ces informations qui sont nécessaires pour aborder le chapitre suivant.

RÉFÉRENCES

1. ABBOTT A. What do cases do ? Some notes on activity in sociological analysis. *In* : CC Ragin, HS Becker. What is a case ? Exploring the foundations of social inquiry. New York, Cambridge University Press, 1992.
2. AHO LS, GISSELMAN A, PUJOL F. Alcoolisme et hospitalisation en Côte d'Or, 1re partie. Contrat DRASS Bourgogne. Dijon, Observatoire régional de la santé de Bourgogne, 1991 : 1-25.
3. ALTAFFER F, FISHER WH. Applying the Colorado social health survey to mental health needs assessment in Massachusetts. Evaluation and Program Planning, 1992, *15* : 215-216.
4. ANDERSEN RM, NEWMAN JF. Societal and individual determinants of medical care utilization in the United States. Milbank Memorial Fund Quarterly Journal, 1973, *51* : 95-124.
5. ANDERSON J, DAYSON D, WILLS W et al. The TAPS project : clinical and social outcomes of long stay psychiatric patients after one year in the community. Br J Psychiatry, 1993, *19* : 45-56.
6. ANGLERAUD JM. Maladie mentale, statut social et circuits de soins. Contrat MIRE, 1986 : 1-54.
7. ANTOINE D. Des alternatives à l'hospitalisation pour des soins diversifiés et de qualité en psychiatrie. Rapport Cléry-Melin, janvier 1995, France.
8. BACHRACH LL, LAMB HR. Assessing of outcomes in community support systems : results, problems and limitations. Schizophrenia Bull, 1982, *8 (1)* : 39-61.
9. BEBBINGTON P, BREWIN CR, MARSDEN L, LESAGE A. Measuring the need for psychiatric treatment in the general population : the community version of the MRC need for care assessment. Psychol Med, 1996, *26* : 229-236.
10. BEBBINGTON PE, MARDSEN L, BREWIN CR. The need for psychiatric treatment in the general population : the Camberwell needs for care survey. Psychol Med, 1997, *27 (4)* : 821-834.
11. BEECHAM J, LESAGE AD. Leçons britanniques sur le transfert des ressources : le système de dotation par patient. Santé Mentale au Québec, 1997, *XXII (2)* : 170-194.
12. BELLEROSE C, LAVALLÉE C, CAMIRAND J. Enquête sociale et de santé 1992-1993 : faits saillants. Bibiothèque nationale du Québec, 1994, ISBN 2-550-09579-0.
13. BELLEROSE C, LAVALLÉE L, CHÉNARD M, LEVASSEUR M. Santé Québec : et la santé ça va ? Rapport de l'enquête sociale et de santé 1992-1993, vol. 1. Santé Québec, 1995.
14. BENOIT F, LESAGE AD. L'implantation du suivi intensif dans la communauté : des leçons à tirer du passé. Rev Can Psychiatrie, 1999, *44 (8)* : 781-787.
15. BERGERON L, BRETON JJ, VALLA JP. Enquête québécoise sur la santé mentale des jeunes : faits saillants. Prévalence des troubles mentaux et utilisation des services. Hôpital Rivière des Prairies, Santé Québec, 1993.
16. BLOOM BL. The use of social indicators in the estimation of health needs. *In* : RA Bell, M Sundel, JF Aponte et al. Assessing health and human service needs : concepts, methods and applications. New York, Human Service Press, 1983 : 147-162.
17. BOISGUÉRIN B, CASADEBAIG F, QUEMADA N. Enquête nationale sur la population prise en charge par les secteurs de psychiatrie générale, les cliniques psychiatriques privées et les établissements de réadaptation et de post-cure, 16-29 mars 1998. Direction générale de la santé du ministère de l'Emploi et de la Solidarité et Institut national de la santé et de la recherche médicale (centre collaborateur de l'OMS pour la recherche et la formation en santé mentale), 1999.
18. BOURGOIN N. Le suicide en prison. Paris, L'Harmattan, 1994.
19. BOYER R, PREVILLE M, LEGARE G. Psychological distress in a noninstitutionalized population of Quebec : normative results of the Quebec health survey. Can J Psychiatry, 1993, *38 (5)* : 339-343.
20. BOYLE MH, OFFORD DR, CAMPBELL D et al. Mental health supplement to the Ontario health survey : methodology. Can J Psychiatry, 1996, *41 (9)* : 549-558.
21. BRADSHAW J. A taxonomy of social need. *In* : G McLachlan. Problems and progress in medical care. Essays on current research, 7th series. Nuffield Provincial Hospitals Trust. London, Oxford University Press, 1972.

22. BRETON JJ, BERGERON L, VALLA JP et al. Quebec child mental health survey : prevalence of DSM-III-R mental health disorders. J Child Psychol Psychiatry, 1999, *40* (*3*) : 375-384.
23. BREWIN CR, WING JK, MANGEN SP et al. Principles and practice of measuring needs in the long term mentally ill : the MRC needs for care assessment. Psychol Med, 1987, *17* (*4*) : 971-981.
24. CAGLE LT. Using social indicators to assess mental health needs : lessons from a statewide study. Evaluation Rev, 1984, *8* (*3*) : 389-412.
25. CAGLE LT, BANKS SM. The validity of assessing mental health needs with social indicators. Evaluation and Program Planning, 1986, *9* (*2*) : 127-142.
26. CALLON M, LATOUR B. Les paradoxes de la modernité : comment recevoir les innovations. Prospectives et Santé, 1988, *33* : 13-29.
27. CARPENTER M. Normality is hard work. Trade unions and the politics of community care. London, Lawrence & Wishart, 1994.
28. CASADEBAIG F, PHILIPPE A. Mortalité des patients schizophréniques. Trois ans de suivi d'une cohorte. Encéphale, 1999, *25* (*4*) : 329-337.
29. CETS – CONSEIL D'ÉVALUATION DES TECHNOLOGIES DE LA SANTÉ. Le suivi intensif en équipe dans la communauté pour personnes atteintes de troubles mentaux graves. 1999, Ministère de la Santé et des Services sociaux, Montréal, Québec. Disponible site WEB de l'AÉTMIS www.aetmis.gouv.qc.ca
30. CHAMPAGNE F, DENIS JF. Pour une évaluation sensible à l'environnement des interventions : l'analyse de l'implantation. Service Social, 1992, *41* (*1*) : 143-163.
31. CHEMLINSKY E, SHADISH WR. Evaluation for the 21st century : a handbook. Thousand Oaks, Sage Publications, 1997.
32. CIARLO JA, TWEED DL, SHERN DL et al. Validation of indirect methods to estimate need for mental health services. Evaluation and Program Planning, 1992, *15* : 115-131.
33. CLERY-MELIN P. État de la psychiatrie en France. Rapport auprès du ministre de la Santé, 1995.
34. COMTOIS G, MORIN C, LESAGE A et al. Patients versus rehabilitation practitioners : a comparison of assessments of needs for care. Can J Psychiatry, 1998, *43* (*2*) : 159-165.
35. CONTANDRIOPOULOS AP, POTVIN L, CHAMPAGNE F et al. Savoir préparer une recherche : la définir, la structurer, la financer. Montréal, Presses de l'Université de Montréal, 1990.
36. CORMIER HJ, BORUS JF, REED RB et al. Combler les besoins des services de santé mentale des personnes atteintes de schizophrénie. Rev Can Psychiatrie, 1987, *32* : 454-458.
37. CÔTÉ G, HODGINS S. Co-occuring of mental disorders among criminal offenders. Bulletin of the American Academy of Psychiatry and Law, 1990, *18* (*3*) : 271-281.
38. CÔTÉ J, LACHANCE R, OUELLET L, PILON W. La concordance entre paires d'observateurs à 22 variables de l'inventaire du niveau de soins et la stabilité de leurs observations. Rapport de recherche au CQRS. Québec, Centre de recherche Robert-Giffrard de l'université de Laval, 1989.
39. CRONBACH LJ. Toward reform of program evaluation. San Francisco, Jossey-Bass, 1980.
40. CUIN CH, GRESLE F. Histoire de la sociologie. Paris, La Découverte, 1992.
41. DARTIGUES JF, GAGNON M, MICHEL P. Le programme de recherches PAQUID sur l'épidémiologie de la démence. Méthode et résultats initiaux. Revue de Neurologie, 1991, *147* : 225-230.
42. DEGEORGES O, MONNIER E, SPENLEHAUER V. L'évaluation comme outil de légitimation : le cas des grandes organisations internationales. Politiques et Management Public, 1990, *8* (*4*) : 1-24.
43. DOHRENWEND BP, LEVAY I, SHROUT PE et al. Socioeconomic status and psychiatric disorders : the causation-selection issue. Science, 1992, *255* : 946-952.
44. EISENBERG L. Treating depression and anxiety in primary care. Closing the gap between knowledge and practice. N Engl J Med, 1992, *326* (*16*) : 1080-1084.
45. FACY F. Toxicomanes incarcérés. Paris Éditions EDK, 1997 : 106.
46. FARRIS REL, DUNHAM HW. Mental disorders in urban areas. Chicago, University of Chicago Press, 1939.
47. FÉDÉRATION NATIONALE DES OBSERVATOIRES RÉGIONAUX DE LA SANTÉ. Prévention des suicides et tentatives de suicide : état des lieux 1995-1997. Bilans régionaux en Aquitaine, Bretagne, Midi-Pyrénées, Nord-Pas-de-Calais, Rhône-Alpes. Paris, Édition FNMF, 1998.
48. FLASKERUD JH, KUIZ FJ. Determining the need for mental health services in rural areas. Am J Community Psychology, 1984, *12* (*4*) : 497-510.
49. FNORS. Prévention des suicides et tentatives de suicide. État des lieux 1995-1997. Paris, Éditions FNMF, 1998, 317 pages.
50. FOURNIER L. Itinérance et santé mentale à Montréal : étude descriptive de la clientèle des missions et refuges. Verdun, Centre de recherche de l'hôpital Douglas, 1991 : 1-161.
51. FOURNIER L, LESAGE AD, TOUPIN J, CYR M. Telephone surveys as an alternative for estimating prevalence of mental disorders and service utilization : a Montreal catchment area study. Can J Psychiatry, 1997, *42* (*7*) : 737-743.
52. FRYERS T, GREATOREX I. Case registers and mental health information systems. *In* : G Thornicroft, CR Brewin, JK Wing. Measuring mental health needs. London, Gaskell, 1992 : 81-98.
53. GALBAUD DU FORT G, NEWMAN C, BLAND RC. Psychiatric comorbidity and treatment seeking : sources of selection bias in the study of clinical populations. J Nerv Ment Dis, 1993, *181* (*8*) : 467-474.
54. GIBSON R, FORBES JM, STODDART IW et al. Psychiatric care in general practice. Br Med J, 1966, *5498* : 1287-1289.
55. GIENSENFELD MJ, SORIN N. Étude épidémiologique sur l'alcoolisme dans l'Yonne, 1993-1994. Mimeo, 1994.
56. GLASER BG, STRAUSS AL. The discovery of grounded theory. Hawthorne, Aldine, 1967.
57. GOLDMAN HH, MORISSEY JP, RIDGLEY MS. Evaluating the Robert Wood Johnson Foundation program on chronic mental illness. Milbank Fund Quaterly, 1994, *72* (*1*) : 37-47.
58. GOODMAN AB, HAUGLAND G. Mental health service needs assessment. Administration and Policy in Mental Health, 1994, *21* (*3*) : 173-197.
59. GUBA EG, LINCOLN YS. The countenances of fourth generation evaluation : description, judgment and negociation. Evaluation Studies Review Annual, 1986, *11* : 70-88.
60. HALL O, ROYSE D. Mental health needs assessment with social indicators : an empirical case study. Adm Ment Health, 1987, *15* (*1*) : 36-46.
61. HAMMERMEISTER KE. Risk, predicting outcomes, and improving care. Circulation, 1995, *91* (*3*) : 677-684.
62. HAMMERMEISTER KE, SHROYER AL, SETHI GK, GROVER FL. Why it is important to demonstrate linkages between outcomes of care and processes and structures of care. Med Care, 1995, *33* (*10*) : OS5-OS16.
63. HANLEY JA. Receiver operating characteristic (ROC) methodology : the state of the art. Critical Reviews in Diagnostic Imaging, 1989, *29* (*3*) : 307-335.
64. HARGREAVES WA, SHUMWAY M, HU T, CUFFEL B. Cost-outcome methods for mental health. San Diego, Academic Press, 1998.

65. INSEE-CREDES. Enquête décennale sur la santé et les soins médicaux. Paris, INSEE, 1991-1992.
66. JARMAN B. Underprivilegd areas : validation and distribution of scores. Br J Med, 1984, *289* : 1587-1592.
67. JARMAN B, HIRSCH S. Statistical models to predict district psychiatric morbidity. *In* : G Thornicroft, CR Brewin, JK Wing. Measuring mental health needs. London, Gaskell, 1992 : 62-80.
68. JORDAN J, DOWSWELL T, HARRISON S et al. Whose priorities ? Listening to users and the public. Br Med J, 1998, *316* : 1668-1670
69. JETTE M. A health profile of the Inuit of Nunavit : report of the Santé Québec health survey 1992. Int J Circumpolar Health, 1998, *57* (*Suppl. 1*) : 630-635.
70. JOHNSON S, PROSSER D, BINDMAN J, SZMUKLER G. Continuity of care for the severely mentally ill : concepts and measures. Social Psychiatry and Psychiatric Epidemiology, 1997, *32* : 137-142.
71. JOSEPH AE, HOLLET G. On the use of socio-demographic indicators in local health planning : a Canadian non-metropolitain perspective. Soc Sci Med, 1993, *37* (*6*) : 813-822.
72. KAMIS-GOULD E, MINSKY S. Needs assessment in mental health service planning. Administration and Policy in Mental Health, 1995, *23* (*1*) : 43-58.
73. KATES N, CRUSTOLO AM, NIKOLAOU L et al. Providing psychiatric backup to family physicians by telephone. Can J Psychiatry, 1997, *42* (*9*) : 955-959.
74. KATES N, KRETT E. Socio-economic factors and mental health problems : can census-tract predict referral pattern ? Can J Community Mental Health, 1988, *7* : 89-98.
75. KILIC C, REZAKI M, USTUN TB, GATER RA. Pathways to psychiatric care in Ankara. Social Psychiatry and Psychiatric Epidemiology, 1994, *29* (*3*) : 131-136.
76. KING'S FUND. London's mental health. *In* : S Johnson, R Ramsay, G Thornicroft et al. The report to the King's Fund London commission. London, King's Fund, 1997.
77. KIRMAYER LJ, GALBAUD DU FORT G, YOUNG A et al. Pathways and barriers to mental health care in an urban multicultural milieu : an epidemiological and ethnographic study. Culture & Mental Health Research Unit, 1998, report n° 6.
78. KLEINMAN A. Mental health in low-income countries. Harvard Review of Psychiatry, 1995, *3* (*4*) : 235-239.
79. KNAPP M. The economic evaluation of mental health care. Arena, Aldershot, 1995.
80. KOVESS V. Mental health services description. Prospects for the future. *In* : M Tansella. Making rational mental health services. Roma, Il Pensiero Scientifico, 1997 : 91-103.
81. KOVESS V. La santé mentale des Bas-Normands. Basse-Normandie, INSEE, 1998 : 21-37.
82. KOVESS V, BOISGUÉRIN B, ANTOINE D, REYNAULT M. Has the sectorization of psychiatric services in France really been effective ? Social Psychiatry and Psychiatric Epidemiology, 1995, *30* : 132-138.
83. KOVESS V, DUBUIS J, LACALMONTI E et al. Les soins donnés aux patients schizophrènes dans quatre secteurs de psychiatrie. Schizophrénie, Enfances, Données actuelles. Sous la direction de Gilles Vidon, Paris, Frison-Roche, 2000, 282 pages.
84. KOVESS V, GYSENS S, CHANOIT PF. Une enquête de santé mentale : l'enquête santé des Franciliens. Ann Méd Psychol (Paris), 1993, *151* (*9*) : 624-627.
85. KOVESS V, GYSENS S, POINSARD R, CHANOIT PF. La psychiatrie face aux problèmes sociaux : la prise en charge des RMIstes à Paris. Information Psychiatrique, 1995, *3* : 273-295.
86. KOVESS V, GYSENS S, POINSARD R et al. Mental health and use of care of people receiving a social benefit : RMI, in Paris. Social Psychiatry and Psychiatric Epidemiology, 1999, *11* (*34*) : 588-594.
87. KOVESS V, LOPEZ A, PÉNOCHET JC, REYNAUD M. Psychiatrie années 2000. Paris, Flammarion Médecine-Sciences, 1999, 305 pages.
88. KOVESS V, MANGIN-LAZARUS C. The prevalence of psychiatric and use of care by homeless people in Paris. Social Psychiatry and Psychiatric Epidemiology, 1999, *11* (*34*) : 580-587.
89. LAVALLÉE C, GUYON L. The Santé Québec Cree and Inuit surveys, Quebec, Canada. Artic Medical Research, 1993, *52* (*1*) : 26-29.
90. LEFF PJ, BRUCE ML, TISCHLER GL, FREEMAN DH. Factors affecting the utilization of speciallity and general medical mental health services. Med Care, 1988, *26* (*1*) : 9-26.
91. LECRUBIER Y, LELLOUCH J. Results from the Paris centre. *In* : TB Ustun, N Sartorius. Mental illness in general health care : an international study. New York, John Wiley, 1994 : 211-226.
92. LEFEBVRE J, LESAGE A, CYR M et al. Factors related to utilization of services for mental health reasons in Montreal, Canada. Social Psychiatry and Psychiatric Epidemiology, 1998, *33* : 291-298.
93. LÉGARÉ G. La prévalence des troubles mentaux dans le Bas-Saint-Laurent. Faits saillants, enquête Santé mentale. Direction régionale de la santé publique du Bas-Saint-Laurent, 1995.
94. LEGUAY D, MOUSELER A. Enquête Maine-et-Loire : philosophie, méthodologie, résultats. Miméo, 1987.
95. LEHMAN AF. Measuring quality of life in a reformed health system. Health Affairs, 1995, *14* (*3*) : 90-101.
96. LEHTINEN V, JOUKAMA M, JYRKINEN E et al. Need for mental health services of the adult population in Finland : results from the Mini-Finland Health Survey. Acta Psychiatr Scand, 1990, *81* : 426-431.
97. LE PAPE A, LECONTE T. Prévalence et prise en charge de la dépression, France 1996-1997. Centre de Recherche, d'Études et de Documentation en Économie de la Santé, série Analyses, 1999.
98. LEPINE JP, GASTPAR M, MENDLEWICZ J, TYLEE A. Depression in the community : the first pan-European study DEPRES (Depression Research in European Society). Int Clin Psychopharmacol, 1997, *12* (*1*) : 19-29.
99. LEPINE JP, GODCHAU M, BRUN P, LEMPERIERE T. Evaluation of anxiety and depression among patients hospitalized on an internal medecine service. Ann Méd Psychol, 1985, *143* (*2*) : 175-189.
100. LEPINE JP, LELLOUCH J, LOVELL A et al. L'épidémiologie des troubles anxieux et dépressifs dans une population générale française. Confrontations Psychiatriques, 1993, *35* : 139-161.
101. LESAGE AD. Le rôle des hôpitaux psychiatriques. Santé Mentale au Québec, 1997, *22* (2) : 25-32.
102. LESAGE AD. Quatre décennies de désinstitutionnalisation au Québec : la longue marche vers un hôpital sans murs. *In* : JP Claveranne, C Lardy. Colloque « La santé demain : vers un système de soins sans murs ». Colloque du centre Jacques-Cartier, Lyon, France, 8-10 décembre 1997. Paris, Économica, 1999.
103. LESAGE AD, CLERC D, URIBÉ I et al. Estimating local-area needs for psychiatric care : a case study. Br J Psychiatry, 1996, *16* : 949-957.
104. LESAGE AD, CONTANDRIOPOULOS AP, REINHARZ D. La désinstitutionalisation dans un grand hôpital psychiatrique québécois depuis 1989 : analyse des besoins de soins, des coûts et des aspects organisationnels. Rapport de recherche déposé le 12 juillet 1999 au FRSQ et au CQRS.
105. LESAGE AD, FOURNIER L, CYR M et al. Une procédure d'évaluation des besoins en santé mentale. Une étude de faisabilité, de fiabilité et de validité menée sur un échantillon représentatif de la population adulte de l'est de Montréal. 1994.

106. LESAGE AD, FOURNIER L, CYR M et al. The reliability of the community version of the MRC needs for care assessment. Psychol Med, 1996, *26* : 237-243.
107. LESAGE AD, GOERING P, LIN E. Family physicians and the mental health system. Report from the mental health supplement to the Ontario Health survey. Can Family Physician, 1997, *43* : 251-256.
108. LIN E, GOERING PN, LESAGE A, STREINER DL. Epidemiologic assessment of overmet need in mental health care. Social Psychiatry and Psychiatric Epidemiology, 1997, *32 (6)* : 355-362.
109. LOVELL A. Estimation des besoins et évaluation des interventions en santé mentale : nouvelles approches. Rev Épidémiol Santé Publique, 1993, *41* : 281-291.
110. MARCH JG. A primer on decision making : how decisions happen. New York, Free Press, 1994.
111. MARK MM. Validity typologies and the logic and practice of quasi-experimentation. *In* : WMK Trochim. Advances in quasi-experimental design and analysis. San Francisco, Jossey-Bass, 1986 : 47-66.
112. MARTIN C, MAURICE-TISON S, TIGNOL J. Anxiety disorders in general practice : frequency-treatment. A survey of the Aquitaine sentinel network. Encephale, 1998, *24 (2)* : 120-124.
113. MASSE R, POULIN C. Mental health of community residents in the metropolitan Montreal area : some results of the Sante Québec Survey. Can J Public Health, 1991, *82 (5)* : 320-324.
114. MASSE R, POULIN C, DASSA C et al. Evaluation and validation of a test of psychological distress in a general population in French Quebec. Can J Public Health, 1998, *89 (3)* : 183-187.
115. MECHANIC D. Health and illness behavior and patient-practitioner relationships. Soc Sci Med, 1992, *34 (12)* : 1345-1350.
116. MERCIER C. Participation in stakeholder-based evaluation : a case study. Evaluation and Program Planning, 1997, *20 (4)* : 467-475.
117. MILES MB, HUBERMAN M. Qualitative data analysis : a sourcebook of a new method. Beverly Hills, Sage Publications, 1984.
118. MILLMAN M. Access to health care in America. Washington, National Academy Press, 1993.
119. MINISTÈRE DES AFFAIRES SOCIALES, DE LA SANTÉ ET DE LA VILLE. Les Français et leur santé : enquête santé 1991-1992. *In* : Solidarité, santé, études statistiques. Paris, Service des statistiques, des études et des systèmes d'information, 1994
120. MINSKY S. Assessment and assignment of clients to clinically related groups : a reliability study. Bureau of Research and Evaluation Report, NJ Division of Mental Health and Hospitals, 1992.
121. MOUQUET MC. Les pathologies traitées en 1993 dans les services de soin de courte durée : enquête de morbidité hospitalière 1992-1993. *In* : Documents statistiques n° 274 et 274 bis. Paris, Service des statistiques, des études et des systèmes d'information, SESI, Info. Rapides, 1996.
122. NUTT PC. Planning methods for health and related organizations. New York, Wiley Medical Publications, 1984 : 1.
123. OBSERVATOIRE NATIONAL DES PRESCRIPTIONS ET DES CONSOMMATIONS DE MÉDICAMENTS. Étude de la prescription et de la consommation des antidépresseurs en ambulatoire. Rapport de juillet 1998.
124. PATTON MQ. Utilization focused evaluation. The new century text, 3rd ed. Tousand Oaks, Sage Publications, 1997.
125. PESCOSOLIDO BA. Beyond rational choice : the social synamics of how people seek help. Am J Sociol, 1992, *97* : 1096-1138
126. PIAGET J. Études sociologiques. Genève, Droz, 1967.
127. PILON W, ARSENAULT R. Système d'information sur des individus ayant des incapacités dues à leur développement. (SINFOIID) : guide d'utilisation. Québec, Centre de recherche Robert-Giffrard de l'université Laval, 1992.
128. PILON W, ARSENAULT R. Caractéristiques des populations au centre hospitalier psychiatrique Robert-Giffard : personnes ayant des incapacités intellectuelles et personnes atteintes de maladie mentale. Santé Mentale au Québec, 1997, *XXII (2)* : 115-136.
129. PINEAULT R, DAVELUY C. La planification de la santé : concepts, méthodes et stratégies. Québec, Agence d'Arc, 1993.
130. PRÉVILLE M, HÉBERT R, BOYER R, BRAVO G. Psychological distress, health services utilization and psychotropic drugs use among frail elderly. Sherbrooke, Centre de Recherche en Gérontologie, 1998.
131. REGIER DA, GOLDBERG ID, TAUBE CA. The de facto US mental health services system : a public health perspective. Arch Gen Psychiat, 1978, *35 (6)* : 685-695.
132. REGIER DA, NARROW WE, RAE DS et al. The de facto US mental and addictive disorders services system Arch Gen Psychiat, 1993, *50* : 85-94
133. REGIER DA, MYERS JK, KRAMER M et al. The NIMH epidemiologic catchment area program : historical context, major objectives, and study population characteristics. Arch Gen Psychiat, 1984, *41 (10)* : 934-941.
134. RICE DP, KELMAN S, MILLER LS. The economic burden of mental illness. Hospital and Community Psychiatry, 1992, *43 (12)* : 1227-1232.
135. RICHMAN A, BOUTILIER C, HARRIS P. The relevance of socio-demographic and ressource factors in the use of acute psychiatric in-patient care in the Atlantic provinces of Canada. Psychol Med, 1984, *14 (1)* : 175-182.
136. RODWIN VG. The health planning predicament (France, Québec, England, USA). San Francisco, University of California Press, 1984 : 159.
137. ROETHLISBERGER EJ, DICKSON W. Management and the worker. Cambridge, Harvard University Press, 1939.
138. ROUILLON F. Enquête épidémiologique des troubles psychiatriques en consultation spécialisée. Encéphale, 1992, *XVIII* : 525-535.
139. ROUILLON F, THALASSINOS M, FERRERI M, PARQUET P. Étude clinique et épidémiologique du trouble « anxiété généralisée » en médecine générale. Encéphale, 1994, *XX* : 103-110.
140. ROYAL COLLEGE OF PSYCHIATRISTS. Psychiatric beds and resources : factors influencing bed use and service planning. Report of a working party of the section for social and community psychiatry. London, Gaskell, 1988.
141. SANTÉ QUÉBEC. A health profile of the Inuit. 3 vol. 1994.
142. SARTORIUS N, USTUN TB, COSTA E SILVA JA et al. An international study of psychological problems in primary care. Preliminary report from the World Health Organization collaborative project 6 on psychological problems in general health care. Arch Gen Psychiat, 1993, *50 (10)* : 819-824.
143. SCHAEFER MM. L'administration des programmes de salubrité de l'environnement : approche systémique. Genève, OMS, 1975 : 130.
144. SHAPIRO S, SKINNER EA, KRAMER M et al. Measuring need for mental health services in a general population. Med Care, 1985, *23* : 1033-1043.
145. SHEPHERD M, COOPER B, BROWN AC, KALTO GW. Psychiatric illness in general practice. London, Oxford University Press, 1966.
146. SMITH P, SHELDON TA, MARTIN S. An index of need psychiatric services based on in-patient utilisation. Br J Psychiat, 1996, *169* : 308-316.
147. SPEER DC. Mental health outcome evaluation. San Diego, Academic Press, 1998.
148. STEIN LI, TEST MA. Alternative to mental hospital treatment : I. Conceptual model, treatment program and cli-

nical evaluation. Arch Gen Psychiat, 1980, *37* : 392-397.

149. STEVENS A, GILLAM S. Needs assessment : from theory to practice. Br Med J, 1998, *316* (*7142*) : 1448-1452.
150. STEVENS A, PACKER C, ROBERT G. Early warning of new health care technologies in the United Kingdom. Int J Technological Assessment, 1998, *14* (*4*) : 680-686.
151. STRATHDEE G, THORNICROFT G. Community sectors for needs-led mental health services. *In* : G Thornicroft, CR Brewin, J Wing. Measuring mental health needs. London, Gaskell, 1992 : 140-162.
152. SYTEMA S. Social indicators and psychiatric admission rates : a case-register study in the Netherlands. Psychol Med, 1991, *21* : 177-184.
153. TANSELLA M, THORNICROFT G. A conceptual framework for mental health services : the matrix model. Psychol Med, 1998, *28* (*3*) : 503-508
154. TAYLOR SJ, BOGDAN R. Introduction to qualitative research methods : the search for meanings. New York, Wiley Medical Publications, 1984.
155. THORNICROFT G, BEBBINGTON P. Quantitative methods in the evaluation of community mental health services. *In* : WR Breakey. Integrated mental health services : modern community psychiatry. New York, Oxford University Press, 1996 : 120-138.
156. TWEED DL, CIARLO JA. Social indicator model for indirectly assessing mental health service needs : epidemiologic and statistical properties. Evaluation and Program Planning, 1992, *15* : 165-179.
157. TWEED DL, CIARLO JA, KIRKPATRICK LA, SHERN DLV. Empirical validity of indirect mental health needs-assessment models in Colorado. Evaluation and Program Planning, 1992, *15* (*2*) : 181-194.
158. VAN HAASTER I, LESAGE AD, CYR M, TOUPIN J. Problems and needs for care of patients suffering from severe mental illness. Social Psychiatry and Psychiatric Epidemiology, 1994, *29* (*3*) : 141-148.
159. WEILLER E, LECRUBIER Y, MAIER W, USTUN TB. The relevance of recurrent brief depression in primary care. A report from the WHO project on psychological problems in general health care conducted in 14 countries. European Archives of Psychiatry and Clinical Neurosciences, 1994, *244* (*4*) : 182-189.
160. WING JK. The cycle of planning and evaluation. *In* : G Wilkinson, H Freeman. The provision of mental health services in Britain : the way ahead. London, Gaskell, 1986 : 35-48.
161. WING JK. Epidemiologically-based mental health needs assessments. Review of research on psychiatric disorders. Report of August 1992. London, Royal College of Psychiatrists, 1992.
162. WING JK, BREWIN CR, THORNICROFT G. Defining mental health needs. *In* : G Thornicroft, CR Brewin, JK Wing. Measuring mental health needs. London, Gaskell, 1992.

Chapitre 4

PROPOSITION DE STRATÉGIES DE MESURE DES BESOINS

STRATÉGIES DE MESURE DES BESOINS

Quelles stratégies peut-on envisager pour utiliser efficacement les différentes sources d'information disponibles sur les besoins ? Dans ce chapitre, nous ferons d'abord état d'un des seuls rapports de la littérature [2] sur les sources de données qui ont été utilisées pour mesurer les besoins et sur les quatre stratégies qui ont été élaborées, sur une période de dix ans, et appliquées dans un état américain, le New Jersey. Dans un deuxième temps, nous présenterons des scénarios de stratégies d'utilisation des sources d'information selon le niveau et le contexte de planification et la disponibilité des données. Dans un troisième temps, nous proposerons des pistes d'action pour soutenir, au Québec comme en France, l'utilisation de ces stratégies dans le cadre de la planification en fonction des besoins en santé mentale.

ÉTUDE DE KAMIS-GOULD ET MINSKY DANS LE NEW JERSEY [2]

Ce processus s'inscrit dans le cadre d'une décision fédérale visant à contraindre les états (régions) à planifier en priorité les services pour les personnes souffrant de troubles mentaux sévères et chroniques. À partir de cette obligation, une réflexion sur la prise en charge de l'ensemble des problèmes a été entreprise par les planificateurs de cet état dans le but de répartir les budgets entre les différents « secteurs de service » (zones administratives des services sociaux et de santé, n = 53) répartis dans les différents *counties* (les comtés, zones administratives historiques, n = 21) de l'état du New Jersey dont la population était de 5,5 millions d'habitants lors de cette étude. Plusieurs des sources d'information que nous avons décrites précédemment sont utilisées successivement pour mesurer les besoins :

– modélisations par indicateurs sociaux permettant de prévoir l'utilisation des soins extra- et intrahospitaliers ;

– renseignements obtenus par la consultation des informateurs clefs, dont les usagers, les intervenants et les administrateurs ;

– enquêtes de population conduites sur des échantillons représentatifs ;

– projections de la demande à partir des statistiques d'utilisation ;

– normes et guides de bonne pratique.

Quelques questions essentielles y sont posées :

– intégration des différents types d'information dans la planification ;

– nécessité d'intégrer toutes les offres de soins dans la validation des modèles par indicateurs sociaux, dont les soins primaires et éventuellement l'apport des programmes sociaux ;

– planification en fonction de sous-groupes particuliers (enfants, adolescents, personnes âgées, minorités ethniques, sans-abri) ;

– problème de l'établissement des priorités (égalité versus équité), la priorité étant donnée aux troubles graves et aux traitements efficaces ;

– difficulté de trouver un consensus sur l'opérationnalisation du concept de troubles graves et chroniques par rapport aux autres troubles mentaux.

Les projections faites à partir de l'utilisation antérieure du système de soin sont a priori exclues dans la mesure où elles ne font que reconduire des utilisations qui ne sont pas nécessairement équitables et qui ne comblent probablement pas les besoins. Les quatre stratégies présentées ici ont été élaborées successivement dans des contextes et des obligations évolutifs de cet état à l'égard des directives fédérales.

Stratégie n° 1

La première stratégie est celle des indicateurs sociaux que nous avons largement présentée précédemment. On propose une formule qui tient compte d'indicateurs de pauvreté, de chômage et des taux d'enfants

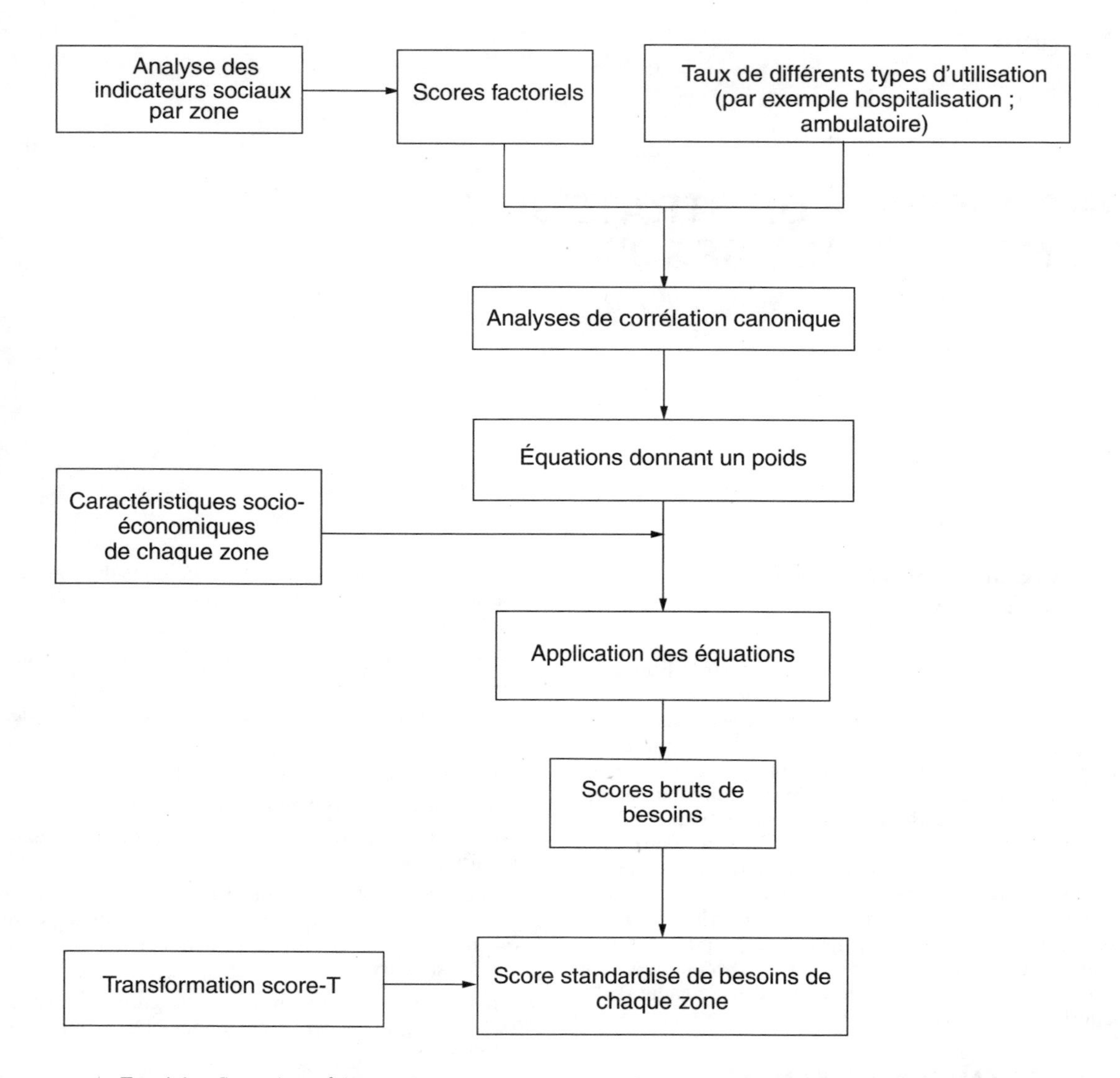

FIG. 4-1. – STRATÉGIE N° 1 : MODÉLISATION DES BESOINS À L'AIDE DES INDICATEURS SOCIO-ÉCONOMIQUES ET DES DONNÉES D'UTILISATION (d'après Kamis-Gould E, Minsky S. Needs assessment in mental health service planning. Administration and Policy in Mental Health, 1995, *23 (1)* : 43-58).

maltraités, qui ont été validés sur l'utilisation des soins extra- et intrahospitaliers et reconvertis en un score simple à appliquer par zone (fig. 4-1).

De façon plus précise, les cinq étapes techniques suivantes ont été franchies.

1. Le choix de variables associées dans la littérature à la prévalence des troubles mentaux : une analyse factorielle de ces variables, obtenues lors du recensement national périodique au niveau des 576 municipalités de l'état du New Jersey, produit une solution en six facteurs, qui expliquent 71 p. 100 de la variance (tableau 4-I).

2. Les scores factoriels des municipalités sont réunis pour les 53 secteurs de service de l'état et entrés dans une analyse statistique canonique avec une série de mesures de la prévalence des personnes traitées (tableau 4-II) dans chaque secteur.

3. Selon le taux d'association du secteur avec l'une des six variables retenues, on peut ainsi calculer les besoins de chacune des 53 zones :

Besoin zone A = (taux de pauvreté de la zone A × taux d'association selon l'analyse canonique) + (taux de chômage de la zone A × taux d'association selon l'analyse canonique) +…

4. Les 53 scores de besoins sont transformés en scores standardisés, de sorte que les besoins de l'état sont de 100 p. 100 et que ceux des 53 secteurs de service correspondent à une partie de ces 100 p. 100.

TABLEAU 4-I. – LES SIX INDICATEURS SOCIO-ÉCONOMIQUES RETENUS DANS LE NEW JERSEY

FACTEURS	NOMBRE DE VARIABLES DU RECENSEMENT DANS LE FACTEUR
Pauvreté et désintégration familiale	12
Personnes âgées	5
Criminalité	5
Enfants défavorisés	5
Isolement social	5
Vie urbaine	5

Cependant, ce système pose en théorie les problèmes signalés plus haut puisqu'il est fondé sur l'utilisation des ressources déjà disponibles et risque, par conséquent, de reproduire des inégalités existantes ; on peut contourner ce biais en ne retenant que les indicateurs qui s'avèrent adéquats pour un nombre suffisamment grand de zones alors que ces zones ont des ressources différentes. On peut aussi mettre en place des indicateurs validés sur les types d'utilisation de soins qui correspondent à différentes problématiques : hospitalisation et soins spécialisés pour les problèmes sévères, services ambulatoires pour les problèmes plus légers.

On doit aussi faire des modèles spécifiques pour les services aux enfants et adolescents, en utilisant des variables différentes. Grâce à cette modélisation, on pouvait obtenir par exemple un secteur socio-économiquement défavorisé comptant 5 p. 100 de la population et auquel la modélisation attribue 10 p. 100 des besoins en santé mentale de l'état. La proportion des ressources reconnue nécessaire selon les besoins ne correspondait pas forcément à celle allouée dans les années précédentes. Pour gérer cet historique, les planificateurs de l'état ont donc d'abord reconduit 50 p. 100 du budget sur des bases historiques. Ils ont attribué 40 p. 100 du budget en fonction de cet indicateur et 10 p. 100 en fonction du rendement pour évoluer progressivement. Bien entendu, l'allocation budgétaire est modulée en fonction de priorités nationales qui peuvent ou non faire l'objet d'enveloppes spéciales (sans-abri, lits de pédopsychiatrie, etc.).

Stratégie n° 2

La seconde stratégie répond à la volonté des planificateurs de l'état d'établir les priorités dans le développement des programmes concernant les personnes souffrant de troubles mentaux graves, adultes et enfants/adolescents. Elle part d'une vaste enquête menée auprès des usagers et des intervenants dans les différents « secteurs de service » de l'état sur les besoins d'interventions et de ressources des personnes souffrant de troubles mentaux graves. Un questionnaire fut élaboré tant pour les usagers et leurs proches que pour les intervenants ; il demandait de choisir les priorités parmi 30 services (par exemple suivi intensif dans le milieu, club social, réadaptation au travail, etc.). Plus de 5 300 usagers et 2 100 intervenants furent choisis au hasard dans l'état et répondirent au questionnaire. Les réponses des usagers ont été pondérées de manière à valoir le double de celles des intervenants : pour chaque service une échelle de cinq points est établie sur le besoin ressenti. On construit ensuite une table croisée 5 × 5 des besoins ressentis et de l'utilisation effective des services (classée de la même façon). Dans la matrice, on peut identifier les services jugés prioritaires mais bien développés, et ceux moins développés (fig. 4-2).

Les auteurs constatent que les appréciations des proches et des intervenants sont similaires alors qu'elles diffèrent souvent du point de vue des usagers. En général, les usagers insistent sur les prises en charge de type social (groupes de loisirs) et les intervenants et les proches accordent plus d'importance aux prises en charge médicales et techniques (unités de soin intensif). De plus, selon le secteur d'activités des répondants (par exemple, l'adolescence), les intervenants et les usagers donnent la priorité aux services propres à ce secteur. Devant ces limites, les résultats ont servi finalement non pas à mesurer mathématiquement les priorités, mais à animer les groupes de discussion locaux impliquant intervenants, usagers et planificateurs, qui en dernier lieu ont déterminé les priorités retenues au niveau régional et sectoriel. Les auteurs estiment que l'approche, certes difficile, est très intéressante en ce qu'elle stimule considérablement la participation et permet aux personnes de confronter leurs opinions.

TABLEAU 4-II. – SOURCES D'INFORMATION SUR LA PRÉVALENCE DE PERSONNES TRAITÉES PAR SECTEUR DE SERVICE DANS LE NEW JERSEY

Admission à l'hôpital psychiatrique ou à l'hôpital général
Sorties de l'hôpital psychiatrique
Admissions et sorties des programmes extrahospitaliers de l'état
Taux de personnes en contact avec les différents programmes extrahospitaliers de santé mentale de l'état

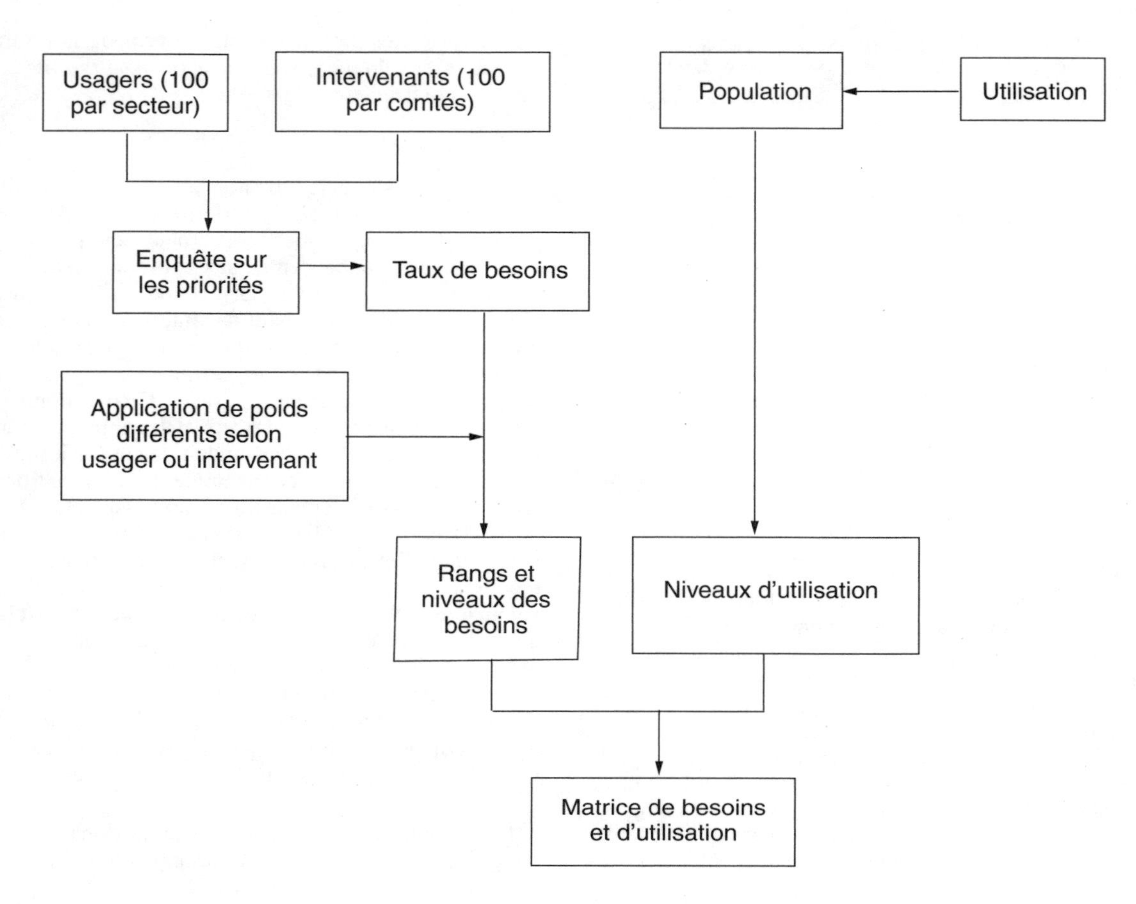

FIG. 4-2. – STRATÉGIE N° 2 : PRIORITÉS DANS LES BESOINS (d'après Kamis-Gould E, Minsky S. Needs assessment in mental health service planning. Administration and Policy in Mental Health, 1995, *23 (1)* : 43-58).

Stratégie n° 3

La troisième stratégie visait à répondre à la loi fédérale qui demandait de déterminer le nombre de personnes souffrant de troubles mentaux graves et nécessitant beaucoup de temps en soins ; la loi demandait aussi de déterminer le nombre de personnes souffrant de troubles mentaux et d'assurer des services disponibles à ceux qui en ont besoin. Des allocations financières fédérales suivaient cette détermination. Estimant que le concept de troubles mentaux graves et chroniques n'est pas vraiment bien défini, elle propose une démarche pour en établir le nombre à partir des données de l'enquête américaine de l'ECA, les taux d'utilisation observés, les analyses par âge, sexe et minorités ethniques, et propose des données ajustées à la composition de l'état, puis des zones de secteurs ou de comtés (fig. 4-3).

La base de données ECA représente une enquête épidémiologique réalisée dans cinq sites des États-Unis, mais pas dans le New Jersey. Les étapes techniques suivantes ont été franchies :

– dans un premier temps, les résultats d'une enquête en population générale américaine (Epidemiological Catchment Area [ECA] [6]) ont été utilisés et estimés en fonction de la composition socio-démographique de l'état pour trois variables (âge, sexe et minorités ethniques). Ils visaient à donner le taux attendu de personnes souffrant de troubles mentaux dans une année au New Jersey, soit 18 p. 100 ;

– dans un deuxième temps, ce taux a été estimé par l'indicateur de besoins décrits dans la première stratégie pour chacun des 53 secteurs de service ;

– deux groupes furent ensuite considérés, des personnes souffrant de trouble mental grave et chronique et d'autres souffrant d'autres troubles mentaux. Sur la base de la littérature des études ECA et d'autres études, des définitions de critères furent retenues et appliquées aux données ECA. On constatait ainsi que 1,5 p. 100 de la population de l'état présentait un trouble mental grave et persistant, soit 83 333 personnes, et que 86 p. 100 étaient en contact avec les services publics de santé mentale. Seize et demi pour cent de la population de l'état présentaient d'autres troubles mentaux, soit 916 667 personnes, dont seulement 13,2 p. 100 étaient en contact avec les services, et 795 667 ne recevaient

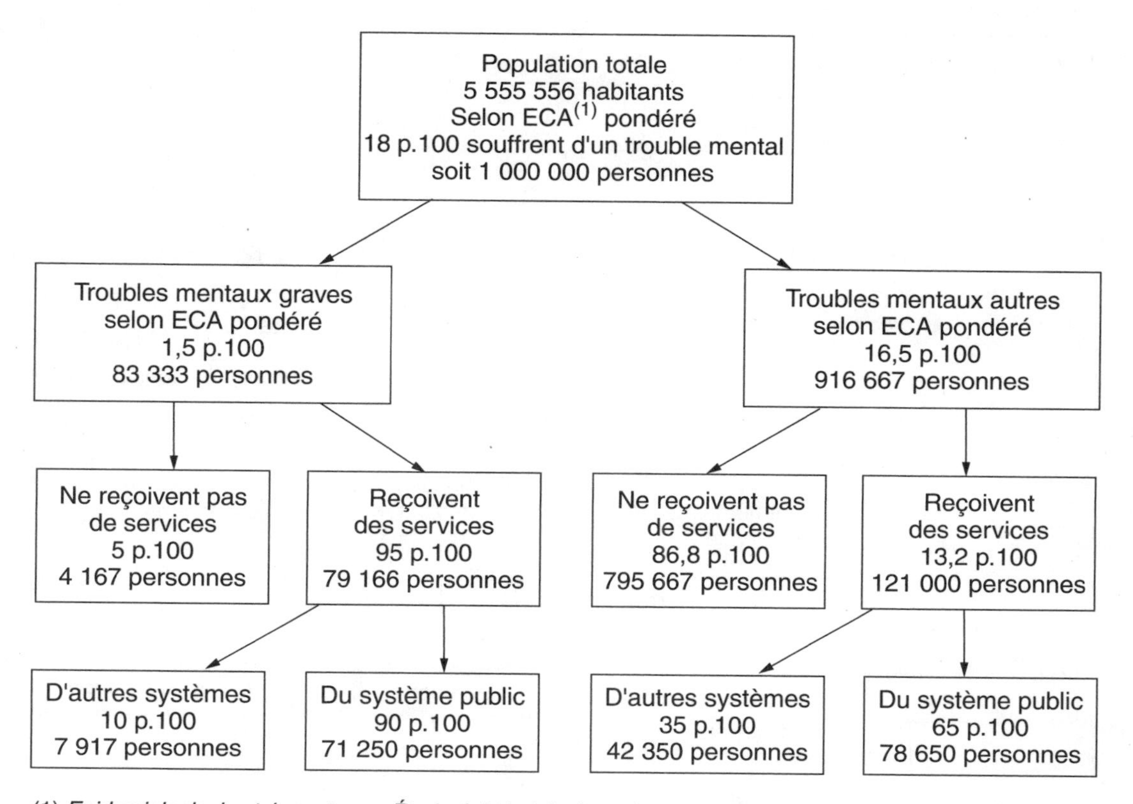

FIG. 4-3. – RÉSULTATS POUR LE NEW JERSEY DE L'APPLICATION D'UN MODÈLE D'ÉVALUATION DU NOMBRE DE PERSONNES SOUFFRANT DE TROUBLES MENTAUX GRAVES ET PERSISTANTS SELON LES RÉSULTATS PONDÉRÉS DE L'ENQUÊTE ECA POUR LES DONNÉES SOCIO-ÉCONOMIQUES DU NEW JERSEY (d'après Kamis-Gould E, Minsky S. Needs assessment in mental health service planning. Administration and Policy in Mental Health, 1995, *23 (1)* : 43-58).

aucun service pour fins de santé mentale. On a pu ainsi établir des statistiques pour chacun des 21 comtés.

Cette stratégie part du postulat que les personnes présentant un trouble mental ont des besoins et que celles qui utilisent les services voient leurs besoins comblés – hypothèses que nous avons critiquées dans nos cadres conceptuels des problèmes de santé mentale, de l'utilisation des services et des besoins. Plus encore, la stratégie n'identifie pas les interventions requises par ces personnes. La dernière stratégie va tenter de combler à ces lacunes.

Stratégie n° 4

La quatrième stratégie est également liée à un amendement de la loi fédérale américaine qui demande à chaque état de produire les ressources – financières et en personnel – requises pour répondre au plan de santé mentale de l'État. Elle n'a jamais été mise en application dans l'état, bien que les chercheurs et les planificateurs de l'état, dont les auteurs, y travaillent. On propose une répartition des personnes en quatre catégories mutuellement exclusives, dites groupes cliniques [4], qui ont globalement des besoins identiques en fonction des diagnostics et de la durée des troubles prévisibles :

– groupe clinique n° 1 : troubles graves et chroniques ;

– groupe clinique n° 2 : troubles graves et non chroniques ;

– groupe clinique n° 3 : troubles non graves et chroniques ;

– groupe clinique n° 4 : troubles non graves et non chroniques.

On émet l'hypothèse que chacun de ces groupes présente des types de besoin différents, évalués par une analyse sur échantillon de l'utilisation effective des services et par un comité d'experts à partir de recommandations de bonne pratique. On estime alors par groupe les pourcentages de besoins comblés et non comblés, tant par l'approche de l'utilisation (besoins comparatifs) que par l'approche d'experts (besoins normatifs) (fig. 4-4). En comparant les

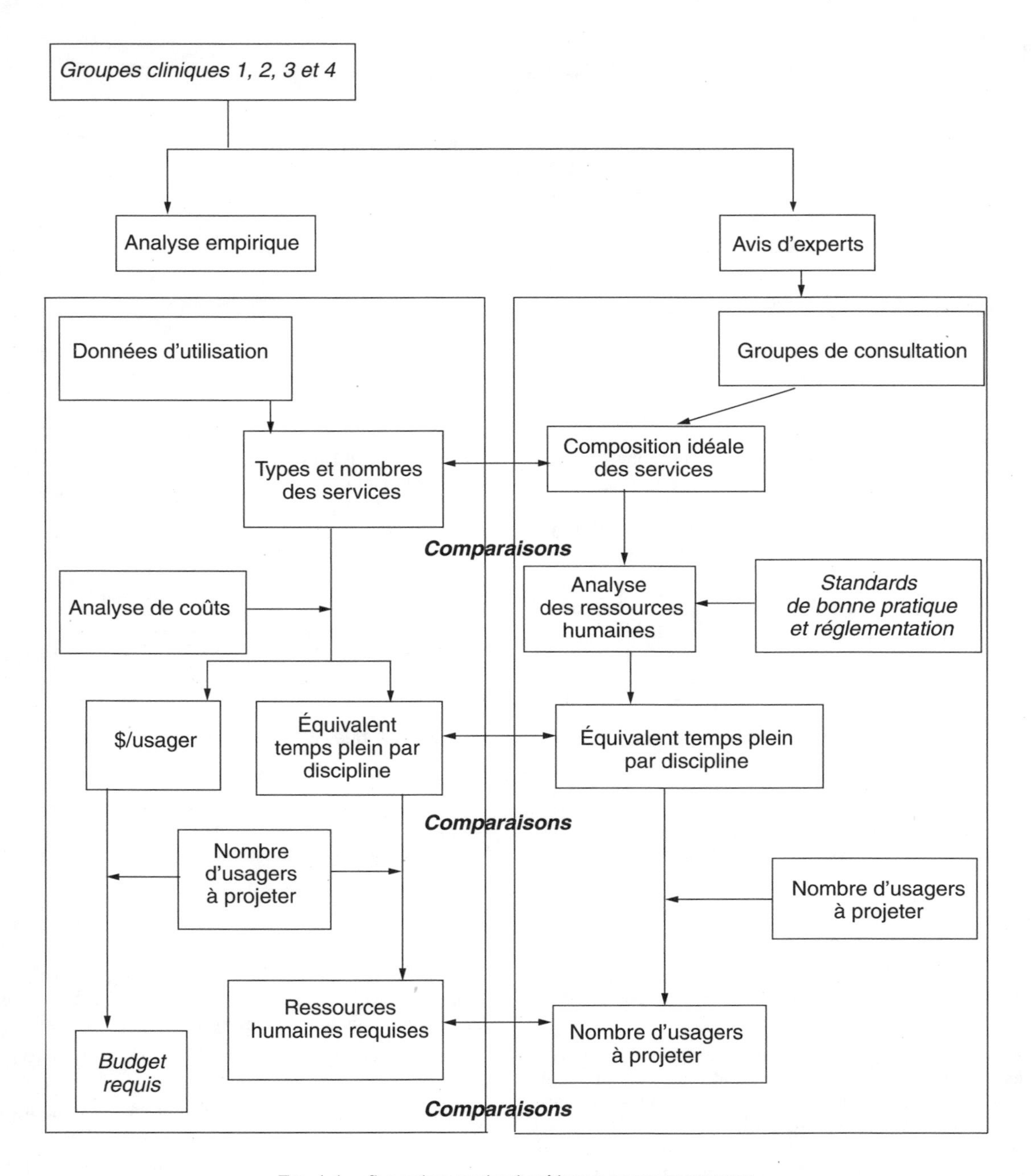

FIG. 4-4. – STRATÉGIE INTÉGRÉE D'ÉVALUATION DES BESOINS
(d'après Kamis-Gould E, Minsky S. Needs assessment in mental health service planning. Administration and Policy in Mental Health, 1995, *23 (1)* : 43-58).

besoins évalués par les deux approches, les planificateurs disposent de deux sources d'information sur les besoins.

Cette approche expérimentale, dont les résultats n'ont pas encore été rapportés, a le mérite d'utiliser toutes les informations disponibles ou potentiellement disponibles pour un planificateur en les intégrant :

– données sur les prises en charge ;

– prise en compte de tous les types de problèmes et de tous les systèmes de soins ;

– prise en compte de recommandations de bonne pratique et de l'avis d'experts ;

– prise en compte de l'historique, de la disponibilité, et analyse des comportements effectifs ;

– prise en compte de groupes spécifiques d'usagers.

Dans leur discussion sur les quatre stratégies, les auteurs soulignent combien la première stratégie de l'allocation des ressources à l'intérieur des comtés de l'état, fondée sur une modélisation à partir d'indicateurs socio-économiques, a été bien acceptée par les gestionnaires et les intervenants dans la communauté. Même si ces derniers ne comprenaient pas forcément les détails techniques de la modélisation, ils étaient d'accord sur le fait que les secteurs les plus défavorisés sur le plan socio-économique avaient des besoins relativement plus importants en santé mentale. Ce système peut être modulé en fonction de priorités nationales, voire subdivisé par type de problèmes pour lesquels des indicateurs appropriés peuvent être établis. Cette stratégie a permis d'établir le nombre de personnes potentiellement en besoin, les ressources relatives à consentir, mais ne détaillait pas les interventions ni les catégories de ressources qui étaient requises. La seconde stratégie sur les priorités a produit des résultats mitigés, tout en nécessitant des ressources importantes ; le processus de consultation sur les priorités a cependant été apprécié de tous. La troisième stratégie a reposé sur des éléments d'information sur la prévalence des troubles mentaux et l'utilisation des services hors de l'état, pour être adaptée à la situation de l'état. La dernière stratégie qui établirait les différents besoins d'intervention et de types de ressources demeure à l'état expérimental et n'a pas encore été appliquée, mais elle reste l'approche la plus satisfaisante selon les auteurs.

PROPOSITION DE STRATÉGIES POUR LA FRANCE ET LE QUÉBEC

L'exemple du New Jersey nous renseigne d'abord sur une stratégie concrète d'estimation des besoins s'inscrivant dans un processus de planification. L'exemple montre un état, d'une part, tenu de répondre à des impératifs de réglementation (ici une loi fédérale) et, d'autre part, engagé dans un processus à long terme de planification, s'appuyant sur une méthodologie rigoureuse, incorporant les résultats de recherches conduites aussi bien dans l'état qu'à l'extérieur. Notons que les sources d'information et les résultats de ces stratégies n'ont pas déterminé de façon automatique les choix de l'état ou de la région : chaque stratégie informe les planificateurs sur les besoins. Ces derniers doivent ensuite tenir compte à la fois des opinions de divers intervenants sur les priorités et des facteurs historiques et organisationnels pour allouer les ressources. Enfin, il faut noter comment les stratégies se sont adaptées en partie aux sources d'information disponibles et au cycle de planification, au niveau de planification et aux moyens disponibles.

Il est possible, à partir de cet exemple, d'autres sources de la littérature concernant le cycle de planification [8] et de notre cadre conceptuel, de dégager un certain nombre d'enseignements. Toute stratégie de détermination des besoins doit tenter de répondre le mieux possible aux quatre questions suivantes :

– combien y a-t-il de personnes affectées par le problème de santé mentale considéré ou qui se trouvent dans le niveau de services considéré ?

– quels sont les besoins de ces personnes ?

– quelles sont les ressources requises pour répondre adéquatement aux besoins de ces personnes ?

– comment organiser de façon optimale les ressources pour assurer les interventions requises pour répondre à ces besoins, selon le niveau concerné ?

L'estimation du nombre de personnes dans la population visée, de leurs besoins, des réponses à leurs besoins et de l'organisation optimale pour assurer ces réponses peut s'opérer à partir de multiples sources d'information. Cette multiplicité des sources rend indispensable le choix d'une stratégie adaptée à l'objectif poursuivi par le planificateur. Cette stratégie, conduisant à choisir les sources d'information les plus utiles à l'estimation des besoins recherchée par le planificateur, se construit à partir de deux grands axes, celui des niveaux de planification et celui de la population à l'étude.

Axe des niveaux de planification retenus pour conduire le processus de planification

Plusieurs niveaux de planification s'emboîtent les uns dans les autres :

– niveau national ;

– niveau régional ;

– niveau du « bassin de vie », local ;

– niveau de la structure dispensant le service (ces deux derniers n'étant a priori pas concernés par notre mandat).

Chaque niveau de planification doit éviter de traiter les questions relevant du niveau qui lui succède, et inversement. D'un autre côté, chaque niveau de planification doit prévoir un dispositif d'évaluation de ses démarches dont les résultats doivent être accessibles et portés à la connaissance du niveau qui lui est supérieur. Les sources d'information utiles pour l'appréciation des besoins peuvent différer selon le niveau de planification retenu.

Axe des populations prises en considération dans le processus de planification

Afin de déterminer le nombre de personnes visées dans la population, deux logiques différentes peuvent être suivies.

• *Les populations retenues sont celles qui mobilisent telle ou telle grande catégorie de ressources, classifiées par exemple en quatre catégories :*

– les personnes qui nécessitent des soins et un hébergement protégé de longue durée ;

– les personnes qui nécessitent des hospitalisations de courte durée et des ressources à temps partiel ;

– les personnes qui nécessitent des services ambulatoires spécialisés ;

– les personnes qui nécessitent des services ambulatoires non spécialisés.

Il est possible d'estimer l'effectif de chacune des populations mobilisant telle ou telle catégorie de ressources. Cet effectif est manifestement très différent selon qu'il s'agit des personnes de la première catégorie ou des personnes recevant des services de leur médecin de famille. Mais la taille de l'effectif d'une de ces différentes populations n'est pas proportionnelle à l'importance des dépenses générées par le dispositif de prise en charge correspondant. Les malades hospitalisés en longue durée sont peu nombreux par rapport aux autres, mais mobilisent pour leur prise en charge des ressources assez importantes.

La figure 4-5 reproduit l'estimation du nombre de personnes d'un secteur de l'est de Montréal en contact avec les différents services psychiatriques et ambulatoires non spécialisés [3]. On constate que les personnes hospitalisées à long terme sont vingt fois moins nombreuses que celles qui fréquentent les services ambulatoires spécialisés, et ces dernières sont cinq fois moins nombreuses que celles qui reçoivent des services ambulatoires non spécialisés. Le tableau 4-III montre les chiffres produits à partir d'un avis d'expert ; il établit pour la Grande-Bretagne [9] le nombre de personnes attendues (et l'éventail de personnes attendues, car il est reconnu que ces nombres varient selon le niveau socio-économique des zones) dans chaque type de ressources et les coûts moyens (en livres) prévus par année par personne dans ce type de ressource, pour les personnes âgées de 18 à 65 ans, avec trouble mental grave psychotique et non psychotique (excluant les

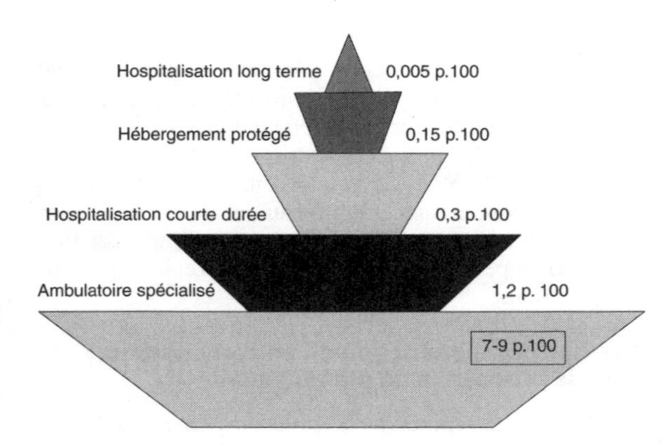

FIG. 4-5. – MODÈLE ÉPIDÉMIOLOGIQUE DES BESOINS DE SERVICES DE SANTÉ MENTALE REPRÉSENTANT, À PARTIR DE POINTS DE SERVICE, DES GROUPES DE PATIENTS AVEC DES NIVEAUX CROISSANTS DE BESOINS (les pourcentages expriment les taux dans la population générale d'un secteur de Montréal) (modifié à partir de [3]).

personnes avec troubles de toxicomanie, de déficience intellectuelle et de démence).

Il est essentiel de noter que cette norme concerne un système de services de soin et de services sociaux spécifiques et ne peut être extrapolée comme telle dans un autre système. Par exemple, les appellations « lits de longue durée » ou « foyers de groupe » peuvent être comprises différemment selon les pays – il importe alors de préciser les définitions de ces ressources et du contexte de soins qui les a vues naître. De plus, cette expression des besoins ne tient pas compte des patients qui vivent dans leur famille et qui sont de facto dans une sorte de milieu protégé, même si cela pose des problèmes éthiques et pratiques nombreux et complexes. Cependant, on peut préconiser que chaque système de soin se fixe des objectifs normalisés en fonction de ses modalités propres afin de garantir le maximum d'équité.

Une démarche de planification peut vouloir s'intéresser, en priorité, à l'organisation des prises en charge des personnes consommant une part importante des ressources. C'est, en effet, en réorganisant les solutions proposées aux personnes concernées par ce type de prise en charge représentant une part importante des ressources que peuvent se dégager des moyens susceptibles d'être réorientés, de façon significative, vers la satisfaction de besoins mal couverts [7].

Selon la population choisie en fonction de la catégorie de ressources mobilisées, il existe plusieurs types de sources d'information permettant d'estimer les besoins. Par exemple dans une région et ses sous-régions, on pourrait pour les groupes identifiés plus haut retenir la démarche suivante sur laquelle une stratégie d'estimation des besoins serait appliquée. Suivant les systèmes de soin, on définirait pour la région trois ou quatre groupes et l'on établirait les besoins pour la région et ses sous-régions de la façon suivante :

– pour les personnes souffrant de troubles mentaux et hospitalisées pour une longue période ou en hébergement protégé dans la dernière année : 1) établir les nombres de personnes, par exemple grâce aux systèmes d'information sur les personnes en contact avec les services ; 2) établir les besoins de ces personnes et les interventions et ressources requises pour y répondre en tenant compte des recommandations de bonne pratique, par exemple grâce à une enquête particulière sur un échantillon représentatif de ces personnes et en appliquant une procédure individuelle de mesure des besoins tenant compte des recommandations de bonne pratique, qui permet d'évaluer les besoins non comblés (en particulier la catégorie de ceux qui ne sont pas comblés en raison d'une absence de disponibilité de la ressource la plus adéquate telle que recommandée) ; 3) comparer les résultats aux normes de la littérature adaptées au système de soin du pays ; 4) réunir des groupes de consultation des décideurs cliniques, des intervenants, tant des services spécialisés que des services de première ligne, des usagers et de leurs proches, sur les modèles et programmes déjà existants et à développer pour répondre aux besoins ;

TABLEAU 4-III. – EXEMPLE DE NORMES D'ACTIVITÉ ET DE RESSOURCES SPÉCIALISÉES EN SANTÉ MENTALE POUR LES PERSONNES ADULTES SOUFFRANT DE TROUBLES MENTAUX POUR 100 000 HABITANTS, PROPOSÉES PAR WING (modifié d'après [9])

I. 700 à 1 200 personnes consultant uniquement en clinique externe (équipes multidisciplinaires)	0-20 visites/ an/personne
II. Ressources résidentielles avec personnel 24 h	
40 (20 à 60) lits de courte durée (ou de centre de crise)	£23,214
4 (2 à 6) lits d'unité de soins intensifs	£30,000
1,6 (0,25 à 4) lits d'unité sécuritaire (judiciaire)	£50,000
20 (10 à 30) places de longue durée (hôpital ou foyers de groupe très hautement supervisés, appelés *hostel ward*, avec ratio 1:1 de personnel:patient)	£23,214
III. Ressources résidentielles autres	
30 (16 à 44) foyers de groupe fortement supervisés (ratio 1:2 à 1:8)	£15,000
20 (10 à 30) ressources visitées par des professionnels tous les jours	£11,000
18 (8 à 28) ressources visitées à l'occasion par des professionnels	£5,000
IV. Ressources résidentielles sans personnel professionnel	Coût non évalué
12 places en chambre	
12 places réservées pour des personnes handicapées dans la communauté	
V. Ressources de jour (sans compter celles requises pour les personnes comptées de II à IV)	
100 (50 à 150) places en hôpital, centre de jour ou atelier protégé	£733

Pour I, d'après une projection des registres de cas et d'études épidémiologiques pour les cliniques externes [1, 5, 9] ; pour II à V, d'après [9]. Les coûts par place proposés ici sont en livres Sterling (par an).

– pour les personnes souffrant de troubles mentaux et hospitalisées au moins une fois dans l'année précédente ou ayant fréquenté les services d'urgence ou les ressources spécialisées à temps partiel ou ambulatoires (ce groupe peut lui-même être subdivisé en deux groupes en fonction de l'organisation du système de soin, à savoir les personnes qui ont été hospitalisées et/ou fréquenté les soins à temps partiel et les personnes qui ont été suivies en ambulatoire spécialisé et qui ont consulté des psychiatres libéraux, des psychologues ou qui ont été en consultations externes spécialisées dans lesquelles elles peuvent avoir rencontré différents professionnels) : 1) établir les nombres de personnes, par exemple via la « file active » ou d'autres systèmes d'information ; 2) établir les besoins de ces personnes et les interventions et ressources requises en tenant compte des recommandations de bonne pratique pour y répondre, par exemple grâce à une enquête sur un échantillon représentatif en appliquant une procédure individuelle de mesure des besoins tenant compte des recommandations de bonne pratique, ou encore à l'aide de la stratégie n° 4 décrite par Kamis-Gould et Minsky ; 3) comparer les résultats aux normes de la littérature adaptées au système de santé du pays considéré ; 4) réunir des groupes de consultation des décideurs cliniques et des intervenants, tant des services spécialisés que des services de première ligne, des usagers et de leurs proches, sur les modèles et programmes déjà existants et à développer pour répondre aux besoins ainsi établis ;

– pour les personnes souffrant de troubles mentaux et consultant les services ambulatoires non spécialisés (par exemple médecin de famille, groupe d'entraide, etc.) dans la dernière année (suivant les systèmes de soins, les personnes qui consultent les psychologues libéraux peuvent être comptabilisés ici ou dans le groupe précédent) : 1) estimer les nombres, par exemple en ayant recours aux résultats des enquêtes en population générale estimés en fonction de la composition socio-démographique de la région ou de la sous-région, comme dans la stratégie n° 3 décrite par Kamis-Gould et Minsky ; 2) établir les besoins de ces personnes et les interventions et ressources requises pour y répondre, par exemple par une enquête en population générale où les besoins sont établis grâce à une procédure d'estimation individuelle des besoins en fonction des recommandations de bonne pratique, ou encore par la stratégie n° 4 décrite par Kamis-Gould et Minsky où, par des enquêtes soit en population générale soit en milieu de soins, on établit les interventions et les ressources actuellement utilisées par ce groupe tout en demandant à des experts de composer le profil idéal d'intervention et de ressources pour répondre aux besoins de ce groupe de personnes ; 3) comparer les résultats aux guides de bonne pratique et normes de la littérature ; 4) réunir des groupes de consultation des décideurs cliniques et des intervenants, tant des services spécialisés que des services de première ligne, des usagers et proches, sur les modèles et programmes déjà existants et à développer pour répondre aux besoins.

Avant de prendre leurs décisions, les planificateurs et les autres décideurs doivent notamment (selon le cycle de la planification où ils sont rendus) établir les priorités, déterminer les ressources disponibles, développer un plan d'implantation, l'appliquer et en évaluer les résultats à l'aide des critères préalablement établis. La mesure des besoins, rappelons-le, ne représente qu'un temps de la planification.

Le tableau 4-IV permet de voir comment les sources d'information décrites précédemment ont été utilisées dans notre exemple. Il convient de rappeler que cet exemple ne présume pas d'autres sources qui pourraient être utilisées selon le niveau retenu, selon les sources disponibles et selon les sources développées par la recherche dans les années futures.

• *Les populations retenues sont définies par leurs caractéristiques d'état de santé mentale s'inspirant de notre cadre conceptuel :*

– personnes souffrant de troubles psychotiques avec retentissement fonctionnel ;

– personnes souffrant de troubles mentaux non psychotiques avec retentissement fonctionnel ;

– personnes souffrant de déficience intellectuelle avec retentissement fonctionnel ;

– personnes souffrant de toxicomanie avec retentissement fonctionnel ;

– personnes souffrant de démence avec retentissement fonctionnel ;

– personnes présentant une détresse psychologique sans trouble mental caractérisé ;

– personnes présentant un dysfonctionnement social sans trouble mental caractérisé ;

– personnes à risque sans trouble mental, ni détresse ou dysfonctionnement social.

On pourrait aussi retenir les quatre groupes cliniques définis par Kamis-Gould et Minsky dans leur quatrième stratégie, bien que cette dernière laisserait de côté les personnes souffrant de toxicomanie, de déficience intellectuelle, de démence et les personnes à risque. On pourrait aussi retenir les catégories de l'étude du Colorado décrite chapitre 1 page 11 et chapitre 3 page 55, mais là aussi il faudrait veiller à décliner dans la sphère des troubles mentaux, les troubles de toxicomanie, de déficience intellectuelle, de démence et les personnes à risque.

Il est alors possible d'estimer l'effectif de chacune de ces populations. Ces effectifs ne sont manifestement pas les mêmes selon les catégories de personnes et selon la région concernée : les enquêtes en population générale montrent par exemple qu'entre 1 et 3 p. 100 de la population adulte souffrent de troubles psychotiques, 15 à 20 p. 100 d'autres troubles mentaux ou de toxicomanies.

TABLEAU 4-IV. – UTILISATION DES SOURCES D'INFORMATION POUR DÉCRIRE LES DIFFÉRENTS GROUPES DE CONSOMMATEURS DE SOINS

	ENQUÊTE EN POPULATION GÉNÉRALE	ENQUÊTE DE POPULATION PARTICULIÈRE ENFANT, PERSONNES ÂGÉES	ENQUÊTE DE POPULATION EN MILIEU DE SOINS	SYSTÈME D'INFORMATION	INDICATEURS SOCIO-ÉCONOMIQUES	LITTÉRATURE, GUIDES DE BONNE PRATIQUE, NORMES	GROUPES DE DISCUSSION
I. Population nécessitant des soins de longue durée, ou en hébergement protégé			√	√	√ (avec réserve)	√	√
II-A Population en hospitalisation ou prise en charge dans des ressources à temps partiel	√	√	√	√	√	√	√
II-B Population prise en charge par les services ambulatoires spécialisés	√	√	√		√	√	√
III. Population prise en charge par les services ambulatoires non spécialisés	√	√	√		√	√	√

Chacun de ces groupes de personnes ayant les mêmes caractéristiques d'état de santé mentale devrait mobiliser l'ensemble des types de ressources disponibles allant de l'hospitalisation de longue durée aux services ambulatoires non spécialisés par exemple. Le recours à ces différents types de ressources ne sera pas exactement le même selon le groupe de personnes retenu. Ainsi le groupe des personnes ayant des troubles psychotiques avec retentissement fonctionnel comprendra-t-il sans doute plus de personnes hospitalisées en longue durée que le groupe des personnes ayant des troubles non psychotiques. Mais, dans chacun de ces groupes de personnes définis par leurs caractéristiques d'état de santé mentale, les types de prise en charge adaptés à leurs besoins sont multiples même s'ils sont retrouvés dans des proportions différentes d'un groupe à l'autre. Ici encore, la stratégie n° 4 proposée par Kamis-Gould et Minsky pourrait être appliquée.

Une démarche de planification peut vouloir s'intéresser à telle population présentant certaines caractéristiques d'état de santé mentale. Plusieurs types de sources d'information sont alors envisageables pour apprécier les besoins et la même stratégie doit être appliquée :

– déterminer le nombre de personnes dans chaque catégorie de population ;

– déterminer les besoins d'intervention de ce groupe de personnes ;

– déterminer les ressources les plus susceptibles de répondre adéquatement à ces besoins d'intervention ;

– comparer les résultats à la littérature, les guides de bonne pratique et les normes ;

– réunir, au niveau de planification approprié, les décideurs, intervenants, usagers et proches, pour connaître la meilleure organisation des ressources, compte tenu de l'histoire, des forces et des faiblesses du milieu.

CHOISIR ENTRE LES DEUX LOGIQUES

Chacune de ces logiques présente des avantages et des inconvénients qu'il faut bien saisir avant leur utilisation. La stratégie n° 1 part des pratiques effectives qui peuvent être inadéquates si les acteurs manquent de moyens ou de connaissances, même si elle est l'objet d'une confrontation avec les avis d'experts et d'usagers ; elle risque donc de fausser les enjeux de la planification qui vise précisément à modifier ces approches. La stratégie n° 2 part directement des pathologies et des besoins sans inférer a priori de la manière dont sont actuellement pris en charge les patients, mais en définissant le besoin à partir des recommandations de bonne pratique. Cependant, elle tient moins compte des réalités que la première approche et le passage à des directives concrètes sera plus difficile : la confrontation des résultats des deux approches serait idéale et en constituerait une sorte de validation.

Le planificateur soucieux de s'intéresser d'abord aux populations ayant utilisé tel niveau de ressources pourra être tenté par la première logique consistant à arrêter la stratégie de recherche des sources d'information utiles à l'appréciation des besoins en partant des populations correspondant à la mobilisation de ces différents niveaux de ressources. Le planificateur soucieux de s'intéresser d'abord aux populations placées dans telle situation de souffrance optera pour la seconde logique, consistant à arrêter la stratégie de recherche des sources d'information utiles à l'appréciation des besoins en partant des populations regroupées selon leurs différentes caractéristiques médicales.

On peut aussi penser que le planificateur retiendra souvent une stratégie cherchant à établir un compromis entre ces deux types de préoccupation, qui engagent dans des logiques de recherche différentes. La forme de ces compromis ne peut qu'être éminemment variable, mais elle devra veiller à ne pas oublier des groupes de populations. Ainsi, dans l'exemple de Wing (*voir* tableau 4-III), il n'aura pas échappé au lecteur que cet exemple axé sur les types de ressources s'applique aux personnes de 18 à 65 ans souffrant de troubles mentaux graves psychotiques ou non psychotiques avec dysfonctionnement social grave. Il faudra systématiquement rappeler les personnes souffrant de différents états de santé mentale autres que des troubles mentaux graves et chroniques :

– personnes affectées d'autres troubles mentaux ;

– personnes affectées de toxicomanies ;

– personnes affectées de déficience intellectuelle ;

– personnes affectées de démence ;

– personnes à risque.

Ces groupes de personnes fréquentent des circuits de ressources différents et d'autres sources d'information doivent être mobilisées pour s'informer sur le nombre de personnes, les besoins et l'organisation des ressources nécessaires aux interventions requises. La seconde logique est assez exhaustive de toute la population (si l'on ajoute la catégorie « pas à risque »), mais on peut facilement oublier les groupes d'âge et il faudra considérer systématiquement :

– les enfants et les adolescents ;

– les personnes de 18 à 65 ans ;

– les personnes âgées de plus de 65 ans.

PISTES D'ACTION POUR PLANIFIER EN FONCTION DES BESOINS

Le groupe franco-québécois sur la mesure des besoins a tenté d'élaborer des pistes d'action applicables au Québec et en France et qui soutiendraient une planification en fonction des besoins en santé mentale. Ces pistes d'action sont les suivantes :

– adopter une démarche de planification en fonction des besoins ;

– mettre au point des indicateurs simples permettant une meilleure répartition des ressources ;

– conduire des études de population ;

– développer un système d'information harmonisé sur l'ensemble du dispositif ;

– développer un programme national d'évaluation.

ADOPTER UNE DÉMARCHE DE PLANIFICATION EN FONCTION DES BESOINS

Compte tenu de la situation constatée à l'issue de l'enquête réalisée auprès des planificateurs et des consultations qui ont été faites, il faudra au cours des prochaines années, tant en France qu'au Québec, accorder une importance particulière à quatre éléments clefs de la démarche de planification. Le groupe suggère donc que chaque état s'assure que sa démarche de planification soit davantage centrée sur les besoins des personnes atteintes ou à risque, qu'elle intègre mieux les résultats des études épidémiologiques et évaluatives, implique davantage les représentants des principaux acteurs concernés et identifie clairement les résultats escomptés.

Une planification en fonction des besoins

L'identification des besoins est au cœur de la démarche de planification dans le domaine de la santé. En invoquant les besoins, on fait référence à ceux des personnes et de divers groupes de personnes. En matière de santé mentale, on pense aux personnes qui souffrent de trouble mental, à celles qui ressentent une grande détresse psychologique et qui sont incapables d'avoir un fonctionnement social adéquat ; on pense aussi aux personnes et aux groupes à risque de rencontrer les mêmes difficultés. Nous ne faisons pas référence ici aux seuls besoins perçus par les professionnels, les organisations, les établissements ou toute autre entité, mais aussi aux besoins perçus par les personnes menacées ou susceptibles de l'être dans leur santé mentale.

Nous l'avons vu au chapitre 3, il existe dans le domaine de la santé mentale une panoplie de sources d'information et d'instruments qui sont à la disposition des planificateurs pour identifier les besoins. Ces sources et instruments ont leurs forces et leurs faiblesses, que l'on a tenté d'éclaircir. Ils sont bien sûr perfectibles, mais permettent de dresser une image relativement claire des besoins.

Une planification intégrant les résultats de la recherche

L'une des faiblesses majeures de la démarche de planification dans plusieurs États, et notamment en France et au Québec, est d'avoir tardé à prendre en compte les résultats de la recherche, tant ceux de la recherche évaluative que de la recherche clinique et épidémiologique, les univers de la planification et de la recherche demeurant encore trop éloignés et manquant de complémentarité.

Les situations ne sont pas identiques dans les deux états et il semble que la recherche évaluative soit plus développée au Québec qu'en France. Cependant, le transfert de ces connaissances demeure un problème constant. De plus, pour que la recherche pénètre la démarche de planification, il faut que les divers acteurs impliqués soient formés pour comprendre et interpréter les résultats de la recherche. Or, à ce niveau, force est de reconnaître que d'immenses lacunes sont à combler dans la formation des uns et la capacité à communiquer des autres.

Une planification fondée sur la concertation

Dans une société démocratique, la planification ne peut s'effectuer en vase clos. Cette démarche, dont l'impact sur la répartition des ressources est déterminant, doit non seulement être transparente, mais également s'assurer que les principaux acteurs concernés y participent. Trois principaux groupes sont directement concernés par la planification en santé mentale :

– les personnes dont la santé mentale est atteinte ou à risque de l'être et leurs représentants, de même que leurs proches, principalement les membres de leur famille ;

– les intervenants, c'est-à-dire les professionnels de la santé mentale et des services sociaux, du secteur public et privé, les établissements et les organismes communautaires d'aide et de soutien aux personnes atteintes et à leurs proches ;

– les élus et les organismes responsables d'allouer les budgets, à savoir les ministères à travers lesquels l'État achemine les budgets aux régions ou directement aux établissements, les régies régionales au Québec et les agences régionales en France, de même que les autres organismes payeurs.

La concertation doit pouvoir permettre la confrontation réelle des points de vue et des analyses, soutenus aussi bien par les professionnels du secteur de la santé que par les personnes souffrantes, les élus et les administrations responsables. Une attention particulière doit être apportée à l'information de tous les acteurs de la planification, de façon que les discussions nécessaires permettent de dépasser, autant que faire se peut, les réactions trop subjectives marquées par le souci des intérêts individuels et qu'elles cherchent plutôt à fonder sur de solides arguments les choix retenus. Par ailleurs, il est indispensable de déployer de nombreux efforts pour rompre le vaste cloisonnement existant entre les milieux de la pratique clinique, de la recherche, de l'enseignement et de la planification.

Une planification orientée vers les résultats

L'une des étapes cruciales de la planification consiste à estimer les résultats attendus, compte tenu des besoins identifiés, des priorités arrêtées et des ressources engagées. Ces résultats devraient s'exprimer en des indicateurs bien définis et faisant l'objet d'un large consensus. Ils devraient aussi couvrir les trois axes de la santé mentale (axe des troubles mentaux, axe de la détresse psychologique et axe du fonctionnement social). Ils devraient également toucher les diverses phases de l'intervention (promotion et prévention, traitement et aide psychosociale, réadaptation et réinsertion, hébergement, évaluation).

METTRE AU POINT DES INDICATEURS SIMPLES POUR UNE MEILLEURE RÉPARTITION DES RESSOURCES

Tous les observateurs sont d'accord sur le fait que les besoins en santé mentale ne sont pas exactement les mêmes d'une région à l'autre, ni même d'un secteur ou d'un sous-secteur à l'autre. Une répartition des ressources de santé mentale qui ne tiendrait pas compte des disparités dans les conditions socio-économiques et dans les besoins serait franchement injuste et inéquitable. C'est pour cette raison notamment que, parmi les sources d'information les plus utiles pour les planificateurs aux niveaux national et régional, les indicateurs sociaux occupent une place de plus en plus privilégiée à travers le monde. Comme nous l'avons précédemment signalé, d'autres états, et notamment le New Jersey et le Colorado aux États-Unis, ont expérimenté depuis plusieurs années l'utilisation d'indicateurs sociaux à des fins de planification en santé mentale.

Les indicateurs sociaux ayant déjà démontré leur utilité, le groupe suggère que la France et le Québec mettent en place en priorité un ensemble cohérent d'indicateurs sociaux qui pourraient notamment servir à des fins de planification en santé mentale.

Un ensemble cohérent d'indicateurs

Les indicateurs peuvent servir à estimer, de façon macroscopique, les besoins en santé mentale d'une aire géo-démographique déterminée. Comme elles sont tirées de recensements ou d'enquêtes réalisées à des fins multiples, les données destinées à constituer ces indicateurs sont facilement accessibles et à des coûts minimes. Les indicateurs ont fait leur preuve comme moyens d'estimation précis des besoins relatifs sur différentes échelles, non seulement dans le domaine de la santé mentale, mais aussi dans plusieurs autres domaines de l'intervention publique (santé somatique, éducation, services sociaux, protection de la jeunesse, prévention de la criminalité, etc.). Les indicateurs de besoins en santé mentale fondés sur les indicateurs sociaux représentent une source incontournable d'informations pour planifier en fonction des besoins. Ils permettent d'appréhender les besoins d'un « bassin de population » et sont, de ce fait, garants de l'équité dans la réponse aux besoins des différentes zones géographiques.

À l'instar de la Grande-Bretagne et de certaines régions du Québec, la France et le Québec dans son ensemble devraient se pencher, dans les meilleurs délais, sur le développement de modélisations fondées sur les besoins de soins et l'utilisation des services de santé mentale, et les comparer aux indicateurs sociaux utilisés dans les autres champs de la santé.

Des indicateurs confrontés fréquemment aux résultats d'enquêtes épidémiologiques

Les indicateurs retenus à des fins de planification en santé mentale doivent être validés et régulièrement mis à jour à l'aide des dernières études de population. Il faut se souvenir que les indicateurs sociaux, aussi utiles et précis qu'ils puissent être, ne constituent que des indicateurs indirects des besoins, d'où la nécessité d'intégrer continuellement à l'arsenal des indicateurs sociaux les connaissances qui se dégagent des études en population générale ou de populations spécifiques, qui existent déjà ou qui seront réalisées dans les années à venir.

À moyen terme, le Québec et la France auraient avantage à réaliser une étude épidémiologique ayant pour but de modéliser les besoins en santé mentale en fonction de la prévalence des troubles mentaux, du dysfonctionnement social et de la détresse psychologique, ce qui permettrait de valider les indicateurs avec d'autres données que celle de l'utilisation des services.

Des indicateurs choisis par une équipe compétente dans le cadre du programme national

Les indicateurs sociaux, pour pouvoir servir d'outils fiables, doivent être choisis avec soin. Les mêmes indicateurs peuvent servir à d'autres fins que la planification en santé mentale. On doit tenter de tirer profit de cette flexibilité pour minimiser les coûts de leur développement et de leur mise à jour.

Chaque état a donc intérêt à ce que les ressources des divers ministères et organismes susceptibles d'utiliser les indicateurs sociaux dans l'exercice de leur responsabilité soient mises en commun. À cette fin, il serait utile, dans le cadre et l'esprit du programme national proposé dans la dernière piste d'action, de constituer une équipe chargée de coordonner le développement et le raffinement d'indicateurs sociaux, de façon à tirer le meilleur parti des différentes compétences présentes dans les divers ministères et dans les centres de recherche universitaires.

CONDUIRE DES ÉTUDES DE POPULATION

Les enquêtes épidémiologiques constituent sans doute, dans l'état actuel des connaissances en santé mentale, les meilleurs instruments pour recueillir les informations les plus précises sur des populations données. Bien que les études de population coûtent cher, on ne saurait s'en passer, si on veut faire un travail sérieux, de planification en santé mentale.

Priorité au transfert de connaissances

Au chapitre 3, quelques-unes des études de population réalisées au Québec et en France au cours des dernières années ont été signalées. Il en existe plusieurs autres. Ces études touchent aussi bien la population générale que des populations spécifiques (personnes fréquentant les services de santé mentale, présentant des problèmes d'utilisation des substances [alcool, drogues], sans-domicile fixe, détenus, etc.).

Ces études ne semblent pas suffisamment connues. En outre, il arrive qu'elles soient à peu près complètement ignorées dans les organismes de planification. Cependant, ces enquêtes sont ponctuelles et ne représentent généralement qu'un territoire spécifique qui n'est pas toujours celui du niveau de planification considéré pour leur utilisation. De plus, aucun des deux pays n'a mis en place d'enquêtes longitudinales, essentielles pour évaluer l'évolution du dispositif, ses dysfonctionnements et l'émergence de nouveaux besoins.

En matière d'études de population, il faut procéder au transfert des connaissances acquises grâce aux études déjà disponibles, qu'il s'agisse d'enquêtes de population générale ou de populations spécifiques. Il faut notamment s'assurer que, d'une part, ces enquêtes sont intégrées aux programmes de formation en psychiatrie, en psychologie et en travail social et que, d'autre part, elles constituent des instruments incontournables dans toute démarche de planification en santé mentale. En outre, les études de population existantes devraient servir à mettre régulièrement à jour les indicateurs sociaux utilisés dans la planification en santé mentale.

Inclusion de la santé mentale dans les enquêtes générales sur la santé

Les enquêtes de population sur la santé sont réalisées périodiquement, tant en France qu'au Québec. Il importe que la dimension de la santé mentale soit adéquatement prise en compte dans ces enquêtes. L'inclusion de la santé mentale dans les enquêtes générales constitue une bonne façon de maximiser les bénéfices qu'elles permettent de générer, à un niveau de coût donné.

Cependant, il ne faut pas sous-estimer les difficultés de cette option. Les enquêtes sur la santé sont souvent elles-mêmes longues et complexes et l'importance qu'on leur accorde est forcément très limitée ; on ne peut donc compter sur ce qu'elles apportent pour obtenir les informations nécessaires à la planification. En revanche, le fait de disposer de données sur les problèmes de santé physique et mentale est d'un grand intérêt étant donné leurs interactions réciproques.

Faire des enquêtes longitudinales

Le groupe recommande de faire une enquête de santé mentale spécifique dont l'objectif principal serait d'évaluer les besoins de soins, ce qui serait le moyen le plus sûr d'avoir des données utiles à la planification. Cette étude devrait être longitudinale et répétée. Le caractère « longitudinal » permet d'observer l'évolution, avec ou sans traitement, des personnes atteintes. La répétition offre l'avantage de révéler les tendances à travers le temps.

Ainsi, lors de la première année de l'étude, pourrait-on recruter un grand échantillon de personnes (5 000 et plus) qui seraient évaluées en fonction de leurs besoins de soins. Une ou plusieurs années plus tard, on reverrait ces mêmes personnes pour voir comment ont évolué leurs besoins de soins (aspect longitudinal). À cette même étape entreraient dans la cohorte de nouvelles personnes choisies au hasard parmi la population générale (aspect répété). On pourrait ensuite reprendre cette étape quelques années plus tard et recommencer le cycle.

Faire des enquêtes de populations spécifiques : enfants, personnes âgées, détenus

En ce qui concerne les enquêtes de populations spécifiques, la priorité devrait être accordée à certains groupes qui ont peu fait l'objet d'études spécifiques dans l'un ou l'autre des états, c'est-à-dire les enfants, les détenus et les personnes âgées par exemple.

SYSTÈME D'INFORMATION HARMONISÉ SUR L'ENSEMBLE DU DISPOSITIF

Bien que les systèmes de recueil changent sans cesse et évoluent rapidement dans le sens d'une carte individuelle permettant de suivre le patient dans son parcours, il importe de pouvoir disposer d'un système harmonisé de recueil d'informations sur les consommations de soin des personnes souffrant de problèmes de santé mentale.

Même si la mesure de l'activité des services ne peut estimer les besoins en santé mentale car elle ne fait que mesurer le recours antérieur à ces services (dont on ne peut assurer qu'ils répondent aux besoins), cette mesure constitue cependant l'une des sources utiles aux planificateurs, ne serait-ce que pour suivre les effets de la planification.

Bien que la situation ne soit pas identique dans les états, le groupe franco-québécois constate des lacunes dans ces systèmes et suggère que l'on mette en place, dans les meilleurs délais, un système d'information harmonisé sur la consommation des services des personnes ayant des problèmes de santé mentale. Plus spécifiquement, les sources d'informations disponibles actuellement ne fournissent pas d'éléments comparables sur les différentes parties du dispositif : système libéral, système social ou médico-social, système de soin spécialisé et non spécialisé. Des efforts d'harmonisation sont donc nécessaires.

Il apparaît urgent d'améliorer les recueils d'informations existants afin d'obtenir un système d'informations minimal fiable, harmonisé et régulier sur :

– les personnes bénéficiaires (âge, sexe, diagnostic, résidence, état civil, milieu familial, scolarité, profession, revenu...) des différentes parties du dispositif ;

– la nature des interventions sanitaires et sociales posées à leur intention, tant en interne que dans la communauté, incluant les médicaments ;

– les intervenants (professionnels, établissements, organismes).

Un système d'information respectant la confidentialité

Il est indispensable qu'un système d'information dans le domaine de la santé assure le respect intégral de la confidentialité des informations sur les personnes. C'est encore plus important dans le domaine de la santé mentale, en raison de la stigmatisation dont les personnes atteintes de troubles mentaux sont encore victimes dans certains milieux. La technologie pour assurer cette confidentialité existe. En France et au Québec, la législation sur la confidentialité des données personnalisées est en place depuis plusieurs années. Les craintes de divulgation des informations personnelles ne devraient plus retarder la mise en place d'un système harmonisé adéquat.

Un système d'information élaboré en concertation

L'un des obstacles à l'adoption d'un système d'information au Québec est la crainte d'un contrôle par d'autres acteurs maîtrisant des données sur lesquelles un organisme a peu de capacités d'analyse ou même d'accès. Un système intégré harmonisé d'information doit être conçu de façon à être au service de plusieurs groupes, notamment les organismes à but non lucratif, les intervenants, les planificateurs aux niveaux national, régional et local, et les chercheurs, en particulier ceux qui sont engagés dans la recherche épidémiologique et évaluative. Il est par conséquent indispensable que tous les interlocuteurs concernés élaborent ce système en étroite concertation, de façon que les utilisateurs potentiels trouvent une réponse aux besoins de planification, d'évaluation ainsi qu'aux problèmes administratifs posés.

Un système d'information fournissant des données à un niveau géographique adapté à celui de la planification

L'amélioration des recueils d'information devrait permettre de fournir des données fiables, autorisant des exploitations à des niveaux géographiques différents (national, régional et local), tout en respectant la confidentialité des renseignements personnels. Il serait ainsi possible de faire des comparaisons sur les personnes et les groupes accueillis dans le dispositif de services et sur les interventions effectuées de manière la plus affinée possible, pourvu que ce niveau géographique soit adapté à celui de la planification.

Au Québec, le territoire du CLSC devrait être considéré comme une unité géo-démographique usuelle, puisqu'elle est utilisée pour la planification au niveau local. La prise en considération des conditions nécessaires au développement d'indicateurs sociaux à moindres coûts devrait tout naturellement conduire à adopter les secteurs de recensement comme unités de base.

En France, on doit s'efforcer à ce que les résultats disponibles au niveau national le soient également à des échelons inférieurs, pour permettre à l'échelon national de comparer les régions entre elles, et à l'échelon régional de la planification de comparer les départements et les secteurs entre eux. Le niveau de détail de l'information diffère également selon l'échelon de la planification : certains grands indicateurs, suffisants au niveau national, peuvent demander à être plus détaillés pour l'échelon régional.

PROGRAMME NATIONAL D'ÉVALUATION

Une planification en fonction des besoins repose sur une culture d'une telle planification et sur l'évaluation de la réponse à ces besoins. Malgré l'existence de nombreuses études évaluatives, de chercheurs aux niveaux universitaire, national et régional, on a pu constater que les efforts des uns et des autres restaient isolés et que les décideurs et les intervenants ne tenaient pas beaucoup compte des résultats. La réponse aux besoins que fournit l'évaluation correspond aux résultats les plus intéressants et possiblement les plus rassembleurs pour tous, planificateurs, décideurs, intervenants et usagers. Aussi le groupe pense-t-il qu'il serait très important de mettre sur pied, aussi bien au Québec qu'en France, un programme national d'évaluation en santé mentale.

Un programme spécifique

Il est nécessaire de mettre sur pied un programme spécifique, de façon à lui donner la visibilité et l'importance nécessaires pour atteindre les objectifs poursuivis. Ce programme spécifique n'a pas à se situer en marge des structures de financement de la recherche déjà en place dans chaque pays ; au contraire, il peut être intégré aux structures déjà existantes. Cependant, il doit pouvoir jouir d'une autonomie suffisante et être doté de son propre budget.

Ce programme doit comporter les objectifs suivants :

– propager une culture de l'évaluation dans tous les milieux concernés par la santé mentale ;

– promouvoir la qualité de la recherche évaluative ;

– assurer le transfert des connaissances découlant de la recherche évaluative ;

– financer les projets les plus solides, correspondant aux thèmes prioritaires établis.

Un programme sur plusieurs années, doté d'un budget adéquat

Ce programme devrait être établi sur une longue période, soit au moins dix ans. Le travail à effectuer est considérable. Avant qu'une véritable culture de l'évaluation soit bien enracinée dans tous les milieux de la formation, de la pratique et de la gestion, il faudra certainement plusieurs années. Le programme national d'évaluation en santé mentale devrait être doté d'un budget propre, géré par des personnes spécifiquement désignées à cette fin, tenues de rendre public chaque année un rapport sur leurs activités.

Un programme associant divers milieux

Le programme national d'évaluation en santé mentale doit être conçu de manière à associer des personnes de diverses disciplines et œuvrant dans différents milieux (universités et instituts de recherche, professionnels de l'intervention médicale et sociale, représentants des personnes atteintes ou à risque et de leurs proches, autorités centrale et régionales, etc.)

Un programme couvrant les multiples facettes des services en santé mentale

Ce programme devrait promouvoir l'évaluation des nombreuses facettes des services en santé mentale, et notamment :

– l'évaluation des impacts des interventions sur la présence des troubles mentaux, leur durée et la sévérité des souffrances qu'ils occasionnent, le bien-être (ou la détresse) et le fonctionnement (ou le dysfonctionnement) social des personnes atteintes ou à risque et de leurs proches ;

– l'évaluation des méthodes d'intervention, tant du point de vue de leur efficacité que de leur efficience ;

– l'évaluation de la qualité de la pratique.

CONCLUSION

La mesure des besoins en santé mentale représente une dimension de la planification, et la planification elle-même, réalisée en fonction des besoins, est une entreprise complexe. Dans un domaine tel que celui de la santé mentale, elle peut facilement provoquer des déceptions parce que, bien souvent, elle ne pourra apporter de réponses aux nombreux problèmes auxquels sont confrontés (quoique à des degrés divers) aussi bien les décideurs politiques que les nombreux intervenants. Pour pouvoir faciliter la démarche d'allocation de ressources toujours limitées par rapport aux demandes, le processus de planification doit obéir à un certain nombre d'impératifs (*voir* chapitre 1).

La mise en œuvre des solutions permettant d'agir sur la santé de façon organisée réclame l'adhésion et le concours de tous. Toutes ces raisons, s'il fallait en trouver, rendent nécessaire la conception d'une planification dans le domaine de la santé, inscrite au cœur de la vie démocratique de nos sociétés. Traiter de la prise en compte des besoins dans la planification en santé mentale a conduit le groupe de travail franco-québécois à confronter les expériences techniques constatées dans les deux pays. Mais il est apparu très vite que, au-delà des expériences techniques des uns et des autres, il y avait dans les deux pays une même interrogation éthique, un même souci de trouver les voies d'une élaboration démocratique des politiques de santé, un même désir d'associer les usagers à la gestion des choix et de leurs implications. Selon le pays, l'abord de ces questions est différent. Il est cependant incontestable que les échanges culturels permis par de tels travaux, menés en commun, ne peuvent qu'enrichir la réflexion de chacun.

RÉFÉRENCES

1. Gibbons JL Jennings C, Wing JK. Register areas : statistics from 8 psychiatric case registers in Great Britain, 1976-1981. Southampton, University of Southampton, Department of Psychiatry, 1984.
2. Kamis-Gould E, Minsky S. Needs assessment in mental health service planning. Administration and Policy in Mental Health, 1995, *23 (1)* : 43-58.
3. Lesage AD, Clerc D, Uribe I et al. Estimating local-area needs for psychiatric care : a case study. Br J Psychiatry, 1996, *169 (1)* : 49-57.
4. Minsky S. Assessment and assignment of clients to clinically related groups : a reliability study. Bureau of Research and Evaluation Report, NJ Division of Mental Health and Hospitals, 1992.
5. Narrow WE, Regier DA, Rae DS et al. Use of services by persons with mental and addictive disorders. Findings from the National Institute of Mental Health epidemiologic catchment area program. Arch Gen Psychiat, 1993, *50 (2)* : 95-107.
6. Regier DA, Myers JK, Kramer M et al. The NIMH epidemiologic catchment area program : historical context, major objectives, and study population characteristics. Arch Gen Psychiat, 1984, *41 (10)* : 934-941.
7. Stevens A, Packer C, Robert G. Early warning of new health care technologies in the United Kingdom. International Journal of Technological Assessment, 1998, *14 (4)* : 680-686.
8. Wing JK. The cycle of planning and evaluation. *In* : G Wilkinson, H Freeman. The provision of mental health services in Britain : the way ahead. London, Gaskell, 1986 : 35-48.
9. Wing J. Epidemiologically-based mental health needs assessmentss. Review of research on psychiatric disorders. Report of August 1992. London, Royal College of Psychiatrists, 1992.

DEUXIÈME PARTIE

FICHES TECHNIQUES

Fiche technique 1

INSTRUMENTS DE MESURE DE LA SANTÉ MENTALE DANS LE CONTEXTE ÉPIDÉMIOLOGIQUE(1)(2)

Dans les enquêtes de santé mentale, les conditions d'évaluation sont particulièrement difficiles dans la mesure où les personnes ne peuvent être observées que sur des périodes courtes avec des instruments maniables et dont le contenu est facilement acceptable. De plus, il faut que les interviews soient dirigées de façon à exprimer les différents symptômes psychiatriques en langage simple pour être compris et ne pas effrayer, tout en permettant de recueillir l'information nécessaire. Les questionnaires peuvent être remplis directement par la personne concernée (c'est-à-dire auto-administrés) ou par un intervieweur, un psychiatre ou un autre professionnel de la santé mentale, à partir des réponses des sujets ou de celles de leur entourage.

VALIDITÉ, FIDÉLITÉ ET TRADUCTION

Tous ces instruments et leur traduction doivent avoir été validés suivant différents critères. Deux caractéristiques sont souvent confondues : la validité (*validity*) et la fidélité (*reliability*).

La *validité* est la propriété qui permet d'affirmer qu'un instrument évalue bien ce qu'il est censé évaluer dans les conditions d'application, alors qu'un instrument est considéré comme *fidèle* s'il donne les mêmes résultats dans les mêmes conditions. On évalue d'abord la fidélité car un instrument non fidèle ne peut être valide.

(1) La liste d'instruments décrits dans cette fiche technique n'est pas forcément exhaustive. On peut obtenir des informations supplémentaires en consultant le site web du Réseau de la santé mental au Québec (RSMQ) : http://www.mcgill.ca/rsmq/fr/fressourcescommunes.htm.

(2) Ce chapitre a été fait par V. Kovess à partir du chapitre « Instruments d'évaluation », paru dans Kovess V. Épidémiologie et Santé mentale, Paris, Flammarion Médecine-Sciences, 1996 : 21-34 [16].

LISTES DE SYMPTÔMES

Il s'agit d'instruments simples à manier. En général, les questions sont peu nombreuses (une trentaine), faciles à comprendre et peu inquiétantes (symptômes banals d'anxiété, d'angoisse et de dépression). Pour chaque symptôme, on dispose d'une série de réponses possibles, telles que « jamais » (0), « de temps en temps » (1), « souvent » (2) et « très souvent » (3), ce qui permet de calculer très facilement un score. Ces listes de symptômes peuvent être présentées par un intervieweur ou auto-administrées. La plupart ont été traduites en français.

Dans une revue des instruments de ce type, Jane Murphy (1981) en décrit sept qu'elle propose de considérer comme les plus utilisés et qui sont :

- *Cornell medical index* (CMI) ;
- *Hopkins symptom checklist* (HSC) [4] ;
- *health opinion survey* (HOS) ;
- *twenty-two items scale* (22 IS) ;
- *Beck depression inventory* (BDI) ;
- *general health questionnaire* (GHQ) ;
- *center for epidemiologic studies depression scale* (CESD).

Pour chacune de ces échelles, il faut déterminer le score à partir duquel on considère qu'il y a probabilité de maladie mentale (*cutpoint*), or cette détermination est relativement arbitraire. La note obtenue par les 15 p. 100 d'une population présentant le plus de symptômes est souvent choisie comme score limite, mais on peut aussi utiliser des percentiles de répartition des scores dans la population.

Il faut alors valider ce seuil sur une population de patients et sur une population de sujets « normaux ». Les personnes des deux groupes sont revues par un psychiatre, et le pouvoir de détection de l'instrument est établi sur les bases de cette comparaison qui peut permettre de définir empiriquement différents « seuils » suivant l'utilisation que l'on souhaite faire des résultats.

On peut ainsi comptabiliser les faux négatifs (ceux que l'instrument considère à tort comme exempts de problèmes) et les faux positifs (ceux que l'on considère à tort comme ayant des problèmes). Ces propriétés s'expriment par la *sensibilité*, c'est-à-dire la capacité à détecter les « cas » (nombre de cas détectés/nombre de cas réels), et la *spécificité*, c'est-à-dire la capacité à détecter les « non-cas » (nombre de « non-cas » détectés/nombre de « non-cas » réels), propriétés qui varient en sens inverse. Un instrument est considéré comme satisfaisant si ces deux propriétés sont équilibrées et aux alentours de 80 p. 100.

Ces instruments ont l'avantage d'être très maniables, mais ils présentent aussi de nombreux inconvénients :

– faux négatifs : ils ne posent de questions que sur les symptômes d'anxiété et de dépression, les listes présentées ne pouvant révéler que les problèmes de ce type. Elles ne détectent donc ni les problèmes liés à l'alcool (les alcooliques répondent négativement à presque tous les symptômes), ni les problèmes psychiatriques sévères (psychose, déficience, psychopathie) ;

– problèmes d'interprétation : même en ce qui concerne les troubles anxio-dépressifs, les enquêtes posent des problèmes d'interprétation complexes. Dans l'optique européenne des sciences sociales, le chercheur doit au préalable définir les concepts théoriques qui sous-tendent ses instruments de mesure. Le plus souvent, les Américains font l'inverse. Ils groupent une série d'items qui sont reliés à un substitut théorique, puis cherchent, de manière empirique, la véritable nature de l'instrument dont ils se servent. Ainsi ont été élaborés les instruments évoqués dans cette fiche technique. Utilisés au départ pour faire de la sélection, ils ont été jugés en fonction de ce but.

INTERVIEWS PSYCHIATRIQUES

On distingue les entretiens cliniques formalisés, les entretiens cliniques semi-structurés et les entretiens cliniques structurés.

ENTRETIENS CLINIQUES FORMALISÉS

Ils ont été utilisés par les psychiatres des écoles scandinave et allemande [8, 12, 13, 16]. Il s'agissait d'enquêtes effectuées sur des zones géographiquement bien définies dont le psychiatre connaissait souvent les habitants. Les informations émanant de plusieurs sources (médecins généralistes, hôpitaux locaux, informateurs clefs) s'ajoutaient à un entretien souvent pratiqué par le psychiatre lui-même au moyen d'une grille préparée en fonction de classifications diagnostiques locales.

Bien qu'en général le matériel soit revu par deux psychiatres indépendants avant de procéder à une classification diagnostique, la comparabilité de ces enquêtes reste relativement limitée, du moins en ce qui concerne les troubles les moins sévères.

ENTRETIENS CLINIQUES SEMI-STRUCTURÉS

Il s'agit de véritables guides d'entretien psychiatrique qui visent à standardiser l'examen psychiatrique en contrôlant la technique de l'interview, la définition des symptômes et leur organisation taxonomique. Le codage de l'examen et l'utilisation d'un programme informatique pour traiter les données permettent une évaluation quantitative et qualitative de la symptomatologie. Ces entretiens visent à augmenter la concordance des évaluations diagnostiques réalisées par les psychiatres d'un même pays et, a fortiori, par les psychiatres de pays différents.

Present state examination (PSE)

Le PSE est un instrument anglais créé par Wing en 1974 dans le but de relever, de classer et de quantifier les symptômes psychiatriques. Au départ, il a été utilisé dans une enquête de l'OMS destinée à établir des critères diagnostiques permettant de comparer la symptomatologie de patients et les incidences des maladies dans différents pays. Il a donc été essentiellement utilisé par des psychiatres. Sa forme complète comprend 140 profils de symptômes. Les questions sont ouvertes et proches de celles qu'un psychiatre pourrait poser à un patient venu consulter.

À partir des réponses aux questions posées, l'examinateur doit juger lui-même de l'intensité et de la fréquence des troubles ; pour cela, il dispose d'une échelle de cotation en plusieurs points. Pour repérer les idées délirantes, on fait appel au tact de l'intervieweur et plusieurs formulations sont proposées. Par exemple, la question « Pouvez-vous penser clairement ou y a-t-il des interférences avec votre pensée ? » peut être remplacée par une question du type « Sentez-vous quelque chose de l'ordre de l'hypnotisme ou de la télépathie agir sur vous ? ». Si la réponse à la première question est positive, l'intervieweur peut sauter (*cut off*) les questions suivantes dans le questionnaire. Le procédé permet de gagner du temps quand c'est possible et d'obtenir de plus amples détails lorsque c'est nécessaire. Le système de cotation comprend des seuils définissant des cas probables et permet l'utilisation d'un système de diagnostic informatique, le CATEGO, fondé sur l'ICD-9 (*International Classification of Diseases*, 9e version). De plus, il existe un glossaire précis et très complet qui définit tous les termes employés dans le questionnaire afin d'éviter les variations dues à des différences de définition.

Non seulement, les termes sont définis avec précision, mais les seuils sont explicités par des exemples. Sous cette forme, l'interview est tout à fait adaptée à l'examen de patients psychiatriques [23]. Le PSE ne couvre que la période du mois qui précède l'examen. Une autre version a été spécifiquement adaptée aux enquêtes de population générale : la version courte. Elle comprend les quarante premiers profils de symptômes de la série névrotique. Ses auteurs estiment que l'incidence de la psychose étant faible dans la communauté il suffit de dépister les cas latents de névrose qui sont les plus répandus [21]. Reste à prouver que cette interview peut être réalisée par des personnes non spécialisées. Cela semble en effet [21] poser un certain nombre de problèmes malgré les efforts de formation des intervieweurs. Dans leur recherche sur les origines sociales de la dépression, Brown et Harris (1980) [in 16] ont utilisé le PSE dans sa forme courte. Ils l'avaient adapté de façon à explorer l'année précédant l'interview. De plus, ces chercheurs étaient restés en relation très étroite avec les psychiatres qui avaient formé les intervieweurs. Finalement, le PSE semble être un bon instrument clinique mais il requiert les jugements cliniques des intervieweurs. Cette exigence peut poser des problèmes lors de son utilisation sur une vaste échelle. Il existe une version française [16]. Enfin, la période couverte est en principe le mois précédent l'entretien ; cependant, Wing a mis récemment au point le PSE 10, qui fait partie d'un groupe d'instruments appelé SCAN et qui couvre des périodes allant d'un mois à toute la vie, en permettant des diagnostics CIM-10 et DSM-III-R. Enfin, le PSE 10 couvre plus de catégories diagnostiques que la CIM-9.

Psychiatric status schedule (PSS)

Cet instrument a été développé à New York par Spitzer et Endicott (1970) [in 16]. Il a été élaboré à partir d'un autre instrument, le MSS (*mental status schedule*), et ressemble au précédent en ce sens qu'il est « clinique ». Il a été utilisé sur des patients psychiatriques et représente en quelque sorte l'équivalent américain du PSE créé par Wing. La première édition comprend 500 items, mais il existe une version plus courte.

Voici un échantillon des questions posées :

– quelle a été la tonalité de votre humeur ?

– parlez-moi de ce qui s'est passé d'étrange ;

– les gens parlent-ils beaucoup de vous ou vous remarquent-ils particulièrement ?

L'intervieweur doit noter la présence ou non d'idées délirantes et il peut avoir recours à des questions facultatives pour faire préciser les symptômes quand ils sont présents. Les items couvrent tout le champ de la psychiatrie, les problèmes de toxicomanie, de drogues, de comportement et quelques aspects du fonctionnement de la personne dans différents rôles. Dohrenwend et al. [5] ont essayé d'utiliser cet instrument sur une population générale, et ils ont trouvé que son emploi présentait deux obstacles majeurs : il est trop orienté vers les symptomatologies extrêmes, rares dans les populations générales, et il laisse une trop large part au jugement des interviewers.

Schedule for affective disorders and schizophrenia (SADS)

Le SADS est en quelque sorte la forme évoluée du PSS. Il a été élaboré par le même groupe de chercheurs (Endicott et Spitzer, 1978 [in 16]) et permet d'organiser les données en fonction du système RDC et du DSM-III. Par rapport au PSE 9 qui permettait d'évaluer les névroses et les psychoses, le SADS a une couverture plus large, permettant d'évaluer la psychopathie, les toxicomanies, etc. Comme le PSE 9, le SADS couvre une période récente.

Le SADS a été très utilisé. Le principe est le même que pour les deux instruments précédemment décrits : il comprend des questions obligatoires et des questions facultatives que l'intervieweur pose ou non suivant sa propre évaluation. L'intervieweur est donc amené à poser des jugements et à décider si une réponse est vraie, fausse ou ambiguë.

Certaines questions sont ouvertes, ce qui ne permet pas de stipuler exactement quelles réponses correspondent aux critères. On peut aussi improviser d'autres questions supplémentaires. De plus, le diagnostic prioritaire est déterminé pendant l'interview afin de permettre à l'intervieweur de sauter certaines questions si le diagnostic prioritaire est positif. Ce diagnostic étant fait pendant l'interview, on ne peut utiliser un programme informatique.

Une version pour « toute la vie », le SADSL (*SADS life time*) a été mise au point pour permettre l'interview de non-patients (parents ou sujets contrôles). Elle permet d'évaluer la pathologie sur la vie entière car les non-patients n'ont pas d'épisode actuel à évaluer. Weissman et Myers (1978) [in 16] adaptèrent ensuite le SADSL pour une étude épidémiologique réalisée sur la population générale dans le New Haven, en employant des cliniciens expérimentés comme intervieweurs. Ce fut la première étude américaine visant à établir des diagnostics dans un échantillon de la population générale.

INSTRUMENTS STRUCTURÉS

Conçus au départ à des fins de recherche, ces instruments visent à augmenter la fidélité des évaluations diagnostiques à partir des propres réponses des patients : ainsi aboutirait-on, à terme, à des entretiens entièrement standardisés, utilisables par des intervieweurs non cliniciens. Entre 1960 et 1975, ces entretiens structurés ont été utilisés sur des populations de patients hospitalisés. Puis, toutes les questions ont été formulées en détail et les réponses précodées pour pouvoir être utilisées par un intervieweur non professionnel. Les diagnostics étaient ensuite établis par deux psychiatres qui examinaient les rapports détaillés des interviews. Les critères utilisés par les psychiatres ont ensuite été progressivement formalisés et informatisés afin de correspondre aux critères de classifications diagnostiques.

En 1972, une liste complète de ces critères diagnostiques a été publiée sous le nom de « critères de Feighner ». Sa publication a permis la finalisation de la démarche sous la forme d'une interview semi-structurée, utilisable au départ par des psychiatres : la *Renard diagnostic interview*.

Renard diagnostic interview (RDI)

La RDI est l'interview clinique standardisée de référence. Elle devait permettre d'obtenir une très grande fidélité dans l'établissement diagnostique entre psychiatres dans le cadre de la recherche clinique (populations de patients).

L'intervieweur devait poser toute les questions en respectant un ordre précis. La RDI visait à évaluer la signification clinique des troubles et à éliminer les signes organiques. Enfin, toutes les questions ont une même référence temporelle : la vie passée dans son ensemble. À partir d'enregistrements vidéo ou audio, les psychiatres ont sélectionné des questions pour évaluer les critères de Feighner lors de leurs entretiens cliniques. Ces questions ont été largement prétestées sur des patients et des non-patients, pour en vérifier la compréhension. La RDI a été conçue pour être utilisée seule, en dehors d'autres sources d'informations.

Diagnostic interview schedule (DIS)

Le DIS a été élaboré à partir du RDI dans le contexte de la préparation de l'ECA en fonction des différents critères nosographiques du DSM-III, en particulier du RDC (*research diagnostic criteria*) et des critères de Feighner (1985).

Les symptômes sont regroupés en diagnostics positifs ; le diagnostic nécessite l'existence d'un nombre minimal de symptômes, que ces symptômes soient d'une certaine sévérité, et qu'ils ne soient pas attribuables à un état physique ou à une autre maladie psychiatrique.

Toutes ces évaluations sont faites par un intervieweur qui n'a aucune formation psychiatrique, dans la mesure où elles s'articulent autour d'un modèle de décision « en arbre ». Par exemple, l'enquêteur doit demander :

– avez-vous déjà eu une crise de panique ? L'intervieweur doit d'abord juger si cette crise est assez sévère pour être cotée positivement. La sévérité est évaluée à partir d'une réponse positive à l'un des quatre sous-thèmes suivants :

– le patient en a-t-il parlé à un médecin ?

– en a-t-il parlé à un autre professionnel de la santé ?

– a-t-il pris un médicament plus d'une fois, pour cette raison ?

– cela l'a-t-il considérablement gêné dans sa vie ou dans ses activités ?

Si le sujet répond non à toutes ces questions, la crise est cotée « non cliniquement significative ». Dans le cas contraire, l'intervieweur doit alors poser des questions sur l'origine du symptôme. Il commence par demander quel diagnostic a été posé par le médecin ou un autre professionnel de santé. Si le médecin, ou le professionnel, a trouvé que la crise était due à « ses nerfs » ou à une maladie psychiatrique, et qu'elle n'était pas liée à d'autres causes (alcool, maladie physique, etc.), cette crise est considérée comme d'origine psychique. Au fur et à mesure de l'entretien, l'intervieweur doit classer chaque symptôme dans l'une des cinq catégories : 1) pas de trouble ; 2) trouble non significatif (ne répond pas aux critères de sévérité) ; 3) toujours dû à l'alcool, aux drogues ou aux médicaments ; 4) toujours d'une origine somatique ; 5) dû à un problème de santé mentale.

Cependant, certains symptômes ont des origines inconnues. Aussi l'enquêteur doit-il éviter de poser certaines questions qui lui feraient perdre du temps et allongeraient inutilement l'entretien. Chaque question du DIS comporte donc une liste des codes possibles qui constituent son « profil de réponses » et qui sont prévus dans l'arbre de décision.

Certains symptômes présentent une telle gravité que leur présence suffit à poser un diagnostic (par exemple, penser au suicide ou avoir tenté de se suicider). Dans ce cas, la question se simplifie en un mode oui/non (profil de type 1-5). Pour d'autres symptômes, une origine de type maladie physique, alcool ou drogue ne se pose pas. Par exemple, dans le cas des phobies, seule la sévérité est à évaluer (profil type 1-2-5). Pour les symptômes de type maniaque, le profil est de type 1-3-5. En fait, le profil complet 12345 s'applique surtout aux troubles somatoformes, ce qui les rend très longs à évaluer. Enfin, pour certains diagnostics, en cas de phobies, de crises de panique et d'idées délirantes, l'intervieweur doit demander des exemples. Il doit alors noter les exemples en clair dans un espace réservé à cet effet. L'exemple permet de vérifier que le répondant a compris la question et éventuellement de corriger certains diagnostics lors de la révision des protocoles.

Les questions concernant les idées délirantes sont du type : « Maintenant je vais vous poser des questions sur des idées que vous pourriez avoir concernant les autres. Avez-vous jamais pensé que quelqu'un vous surveillait, vous espionnait ? Que quelqu'un vous suivait ? Avez-vous jamais pensé que quelqu'un complotait contre vous ou voulait vous empoisonner ? Avez-vous jamais cru que quelqu'un pouvait lire votre pensée ? »

Pour les deux premières questions citées, il existe un code spécial de « plausibilité » (code 6). En effet, dans certains contextes (guerre ou grave conflit), il se peut que certaines personnes se sentent épiées ou qu'elles pensent à juste titre que l'on essaye de leur nuire.

Comme les autres symptômes du DIS, toutes les questions concernant les symptômes psychotiques ont pour but d'évaluer le degré de sévérité et les origines physiques ou toxiques de ces symptômes.

L'instrument lui-même comprend 259 questions, dans la version DIS-III-R (1985), et quatre questions sont posées à l'intervieweur en fin d'interview. Il s'agit de questions concernant des symptômes psychotiques graves (utilisation de néologismes, troubles de la pensée, affect plat et comportement halluciné), qui sont expliqués lors de la formation de l'intervieweur.

Le DIS est donc globalement une interview structurée à questions fermées. Cependant, la tâche de l'intervieweur se révèle moins neutre qu'il n'y paraît, car il doit, en fait, émettre certains jugements sur la plausibilité d'idées de persécution, sur la pertinence d'exemples concernant une phobie ou une attaque de panique, pour ne citer que ces diagnostics.

Certes, au cours de sa formation qui dure une semaine, l'intervieweur aura été formé « techniquement » au maniement de l'instrument et, grâce à des exemples appropriés, tirés d'interviews réelles (*mocks*), il aura appris la manière d'interpréter ces exemples. Il n'en reste pas moins vrai que la qualité des intervieweurs et celle de leur formation sont essentielles pour la qualité des données recueillies. Cela s'applique aussi à la supervision qui permet de revoir tous les exemples et de les reclasser le cas échéant. Le DIS couvre les principaux diagnostics de l'axe I du DSM-III et le diagnostic de personnalité antisociale.

Les maladies mentales d'origine organique sont évaluées grâce à un instrument, le *minimental state examination* (MMSE), qui est intégré en fin d'interview mais dont les questions peuvent être posées en premier si l'intervieweur juge que la personne présente de grosses difficultés de compréhension. Il s'agit de questions générales d'orientation (quel jour sommes-nous ? Dans quel lieu sommes-nous ?) et de questions visant à évaluer certaines performances (se souvenir d'objets, faire quelques opérations simples).

Lors de l'ECA, près de 400 personnes ont été réinterviewées par un psychiatre trois mois après le passage d'un intervieweur. Celui-ci utilisait le DIS et une liste de symptômes DSM-III. Il cotait les symptômes de la même manière qu'un interviewer, puis cotait ensuite selon sa propre opinion sur la liste DSM-III. Quand il n'avait pas assez de renseignements pour affirmer ou infirmer la présence d'un symptôme, il cotait « 9 ». Après avoir terminé le DIS, il précisait dans une partie de questions libres tous les symptômes pour lesquels la réponse était douteuse.

Dans l'ensemble, les résultats sont satisfaisants sauf que le DIS passé par un intervieweur sous-estime la dépression majeure et surestime le diagnostic de troubles obsessionnels compulsifs. Cependant, on note que les coefficients de concordance (kappa) sont inférieurs à ce qu'ils sont dans des populations de patients. Les auteurs attribuent cela, d'une part, à l'influence du taux de prévalence du trouble sur le kappa, remplacé par le « yule » pour corriger cet effet [15] et, d'autre part, au fait que les cas détectés en population générale sont plus souvent « limites » par rapport à ceux que l'on trouve parmi des patients. Ils proposent donc de créer une ou deux catégories de cas probables qui pourraient être analysés spécifiquement.

D'une façon générale, le DIS donne de bons résultats sur le nombre de symptômes et de diagnostics, mais ses possibilités de classification à l'intérieur d'une catégorie précise de troubles sont plus limitées. Les résultats concernant la schizophrénie semblent satisfaisants, bien que portant sur peu de cas.

L'utilisation du *minimental state examination* pour détecter les troubles organiques se heurte au fait que cet instrument ne fait pas la différence entre la démence, le retard mental ou l'absence d'instruction. Enfin, le diagnostic de trouble dysthymique est très rarement fait par les cliniciens ; la plupart du temps, il s'agit de personnes qui présentent une dépression majeure et qui sont aussi notées positivement au DIS pour dysthymie. Le regroupement des deux catégories fait disparaître ces différences.

Robins (1988) remarque dans sa conclusion que l'on peut se demander si ce type de comparaison DIS intervieweur/DIS psychiatre constitue une étude de validité ou de fidélité. Elle note que pour étudier la validité d'un diagnostic, il faudrait un critère indépendant. Or, c'est le psychiatre qui représente la référence diagnostique, bien que l'on sache qu'il peut exister des différences de jugement entre psychiatres.

Lors de la seconde série d'interviews de l'ECA l'année suivante, Helzer et al. [15] propose une autre modalité de validation : la validité prédictive. Cette seconde série lui permet, en effet, de juger le caractère prédictif de la première interview par rapport à l'état dans lequel se trouve la personne lors du deuxième passage.

Ainsi compare-t-il le diagnostic DSM-III/DIS de l'intervieweur et le diagnostic DSM-III du psychiatre, lors de l'interview, sur les critères suivants :

– une consultation pour des problèmes de santé mentale dans les six mois précédant la deuxième interview ;

– le sentiment d'être submergé par des problèmes personnels le mois précédant la deuxième interview ;

– la stabilité du diagnostic entre les deux interviews.

Psychiatres et intervieweurs obtiennent des résultats similaires en ce qui concerne le caractère prédictif de ces critères. Le DIS a été traduit en plus de dix langues et largement utilisé. Il a cependant fait l'objet de critiques sévères [2] lors de comparaisons avec le PSE qui utilisait la prévalence sur six mois.

Les comparaisons entre les deux séries de l'ECA faites à un an d'intervalle révèlent des faiblesses de fiabilité : de nombreux diagnostics établis au premier examen ne sont plus posés lors du second, bien que l'interview couvre les troubles sur toute la vie.

Les versions du DIS suivent les évolutions du DSM ; actuellement, c'est donc le DIS-IV qui est la version la plus récente.

Composite international diagnostic interview (CIDI) [17]

Le CIDI est présenté comme une sorte de fusion entre le DIS et le PSE. En fait, il s'agit d'un DIS évolué (DIS-R qui correspond au DSM-III-R) auquel ont été ajoutées des questions du PSE qui permettent un diagnostic CIM-10. Une trentaine de questions ont été ajoutées qui précisent la symptomatologie ou la gravité des troubles. Par exemple, pour le trouble de type attaque de panique, il est précisé : « au point de devoir faire quelque chose comme téléphoner ou sortir de la pièce ». Pour les troubles phobiques il est précisé : « au point de ne pouvoir se rendre à une soirée ou envisager certaines professions ». Ces questions supplémentaires ne peuvent qu'améliorer l'instrument et ont l'avantage de présenter un ensemble de questions correspondant à des systèmes diagnostiques divers, bien que faisant partie d'un « pool » commun. La correspondance diagnostique est précisée à chaque question, permettant à l'utilisateur de choisir celles qui correspondent au système sélectionné, c'est-à-dire la CIM-10 ou le DSM-III-R. De plus, le CIDI évalue un certain nombre de diagnostics qui n'apparaissaient pas dans le DIS. Ces diagnostics sont pour les troubles psychotiques (trouble schizo-affectif, hallucinations, hypomanie bipolaire type II) et pour les troubles névrotiques (troubles dissociatifs, hypocondrie, douleur psychogène persistante, trouble somatoforme douloureux). Enfin, le CIDI produit, en plus du trouble obsessionnel compulsif, les diagnostics spécifiques de compulsion et d'obsession. L'instrument est donc plus complet mais plus lourd, puisqu'il faut souvent au moins deux heures pour le compléter. Il a été adapté aux modifications des classifications, en particulier au DSM-IV.

Le CIDI est devenu l'instrument standard des enquêtes de population ; il a été adopté par l'OMS et a permis de recueillir des informations comparatives dans de nombreux pays. Il a été traduit en plusieurs langues dont le français. Cependant, des modifications ad hoc ont été apportées, par exemple par Ron Kessler dans son enquête nationale sur la comorbidité, pour laquelle il énumérait les questions d'entrée des différents diagnostics au début de l'entretien, questions qui étaient reprises au fur et à mesure de l'entretien en cas de réponses positives. Toutes ces formes ont été récemment reprises dans un article de revue sur le CIDI.

Il existe des versions informatisées et des versions réduites, DISSA/CIDIS, utilisées en France et au Québec pour les diagnostics le plus fréquemment rencontrés en population et une version assez semblable, dite MINI, qui permet de faire les principaux diagnostics du CIDI au moment de l'interview (*present state*). Enfin, Wittchen et Kessler ont développé dans le contexte de l'enquête Santé-Canada une version CIDI *short form* : CIDI-SF à partir de la banque de données de la *national comorbidity study*. Cette version et sa documentation technique sont disponibles sur le site internet de l'OMS (WHO.org). La dernière version du CIDI correspond à la CIM-10.

RÉFÉRENCES

1. ABRAMSON JH, TERESPOLSKY L, BROOK JG, KARK SL. Cornell Medical Index as a health measure in epidemiological studies. A test of the validity of a health questionnaire. British Journal of Preventive and Social Medicine, 1965, *19 (3)* : 103-110.
2. ANTHONY JC, FOLSTEIN M, ROMANOSKI AJ et al. Comparison of the lay diagnostic interview schedule and a standardized psychiatric diagnosis. Experience in eastern Baltimore. Arch Gen Psychiat, 1985, *42* (*7*) : 667-675.
3. BECK AT, STEER RA. Internal consistencies of the original and revised Beck depression inventory. J Clin Psychol, 1984, *40* (*6*) : 1365-1367.
4. DEROGATIS LR, LIPMAN RS, RICKELS K et al. The Hopkins symptom checklist (HSCL). A measure of primary symptom dimensions. Mod Probl Pharmacopsychiatry, 1974, *7* (*0*) : 79-110.
5. DOHRENWEND BP, YAGER TJ, EGRI G, MENDELSOHN FS. The psychiatric status schedule as a measure of dimensions of psychopathology in the general population. Arch Gen Psychiat, 1978, *35* (*6*) : 731-737.
6. ENDICOTT J, SPITZER RL. What another rating scale ? The psychiatric evaluation form. J Nerv Ment Dis, 1972a, *154* : 88-104.
7. ENDICOTT J, SPITZER RL. Current and past psychopathology scales (CAPPS) : rationale, reliability, and validity. Arch Gen Psychiat, 1972b, *27* : 678-687.
8. ESSEN-MOLLER E. Standard lists for three-fold classification of mental disorders. Acta Psychiatr Scand, 1973, *49* (*3*) : 198-212.
9. FEIGHNER JP, ROBINS E, GUZE SB et al. Diagnosis criteria for use in psychiatric research. Arch Gen Psychiat, 1978, *26* (*1*) : 57-63.
10. FURNHAM A, CHENG H. Psychiatric symptomatology and the recall of positive and negative personality information. Behav Res Ther, 1996, *34* (*9*) : 731-733.
11. GUNDERSON EK, ARTHUR RJ, WILKINS WL. A mental health survey instrument : the health opinion survey. Milbank Medical Quaterly, 1968, *133* (*4*) : 306-311.
12. HAGNELL O. A prospective study of mental disorders in a total population. Res Publ Assoc Res Ner Ment Dis, 1969, *47* : 22-46.
13. HELGASON T. Prevalence and incidence of mental disorders estimated by a health questionnaire and a psychiatric case register. Acta Psychiatr Scand, 1978, *58* (*3*) : 256-266.
14. HELZER JE. Standardized interviews in psychiatry. Psychiatr Dev, 1983, *1* (*2*) : 161-178.
15. HELZER JE, SPITZNAGEL EL, MCEVOY L. The predictive validity of lay diagnostic interview schedule diagnoses in the general population. A comparison with physician examiners. Arch Gen Psychiat, 1987, *44* (*12*) : 1069-1077.
16. KOVESS V. Épidémiologie et Santé mentale, Paris, Flammarion Médecine-Sciences, 1996, 162 pages.
17. ROBINS LN, WING J, WITTCHEN HU et al. The composite international diagnostic interview. An epidemiologic instrument suitable for use in conjunction with different diagnostic systems and in different cultures. Arch Gen Psychiat, 1988, *45* (*12*) : 1069-1077.
18. SHEEHAN TJ, FIFIELD J, REISINE S, TENNEN H. The measurement structure of the center for epidemiologic studies depression scale. Journal of Personality Assessment, 1995, *64* (*3*) : 507-521.
19. SIMS AC, SALMONS PH. Severity of symptoms of psychiatric outpatients : use of the general health questionnaire in hospital and general practice patients. Psychol Med, 1975, *5* (*1*) : 62-66.
20. VON KORFF MR, ANTHONY JC. The NIMH diagnostic interview schedule modified to record current mental health status. J Affect Dis, 1982, *4* (*4*) : 365-371.
21. WING JK. At the research front-standardizing clinical diagnostic judgements. The PSE-CATEGO system. Aust NZ Psychiat J, 1980, *14* (*1*) : 17-20.
22. WING JK, NIXON JM, MANN SA, LEFF JP. Reliability of the PSE (ninth edition) used in a population study. Psychol Med, 1977, *7* (*3*) : 505-516.
23. WING J, NIXON J, VON CRANACH M, STRAUSS A. Further developments of the present state examination and CATEGO system. Arch Psychiatr Nervenkr, 1977, *224* (*2*) : 151-160.

Fiche technique 2

MESURES DU FONCTIONNEMENT SOCIAL[(1)]

Comme nous l'avons déjà souligné dans notre cadre conceptuel, dans l'évaluation des besoins de santé mentale, il est admis que la mesure des habiletés liées au fonctionnement social est aussi importante que la symptomatologie. L'évaluation du niveau d'autonomie de chaque usager constitue un critère essentiel lors de la prestation de services. De plus, ce niveau d'autonomie étant lié à la durée et à l'intensité du traitement, on peut ainsi prévoir les dépenses de santé.

Afin de les utiliser le mieux possible, de faire un choix judicieux parmi les différents instruments disponibles, certains critères ont été retenus ici. Ils sont classés sous quatre rubriques :

– l'aspect conceptuel concerne le but identifié, les caractéristiques évaluées, la clientèle cible, etc. ;

– l'aspect technique rend compte du type de mesure à prendre et de la qualité de l'informateur, de l'échelle de mesure, de la période de couverture et du temps requis, etc. ;

– l'aspect administratif renvoie à la formation du personnel et au personnel requis, à la disponibilité de l'instrument en langue française, etc. ;

– l'aspect métrologique présente les études entreprises en ce qui concerne la validité et la fidélité des mesures, etc.

Ces différents aspects permettent de faire de meilleurs choix, étant donné le nombre limité et la rareté d'études récentes de comparaison des échelles de mesure du fonctionnement social [20, 28, 30, 31, 33, 34]. Nous insisterons sur les échelles de mesure actuellement traduites en français et qui représentent le mieux les cadres conceptuels courants.

(1) Cette fiche technique a été en grande partie réalisée par Catherine Briand, MSc, centre de recherche Fernand-Seguin, hôpital Louis-H. Lafontaine. La liste d'instruments décrits ici n'étant pas forcément exhaustive, des informations supplémentaires peuvent être obtenues en consultant le site web du réseau de la santé publique au Québec (RSMQ) : http://www.mcgill.ca/rsmq/fr/fressourcescommunes.htm.

FONCTIONNEMENT SOCIAL ET SYMPTÔMES PSYCHIATRIQUES

Tout d'abord, comme nous l'avons déjà brièvement évoqué, il n'est pas toujours évident de départager le dysfonctionnement social du symptôme psychiatrique [20]. Les atteintes du fonctionnement social peuvent être utilisées comme critère diagnostique comme pour le DSM-IV, ou encore faire partie des symptômes d'une échelle dite de fonctionnement global comme pour l'axe V du DSM-IV. Les mesures de l'axe V (tableau FT2-I) – la *global assessment scale* (GAS) [11] et la *global assessment functioning scale* (GAF) [3, 14], qui tentent de décrire le fonctionnement global – démontrent justement cette première tendance à combiner psychopathologie et fonctionnement. La *children's global assessment of functioning scale* (CGAS) [25] et le *disabilities assessment schedule* (DAS) [37] séparent justement les symptômes du fonctionnement, en mettant l'accent sur le niveau d'incapacité.

Par ailleurs, lorsque l'on définit le fonctionnement social indépendamment de la symptomatologie, d'autres distinctions doivent être faites. Par exemple, on distingue assez clairement dans la comparaison des instruments de mesure deux catégories principales d'items évalués (*voir* tableau FT2-I) : d'une part, les activités quotidiennes telles l'hygiène, la préparation d'un repas, l'entretien ménager, la gestion financière et, d'autre part, les différents rôles sociaux essentiels à la vie en communauté (rôles de parent, de travailleur, de conjoint, etc.). On peut voir là une hiérarchie du fonctionnement social, où les habiletés de vie quotidienne seraient des habiletés sociales de base pour les rôles sociaux requérant des habiletés plus complexes. Ainsi les instruments de mesure suivants ont-ils surtout pour rôle d'évaluer l'autonomie dans les activités de la vie quotidienne :

– *independent living skills survey* (ILSS) [29], également disponible en français (échelle des habiletés de vie autonome [EHVA]) [7] ;

TABLEAU FT2-I. – CARACTÉRISTIQUES DES PRINCIPAUX INSTRUMENTS DE MESURE

ASPECTS À CONSIDÉRER	INSTRUMENTS DE MESURE																												
	GAS	GAF	CGAS	DAS	KAS-R	KAS-S	PSS	PEF	CAPPS	DCMHQ	SMS	SFS	LSA	MRSS	SBS	LSP	ILSS	CLAS	REHAB	BELS	SAS	SAS-SR	SAS-II	SSIAM	ISSI	SBAS	MRC	RAPS	GSDS	CBCL
Aspects conceptuels																														
Caractéristiques évaluées																														
Symptômes	√	√			√	√	√	√	√	√			√	√	√															√
Fonctionnement social	√	√	√	√	√	√	√	√	√	√	√	√	√	√	√	√	√	√	√	√	√	√	√	√	√	√	√	√	√	√
– habiletés instrumentales				√	√	√	√	√	√	√	√	√	√	√		√	√	√	√	√										√
– rôles sociaux				√	√	√	√	√	√	√	√	√	√	√		√					√	√	√	√	√	√	√	√	√	√
Nbre d'items	N	N	?	11	20	13	32	28	13	61	48	12	21	4	21	39	75	68	23	26	51	42	57	60	52	23	?	?	?	
Clientèle ciblée (1)	TPs	TM	Enfant	TM	TG, hosp.	TG, hosp.	TG	TG	TG	Poly	TNév	TNév	Hosp.	TG	Tps	Schizophrénie	TG, hosp.	En résidence	TG	TG	TG	TG	TG	En externe	TNév	TM	Tps	TM	?	Enfant
Aspect technique																														
Type de méthode																														
Administrée			√	√		√	√			√	√	√	√		√	√	√	√		√	√		√	√	√	√	√	√	?	√
Auto-administrée	√	√			√			√	√					√					√			√							?	
Informateur																														
Patient			√			√	√			√	√	√	√			√	√	√		√	√	√	√	√	√			√	?	
Proche				√	√						√	√			√		√						√			√	√		?	√
Intervenants	√	√						√	√				√	√					√										?	
Échelle de mesure (nbre de niveau)	1-100	1-100	?	6	3	?	2	6	6	?	4	Visuel	5	8	5	4	2	5	3	35	5	5	2	11	?	3	?	6	?	?
Période couverte	1 sem	1 an	?	1 mois	Qques mois	Qques mois	1 sem-1 mois	1 sem-1 mois	1 sem-1 mois	1 jour-1 mois	?	1 mois	?	1 mois	?	Mois ?	1 mois	?	Jours	1 mois	2 mois	2 mois	1 sem-1 mois	1 mois	?	1-3 mois	?	1-1,5 an	1 mois	?
Temps requis	5 min	Bref	Bref	30 min	25-40 min	25-40 min	30-40 min	30-50 min	1-2 h	20-30 min	45 min	< 45 min	?	< 30 min	Bref	?	30-54 min	< 30 min	?	Long	60 min	15-20 min	1 h	30 min	1 h	60-90 min	Bref	1-2 h	?	?
Aspect administratif																														
Formation du personnel et personnel requis	Simple	√	?	√	N/A	Simple	Peu	Peu	Peu	Non		?	Simple	Simple	Simple	Simple	Simple	?	√	Simple	√	N/A	√	Simple	?	√	?	?	√	√
Disponibilité en français	√	√	√	√	?	?	?	?	?	?	?	?	?	√	?	√	√	?	?	?	?	√	√	√	?	?	?	?	?	√

(1) Poly : polyvalent ; TM : troubles mentaux ; TPS : troubles psychotiques ; TG : troubles graves ; Tnév : troubles névrotiques.

– *community living assessment scale* (CLAS) [36] ;

– REHAB [4], traduit en français ;

– *basis everyday living schedule* (BELS) [19].

D'autres instruments s'intéressent principalement aux différents rôles sociaux :

– *social adjustment scale* (SAS), *SAS-self report, SAS-II* [24, 31, 32], également disponible en français (échelle d'adaptation sociale [EAS-II]) [27] ;

– *structured and scaled interview to assess maladjustment* (SSIAM) [16] ;

– *interview schedule for social interaction* (ISSI) [8] ;

– *social behavior assessment schedule* (SBAS) [21] ;

– *MRC social role performance schedule* (MRC) [17] ;

– *role activity performance scale* (RAPS) [15] ;

– *Groningen social disabilities schedule* (GSDS) [35].

Plusieurs autres instruments de mesure (*voir* tableau FT2-I) sont également disponibles pour l'évaluation du fonctionnement social, mais ils donnent plus une mesure globale en intégrant plusieurs composantes. Certains évaluent les habiletés instrumentales et les rôles sociaux sans mesurer les symptômes :

– *social maladjustment schedule* (SMS) [6] ;

– *social maladjustment schedule* (SMS) [22] ;

– *life skills profile* (LSP) [23].

D'autres, en revanche, évaluent les trois composantes (symptômes, habiletés instrumentales et rôles sociaux) :

– *child behavior check list* (CBCL) [1] ;

– *Katz adjustment scale* (KAS) [18] ;

– *psychiatric status schedule* (PSS) [26] ;

– *psychiatric evaluation form* (PEF) et *current and past pathology scale* (CAPPS) [9, 10] ;

– *Denver community mental health questionnaire* (DCMHQ) [5] ;

– *life skills assessment* (LSA) [12] ;

– *morningside rehabilitation status scale* (MRSS) [2].

Enfin, malgré leur nom, certaines échelles de mesure évaluent plutôt les comportements dangereux ou socialement embarrassants, en plus de symptômes, que les habiletés de base, en particulier le :

– *social behavior scale* (SBS) [38].

CLIENTÈLE CIBLÉE

Lorsque l'on choisit un instrument de mesure, il est essentiel de bien connaître la clientèle ciblée avant de décider de son utilisation. La majorité des instruments de mesure répertoriés ciblent une clientèle présentant des troubles mentaux psychotiques ou graves. Plus spécifiquement, le GAS, le SBS et le MRC s'intéressent aux personnes avec troubles mentaux psychotiques tandis que le LSP s'occupe du fonctionnement des personnes atteintes de schizophrénie. Quant au SMS, au SFS et au ISSI, ils ont été conçus pour une clientèle non psychotique. Par ailleurs, certains comme le KAS, le LSA, le REHAB et la version française du ILSS peuvent bien s'appliquer aux patients hospitalisés de manière à se prononcer sur leur possibilité de réintégrer la communauté. D'autres instruments de mesure du fonctionnement social, le SSIAM, le CLAS et le SAS (à ne pas confondre avec le SAS-II développé pour les patients psychotiques), ont été développés respectivement pour la clientèle externe non psychotique et la clientèle vivant en résidence. Le DCMHQ est le seul instrument répertorié qui soit adapté à toutes sortes d'individus et cela pour toute une variété de troubles mentaux. Ainsi faut-il bien connaître le contexte de développement de l'instrument avant de décider de son utilisation.

ASPECT TECHNIQUE

TYPE DE MÉTHODE ET INFORMATEUR

Les instruments de mesure répertoriés se présentent sous forme de questionnaires et peuvent être soit administrés par un intervieweur à l'informateur ou directement auto-administrés par l'informateur. L'informateur peut être l'usager lui-même, un de ses proches ou simplement le personnel soignant qui le connaît bien. La majorité des instruments présentés sont administrés sous forme d'entrevue structurée ou semi-structurée, tandis que d'autres (DAS, SMS, SFS, SBS, SAS-II, SBAS, MRC) sont d'abord remplis avec un informateur clef comme les proches ou un intervenant. Quant au KAS-R, il est envoyé aux proches de l'usager et rempli directement par eux (auto-administré par un proche). Le GAS, le GAF, le PEF, le CAPPS, une partie du LSA et le MRSS sont complétés par le clinicien ou un intervenant selon ce qu'ils savent du patient ou, comme le REHAB, en observant ce dernier dans le quotidien (auto-administré par un intervenant). Le SAS-SR est le seul instrument qui soit rempli directement par l'usager (auto-administré).

ÉCHELLES DE MESURE

Les instruments présentés utilisent une variété d'échelles de mesure à plusieurs degrés pour situer le niveau de fonctionnement de la clientèle évaluée. Plusieurs dimensions sont couvertes et l'on arrive rarement à un score unique. L'absence de normes permettant de situer les scores par rapport à la population générale constitue une difficulté supplémentaire. L'étude de Hurry et Sturt [17] constitue une exception. Elle a montré pour une échelle de rôle social que, dans une population de patients ambulatoires, seuls 9 p. 100 de la population générale avaient un score aussi faible que 50 p. 100 de ces patients. Cette tendance toutefois à l'absence de normes de population entraîne des difficultés importantes et a limité la confirmation de la validité des échelles évaluées.

PÉRIODE DE COUVERTURE

Tous les instruments répertoriés ne couvrent pas la même période de référence. Des instruments comme le GAF permettent de mesurer, en plus du niveau actuel, le plus haut niveau de fonctionnement de l'année précédente. En revanche, le GAS ne couvre que la semaine précédente et renseigne sur le plus faible niveau de fonctionnement. Plusieurs autres dont le DAS, le KAS, le SFS, le MRSS, etc., sont utilisés pour évaluer le fonctionnement durant les mois précédents. Le REHAB et le DCMHQ peuvent parfaitement convenir à l'évaluation périodique des plans de traitement.

TEMPS REQUIS

Lors du choix d'un instrument de mesure, il est important de considérer le temps dont on dispose. Le temps requis pour les instruments de mesure répertoriés varient de quelques minutes à plusieurs heures. Entre autres, le CAPPS (la version longue du PEF), le SAS, le SAS-II, l'ISSI, le SBAS et le RAPS sont des instruments qui demandent au moins une heure. Ils sont plutôt recommandés pour des recherches qui demandent plus de temps. L'utilisation d'instruments de mesure à des fins cliniques encouragent davantage l'utilisation d'instruments comme le GAS, le GAF, le DAS, le KAS, le DCMHQ, le MRSS, le SBS, SAS-SR, le SSIAM et le MRC, qui requièrent moins de 30 minutes, quelques minutes pour le GAS ou le GAF, si l'intervenant connaît bien le patient évidemment.

ASPECT ADMINISTRATIF

FORMATION DU PERSONNEL ET PERSONNEL REQUIS

La majorité des instruments répertoriés ne demande pas de formation spéciale. Le KAS, le MRSS, le SBS, le LSP et l'ILSS sont simples d'utilisation tandis que le PSS, le PEF et le CAPPS demandent peu d'expérience clinique de la part de l'intervenant. Le DCMHQ peut être utilisé par des non-professionnels. Quant au GAF, au DAS, au SMS, au REHAB, au SAS et SAS-II, au SBAS, ils nécessitent que l'interviewer soit formé.

DISPONIBILITÉ DE L'INSTRUMENT EN LANGUE FRANÇAISE

Peu d'instruments sont actuellement disponibles en français. Quelques-uns sont cependant répertoriés : le GAS, le GAF, le CGAS, le DAS, le LSP, le ILSS, le REHAB et le SAS-II. L'ILSS et le SAS-II ont été traduits par une même équipe de recherche à Montréal [7, 27]. Ce sont respectivement l'échelle des habiletés de vie autonome (EHVA) et l'échelle d'adaptation sociale-II (EAS-II).

ASPECT MÉTROLOGIQUE

Les études de validité et de fidélité des mesures, c'est-à-dire permettant de s'assurer qu'une mesure évalue vraiment ce qu'elle est censée mesurer et que les résultats sont reproductibles dans le temps ou avec les évaluateurs, sont des critères importants lors du choix d'un instrument de mesure. Le présent rapport n'a pas à les présenter en détail. Les instruments de mesure répertoriés présentent en majorité des études de validité et de fidélité qu'il faut consulter.

Il est difficile de s'assurer de la validité du contenu d'un concept aussi large que le fonctionnement social. L'absence de *gold standard*, c'est-à-dire de mesures de référence en regard du concept à évaluer, empêche tout jugement sur la validité concurrente et la validité de construit. Il n'est donc pas facile de parler d'instruments valides lorsqu'il s'agit de fonctionnement social et, enfin, il n'existe pas d'échelles qui se soient imposées dans le domaine [20].

QUELQUES EXEMPLES D'INSTRUMENTS

ÉCHELLE D'ÉVALUATION GLOBALE DU FONCTIONNEMENT (EGF)

L'EGF est la version française du GAF [3]. Elle permet d'évaluer le fonctionnement psychologique, social et professionnel global sur un continuum hypothétique (1-100), allant de la santé mentale à la maladie (tableau FT2-II). Elle est particulièrement utile pour suivre les progrès cliniques des patients au moyen d'un score unique. Elle est complétée par le clinicien qui pose un jugement sur le niveau de fonctionnement global de son patient.

ÉCHELLE DES HABILETÉS DE VIE AUTONOME (EHVA) [7]

Cet instrument, version française de l'ILSS [29], vise à recueillir des informations sur l'autonomie et les habiletés de vie quotidienne du sujet. Deux formes de l'EHVA existent : une version est destinée au personnel soignant ou à des proches de l'usager (118 items) alors que l'autre version constitue un rapport de l'usager lui-même auquel s'ajoutent quelques observations de l'évaluateur (75 items). La version présentée ici est celle qui s'adresse à l'usager. Elle est cotée par l'interviewer qui pose les questions à l'usager et note les réponses. La version française a été adaptée de façon que la majorité des items puissent s'appliquer aux patients hospitalisés. Elle comprend sept échelles totalisant 47 items : hygiène personnelle, apparence et tenue vestimentaire, entretien ménager, habitudes ali-

TABLEAU FT2-II. – VERSION FRANÇAISE DU GAF (d'après l'American Psychiatric Association)

100	Niveau supérieur de fonctionnement dans une grande variété d'activités. N'est jamais débordé par les problèmes rencontrés. Est recherché par autrui en raison de ses nombreuses qualités. Absence de symptômes
...	
50	Symptômes importants (idéations suicidaires, rituels obsessionnels sévères, etc.) ou altération importante du fonctionnement social, professionnel ou scolaire (absence d'amis, incapacité à garder un emploi, etc.)
...	
20	Existence d'un certain danger d'auto- ou d'hétéro-agression (tentative de suicide sans attente de la mort, violence fréquente, excitation maniaque, etc.) ou incapacité temporaire à maintenir une hygiène corporelle minimale (se barbouille d'excréments) ou altération massive de la communication (incohérence indiscutable ou mutisme)
...	
0	Information inadéquate

mentaires et préparation des repas, habiletés de maintien de la santé et de l'utilisation des services sociaux et de santé, gestion financière, loisirs. Les items sont évalués pour le dernier mois par oui/non/ne s'applique pas. Voici quelques exemples de questions.

Hygiène personnelle :

• *Réponses du sujet* :

1. Prenez-vous un bain ou une douche au moins une fois par semaine ?

2. Vous lavez-vous les cheveux au moins une fois tous les 15 jours (1 fois par semaine pour les femmes) ?

...

• *Observation de l'intervieweur* :

7. Le visage, les mains et les bras, etc. sont propres.

8. Les cheveux sont propres.

...

Gestion financière :

• *Réponses du sujet* :

44. Gérez-vous vous-même votre argent ?

...

ÉCHELLE D'ADAPTATION SOCIALE (EAS-II) [27]

Cet instrument, version française du SAS-II [24, 31], vise à évaluer spécifiquement l'adaptation sociale des patients qui présentent des troubles mentaux graves et qui résident soit en milieu hospitalier, soit dans des ressources protégées. La version originale a donc dû être modifiée de façon importante pour répondre à ces clientèles. La version française comporte neuf échelles totalisant 57 items : travail, cohabitation avec la principale personne de la maisonnée, sexualité, relations parentales, relations avec la famille éloignée, loisirs et relations sociales, relations amoureuses, bien-être personnel, degré d'adaptation générale. Les items sont évalués en général sur une échelle de type Likert en cinq points. Voici quelques exemples de questions.

Cohabitation :

• *Principale personne de la maisonnée* :

– Qui est généralement à la maison en même temps que vous ?

– Avec qui passez-vous le plus de temps ?

...

– Comment vous êtes-vous entendu avec le principal membre de la maisonnée au cours du dernier mois ?

Loisirs et contacts sociaux :

• *Activité* :

...

• *Relations sociales* :

– Avez-vous eu l'occasion de participer à des activités sociales avec vos amis, des membres de votre famille, des résidents, des patients ?

– Avez-vous invité du monde chez vous pour parler, jouer aux cartes ou vous adonner à toute autre activité ?

...

– Aimez-vous la compagnie ?

...

RÉFÉRENCES

1. ACHENBACK TM, EDELBROCK CS. Manual for the child behavior checklist and revised child behavior profile. Burlington, University of Vermont, Department of Psychiatry, 1983.
2. AFFLECK JW, MCGUIRE RJ. The measurement of psychiatric rehabilitation status. A review of the needs and a new scale. Br J Psychiatry, 1984, *145* : 517-525.
3. AMERICAN PSYCHIATRIC ASSOCIATION. Diagnostic and statistical manual of mental disorders, 3rd ed. Washington, American Psychiatric Association, 1987.
4. BAKER R, HALL JN. REHAB : a new assessment instrument for chronic psychiatric patients. Schizophrenia Bull, 1988, *14* : 97-111.
5. CIARLO JA, RIEHMAN J. The Denver community mental health questionnaire : development of a multidimensional program evaluation. *In* : RD Coursey, GA Specter, SA Murrell, B Hunt. Program evaluation for mental health : methods, strategies and participants. New York, Grune & Stratton, 1977.
6. CLARE AW, CAIRNS VE. Design, development and use of a standardised interview to assess social maladjustment and dysfunction in community studies. Psychol Med, 1978, *21* : 589-604.
7. CYR M, TOUPIN J, LESAGE AD, VALIQUETTE C. Assessment of independent living skills for psychotic patients : further validity and reliability. J Nerv Ment Dis, 1994, *182 (2)* : 91-97.
8. DUNCAN-JONES P, HENDERSON S. Interview schedule for social interaction (ISSI), 10th ed. Canberra (Australia),

Social Psychiatry Research Unit, Australian National University, 1978.
9. ENDICOTT J, SPITZER RL. What another rating scale ? The psychiatric evaluation form. J Nerv Ment Dis, 1972a, *154* : 88-104.
10. ENDICOTT J, SPITZER RL. Current and past psychopathology scales (CAPPS) : rationale, reliability and validity. Arch Gen Psychiat, 1972b, *27* : 678-687.
11. ENDICOTT J, SPITZER RL, FLEISS JL, COHEN J. The global assessment scale. Arch Gen Psychiat, 1976, *33* : 766-771.
12. FARKAS MD, ROGERS ES, THURER S. Rehabilitation outcome for the recently deinstitutionalized psychiatric patient : the ones we left behind. Available from Center for Psychiàtric Rehabilitation, Boston, Boston University, 1985.
13. FOUGEYROLLAS P. Projet de recherche sur la révision du 3e niveau de la CIDIH : le handicap. Réseau International CIDIH, 1988, *1* (2) : 20-22.
14. GOLDMAN HH, SKODOL AE, LAVE TR. Revising axis V for DSM-IV : a review of measures of social functioning. Am J Psychiatry, 1992, *149* : 1148-1156.
15. GOOD-ELLIS MA, FINE SB, SPENCER JH, DIVITTIS A. Developing a role activity performance scale (RAPS). Am J Occup Ther, 1987, *41* (*4*) : 232-241.
16. GURLAND GJ, YORKSTON NJ, STONE AR et al. The structured and scaled interview to assess maladjustment (SSIAM). Arch Gen Psychiat, 1972, *27* : 259-264.
17. HURRY J, STURT E. Social performance in a population sample : relation to psychiatric symptoms. *In* : JK Wing, P Bebbington, LN Robins. What is a case ? London, Grant McIntyre, 1981.
18. KATZ M, LYERLY SB. Methods of measuring adjustment and social behavior in the community. Psychol Rep, 1963, *13* : 503-535.
19. O'DRISCOLL C, LEFF J. The TAPS project. 8 : Design of the research study on the long-stay patients. Br J Psychiatry, 1993, *19* (*Suppl.*) : 18-24.
20. PHELAN M, WYKES T, GOLDMAN H. Global function scales. Social Psychiatry and Psychiatric Epidemiology, 1994, *29* : 205-211.
21. PLATT S, WEYMAN A, HIRSH SR, HEWETT S. The social behavior assessment schedule (SBAS) : rationale, contents, scoring and reliability of a new interview schedule. Social Psychiatry and Psychiatric Epidemiology, 1980, *15* : 43-55.
22. REMINGTON M, TYRER PJ. The social functioning schedule. A brief semistructured interview. Social Psychiatry and Psychiatric Epidemiology, 1979, *14* : 151-157.
23. ROSEN A, HADZI-PAVLOVIC D, PARKER G. The life-skills profile : a measure assessing function and disability in schizophrenia. Schizophrenia Bull, 1989, *15* : 325-337.
24. SCHOOLER N, HOGARTY GE, WEISSMAN MM. Social adjustment scale II (SAS-II). *In* : WA Hargreaves, CC Atkinson, JE Sorenson. Resource materials for community mental health program evaluators. Washington DC, DHEW no. 79-328, 1979 : 290-303.
25. SHAFFER D, GOULD MS, BRASIC J et al. A children's global assessment scale (CGAS). Arch Gen Psychiat, 1983, *40* (*11*) : 1228-1231.
26. SPITZER RL, ENDICOTT J, FLEISS JL, COHEN J. The psychiatric status schedule : a technique for evaluating psychopathology and impairment in role functioning. Arch Gen Psychiat, 1970, *23* : 41-55.
27. TOUPIN J, CYR M, LESAGE AD, VALIQUETTE C. Validation d'un questionnaire d'évaluation du fonctionnement social des personnes ayant des troubles mentaux chroniques. Revue Canadienne de Santé Mentale Communautaire, 1993, *12* (*1*) : 143-156.
28. WALLACE CJ. Functional assessment in rehabilitation. Schizophrenia Bull, 1986, *12* (*4*) : 604-630.
29. WALLACE CJ, KOCHANOWICZ N, WALLACE J. Independent living skills survey. Unpublished manuscript, Mental Health Clinical Research Center for the Study of Schizophrenia, West Los Angeles, VA Medical Center, Rehabilitation Medicine Service (Brentwood Division), Los Angeles, 1985.
30. WEISSMAN MM. The assessment of social adjustment. A review of techniques. Arch Gen Psychiat, 1975, *32* : 357-365.
31. WEISSMAN MM, BOTHWELL S. Assessment of social adjustment by patient self-report. Arch Gen Psychiat, 1976, *33* : 1111-1115.
32. WEISSMAN MM, PAYKEL ES, SIEGAL R, KLERMAN GL. The social role performance of depressed women : comparisons with a normal group. Am J Orthopsychiatry, 1971, *41* : 390-405.
33. WEISSMAN MM, SHOLOMSKAS D, JOHN K. The assessment of social adjustment. An update. Arch Gen Psychiat, 1981, *38* : 1250-1258.
34. WIERSMA D. Measuring social disabilities in mental health. Social Psychiatry and Psychiatric Epidemiology, 1996, *31* : 101-108.
35. WIERSMA D, JONG A, ORMEL J. The Groningen social disabilities schedule : development, relationship with the ICIDH and psychometric properties. Int J Rehabil Res, 1988, *11* : 213-224.
36. WILLER BS, GUASTAFERRO JR. Community living assessment scale. Available from Transitional Services, Inc., 2075 Main St., Buffalo (NY), 1985.
37. WORLD HEALTH ORGANISATION. WHO psychiatric disability assessment scale (WHO/DAS). Geneva, WHO, 1988.
38. WYKES T, STURT E. The measurement of social behaviour in psychiatric patients : an assessment of the reliability and validity of the SBS schedule. Br J Psychiatry, 1986, *148* : 1-11.

Fiche technique 3

MESURES DE LA QUALITÉ DE VIE[1]

DÉFINITION

K. Calman définit la qualité de vie comme la distance entre les espérances des usagers et la réalisation de leurs objectifs. Pour Donald Patrick et Pennifer Erickson [22, 56], la qualité de vie en rapport avec la santé (*health-related quality of life*) peut être définie comme la valeur donnée à la durée de vie (la longévité) corrigée par un coefficient tenant compte des symptômes, de l'état des grandes fonctions essentielles, de la sensibilité individuelle et des circonstances susceptibles d'être influencées par la maladie et le traitement.

Quelle que soit la façon dont elle est définie, la qualité de vie présente trois caractéristiques importantes. Elle est :

– *qualitative* : elle ne peut se chiffrer de façon absolue ;

– *subjective* : elle est fonction d'un jugement personnel et de valeurs propres à l'individu ;

– *pluridimensionnelle* : elle comporte différentes dimensions ou domaines.

FAISABILITÉ ET PROPRIÉTÉS DES MESURES

Au premier abord, il pourrait paraître illusoire de vouloir mesurer un aspect de la vie aussi subjectif et personnel que la qualité de vie. Cependant, les progrès réalisés en psychométrie concernant d'autres attributs socio-psychologiques ont permis d'opérationnaliser l'évaluation des différentes composantes de la qualité de vie. Les mesures développées peuvent être considérées comme fiables et valides si elles suivent un plan de développement et de validation qui est aujourd'hui bien codifié [48]. Néanmoins, dans certaines affections psychiatriques comme les psychoses caractérisées par des troubles de la pensée, la validité des informations délivrées par les patients dans les questionnaires peut être remise en cause. En fait, certaines recherches soutiennent non seulement la faisabilité mais également la fiabilité de ces mesures [2].

Les travaux réalisés ont ainsi permis d'établir l'intérêt et la possibilité de mesurer la qualité de vie grâce à des questionnaires considérés comme des indicateurs dans une stratégie de planification. Plusieurs échelles ont été suggérées ou utilisées : *Nottingham health profile* [32], *sickness impact profile* [10], *quality of well-being scale* [38], *Lancashire quality of life profile* [52], *quality of life interview* [42, 43]. Aux États-Unis, dans le cadre d'une initiative nationale d'évaluation de l'impact des affections mentales sévères et persistantes, Lehman [42], sous l'égide de la Robert Wood Johnson Foundation, a développé un outil de mesure de la qualité de vie spécifique aux personnes qui présentent des problèmes de santé mentale.

TYPES DE MESURES

Il existe plusieurs approches d'évaluation de la qualité de vie.

APPROCHE DESCRIPTIVE

Les questionnaires de qualité de vie sont composés d'items regroupés dans différentes dimensions ou domaines (activités quotidiennes, sommeil...). Les usagers doivent décrire leur qualité de vie en répondant à ces items, dont les échelles de réponse sont graduées.

---

(1) Cette fiche technique a été réalisée en grande partie par Patrick Marquis, Adekunle Adesina et Marie-Pierre Emery, Mapi, Lyon (France). La liste d'instruments décrits dans cette fiche technique n'étant pas forcément exhaustive, des informations supplémentaires peuvent être obtenues en consultant le site internet du Réseau de la santé mentale au Québec (RSMQ) : http://www.mcgill.ca/rsmq/fr/fressources-communes.htm.

Les échelles ordinales de type Likert sont les plus employées. Certains questionnaires tels le *Nottingham health profile* (NHP) ou le *McMaster health index* (MHIQ) utilisent des échelles dichotomiques. D'autres types d'échelles comme celle de Guttman (échelle cumulée) ou des échelles visuelles analogiques peuvent être également utilisées [65].

Le plus souvent il s'agit de questionnaires auto-administrés remplis par les usagers eux-mêmes. Dans certains cas, les questionnaires peuvent être administrés par un enquêteur. Le calcul des scores correspond le plus souvent à la somme ou à la moyenne des réponses aux items de chaque dimension. Des coefficients multiplicateurs peuvent aussi être appliqués à certains items en fonction de leur importance (NHP, SIP).

Notons que l'interprétation d'un score qualité de vie repose à la fois sur le contenu des items qui le composent et sur la signification des seuils (scores minimal et maximal) qui peuvent varier d'un questionnaire à l'autre.

On distingue deux sortes de questionnaires : les questionnaires génériques et les questionnaires spécifiques.

Questionnaires génériques

Ce sont des mesures pluridimensionnelles applicables à un grand nombre de pathologies ou à la population générale. Les mesures génériques les plus couramment utilisées et citées dans la littérature sont le SF-36, le *sickness impact profile* (SIP) et le NHP, auxquelles une mesure de bien-être général peut être adjointe, le *psychological general well-being index* (PGWBI).

Les mesures génériques ont des propriétés psychométriques bien définies. Elles présentent l'avantage de permettre les comparaisons de différentes pathologies entre elles ou par rapport à une population générale de référence. D'autre part, du fait qu'ils couvrent de nombreux domaines, les instruments génériques peuvent détecter les effets inattendus des interventions sur certains aspects de la qualité de vie des usagers. En revanche, les mesures génériques peuvent manquer de sensibilité du fait de leur manque de spécificité.

Mesures spécifiques

Les instruments spécifiques permettent de mesurer la qualité de vie dans des affections bien précises telles que la schizophrénie, la dépression, l'asthme ou l'ostéoporose. Certaines mesures s'adressent surtout aux femmes, aux enfants ou aux patients hospitalisés. D'autres mesures concernent des domaines ou dimensions particuliers de la qualité de vie tels que la vie sociale et le sommeil. Les mesures spécifiques ont l'avantage d'être très sensibles lors des évaluations des interventions thérapeutiques. De plus, elles sont mieux acceptées par les patients et praticiens, car les questions posées concernent directement la pathologie dont souffrent les sujets.

La nécessité d'associer les avantages des deux types de mesures lors des évaluations a conduit les investigateurs à associer des échelles génériques et spécifiques au sein d'un même auto-questionnaire. Dans ce type d'approche, le principal inconvénient est que le questionnaire est long et qu'il peut exister des redondances entre les différentes questions.

APPROCHE PRÉFÉRENTIELLE

Cette approche repose sur la théorie normative de prise de décision individuelle en situation d'incertitude décrite par von Neumann et Morgernstein [72]. Plusieurs techniques peuvent être utilisées : les préférences pour un état de santé, les années à vivre ajustées par la qualité de vie (QALY) et les années équivalentes de vie en bonne santé (HYE). La combinaison de ces techniques permet d'évaluer un état de santé ou le résultat d'une intervention en termes de survie et de qualité de vie.

Les préférences pour un état de santé et les QALY sont deux concepts différents qui peuvent être utilisés ensemble ou séparément. Ils ont été conçus pour fournir une valeur approchée des utilités. Les utilités et les préférences sont le plus souvent estimées à l'aide de quatre techniques : les jeux de hasard idéalisés (*standard gamble*), la méthode du marchandage-temps (*time trade-off*), l'utilisation de méthodes de classement au moyen d'échelles visuelles analogiques (VAS) et de fonctions d'utilité multi-attributs.

Les QALY fournissent une mesure de l'état de santé qui devrait permettre d'effectuer des comparaisons entre les maladies. Toutefois, ils peuvent être évalués de manière différente, ce qui rend impossibles les comparaisons entre études. Il existe cependant de bons instruments pour mesurer les QALY dans différents contextes et pathologies. Certains auteurs prétendent que d'autres mesures comme celles des HYE permettraient une meilleure évaluation des préférences individuelles [49].

ENJEUX CONCEPTUELS DE LA QUALITÉ DE VIE

La santé a été définie par l'OMS comme un état de bien-être physique, psychique et social, et non comme la simple absence de maladie ou d'infirmité. Cette conception pluridimensionnelle de la santé est particulièrement pertinente en santé mentale. Il est bien connu que les désordres mentaux ont généralement des répercussions au-delà des manifestations psychiques propres sur l'aptitude professionnelle, la vie et les relations avec les autres. Il est également probable que de nombreux syndromes psycho-affectifs non diagnostiqués perturbent la qualité de vie.

Dans ce contexte, les indicateurs épidémiologiques et cliniques classiquement utilisés ne suffisent pas à rendre compte de la réalité des maladies mentales. Des troubles mentaux rares peuvent avoir des conséquences gravissimes alors que des affections plus courantes ont un impact minime. Deux désordres psychiatriques peuvent être cotés avec la même sévérité sur une échelle de cotation comme le DSM et perturber la vie quotidienne de façon plus ou moins importante. Dans la schizophrénie, le retrait social, mesuré par les échelles cliniques, ou le critère de réinsertion professionnelle ne renseignent pas sur le bien-être des personnes ou leur souffrance. Dans la dépression, les échelles utilisées apportent peu d'informations sur les activités quotidiennes, la vie relationnelle ou professionnelle.

Lorsque les mesures de qualité de vie sont bien choisies, elles complètent utilement les critères cliniques classiquement étudiés, en élargissant l'investigation aux domaines relationnels, émotionnels ou professionnels composant la vie quotidienne des usagers.

L'évaluation de la qualité de vie est ainsi intéressante non seulement pour l'évaluation des traitements, mais également pour l'évaluation de la qualité des soins et l'appréciation des besoins. L'amélioration de la qualité de vie d'une population par une planification optimale peut représenter un objectif indépendant aussi important que la diminution de la prévalence de syndromes psychiatriques.

MESURES DE LA QUALITÉ DE VIE

Cette partie fait le point sur les principaux questionnaires de qualité de vie susceptibles d'être utilisés en santé mentale, avec les dernières références bibliographiques.

MESURES SPÉCIFIQUES À LA SANTÉ MENTALE

– *Quality of life interview* (QLI) de Lehman [7, 19, 21, 76] ;

– *Lancashire quality of life profile* [29, 33, 37, 39] ;

– *quality of life scale* (QLS) de Heinrichs [3, 28, 69] ;

– *life skills profile* (LSP) [58, 70, 71] ;

– *Oregon quality of life questionnaire* [11] ;

– *quality of life checklist* [46] ;

– *quality of life enjoyment and satisfaction questionnaire* (Q-LES-Q) [26, 40] ;

– *satisfaction with life domains scale* [67] ;

– *quality of life index for mental health* (QLI-MH) [8, 60] ;

– *quality of life semi-structured interview* (QOLIS) [31].

MESURES GÉNÉRIQUES PLURIDIMENSIONNELLES

– *Duke health profile* (DHP) [45, 55] ;

– *Nottingham health profile* (NHP) [47, 68] ;

– *sickness impact profile* (SIP) [2, 30] ;

– *medical outcomes study short forms* (SF-36, SF-20, SF-12) [12, 13, 23] ;

– *quality of life index* (QLIx) de Ferrans et Powers [1] ;

– *subjective quality of life profile* (SQLP) [9] ;

– *World Health Organization quality of life assessment* (WHOQOL) [12, 13].

MESURES GÉNÉRIQUES LIMITÉES AU DOMAINE PSYCHOLOGIQUE OU SOCIAL

– *Psychological general well-being index* (PGWBI) [4] ;

– *Beck depression inventory* (BDI) [24] ;

– *Hamilton depression rating scale* (HAM-D) [5] ;

– *Hopkins symptoms checklist* (SCL-90R) [62] ;

– *hospital anxiety and depression scale* (HAD) [44, 53] ;

– *general health questionnaire* (GHQ) [73] ;

– *mental health inventory* (MHI) [15, 61] ;

– *social adjustment scale* (SAS) [40, 57].

MESURES PRÉFÉRENTIELLES

– *EuroQoL* (EQ-5D) [20, 41] ;

– *quality of well-being scale* (QWB) [57].

DESCRIPTION DES MESURES

Les mesures génériques de qualité de vie sont très utilisées dans le cadre de l'évaluation de l'état des personnes présentant des troubles mentaux. Elles peuvent accessoirement permettre d'évaluer l'impact de la prise en charge des usagers à domicile sur la qualité de vie des personnes qui s'occupent de ces patients. Les données des instruments génériques peuvent également faciliter l'interprétation des données de qualité de vie spécifiques chez ces personnes.

Le *questionnaire SF-36* développé aux États-Unis dans le contexte d'une étude de grande envergure, la Medical Outcomes Study (MOS), est composé de 36 items couvrant l'activité physique, les limitations dues à la santé physique ou émotionnelle, la douleur physique, la vie et les relations avec les autres, la santé psychique, la vitalité et la santé perçue. Il paraît particulièrement intéressant en raison de sa facilité d'administration et des propriétés psychométriques obtenues dans la population générale et chez des patients souffrant de pathologies chroniques dont les maladies mentales [14]. Il a été également utilisé pour évaluer la qualité de vie des toxicomanes [17], des patients souffrant d'attaques de panique [23] et des populations psychiatriques ambulatoires [59]. Une version plus courte de cet instrument existe en 12 items, ce qui facilite l'administration ainsi que le recueil des données sur la qualité de vie.

Le *sickness impact profile* (SIP) composé de 136 items est un instrument relativement long dont l'administration peut s'avérer délicate dans une population souffrant de maladie mentale. Conçu par les chercheurs de l'université Johns Hopkins dès 1977, il figure parmi les premières mesures d'auto-évaluation de l'état fonctionnel des patients. Il a été utilisé au Canada [2] pour évaluer la qualité de vie des patients psychotiques traités par des neuroleptiques.

Le *Nottingham health profile* (NHP) a été développé en Angleterre afin d'évaluer la santé perçue dans la population générale : il comporte 45 items portant sur les dimensions de la douleur, des émotions, d'énergie, d'isolement, de mobilité et de sommeil. Les données sur ses propriétés psychométriques sont nombreuses et il présente l'avantage d'être plus court que le SIP. En revanche, la nature dichotomique (oui/non) des options de réponse pourra être à l'origine de limitations dans sa capacité à détecter des différences de qualité de vie.

Les instruments spécifiques disponibles pour la mesure de la qualité de vie en santé mentale ne couvrent pas tous les mêmes domaines ou concepts. L'importance relative des différents domaines de qualité de vie a fait l'objet de discussions de la part d'investigateurs [16]. Le domaine social et notamment la vie relationnelle sembleraient jouer un rôle considérable dans la qualité de vie des personnes souffrant de maladie mentale.

Ainsi la *quality of life interview* (QLI) de Lehman couvre-t-elle les aspects financiers, le cadre de vie, les relations familiales, sociales et le travail ; en revanche, la *quality of life scale* (QLS) de Heinrichs évalue de façon moins complète le domaine social et le travail, mais elle explore plus spécifiquement les aspects du bien-être intérieur comme la motivation, l'émotion et la fonction cognitive chez des personnes souffrant de schizophrénie. La *quality of life interview* (QLI) de Lehman est composée de 143 items évaluant neuf dimensions que sont les relations familiales, le travail, le cadre de vie, la vie et les relations avec les autres, les loisirs, les aspects financiers, la sécurité, la religion et la santé. Elle représente peut-être la mesure spécifique la plus valide actuellement, ses propriétés psychométriques ayant été testées dans de nombreuses études. Elle a essentiellement été appliquée dans les études d'évaluation de l'impact des différentes approches et systèmes de soins des malades mentaux ambulatoires [33, 39] et hospitalisés [37]. Cependant, l'administration de ses 143 items peut représenter une lourde charge lors de la réalisation pratique du recueil des données de qualité de vie, d'autant qu'elle nécessite l'intervention d'un enquêteur entraîné.

Certains instruments spécifiques à la santé mentale semblent être mieux adaptés à certains contextes d'utilisation. Ainsi la QLI paraît-elle être une échelle psychométriquement sérieuse et se révèlera particulièrement utile pour l'évaluation des patients ambulatoires en santé mentale, alors que la QLS de Heinrichs s'avère plus adaptée aux essais cliniques des traitements de la psychose schizophrénique.

Le *Lancashire quality of life profile*, composé d'environ 100 items, a été développé en Angleterre à partir du questionnaire de Lehman (QLI), mais il existe moins de données publiées relatives à son utilisation dans des études de qualité de vie et à sa validité psychométrique dans des populations présentant des troubles mentaux.

L'*Oregon quality of life questionnaire* (OQLQ) est l'une des premières mesures développées spécifiquement afin d'évaluer l'impact des programmes de soins en santé mentale réalisés dans la communauté. Il couvre quatorze domaines importants de la qualité de vie. Cependant, malgré les données de validation psychométrique existantes, son application est rendue difficile par un nombre important d'items (n = 143 pour la version administrée par un enquêteur, n = 246 pour la version auto-administrée), pouvant constituer une entrave à la validité des données recueillies.

D'autres questionnaires spécifiques qui ont été développés en santé mentale sont cependant moins souvent appliqués et présentent un niveau de validation moindre dans la littérature. Parmi ces échelles figurent la *quality of life checklist* (QOLC) de Malm, la *satisfaction with life domains scale* de Baker et Intagliata et la *community adjustment form* de Stein et Test.

La *quality of life checklist* (QOLC) a été développée aux États-Unis et comprend 94 items évalués par un enquêteur et couvrant neuf sections d'importance pour les usagers et les cliniciens, notamment le travail, la vie sociale, les soins médicaux et la dépendance. Les items sont évalués sur des échelles dichotomiques (satisfaisant/insatisfaisant). On ne dispose pas de données publiées sur les propriétés psychométriques de cette mesure.

La *satisfaction with life domains scale* est une mesure composée de quinze items portant sur la satisfaction des malades mentaux chroniques sur les aspects sociaux, relationnels, professionnels et économiques de leur vie. Elle est administrée aux patients par un enquêteur et a été validée par la mise en évidence de corrélations avec les échelles *Bradburn affect balance scale* et la *global assessment scale*. Elle a l'avantage d'être brève et ses scores peuvent être comparés aux normes obtenues dans la population générale. La plupart des items portent surtout sur les aspects sociaux qui ont été considérés comme des facteurs particulièrement déterminants de la qualité de vie chez les malades mentaux [16]. La possibilité d'obtenir un score global est un avantage non négligeable pour l'analyse des données de la qualité de vie recueillies grâce à cette mesure.

La *community adjustment form* [63] est un ensemble d'instruments réunissant les questions de la sous-échelle « loisirs » du QLI de Lehman, une mesure indépendante de satisfaction de la vie et des questions concernant la situation socio-familiale, économique, les soins médicaux et l'utilisation des services de soins. Elle a été développée pour évaluer la qualité de vie dans les psychopathologies sévères et comporte un total de 140 items. Nous n'avons pas retrouvé de données psychométriques publiées sur cette échelle qui a pourtant été appliquée lors d'une étude expérimentale comparant une approche « communautaire » de la prise en charge des malades mentaux sévères à l'approche classique.

La majorité des mesures développées jusqu'à présent en santé mentale l'ont été en langue anglaise. Cependant, précisons que la plupart des mesures de qualité de vie génériques ont été validées en français. Avant la mise en application d'une mesure au Québec ou en France, il est important de s'assurer de son équivalence conceptuelle avec la version originale, réalisée au moyen d'un processus d'adaptation culturelle. Différentes organisations telles que MAPI *Research Institute* en France et le projet *International Quality of Life Assessment* (IQOLA) aux États-Unis ont mis au point des procédés rigoureux d'adaptation linguistique, qui permettent de garantir l'équivalence transculturelle des questionnaires de qualité de vie. Le SF-36, le SIP et le NHP ont été validés en français selon ce type de procédés. Le QLI semble avoir été utilisé en langue française, cependant nous n'avons pas identifié de publication faisant état d'une adaptation selon une méthodologie rigoureuse similaire à celle utilisée pour les instruments génériques cités précédemment.

D'autre part, on constate le manque d'outils de mesure permettant l'évaluation de la qualité de vie dans le domaine de la santé mentale chez l'enfant et l'adolescent. La particularité du profil des psychopathologies et leur impact socio-psychologique chez ces derniers plaideraient en faveur de l'initiation de travaux dans ce domaine.

CONCLUSION

L'utilisation au Québec ou en France de mesures développées en anglais impose leur adaptation culturelle et leur validation en langue française avant leur mise en application. L'interprétation des données au niveau national doit également reposer sur des études réalisées dans ces deux pays.

RÉFÉRENCES

1. ATKINSON M. Characterizing quality of life among patients with chronic mental illness : a critical examination of the self-report methodology. Am J Psychiatry, 1997, *154 (1)* : 99-105.
2. AWAD AG, VORUGANTI LNP, HESLEGRAVE RJ. Measuring quality of life in schizophrenia. Pharmacoeconomics, 1997, *11 (1)* : 32-47.
3. AYMARD N. Neuroleptic-resistant schizophrenic patients treated by clozapine : clinical evolution, plasma and red blood cell clozapine and demethylclozapine levels. Thérapie, 1997, *52* : 227-232.
4. BADIA X, GUTIERREZ F, WILKUND I, ALONSO J. Validity and reliability of the spanish version of the psychological general well-being index. Quality of Life Research, 1996, *5 (1)* : 101-108.
5. BAKEY AA, KUNIK ME, ORENGO CA et al. Outcome of psychiatric hospitalization for very low-functioning demented patients. J Geriatr Psychiatry and Neurol, 1997, *10 (2)* : 55-57.
6. BARRY MM. Quality of life as an evaluative measure in assessing the impact of community care on people with long-term psychiatric disorders. Br J Psychiatry, 1996, *168* : 210-216.
7. BEBOUT RR, DRAKE RE, XIE H et al. Housing status among formerly homeless dually diagnosed adults. Psychiatric Services, 1997, *48* (7) : 936-941.
8. BECKER M. A new patient-focused index for measuring quality of life in persons with severe and persistent mental illness. Quality of Life Research, 1993, *2* : 239-251.
9. BERGER M. Evaluation of quality of life concerning chronically mentally Ill patients living in community support systems. L'Encéphale, 1998, *XXIV* : 9-17.
10. BERGNER M. The sickness impact profile (SIP). *In* : NK Wenger. Assessment of quality of life in clinical trials of cardiovascular therapies. Le Jacq Publishing, New York, 1984 : 152-159.
11. BIGELOW DA, MCFARLAND BH, OLSON MM. Quality of life of community mental health program clients : validating a measure. Community Ment Health J, 1991, *27 (1)* : 43-55.
12. BOBES J. Long-term evolution of the SF-36 (8 months) in a sample of 353 schizophrenic patients undergoing risperidone treatment. Quality of Life Research, 1997, *6* : 650.
13. BOBES J. The SF-36 versus the WHOQOL-100 and -26 in schizophrenic private outpatients. Quality of Life Research, 1997, *6* : 650.
14. BOBES J, GUTIERREZ M, GIBERT J et al. Quality of life and disability in chronic schizophrenics treated with risperidone and previously treated with depot neuroleptics. Actas Esp Psiquiatr, 1999, *27 (4)* : 229-234.
15. BOWEN DJ, KESTIN M, MCTIERNAN A et al. Effects of dietary fat intervention on mental health in women. Cancer epidemiology. Biomarkers and Prevention, 1995, *4 (5)* : 555-559.
16. CIALDELLA P. Évaluation de la qualité de vie des patients psychiatriques chroniques vivant dans la communauté. *In* : R Launois, F Régnier. Décision thérapeutique et qualité de vie. John Libbey Eurotext, Paris, 1992 : 113-126.
17. DAEPPEN JB, KRIEG MA, BURNAND B, YERSIN B. MOS-SF-36 in evaluating health-related quality of life in alcohol-dependent patients. American Journal of Drug and Alcohol Abuse, 1998, *24 (4)* : 685-694.
18. DEYO RA, DIEHR P, PATRICK DL. Reproducibility and responsiveness of health status measures. Statistics and strategies for evaluation. Controlled Clinical Trials, 1991, *12* : 142S-158S.
19. DICKERSON FB. Assessing clinical outcomes : the community functioning of persons with serious mental illness. Psychiatric Services, 1997, *48 (7)* : 897-902.
20. DOLAN P. Modeling valuations for euroqol health states. Medical Care, 1997, *35 (11)* : 1095-1108.
21. DRAKE RE, YOVETICH NA, BEBOUT RR et al. Integrated treatment for dually diagnosed homeless adults. J Nerv Ment Dis, 1997, *185 (5)* : 298-305.
22. ERICKSON P, SCOTT J. The on-line guide to quality-of-life assessment (OLGA) : resource for selecting quality of life assessments. *In* : S Walker, RM Rosser. Quality of life assessment : key issues in the 1990s, 1993, *13* : 221-232.
23. ETTIGI P, MEYERHOFF AS, CHIRBAN JT et al. The quality of life and employment in panic disorder. J Nerv Ment Dis, 1997, *85 (6)* : 368-372.
24. FOSTER JH, PETERS TJ. Impaired sleep in alcohol misusers and dependent alcoholics and the impact upon outcome. Alcoholism, Clinical and Experimental Research, 1999, *23 (6)* : 1044-1051.
25. FRANKEL SJ. Health needs, healthcare requirements and the myth of infinite demands. Lancet, 1991, *337* : 1588-1589.
26. GUPTA S. Quality of life in schizophrenia and dysthymia. Acta Psychiatr Scand, 1998, *97* : 290-296.
27. GUYATT G, WALTER S, NORMAN G. Measuring change over time : assessing the usefulness of evaluative instruments. J Chronic Dis, 1987, *40* : 171-178.

28. HEINRICHS DW, HANION TE, CARPENTER WT Jr. The quality of life scale : an instrument for rating the schizophrenic deficit syndrome. Schizophrenia Bull, 1984, *10 (3)* : 388 -398.
29. HEINZE M, TAYLOR RE, PRIEBE S, THORNICROFT G. The quality of life of patients with paranoid schizophrenia in London and Berlin. Social Psychiatry and Psychiatric Epidemiology, 1997, *32 (5)* : 292-297.
30. HESLEGRAVE RJ, AWAD AG, VORUGANTI LN. The influence of neurocognitive deficits and symptoms on quality of life in schizophrenia. Journal of Psychiatry and Neuroscience, 1997, *22 (4)* : 235-243.
31. HOLCOMB WR. Development of a structured interview scale for measuring quality of life of the severely mentally Ill. J Clin Psychol, 1993, *49 (6)* : 830-840.
32. HUNT SM. Nottingham health profile. *In* : NK Wenger. Assessment of quality of life in clinical trials of cardiovascular therapies. Le Jacq Publishing, New York, 1984 : 165-169 ; 349-352.
33. HUXLEY P. Describing mental health services : the development of a mental health census in the north-west of England. Epidemiologia e Psichiatria Sociale, 1997, *6 (1 suppl)* : 71-80.
34. JAEGER M. Les inflexions de la politique de santé mentale en France. Santé Mentale au Québec, 1995, *XX (1)* : 77- 88.
35. JAESCHKE R, GUYATT GH. How to develop and validate a new quality of life instrument. *In* : B Spilker. Quality of life assessments in clinical trials. New York, Raven Press, 1990, *5* : 47-57.
36. JENKINS R. Health targets. *In* : G. Thornicroft. Measuring mental health needs. London, Royal College of Psychiatrists, Gaskell, 1992 : 18-41.
37. KAISER W, PRIEBE S, BARR W et al. Profiles of subjective quality of life in schizophrenic in- and out-patients samples. Psychiatr Res, 1997, *66 (2-3)* : 153-166.
38. KAPLAN RM, ATKINS CJ, TIMMS R. Validity of a quality of well-being scale as an outcome measure in chronic obstructive pulmonary disease. J Chronic Dis, 1984, *37* (2) : 85-95.
39. KEMMLER G. General life satisfaction and domain-specific quality of life in chronic schizophrenia patients. Quality of Life Research, 1997, *6* : 265-273.
40. KOCSIS JH, ZISOOK S, DAVIDSON J et al. Double-blind comparison of sertraline, imipramine, and placebo in the treatment of dysthymia : psychosocial outcomes. American J Psychiatry, 1997, *154 (3)* : 390-395.
41. KRABBE PF, ESSINK BOT ML, BONSEL GJ. The comparability and reliability of five health-state valuation methods. Soc Sci Med, 1997, *45 (11)* : 1641-1652.
42. LEHMAN AF. A quality of life interview for the chronic mentally ill. Evaluation and Program Planning, 1988, *11* : 51-62.
43. LEHMAN AF, POSTRADO LT, RACHUBA LT. Convergent validation of quality of life assessments for persons with severe mental illnesses. Quality of Life Research, 1993, *2 (5)* : 327-333.
44. LINCOLN NB, FLANNAGHAN T, SUTCLIFFE L, ROTHER L. Evaluation of cognitive behavioural treatment for depression after stroke : a pilot study. Clinical rehabilitation, 1997, *11 (2)* : 114-122.
45. LYNCH DJ, TAMBURRINO MB, NAGEL R. Telephone counseling for patients with minor depression : preliminary findings in a family practice setting. The Journal of Family Practice, 1997, *44 (3)* : 293-298.
46. MALM U. Evaluation of the quality of life of the schizophrenic outpatient : a cheklist. Schizophrenia Bulletin, 1981, *7 (3)* : 477-486.
47. MALONE JA. Family adaptation : adult sons with long-term physical or mental illnesses. Issues in Mental Health Nursing, 1997, *18 (4)* : 351-363.
48. MEDICAL OUTCOMES TRUST SCIENTIFIC ADVISORY COMMITTEE. Instrument review criteria. Medical Outcomes Trust Bulletin, 1995, *3 (4)* : I-IV.
49. MEHREZ A, GAFNI A. Preference based outcome measures for economic evaluation of drug interventions : quality adjusted life years (QALY's) vs health year equivalents (HYE's). Pharmacoeconomics, 1992, *1 (5)* : 338-345.
50. MERCIER C, WHITE D. La politique de santé mentale et la communautarisation des services. Santé Mentale au Québec, 1995, *XX (1)* : 17-30.
51. NUNNALLY JC. Psychometric theory, 2nd ed. New York, McGraw-Hill, 1978.
52. OLIVER JP. The social care directive : development of a quality of life profile for the use in community services in the mentally ill. Social Work and Social Sciences Review, 1991, *3* : 5-45.
53. ORMEL J, KEMPEN GI, PENNINX BW et al. Chronic medical conditions and mental health in older people : disability and psychosocial resources mediate specific mental health effects. Psychol Med, 1997, *27 (5)* : 1065-1077.
54. PAQUET R. La politique de santé mentale : l'action en région. Réflexion d'un acteur. Santé Mentale au Québec, 1995, *XX (1)* : 49-56.
55. PARKERSON GR, BROADHEAD WE, TSE CK. Anxiety and depressive symptom identification using the duke health profile. J Clin Epidemiol, 1996, *49 (1)* : 85-93.
56. PATRICK DL, ERICKSON P. Health status and health policy. London, Oxford University Press, 1993.
57. PATTERSON TL. Self-reported social functioning among older patients with schizophrenia. Schizophrenia Research, 1997, *27* : 199-210.
58. ROSEN A, HADZI-PAVLOVIC D, PARKER G. The life skills profile : a measure assessing function and disability in schizophrenia. Schizophrenia Bull, 1989, *15* (2) : 335-337.
59. RUSSO J, TRUJILLO CA, WINGERSON D et al. The MOS 36-item short form health survey : reliability, validity, and preliminary findings in schizophrenic outpatients. Medical Care, 1998, *36 (5)* : 752-756.
60. SAINFORT F, BECKER M, DIAMOND R. Judgements of quality of life of individuals with severe mental disorders. Patient self-report versus provider perspectives. Am J Psychiatry, 1996, *153 (4)* : 497-502.
61. SCHNEIDER B, VARGHESE RK. Score on the SF-36 scales and the beck depression inventory in assessing mental health among patients on hemodialysis. Psychol Rep, 1995, *76 (3 pt 1)* : 719-722.
62. SMITH-FAWZI MC, MURPHY E, PHAM T et al. The validity of screening for post-traumatic stress disorder and major depression among vietnamese former political prisoners. Acta Psychiatr Scand, 1997, *95* (2) : 87-93.
63. STEIN LI, TEST MA. Alternative to mental hospital treatment I. Conceptual model, treatment program and clinical evaluation. Arch Gen Psychiat, 1980, *37* (4) : 392-397.
64. STEVENS A, RAFTERY J. The stimulus for needs assessment : reforming health services. *In* : Health care needs assessment. Oxford, Radcliffe Medical Press, 1994 : 11-30.
65. STREINER DL, NORMAN GR. Health measurement scales : a practical guide to their development and use. New York, Oxford University Press, 1989.
66. STUCKI G, LIANG MH, FOSSEL AH, KATZ JN. Relative responsiveness of condition-specific and generic health status measures in degenerative lumbar spine stenosis. J Clin Epidemiol, 1995, *48 (11)* : 1369-1378.
67. TEMPIER R. Quality of life and social integration of severely mentally Ill patients : a longitudinal study. J Psychiatr Neurosciences, 1997, *22 (4)* : 249-255.
68. TORRENS M, SAN L, MARTINEZ A et al. Use of the nottingham health profile for measuring health status of patients in methadone maintenance treatment. Addiction, 1997, *92 (6)* : 707-716.
69. TRAN PV. Double-blind comparison of clanzapine versus risperidone in the treatment of schizophrenia and

other psychotic disorders. J Clin Psychopharmacology, 1997, *17* (*5*) : 407-418.
70. TRAUER T, DUCKMANTON RA, CHIU E. The life skills profile : a study of its psychometric properties. Aust NZ J Psychiatry, 1995, *29* (*3*) : 492-499.
71. TRAUER T, DUCKMANTON RA, CHIU E. The assessment of clinically significant change using the life skills profile. Aust NZ J Psychiatry, 1997, *31* (*2*) : 257-263.
72. VON NEUMANN J, MORGERNSTEIN O. Theory of games and economic behaviour. Princeton (NJ), Princeton University Press, 1944.
73. WALKER V, STREINER DL, NOVOSEL S et al. Health-related quality of life in patients with major depression who are treated with moclobemide. J Clin Psychopharmacology, 1995, *15* (*4 suppl 2*) : 60-67.
74. WHITE DA. Balancing act mental health. Policy making in Quebec. International Journal of Law and Psychiatry, 1996, *19* (*3/4*) : 289-307.
75. WING J, BREWIN CR, THORNICROFT G. Defining mental health needs. *In* : G Thornicroft. Measuring mental health needs. London, Royal College of Psychiatrists, London, 1992 : 1-17.
76. ZISSI A, BARRY MM, COCHRANE R. A mediational model of quality of life for individuals with severe mental health problems. Psychol Med, 1998, *28* (*5*) : 1221-1230.

Fiche technique 4

MESURE DES INDICATEURS DE RISQUE DES TROUBLES MENTAUX CHEZ LES ENFANTS ET LES ADOLESCENTS[(1)]

Le but de ce chapitre est de proposer un ensemble d'instruments de mesure des indicateurs de risque[(2)] des troubles mentaux[(3)] des enfants et des adolescents. Les variables et mesures suggérées proviennent de l'enquête québécoise sur la santé mentale des jeunes réalisée en 1992 [11, 50]. Ces variables représentent les principaux indicateurs de risque étudiés au cours des dernières recherches épidémiologiques [12, 31, 51].

Le choix des variables liées aux troubles mentaux et l'interprétation de ces variables en psychopathologie dépendent :

– des résultats d'études épidémiologiques qui comprennent de multiples variables et dans lesquelles les critères de l'American Psychiatric Association [4, 5] ont été utilisés pour définir les troubles intériorisés (épisode dépressif majeur, dysthymie, phobie simple, angoisse de séparation, hyperanxiété, anxiété généralisée) et extériorisés (déficit de l'attention avec hyperactivité, trouble d'opposition ou des conduites) les plus courants chez les enfants et les adolescents ;

– des résultats d'études épidémiologiques cliniques de type cas-témoins, qui portent plus spécifiquement sur l'association entre les troubles dépressifs et anxieux des parents, les antécédents familiaux et divers troubles mentaux observés chez leurs enfants ;

– de certains modèles théoriques appartenant au domaine de la psychologie. La majorité de l'information se trouve dans le volume 3 du rapport de recherche *Variables associées aux troubles mentaux* [11] et l'ouvrage *Épidémiologie de la santé mentale de l'enfant et de l'adolescent* ([49], p. 81-113).

Les variables étudiées dans l'enquête québécoise et présentées dans ce texte ont été groupées en trois grandes catégories :

– les caractéristiques de l'enfant ou de l'adolescent ;

– les caractéristiques familiales ;

– les caractéristiques socio-démographiques et socio-économiques.

Ce concept est compatible avec l'hypothèse d'un modèle multifactoriel des troubles mentaux suggérée, d'une part, par le modèle transactionnel qui met l'accent sur l'importance des interactions entre les caractéristiques de l'enfant (par exemple, génétique, neurobiologique, psychologique), les caractéristiques familiales (par exemple, relation parent-enfant), les caractéristiques socio-économiques et culturelles pour le développement normal et pathologique [44, 45]. La psychopathologie surviendrait lorsque le niveau de stress dépasse la capacité individuelle d'adaptation. D'autre part, le modèle écologique [7, 8, 18] propose que le développement humain s'effectue à l'intérieur de quatre sous-systèmes sociaux qui interagissent entre eux. Le macrosystème est l'ensemble des croyances et des idéologies culturelles. L'exosystème est constitué par les éléments de l'environnement qui n'impliquent pas la participation active de l'individu, mais influencent son développement. Le mésosystème implique les systèmes auxquels l'individu participe activement. Le microsystème est représenté par les interactions familiales. Dans ce contexte, les caractéristiques socio-économiques auraient une influence indirecte, par l'intermédiaire des caractéristiques familiales (par exemple, stress parental, troubles mentaux des parents, relation de couple, relation parent-enfant), sur le développement de l'enfant. Enfin, bien que les mécanismes demeurent inexpliqués, la possibilité qu'un ensemble de caractéristiques individuelles, familiales et sociales puissent intervenir dans le développement des troubles mentaux a aussi été mis en évidence ces dernières

(1) Cette fiche technique a été en grande partie réalisée par Mme Lise Bergeron, PhD, centre de recherche de l'hôpital Rivière-des-Prairies (Montréal).

(2) Le concept d'indicateur de risque est retenu puisque les variables associées aux troubles mentaux ont surtout été identifiées dans le cadre d'études transversales descriptives.

(3) Le concept de troubles mentaux est celui de l'American Psychiatric Association [4, 5]. Les critères du DSM-III ou DSM-III-R ont été utilisés pour définir la psychopathologie dans les études épidémiologiques récentes.

années par le modèle systémique de Cummings et Davies [22] et des données empiriques provenant de différents paradigmes de recherche [43, 49].

CARACTÉRISTIQUES DE L'ENFANT OU DE L'ADOLESCENT

L'âge, un marqueur de risque, peut être considéré comme un indicateur du développement cognitif [59], émotionnel [26] et social [36]. Contrairement aux études épidémiologiques antérieures, dans l'enquête québécoise, les variables associées aux troubles mentaux ont été analysées selon trois groupes d'âge (6 à 8 ans, 9 à 11 ans, 12 à 14 ans). Cette nouvelle approche permet de prendre en compte le niveau d'organisation intellectuelle, émotionnelle et sociale correspondant à un groupe d'âge donné et, dans ce sens, est conforme à l'orientation des recherches centrées sur les dimensions développementales de la psychopathologie [1, 20, 39, 40].

Les autres caractéristiques individuelles retenues dans l'enquête sont suggérées par les données épidémiologiques. Les études antérieures ont mis en évidence l'importance d'indicateurs tels que le sexe, le retard scolaire (redoublement au moins une fois), le nombre d'événements stressants, la maladie physique et un niveau faible de compétence sociale [3, 15, 30, 31].

CARACTÉRISTIQUES FAMILIALES

Bien que l'approche écosystémique [18, 22] accorde une importance particulière aux caractéristiques familiales, celles-ci étaient peu étudiées dans les recherches épidémiologiques antérieures à l'enquête québécoise. À l'exception de la structure familiale [51] et de la relation de couple [15] proposées par les données épidémiologiques récentes, les variables retenues dans l'enquête proviennent de différentes sources.

En plus des caractéristiques individuelles et socio-économiques suggérées par les études précédentes, d'autres caractéristiques familiales ont été prises en compte dans l'EQSMJ [11]. Les troubles dépressifs et anxieux (fondés sur les critères du DSM) et les antécédents familiaux de comportements suicidaires et de troubles mentaux dans la famille élargie ont été évoqués lors des recherches conduites dans les populations cliniques [13, 14, 27, 33, 52-55]. La théorie de l'apprentissage social [29, 34, 35] tient compte de la relation parent-enfant pour la psychopathologie. Le modèle écologique [7, 8, 18] prend en compte la perception subjective du stress des parents [28] liée aux événements stressants ainsi que le soutien social parental. D'autres variables telles que le nombre de personnes vivant au foyer, la position dans la fratrie et la situation d'enfant unique étaient évoquées lors des premiers travaux épidémiologiques [32, 42] ainsi que certaines données provenant de la population clinique [25, 37].

CARACTÉRISTIQUES SOCIO-DÉMOGRAPHIQUES ET SOCIO-ÉCONOMIQUES

Tel que mentionné pour les caractéristiques individuelles, les données épidémiologiques antérieures à l'enquête québécoise ont suggéré l'influence des caractéristiques sociales sur les troubles mentaux des jeunes [3, 15, 31, 51]. Dans ce contexte, le niveau de scolarité des parents [51] et le revenu familial [31] représentent des indicateurs de risque plus importants [21] pour la psychopathologie.

LIMITES DU PROTOCOLE DE L'ENQUÊTE QUÉBÉCOISE

Deux limites doivent être mentionnées. Premièrement, les variables neurobiologiques et cognitives sont peu étudiées en épidémiologie concernant les troubles mentaux des jeunes. Aucun consensus n'existe sur le type de mesure utilisable dans le cadre d'une recherche de population. Deuxièmement, l'identification des facteurs de protection exige un protocole de recherche complexe, impliquant le contrôle de la condition à risque [41]. Les hypothèses concernent surtout le tempérament, le niveau intellectuel ou social, la relation de couple et la relation parent-enfant [32]. Cependant, jusqu'à présent, l'évaluation systématique de l'impact de ces facteurs sur les conditions de vulnérabilité est très peu documentée [12, 49].

INSTRUMENTS DE MESURE DES INDICATEURS DE RISQUE DANS L'ENQUÊTE QUÉBÉCOISE SUR LA SANTÉ MENTALE DES JEUNES

Une brève description des indicateurs de risque étudiés dans l'enquête québécoise [11] est proposée au tableau FT4-I. Ces indicateurs ont été évalués par les parents (92,5 p. 100 de mères biologiques) des enfants et des adolescents de 6 à 14 ans. Les adolescents de 12 à 14 ans ont aussi évalué les événements stressants et la relation parent-enfant. La définition de chacune des variables correspond aux différentes mesures prévues dans le cadre des analyses statistiques. Les questions, qui proviennent de divers instruments (*voir* la source des références), ont été groupées dans deux types de questionnaires :

– des questionnaires d'entrevue présentés aux parents (questionnaire entrevue parent [QEP]) et aux adolescents (questionnaire entrevue adolescent [QEA]) ;

– un questionnaire auto-administré complété par le parent (questionnaire auto-administré parent [QAAP]).

Ces questionnaires se trouvent dans le volume 1 du rapport de recherche *Méthodologie* [50]. Ce volume donne une description détaillée des variables et des

TABLEAU FT4-I. – INDICATEURS DE RISQUE ÉTUDIÉS DANS L'ENQUÊTE QUÉBÉCOISE SUR LA SANTÉ MENTALE DES JEUNES DE 6 À 14 ANS (modifié d'après [11])

	IDENTIFICATION ET DÉFINITION DE LA VARIABLE	GROUPE D'ÂGE/ INFORMATEUR	SOURCE DE RÉFÉRENCE
1	**Caractéristiques de l'enfant ou de l'adolescent**		
1.1	*Âge* (6, 7, 8, 9, 10, 11, 12, 13 et 14)		
1.2	*Sexe* (fille/garçon)		
1.3	*Indice de cheminement scolaire*, 2 catégories : – cheminement régulier – cheminement irrégulier : retard scolaire ou programme spécialisé pour troubles d'apprentissage, émotionnels ou comportementaux	6-14 ans (P)	Équipe de recherche HRDP, ministère de l'Éducation (consultants)
1.4	*Indice de compétence sociale* : score établi selon le nombre d'amis et la fréquence de participation (6 mois) à des activités de groupe (scores de 0 à 19)	6-14 ans (P) 12-14 ans (A)	CBCL [2], version modifiée
1.5	*Indices de stress* :		LEC [23], version modifiée
	– nombre d'événements vécus au cours de 6 mois	6-14 ans (P) 12-14 ans (A)	
	– échelle de perception du degré de stress vécu au cours de 6 mois (scores de 0 à 69)	12-14 ans (A)	
	– nombre d'événements vécus au cours de la vie et périodes (scores de 0 à 60)	6-14 ans (P)	
1.6	*Indice de santé physique*, 3 catégories : – aucune maladie – une ou plusieurs maladies physiques chroniques (durée d'au moins 6 mois), sans diminution de l'autonomie ou consommation de médicaments – une ou plusieurs maladies physiques chroniques avec diminution de l'autonomie ou consommation de médicaments	6-14 ans (P)	Rapport de l'enquête santé Québec 1987, équipe de recherche HRDP
2	**Caractéristiques familiales**		
2.1	*Structure familiale*, 3 catégories : – deux parents biologiques ou adoptifs – un seul parent sans conjoint (famille monoparentale) – un seul parent avec conjoint (famille reconstituée)	6-14 ans (P)	SURF [19]
2.2	*Nombre de personnes au foyer*, 3 catégories : – 2 ou 3 personnes – 4 personnes – 5 personnes ou plus	6-14 ans (P)	Équipe de recherche HRDP
2.3	*Position dans la fatrie*, 4 catégories : – enfant unique – premier – deuxième – troisième ou plus	6-14 ans (P)	Équipe de recherche HRDP
2.4	*Sexe des membres de la fatrie*, 4 catégories : – enfant unique – autre(s) enfant(s) de même sexe que le sujet – autre(s) enfant(s) du sexe opposé – frère(s) et sœur(s)	6-14 ans (P)	SURF [19]
2.5*	*Mode de garde*, 2 catégories : – garde exclusive – conjointe ou partagée	6-14 ans (P)	CSSMM (consultants)
2.6*	*Nombre d'année(s) vécue(s) avec le parent absent*	6-14 ans (P)	Michel Tousignant, LAREHS, UQAM
2.7*	*Indice de l'intensité des contacts avec le parent absent*, 3 catégories : – avoir passé la nuit au moins une fois par mois – visite, téléphone, lettre ou moins une fois durant 6 moins – aucun contact	6-14 ans (P)	Michel Tousignant, LAREH, UQAM
2.8	*Troubles mentaux du parent au cours de la vie*, 3 types de trouble : – épisode dépressif majeur – phobie – trouble panique ou anxiété généralisée	6-14 ans (P)	DISSA [24]

TABLEAU FT4-I. – INDICATEURS DE RISQUE ÉTUDIÉS DANS L'ENQUÊTE QUÉBÉCOISE SUR LA SANTÉ MENTALE DES JEUNES DE 6 À 14 ANS (modifié d'après [11]) *(suite)*

	Identification et définition de la variable	Groupe d'âge/ informateur	Source de référence
2.9	*Antécédent familial* : présence versus absence de comportements suicidaires ou d'hospitalisation(s) pour troubles mentaux	6-14 ans (P)	DISSA [24], version modifiée
2.10*	*Indices de consommation d'alcool* : – fréquence (de chaque jour à jamais) sur 6 mois – nombre de consommations durant 7 jours – présence versus absence de problèmes liés à la consommation d'alcool (6 mois)	6-14 ans (P)	Rapport de l'enquête santé Québec 1987
2.11*	*Consommation de drogues* : présence versus absence de consommation de drogues illégales ou de médicaments sans prescription ou au-delà de la dose prescrite, plus de cinq fois au cours de la vie	6-14 ans (P)	Rapport de l'enquête santé Québec 1987
2.12	*Indices du stress vécu par le parent* : – nombre d'événements au cours de 6 mois – perception du niveau de stress au cours de 6 mois (scores de 0 à 66)	6-14 ans (P)	LES [47], version modifiée
2.13	*Relation parent-enfants* :		
	– comportements et attitudes du parent perçus par le parent : déviation à la moyenne (cote Z) pour les échelles de soin, conduites punitives et attitudes favorisant l'autonomie (6 mois)	6-14 ans (P)	QCAP [10]
	– comportements et attitude de la mère et du père perçus par l'adolescent : déviation à la moyenne pour les trois échelles (6 mois)	12-14 ans (A)	QCAP [10]
2.14	*Relation de couple* : score aux échelles de consensus (0 à 65), satisfaction (0 à 49), entente (0 à 24) et affectivité (6 mois)	6-14 ans (P)	DAS [6, 48]
2.15	Indice de soutien social : score sur une échelle de 9 points mesurant le soutien actuel reçu par le conjoint ou d'autres personnes au sujet de l'enfant	6-14 ans (P)	Camil Bouchard, LAREH, UQAM [16]
2.16	*Indice de santé physique au foyer* : mesure de l'état de santé définie par la somme du nombre de maladies physiques chroniques (durée de 6 mois ou plus) et du nombre de catégories de personnes atteintes	6-14 ans (P)	Équipe de recherche HRDP
3	**Caractéristiques socio-démographiques**		
3.1	*Type d'habitation*	6-14 ans (P)	Rapport de l'enquête santé Québec 1987
3.2*	*Lieu de naissance de l'enfant cible*	6-14 ans (P)	Rapport de l'enquête santé Québec 1987
3.3*	*Âge de la mère et du père*	6-14 ans (P)	Rapport de l'enquête santé Québec 1987
3.4*	*Lieu de naissance de la mère et du père*	6-14 ans (P)	Rapport de l'enquête santé Québec 1987
3.5	*Langue maternelle de l'enfant cible*	6-14 ans (P)	Rapport de l'enquête santé Québec 1987
3.6*	*Langue utilisée au sein du foyer*	6-14 ans (P)	Rapport de l'enquête santé Québec 1987
4	**Caractéristiques socio-économiques**		
4.1	*Statut social de la mère* (4 catégories) et du *père* (catégories 1, 2 ou 4) : – travaille à plein temps – travaille à temps partiel – tient la maison – autres	6-14 ans (P)	Rapport de l'enquête santé Québec 1987
4.2	*Niveau de scolarité complété par la mère et le père*, 3 catégories : – secondaire ou moins – collégial ou équivalent – universitaire	6-14 ans (P)	Rapport de l'enquête santé Québec 1987
4.3	*Indice de revenu familial suffisant*, 4 catégories (indice défini à l'aide du revenu familial de la dernière année et du nombre de personnes au foyer) : – très pauvre – pauvre – revenu moyen inférieur – revenu moyen supérieur et élevé	6-14 ans (P)	Russell Wilkins, division de la Santé, Statistique Canada (1993)

P : parent ; E : enfant ; A : adolescent ; HRDP : hôpital Rivière-des-Prairies (Montréal).
* Variables non comprises dans les analyses statistiques.

qualités psychométriques des instruments. Cette information est résumée ci-dessous.

CARACTÉRISTIQUES DE L'ENFANT OU DE L'ADOLESCENT

Ces caractéristiques se trouvent dans le questionnaire entrevue parent (QEP). La « compétence sociale » et les événements stressants font aussi partie du questionnaire entrevue adolescent (QEA).

Âge et sexe. L'âge et le sexe représentent des marqueurs ou indicateurs des changements biologiques, psychologiques et sociaux, qui se manifestent au cours du développement.

Cheminement scolaire. Le cheminement scolaire est décrit par un indice défini à partir du type de programme (régulier ou spécialisé), du nombre d'années scolaires redoublées et de l'écart entre l'âge (au 30 septembre) et le niveau scolaire.

« Compétence sociale ». La compétence sociale est évaluée grâce à trois questions du *child behavior checklist* (CBCL) [2]. Ces questions portent sur la fréquence de participation à des groupes au cours des six derniers mois, ainsi que sur le nombre d'amis et sur la fréquence des activités avec des amis au cours de la dernière semaine. La validité de critère et la fidélité test-retest de la version originale de l'échelle de compétence sociale ont été étudiées [2].

Événements stressants. La liste des événements stressants est une version modifiée du *life event checklist* (LEC) [23]. Celle-ci comprend 23 événements interprétés dans la littérature comme des situations indésirables, à l'exception de quelques-unes (par exemple, l'adoption, le déménagement, la naissance d'un frère ou d'une sœur) qui peuvent être perçues de façon positive. Tout événement susceptible d'être interprété comme un symptôme (par exemple, les problèmes reliés au sommeil, les conflits avec l'enseignant ou les pairs) a été éliminé de la liste afin d'éviter toute confusion avec les problèmes de santé mentale. Le stress ressenti par l'adolescent est évalué selon quatre degrés d'intensité : extrêmement, assez, peu ou pas du tout bouleversant. La fidélité test-retest de la version originale de l'instrument a été étudiée [17].

Maladie physique chronique. La maladie physique chronique de l'enfant ou de l'adolescent est évaluée par un indice défini à partir de trois mesures :

– une liste de trente problèmes de santé d'une durée de six mois ou plus proposée par la *Classification internationale des maladies*, 9e révision (CIM-9) [56-58] et la *service utilization and risk factor interview* (SURF) [19] ;

– trois questions générales qui portent sur la diminution de l'autonomie d'action pendant la période de la maladie ;

– une question sur la consommation de médicaments durant la dernière semaine.

Cette approche s'inspire du protocole de l'enquête Santé Québec de 1987 (*voir* [46], cahier 87-03).

CARACTÉRISTIQUES FAMILIALES

Certaines caractéristiques familiales se trouvent dans le questionnaire auto-administré parent (QAAP) : troubles mentaux, consommation d'alcool et de drogues, événements stressants, manière dont le parent conçoit la relation parent-enfant et la relation de couple. Les autres caractéristiques familiales font partie du questionnaire entrevue parent (QAP). La manière dont l'adolescent perçoit sa relation avec sa mère et son père est évaluée dans le questionnaire entrevue adolescent (QEA).

Structure familiale et nombre de personnes au foyer. Ces variables sont évaluées en posant des questions sur les personnes qui ont habité avec l'enfant ou l'adolescent au cours des six derniers mois et sur les liens qu'elles ont entretenus avec le jeune. Les concepts de parent, frère ou sœur sont définis par le lien biologique ou adoptif (SURF) [19].

Position dans la fratrie et sexe des membres de la fratrie. On détermine la position du jeune dans sa fratrie à partir de questions concernant ses frères et sœurs, qu'ils habitent ou non dans le foyer. Le sexe des membres de la fratrie est identifié à l'aide de trois questions inspirées de la *service utilization and risk factor interview* (SURF) [19].

Mode de garde, nombre d'année(s) vécue(s) et intensité des contacts avec le parent absent. Ces trois variables sont mesurées à partir de cinq questions qui ne concernent que les familles monoparentales (un seul parent biologique ou adoptif sans conjoint) ou reconstituées (un seul parent biologique ou adoptif avec conjoint).

Troubles mentaux du parent et antécédents familiaux. Cinq troubles mentaux sont évalués au cours de la vie du parent par le *diagnostic interview schedule self-administered* (DISSA) [24] : épisode dépressif majeur, phobie simple, agoraphobie, trouble panique et anxiété généralisée. Le DISSA est une version abrégée du diagnostic interview schedule (DIS) [38] élaboré selon la classification DSM-III [4]. La validité de critère du DISSA a été étudiée sur un échantillon d'adultes de Montréal à l'aide de comparaisons avec le DIS et le jugement clinique établi selon le DSM-III [24]. En raison du très faible pourcentage du trouble panique chez les parents des jeunes de 6 à 14 ans du Québec, les quelques parents ayant ce trouble ont été regroupés avec les parents qui présentent un diagnostic d'anxiété généralisée (*voir* tableau FT4-I) dans les analyses statistiques.

Les antécédents familiaux sont évalués à l'aide de quatre questions inspirées du DISSA. Elles identifient les personnes de la famille du parent qui ont manifesté des comportements suicidaires au cours de leur vie ou qui ont été hospitalisées pour un problème de santé mentale.

Consommation d'alcool et de drogues par le parent. Les questions concernant les habitudes et les problèmes liés à la consommation d'alcool et de drogues par le parent au cours de sa vie sont tirées du protocole de l'enquête santé Québec de 1987 (*voir* [46], cahier 87-03).

Événements stressants vécus par le parent. La liste d'événements stressants est une version modifiée du *life experience survey* (LES) [47]. Celle-ci comprend 23 événements interprétés comme des changements majeurs dans la littérature. Le stress ressenti par le parent est mesuré pour chaque situation selon quatre degrés d'intensité : extrêmement, assez, peu ou pas du tout, bouleversant. La fidélité de la version originale du LES a été étudiée [47].

Relation parent-enfant. La manière dont le parent s'occupe de son enfant ainsi que les comportements punitifs et les attitudes favorisant l'autonomie sont mesurés à l'aide du questionnaire sur les comportements et attitudes des parents (QCAP) mis au point dans le service de recherche de l'hôpital Rivière-des-Prairies de Montréal [9] et validé (analyse factorielle, consistance interne, test-retest) dans le cadre de l'enquête québécoise sur la santé mentale des jeunes [10, 50].

Relation de couple. Le degré de consensus, de satisfaction, d'entente et d'affectivité exprimé dans le couple est évalué par le *dyadic adjustment scale* (DAS). Cet instrument a été validé (analyse factorielle, consistance interne) aux États-Unis [48]. Une étude de validation de la version française du DAS a été réalisée au Québec [6].

Soutien social. Trois questions, tirées du questionnaire sur le soutien social proposé par Bouchard et Desfossés [16], permettent au parent d'évaluer la fréquence à laquelle il reçoit de l'aide du conjoint ou d'autres personnes pour des tâches parentales. Ces questions mesurent :

– le soutien affectif (par exemple, écouter l'enfant lorsqu'il a besoin de se confier) ;

– l'aide apportée pour des tâches concrètes (par exemple, accompagner l'enfant dans ses activités) ;

– le soutien pour certaines tâches éducatives (par exemple, donner des explications et des conseils à l'enfant).

Les six questions de l'échelle originale ont été soumises à l'analyse factorielle lors de l'étude pilote [9]. Les trois paramètres retenus dans l'enquête étaient les plus fortement associés au facteur soutien social [50].

Maladie physique chronique au foyer. Les trois mesures proposées pour définir l'indice de santé physique de l'enfant ou de l'adolescent (*voir* plus haut) sont utilisées pour évaluer l'état de santé des personnes qui vivent avec le jeune (parents, frères et sœurs).

CARACTÉRISTIQUES SOCIO-DÉMOGRAPHIQUES ET SOCIO-ÉCONOMIQUES

Les caractéristiques sociodémographiques (*voir* tableau FT4-I) sont mesurées à l'aide d'une série de questions tirées du protocole de l'enquête santé Québec de 1987 (*voir* [46], cahier 87-03).

Les caractéristiques socio-économiques sont évaluées à l'aide de questions inspirées aussi du protocole de l'enquête santé Québec 1987. Toutefois, la notion de revenu familial suffisant a été définie par Russell Wilkins de la division de la Santé, Statistique Canada. La variable « revenu suffisant » prend en compte deux composantes :

– le nombre de personnes ayant vécu dans la famille au cours des six derniers mois ;

– un ensemble de critères qui définissent les seuils entre les quatre catégories de revenu : très pauvre, pauvre, revenu moyen inférieur, revenu moyen supérieur et élevé [50].

RÉFÉRENCES

1. ACHENBACH TM. What is « developmental » about developmental psychopathology ? *In* : J Rolf, AS Masten, D Cicchetti et al. Risk and protective factors in the development of psychopathology. New York, Cambridge University Press, 1990 : 29-48.
2. ACHENBACH TM, EDELBROCK CS. Manual for the child behavior checklist and revised child behavior profile. Burlington, University of Vermont Department of Psychiatry, 1983.
3. ANDERSON J, WILLIAMS S, MCGEE R, SILVA P. Cognitive and social correlates of DSM-III disorders in preadolescent children. Journal of the American Academy of Child and Adolescent Psychiatry, 1989, *28* (*6*) : 842-846.
4. AMERICAN PSYCHIATRIC ASSOCIATION. Manuel diagnostique et statistique des troubles mentaux (DSM-III). Paris, Masson, 1983.
5. AMERICAN PSYCHIATRIC ASSOCIATION. Manuel diagnostic et statistique des troubles mentaux (DSM-III-R). Paris, Masson, 1989.
6. BAILLARGEON J, DUBOIS G, MARINEAU R. Traduction française de l'échelle d'ajustement. Revue Canadienne des Sciences du Comportement, 1986, *18* (*1*) : 25-34.
7. BELSKY J. The determinants of parenting : a process model. Child Dev, 1984, *55* : 83-96.
8. BELSKY J, VONDRA J. Lessons from child abuse : the determinants of parenting. *In* : D Cicchetti, V Carlson. Child maltreatment : theory and research on the causes and consequences of child abuse and neglect. New York, Cambridge University Press, 1989 : 153-202.
9. BERGERON L, VALLA JP, BRETON JJ. Pilot study for the Quebec child mental health survey. Part II : correlates of DSM-III-R criteria among 6 to 14 year olds. Can J Psychiatry, 1992, *37* (*6*) : 381-386.
10. BERGERON L, VALLA JP, BRETON JJ et al. Factor analysis and reliability of parental behavior and attitudes questionnaire. Présentation au 40e congrès annuel de l'American Academy of Child and Adolescent Psychiatry, San Antonio (Texas), 1993.
11. BERGERON L, VALLA JP, BRETON JJ et al. Enquête québécoise sur la santé mentale des jeunes de 6 à 14 ans, 1992. Rapport de recherche, volume 3. Variables associées aux troubles mentaux. Hôpital Rivière-des-Prairies et Santé Québec, en collaboration avec le ministère de la Santé et des Services sociaux, 1997, 332 pages.
12. BERGERON L, VALLA JP, BRETON JJ, GAUDET N et al. Correlates of mental disorders among general population 6-to-14-years-old in Quebec. J Abnorm Child Psychol, 2000, *28* (*1*) : 41-62.
13. BIEDERMAN J, FARAONE SV, KEENAN K et al. Family-genetic and psychosocial risk factors in DSM-III attention deficit disorder. Journal of the American Academy of Child and Adolescent Psychiatry, 1990, *29* (*4*) : 526-533.

14. BIEDERMAN J, FARAONE SV, KEENAN K et al. Evidence of familial association between attention deficit disorder and major affective disorders. Arch Gen Psychiat, 1991, *48* : 633-642.
15. BIRD HR, GOULD MS, YAGER T et al. Risk factors for maladjustment in Puerto Rican children. Journal of the American Academy of Child and Adolescent Psychiatry, 1989, *28 (6)* : 847-850.
16. BOUCHARD C, DESFOSSÉS E. Utilisation des comportements coercitifs envers les enfants : stress, conflits et manque de soutien dans la vie des mères. Apprentissage et socialisation, 1989, *12 (1)* : 19-28.
17. BRAND AH, JOHNSON JH. Note on reliability of the life events checklist. Psychol Rep, 1982, *50* : 1274.
18. BRONFENBRENNER U. The ecology of human development : experiments by nature and design. Cambridge, Harvard University Press, 1979.
19. CHILD ECA Project Service utilization and risk factor interview. New York, New York Psychiatric Institute, Columbia University, 1990.
20. CICCHETTI D. A historical perspective on the discipline of developmental psychopathology. *In* : J Rolf, AS Masten, D Cicchetti et al. Risk and protective factors in the development of psychopathology. New York, Cambridge University Press, 1990 : 1-28.
21. COSTELLO EJ. Developments in child psychiatric epidemiology. Journal of the American Academy of Child and Adolescent Psychiatry, 1989, *28 (6)* : 836-841.
22. CUMMINGS EM, DAVIES PT. Maternal depression and child development. Journal of Child Psychology and Psychiatry, 1994, *35 (1)* : 73-112.
23. JOHNSON JH, MCCUTCHEON SM. Assessing life stress in older children and adolescents : preliminary findings with the life events checklist. *In* : IG Sarason, CD Spielberger. Stress and anxiety. Washington, Hemisphere, 1980.
24. KOVESS V, FOURNIER L. The DISSA : an abridged self-administered version of the DIS. Social Psychiatry and Psychiatric Epidemiology, 1990, *25* : 179-186.
25. LAHEY BB, HAMMER D, CRUMRINE PL, FOREHAND RL. Birth order × sex interactions in child behavior problems. Dev Psychol, 1980, *16 (6)* : 608-615.
26. LANE RD, SCHWARTZ GE. Levels of emotional awareness : a cognitive-developmental theory and its application to psychopathology. Am J Psychiatry, 1987, *144 (2)* : 133-143.
27. LAST CG, HERSEN M, KAZDIN A et al. Anxiety disorders in children and their families. Arc Gen Psychiat, 1991, *48* : 928-934.
28. LAZARUS RS, FOLKMAN S. Stress, appraisal, and coping. New York, Springer, 1984.
29. MACCOBY EE, MARTIN JA. Socialization in the context of the family : parent-child interaction. *In* : EM Hetherington. Socialization, personality and social development, vol. 4. Handbook of child psychology, 4th ed. New York, John Wiley and Sons, 1983 : 1-101.
30. MCGEE R, WILLIAMS S. Social competence in adolescence : preliminary findings from a longitudinal study of New Zealand 15-year-olds. Psychiatry, 1991, *54* : 281-291.
31. OFFORD DR, BOYLE MH, RACINE Y. Ontario child health study : correlates of disorder. Journal of the American Academy of Child and Adolescent Psychiatry, 1989, *28 (6)* : 856-860.
32. OFFORD DR, FLEMING JE. Epidemiology. *In* : M Lewis. Child and adolescent psychiatry : a comprehensive textbook. Baltimore, Williams & Wilkins, 1991 :1156-1168.
33. ORVASCHEL H. Early onset psychiatric disorder in high risk children and increased familial morbidity. Journal of the American Academy of Child and Adolescent Psychiatry, 1990, *29 (2)* : 184-188.
34. PATTERSON GR. Coercive family process. Eugene (OR), Castalia Press, 1982.
35. PATTERSON GR, REID JB, DISHION TJ. A social interactional approach. Antisocial Boys, vol. 4. Eugene (OR), Castalia Press, 1992.
36. PETTIT GS. Developmental theories. *In* : VB van Hasselt, M Hersen. Handbook of social development : a lifespan perspective. New York, Plenum Press, 1992 : 3-28.
37. PIACENTINI JC, LAHEY BB. Birth-order and sex differences in the frequency of referral of children for psychological treatment : a partial replication and extension. Journal of Psychopathology and Behavioral Assessment, 1986, *8 (2)* : 157-167.
38. ROBINS LN, HELZER JE, CROUGHAN J, RATCLIFF KS. National Institute of Mental Health diagnostic interview schedule. Its history, characteristics and validity. Arch Gen Psychiat, 1981, *38* : 381-389.
39. RUTTER M. Epidemiological approaches to developmental psychopathology. Arch Gen Psychiat, 1988, *45* : 486-495.
40. RUTTER M. Isle of Wight revisited : twenty-five years of child psychiatric epidemiology. Journal of the American Academy of Child and Adolescent Psychiatry, 1989, *28 (5)* : 633-653.
41. RUTTER M. Psychosocial resilience and protective mechanisms. *In* : J Rolf, AS Masten, D Cicchetti et al. Risk and protective factors in the development of psychopathology. New York, Cambridge University Press, 1990 : 181-214.
42. RUTTER M, COX A. Other family influences. *In* : M Rutter, L Hersov. Child and adolescent psychiatry modern approaches, 2nd ed. Oxford, Blackwell Scientific Publications, 1985 : 58-81.
43. RUTTER M, DUNN J, PLOMIN R et al. Integrating nature and nurture : implications of person-environment correlations and interactions for developmental psychopathology. Development and Psychopathology, 1997, *9* : 335-364.
44. SAMEROFF AJ, CHANDLER MJ. Reproductive risk and the continuum of caretaking casualty. *In* : FD Horowitz, M Hetherington, S Scarr-Salapatek, GM Siegel. Review of child development research, vol. 4. Chicago, University of Chicago Press, 1975 : 187-244.
45. SAMEROFF A, SEIFER R. Early contributors to developmental risk. *In* : J Rolf, AS Masten, D Cicchetti et al. Risk and protective factors in the development of psychopathology. New York, Cambridge University Press, 1990 : 3-66.
46. SANTÉ QUÉBEC. Sources et justifications des questions utilisées dans l'enquête santé Québec. Cahier technique 87-03. Québec, Les publications du Québec, 1987.
47. SARASON IG, JOHNSON JH, SIEGEL JM. Assessing the impact of life changes : development of the life experiences. Journal of Consulting and Clinical Psychology, 1978, *46* : 932-946.
48. SPANIER GB. Measuring dyadic adjustment : new scales for assessing the quality of marriage and similar dyads. Journal of Marriage and the Family, 1976, *38* : 15-28.
49. VALLA JP, BERGERON L. L'épidémiologie de la santé mentale de l'enfant et de l'adolescent. Paris, PUF, 1994.
50. VALLA JP, BERGERON L, BRETON JJ et al. Enquête québécoise sur la santé mentale des jeunes de 6 à 14 ans, 1992. Rapport de recherche, vol. 1 : méthodologie. Hôpital Rivière-des-Prairies et Santé Québec, en collaboration avec le ministère de la Santé et des Services sociaux, 1997, 112 pages et annexes.
51. VELEZ CN, JOHNSON J, COHEN P. A longitudinal analysis of selected risk factors for childhood psychopathology. Journal of the American Academy of Child and Adolescent Psychiatry, 1989, *28 (6)* : 861-864.
52. WEISSMAN MM, GAMMON GD, JOHN K et al. Children of depressed parents. Arch Gen Psychiat, 1987b, *44* : 847-853.
53. WEISSMAN MM, LECKMAN JF, MERIKANGAS KR et al. Depression and anxiety disorders in parents and children. Arch Gen Psychiat, 1984, *41* : 845-852.

54. WEISSMAN MM, WARNER V, WICKRAMARATNE P, PRUSOFF BA. Early-onset major depression in parents and their children. J Affect Dis, 1988, *15* : 269-277.
55. WEISSMAN MM, WICKRAMARATNE P, WARNER V et al. Assessing psychiatric disorders in children. Arch Gen Psychiat, 1987a, *44* : 747-753.
56. WORLD HEALTH ORGANIZATION. The international classification of diseases, 9th revision. Geneva, WHO, 1978.
57. WORLD HEALTH ORGANIZATION. The international classification of diseases, 9th revision, 2nd ed. Geneva, WHO, 1980.
58. WORLD HEALTH ORGANIZATION. The international classification of diseases, 9th revision, 3rd ed. Geneva, WHO, 1989.
59. YATES T. Theories of cognitive development. *In* : M Lewis. Child and adolescent psychiatry : a comprehensive textbook. Baltimore, Williams & Wilkins, 1991 : 109-129.

Fiche technique 5

MESURES D'ÉVALUATION INDIVIDUELLE DE BESOINS DE SOINS[(1) (2)]

Ces mesures d'évaluation permettent d'obtenir, de façon systématique, les résultats des différentes étapes de la détermination des besoins de soins d'un individu. On part des différentes dimensions de la santé mentale : troubles mentaux, fonctionnement social, détresse pour établir les interventions reçues et évaluer celles qui sont requises. On détermine ensuite qui va rendre ces interventions (c'est-à-dire les ressources).

Ces méthodes résultent des recherches relatives aux soins et à la réadaptation psychosociale des personnes souffrant de troubles mentaux graves et chroniques. Certaines procédures reproduisent aussi le processus de décision d'une équipe multidisciplinaire de réadaptation : cette dernière doit idéalement :

– évaluer les différentes problématiques cliniques et psychosociales ;

– déterminer ensuite les interventions pouvant le mieux régler ou améliorer ces problématiques compte tenu des interventions déjà tentées et acceptables pour la personne ;

– désigner un ou plusieurs membres de l'équipe ou partenaires du système de services de santé mentale pour rendre ces interventions.

Ces méthodes ont été très tôt critiquées car on pensait qu'elles confondaient évaluation des faits et jugement clinique [30]. Le débat porte sur le fait que la détermination d'un traitement approprié ou adéquat pour un patient donné implique un jugement clinique fondé sur la combinaison de connaissances scientifiques et de la situation particulière du patient. Ainsi, avant de recommander un traitement, les cliniciens doivent-ils savoir si son efficacité a été démontrée empiriquement. Les études cliniques portent invariablement sur des patients avec des caractéristiques cliniques particulières (par exemple, sans comorbidité). Si les études sur l'efficacité des interventions psychopharmacologiques, psychothérapeutiques ou de réadaptation sont très nombreuses, la complexité des problématiques présentées, en particulier par les personnes souffrant de troubles mentaux graves, est telle que, à ce stade-ci de nos connaissances, il est impossible de fournir des arbres de décision sérieux qui associeraient à une problématique donnée une série de choix d'efficacité connue et prévisible. Avant de décider d'un traitement pour un patient en particulier, le clinicien doit apprécier son état clinique et voir si ce dernier correspond aux indications du traitement. D'autres questions doivent être posées : l'état du patient s'améliorerait-il sans le traitement préconisé ? Le niveau de détresse ou d'incapacité justifie-t-il les inconvénients liés au traitement ? etc.

Ces méthodes représentent pourtant une avancée méthodologique importante car au sein d'un cadre conceptuel donné sur les besoins, d'une bonne formation, elles ont démontré une bonne fiabilité – premier élément indiquant leur validité. Cette fiabilité a toutefois été difficile à reproduire entre différents pays européens pour un instrument comme le NFCAS quand on a tenté des études multicentriques ou même entre des sites d'un même pays, surtout pour des clientèles différentes [2]. Ces limites doivent être considérées comme indicatives de plusieurs enjeux de la détermination des besoins soulignés plus haut. En premier lieu, il faut considérer la qualité des études comparatives réalisées : a-t-on veillé à une formation comparable des milieux, compatible avec celle recommandée pour chacun des instruments, avec les contrôles de qualité inhérents ? Viennent ensuite les enjeux techniques : on doit disposer d'instruments bien conçus pour leurs utilisateurs, simples et favorisant la fiabilité dans leur

(1) La liste d'instruments décrits dans cette fiche technique n'étant pas forcément exhaustive, des informations supplémentaires peuvent être obtenues en consultant le site internet du Réseau de la santé mentale au Québec (RSMQ) : http://www.mcgill.ca/rsmq/fr/fressourcescommunes.htm.

(2) Ce texte a été rédigé par A. Lesage.

utilisation. Les enjeux culturels vont aussi influencer la définition des problématiques requérant des soins dans une société donnée, mais aussi les modèles de soins dans les différents services. Si les modèles de soins et leur application sous-tendus par un instrument ne correspondent pas, les besoins évalués risquent d'être différents. Plus encore, plusieurs études récentes montrent que la perception des besoins mesurée avec les mêmes instruments est différente selon que l'on interroge le patient ou l'équipe traitante [4, 23].

En considérant notre cadre conceptuel de besoins, la différence de résultats entre les usagers et les intervenants ne prouve pas nécessairement que l'instrument soit invalide ; en effet, on ne peut évaluer les besoins que si l'instrument peut permettre de démontrer qu'il existe des différences de perspectives ou des points de convergence sur certains points. Le même raisonnement peut expliquer des différences dans l'évaluation des besoins d'un même cas quand les équipes différentes ont des modèles de soins différents ; aussi des résultats divergents ne doivent-ils pas apparaître comme une preuve d'invalidité de l'instrument, mais au contraire comme une mesure valide de ces différences dans l'évaluation des besoins que cet instrument est justement censé mesurer. Ces méthodes auraient pour rôle de mesurer les besoins non pas de façon absolue, mais de façon compatible avec le cadre conceptuel qui reconnaît justement que les besoins dépendent de la personne qui l'évalue (l'usager ou l'intervenant, l'équipe de services publics ou l'équipe des ressources communautaires, l'équipe française ou l'équipe espagnole). Une fois ce problème de validité bien compris, il est essentiel de pouvoir démontrer comment une méthode donnée demeure reproductible, c'est-à-dire comment pour un groupe donné, dans un site donné et avec un modèle de soins donné, on obtient des résultats qui peuvent être répétés entre les observateurs.

Les méthodes de mesure individuelles des besoins de soins diffèrent quant à leur capacité de rapporter les trois niveaux que représentent les problématiques, les interventions et les ressources. Elles diffèrent aussi en ce qui concerne les personnes qui portent un jugement sur les besoins : un jugement par algorithme d'experts ; celui de l'équipe traitante ou de l'usager relevé par l'intervieweur ; celui de l'intervieweur, donc de l'équipe de recherche.

Les méthodes de mesure individuelles des besoins peuvent être classées en deux séries en fonction du degré de prédétermination du jugement clinique. Ainsi une première série de procédures a-t-elle développé un algorithme avec l'aide d'experts qui ont défini en moyenne les niveaux de soins requis par une personne présentant une combinaison donnée de problématiques (tenant compte en particulier des comportements dangereux ou embarrassants, de l'autonomie dans les habiletés de vie et de l'autonomie physique). Cette stratégie de mesure des besoins pourrait être poussée plus loin, jusqu'à demander à des experts de définir pour différents profils de problématique les interventions ou les programmes précis requis (voir, par exemple, l'exploration en ce sens faite par Quinsey et al. [22]). Elle est aussi explorée par le groupe de l'Ohio (*voir* chapitre 4, exemple de Kamis-Gould et Minsky), mais on constatera à sa lecture que la méthode de mesure demeure expérimentale. Il est aussi important pour la recherche d'explorer davantage les rapports entre les résultats de groupe obtenus avec cette stratégie et ceux obtenus avec les méthodes de mesure décrites plus loin et qui utilisent le jugement de l'équipe traitante ou de recherche ou des usagers ; cela pourrait être utile pour l'évaluation des besoins de grands groupes car les procédures avec jugement clinique sont généralement longues et onéreuses.

Ces précisions nous rappellent que des méthodes de mesure avec jugement clinique prédéterminé ne se prêtent pas à une utilisation individuelle (c'est-à-dire à la détermination de la conduite face à un usager donné) ; on ne peut prédéterminer une conduite thérapeutique qui relève d'une négociation entre l'équipe, l'usager et les personnes intéressées, tenant compte du contexte. Ce qui peut se révéler comme la meilleure action pour un groupe de personnes présentant un profil donné peut être contre-indiqué pour une autre personne présentant ces mêmes caractéristiques. Parmi les plus connues de ces procédures avec jugement clinique prédéterminé, on peut noter l'inventaire de niveau de soins (INS) [8] et le SINFOIID [20]. À côté, on trouve des sections autorisant le recueil des informations qui permettent de déterminer les niveaux de soins requis, des sections relevant les interventions ou les ressources utilisées et l'opinion de l'évaluateur sur l'adéquation de ces interventions ou de ces ressources aux besoins de la personne. Ces procédures en arrivent donc à demander un jugement clinique aux informateurs !

La deuxième série de méthodes de mesure individuelles exigent de l'évaluateur un jugement clinique, soit sur les types précis d'intervention ou de ressources, comme dans le NFCAS, soit sur le niveau correspondant d'intensité de ces interventions et services, comme pour le *Camberwell assessment of needs* (CAN). Ainsi le CAN se rapproche-t-il dans ses résultats d'instruments à jugement clinique prédéterminé, en reconnaissant comme dans l'INS ou le SINFOIID une *équivalence fonctionnelle* entre plusieurs formes d'interventions et de services pouvant répondre aux mêmes problématiques des usagers. Cette deuxième série de méthodes ne prédétermine pas le jugement en ce qui concerne les besoins. Elle pourrait, en ce sens, entre les mains de l'équipe ou de l'usager, refléter fidèlement les besoins de cet individu et se prête à une utilisation dans un cadre clinique. Les résultats combinés d'un groupe d'individus pourraient être comparés à ceux obtenus à l'aide de la première série de méthodes individuelles. Cette seconde série d'instruments est plus proche de notre cadre conceptuel de la détermination des besoins en ce qu'elle permet à plusieurs acteurs d'articuler les besoins de soins ; nous la présenterons en détail.

MÉTHODES D'ÉVALUATION INDIVIDUELLE DES BESOINS DE SOINS AVEC JUGEMENT CLINIQUE

NEEDS FOR CARE ASSESSMENT SCHEDULE (NFCAS)

Le NFCAS a été développé dans le cadre d'une série d'études entreprises par le groupe britannique du MRC Social Psychiatry Unit sur une période de près de 30 ans maintenant. À la suite des travaux de Wykes et al. (1982) [in 3] à la fin des années 1970, Brewin et al. ont développé la première version du NFCAS en 1983. Les bases théoriques développées par Brewin et al. [3] ont inspiré notre cadre conceptuel. Ils ont défini le besoin de soin comme l'action requise pour remédier ou contenir des problèmes dans des champs où l'individu a un niveau de fonctionnement au-dessous de ses propres attentes ou de celles de la société. Leur modèle couvre les trois niveaux conceptuels que nous avons d'ailleurs retenu :

– les problèmes (besoins potentiels) ;

– les interventions requises (besoins de soins) ;

– les agents, points de services ou programmes pour rendre ces interventions (besoins de ressources).

Le NFCAS ne couvre que les deux premiers niveaux. Une méthode de besoins de ressources (*needs for services* [NFS]) ajoutée au NFCAS inscrit pour chaque intervention les agents et les points de services requis ; elle a été expérimentée dans les études de ce groupe, mais n'a jamais été encore rapportée et nous ne la décrirons pas plus pour le moment.

Comme on peut le constater au tableau FT5-I qui compare le NFCAS et les autres méthodes, le NFCAS examine vingt champs cliniques et psychosociaux de besoins potentiels. On commence par une évaluation complète de ces problèmes à l'aide de diverses sources d'information : le dossier, des entrevues standardisées avec le patient, le personnel et les proches pour évaluer les symptômes, le fonctionnement social, les problèmes physiques et la qualité de vie, mais aussi les interventions reçues dans le passé et leur efficacité chez le patient. Il n'y a pas d'instruments pré-établis, ni de seuils établis pour déterminer la présence d'un problème ou de l'efficacité ; c'est le jugement de l'évaluateur ou de l'équipe d'évaluation qui prévaut. Ensuite, les trois étapes suivantes sont franchies :

– dans chaque champ, on évalue, par jugement de l'ensemble de l'information, le niveau de fonctionnement ;

– quand un problème est présent, une liste d'interventions potentiellement efficaces pour ce type de problème doit être considérée quant à sa pertinence et son efficacité récente ou potentielle chez la personne évaluée ;

– un algorithme est enfin appliqué sur les jugements posés dans les deux étapes précédentes et détermine alors le niveau de besoin dans ce champ : aucun besoin, besoin comblé, besoin non-comblé, besoin impossible à satisfaire.

On peut aussi établir s'il y a prestation excessive de soins ou si des interventions futures sont requises. La méthode fournit donc des informations sur les problématiques et sur les actions à mener par l'équipe traitante.

La version communauté du NFCAS a été développée pour évaluer les besoins de cas identifiés lors d'enquêtes épidémiologiques dans la communauté, dans lesquelles il y a très peu de personnes souffrant de troubles mentaux graves et persistants. La méthode repose sur les mêmes principes et ne couvre que sept champs cliniques, laissant de côté les problèmes psychosociaux. Les champs couverts incluent les symptômes psychotiques, les symptômes dépressifs, les symptômes anxieux ou obsessionnels, les problèmes liés à l'alcool, les problèmes liés à la drogue, les troubles alimentaires et les troubles d'adaptation [1]. Sa fiabilité s'est révélée acceptable selon une équipe composée d'un psychiatre et d'un psychologue [13].

Les premières études de fiabilité et de validité avec le NFCAS se sont révélées encourageantes [2, 27] en milieu anglais et québécois, bien que des critiques aient été émises quant à la fiabilité dans un contexte britannique d'étude des sans-domicile fixe [10]. Plus récemment, des efforts pour conduire des études trans-européennes avec le NFCAS se sont heurtés à une faible fiabilité entre les centres cotant, dans un exercice d'accord interjuges, les mêmes vignettes de cas [Kovess, communication personnelle] alors que différents centres européens continuaient dans leur propre site à pouvoir utiliser le NFCAS de façon fiable dans un cadre de recherche bien contrôlé [29] et à réaliser des comparaisons internationales. Le NFCAS est accompagné d'un manuel d'instruction ; selon notre expérience, il demande près de cinq jours de formation, puis une pratique d'une dizaine de cas. Les utilisateurs doivent avoir une expérience clinique du type de clientèle évaluée – jusqu'à maintenant, ce sont des psychiatres et des psychologues.

CARDINAL NEEDS SCHEDULE (CNS)

Le CNS a été développé à partir du NFCAS par un autre groupe britannique. Il se caractérise selon ses auteurs par trois nouveautés [16] :

– il est rapide et facile à utiliser ;

– il tient systématiquement compte du point de vue des patients et de leurs proches ;

– il définit le besoin d'une façon concise et plus facile à interpréter.

La méthode est fondée sur les mêmes principes que le NFCAS, mais comprend seulement quinze champs (*voir* tableau FT5-I). Le CNS prévoit d'utiliser trois questionnaires spécifiques standardisés, administrés par les intervieweurs, pour mesurer les problèmes – des seuils sont prédéterminés au-delà desquels la présence d'un

TABLEAU FT5-I. – COMPARAISON DE QUATRE MÉTHODES INDIVIDUELLES DE MESURE DES BESOINS

	EDBES	CAN	NFCAS	CNS
Auteurs	Cormier et al., Québec	Phelan et al., PRISM, Institute of Psychiatry, Londres	Brewin et al., MRC Social Psychiatry Unit, Institut of Psychiatry, Londres	Marshall et al., Littlemore Hospital, Oxford
Date de la première version	1981	1993	1983	1995
Types de version	Recherche, intervenants, usagers	Recherche, intervenants, usagers	Recherche	Recherche (comprenant l'opinion de l'usager et de ses proches)
Version française	Oui	Oui	Oui	Non
Durée d'administration de la procédure habituelle	30 minutes par version (patient, équipe, recherche)	20 minutes par version (patient équipe)	8 heures (en tenant compte des questionnaires standardisés pour mesurer les problématiques avec le patient et le personnel, et de la revue du dossier) ; 30 minutes pour la méthode elle-même une fois l'information prérequise disponible	2 à 3 heures
Manuel d'instruction	Oui	Oui	Oui	Oui, mais informatisé avec les points de repère pré-établis. Information supplémentaire fournie par le programme
Procédure pour chaque champ	1. Présence d'un besoin 2. Utilisation des services 3. Raisons de non-utilisation 4. Prestation excessive	1. Présence d'un problème 2. Intervention/services fournis par : – les proches, les amis – les services publics 3. Niveau de soins requis 4. Satisfaction de l'usager	1. Niveau de fonctionnement 2. Adéquation des interventions 3. Niveau de besoins (comblé, non comblé, aucun) 4. Prestation excessive 5. Besoin futur	1. Identifier les problèmes à l'aide de trois questionnaires standardisés concernant les comportements, les symptômes, le fonctionnement social 2. Identifier les problèmes cardinaux après deux questionnaires standardisés avec l'usager et ses proches 3. Identifier les besoins après confrontation avec les services reçus
Énumération des principales cotes utilisées dans les méthodes	1. Oui/non 2. Oui/non 3. Ne s'applique pas/ non disponible/refus/ pas accessible/ pas de besoin exprimé par l'usager/pas offert/ intervention actuelle insuffisante 4. Ne s'applique pas/ service offert par l'équipe/maintenu à la demande de l'usager/ autres services plus appropriés non disponibles ou inacceptables pour l'usager	1. Pas de problème/ problème modéré/problème grave/inconnu 2. (a et b) Aide légère/ aide modérée/aide majeure (avec descriptions spécifiques à chaque niveau à chaque champ) 3. légère/aide modérée/ aide majeure 4. oui/non	1. Aucun problème/ risque de problème sans intervention/problème actuel 2. Non approprié/ approprié et efficace/ approprié et partiellement efficace/ inefficace/refus de l'usager/prestation excessive/approprié et non offert/cote pour un autre besoin 3. Aucun besoin/besoin comblé/besoin non complé d'évaluation/ besoin non comblé d'intervention/besoin impossible à satisfaire 4 et 5. Oui/non	1. Oui/non 2. Oui/non déterminé par trois critères : gravité, coopération de l'usager, stress des proches 3. Offert/non offert/en cours/échec

TABLEAU FT5-I. – COMPARAISON DE QUATRE MÉTHODES INDIVIDUELLES DE MESURE DES BESOINS *(suite)*

	EDBES	CAN	NFCAS	CNS
Champs	1. Évaluation et intervention de crise 2. Hospitalisation 3. Dépannage ou protection en cas d'urgence sociale 4. Médication psychotrope 5. Thérapie individuelle de soutien 6. Psychothérapie individuelle 7. Groupe d'entraide 8. Information sur la maladie 9. Information et soutien à l'entourage 10. Thérapie familiale 11. Aide pour des problèmes d'alcoolisme ou de toxicomanie 12. Soins physiques 13. Aide pour le logement 14. Hébergement 15. Amélioration de la compétence dans les habiletés de la vie quotidienne 16. Visite à domicile 17. Aide pour le maintien ou l'acquisition d'une occupation principale 18. Organisation d'activités à caractère occupationnel 19. Organisation d'activités de loisirs 20. Amélioration des habiletés sociales 21. Jumelage avec une personne bénévole 22. Aide pour le transport 23. Conseils financiers 24. Assistance judiciaire 25. Coordination des services 26. Garde des enfants 27. Aide au développement de la fonction parentale	1. Logement 2. Alimentation 3. Entretien de la maison 4. Hygiène personnelle 5. Activités quotidiennes 6. Santé physique 7. Symptômes psychotiques 8. Information sur l'état clinique et le traitement 9. Détresse psychologique 10. Sécurité personnelle 11. Sécurité d'autrui 12. Alcool 13. Drogues 14. Relations sociales 15. Relations intimes 16. Vie sexuelle 17. Soins des enfants 18. Instruction 19. Téléphone 20. Utilisation des transports en commun 22. Aides sociales	*A. Clinique* 1. Symptômes psychotiques positifs 2. Syndrome négatif 3. Effets secondaires des médicaments 4. Symptômes névrotiques 5. Syndrome organique cérébral 6. Problèmes physiques 7. Comportement embarrassant 8. Comportement dangereux 9. Détresse psychologique 10. Alcool ou drogues *B. Social* 11. Hygiène personnelle 12. Préparation des repas 13. Courses 14. Tâches domestiques 15. Utilisation des transports en commun 16. Utilisation des services publics 17. Occupation 18. Éducation 19. Habiletés de communication 20. Tenue du budget quotidien 21. Gestion de ses affaires	1. Symptômes psychotiques positifs 2. Syndrome négatif 3. Effets secondaires des médicaments 4. Symptômes névrotiques 5. Syndrome organique cérébral 6. Problèmes physiques 7. Comportement embarrassant/alcool et drogues 8. Comportement dangereux 9. Hygiène personnelle 10. Tâches domestiques 11. Utilisation des transports en commun et des services publics 12. Occupation 13. Éducation 14. Habiletés de communication 15. Gestion du budget quotidien et de ses affaires

problème est déclarée. Ensuite, à travers deux autres questionnaires standardisés, également administrés par les intervieweurs, on enregistre l'opinion du patient et de ses proches sur ses problèmes et leur importance. Ces informations servent à définir automatiquement la présence d'un problème « cardinal », c'est-à-dire un problème requérant une action. Enfin, en utilisant d'autres informations sur les interventions reçues et leur efficacité, l'évaluateur juge chaque problème cardinal pour savoir si les différentes interventions possibles :

– ont été offertes ;

– n'ont pas été offertes ;

– viennent de débuter, l'efficacité étant encore incertaine ;

– ont toutes été offertes en vain.

La méthode est présentée en anglais sur support informatisé, de sorte que l'évaluateur a seulement à entrer sur l'ordinateur les résultats des questionnaires standardisés. Le programme définit les problèmes cardinaux et demande ensuite à l'évaluateur de juger le statut des différentes interventions potentielles pour chaque problème. Dans leur première étude auprès de 70 patients souffrant de troubles mentaux graves et vivant dans la communauté, les auteurs ont mis une heure en moyenne pour compléter la méthode. Une étude de fiabilité a aussi été menée et a montré un accord interjuges de bon à excellent dans tous les champs sauf deux ; le test-retest a montré des résultats excellents.

CAMBERWELL ASSESSMENT OF NEEDS (CAN)

Un autre groupe britannique se montrait également insatisfait du NFCAS [10]. Leur critique du NFCAS rejoignait celle des concepteurs du CNS :

– les cotes du NFCAS sont complexes ;

– une bonne reproductibilité peut être difficile à atteindre en l'absence de points de repère clairs quant au niveau de fonctionnement ;

– les cotes à poser sont nombreuses, voire excessives, face aux besoins des équipes de recherche évaluative ;

– le point de vue du patient n'est pas formellement représenté ;

– pas plus que celui des proches ;

– certains champs pertinents ne sont pas couverts.

Le CAN a donc été développé en vue d'un modèle de soins résolument communautaire, impliquant l'usager et ses proches. Il se présente sous une version clinique et une version de recherche, soulignant que cette méthode est plus proche de la recherche clinique que de la recherche épidémiologique et évaluative plus fondamentale comme le NFCAS.

Il est certain que le CAN se révèle plus facile à utiliser que le NFCAS. Il comprend un court manuel d'instruction avec des vignettes pour illustrer le mode de cotation ; le questionnaire lui-même comprend des explications et décrit clairement les points de repère. Pour chacun des 22 champs, incluant par exemple la vie sexuelle, le CAN fournit des points de repère clairs et peu nombreux pour établir le niveau de fonctionnement, le niveau des interventions fournies par les proches, par les services, et une seule côte pour le besoin de soin CAN (*voir* tableau FT5-I). La méthode prévoit une entrevue avec le patient et avec le personnel. Le CAN comprend des questions semi-standardisées pour évaluer le niveau de fonctionnement et les interventions reçues dans chaque champ. Une version informatisée a aussi été développée en anglais pour faciliter l'entrée de données et leur transfert ; le programme intégré génère aussi bien un résumé individuel propre à l'activité d'une équipe clinique que des ensembles propres à une étude d'un groupe de patients. Dans leurs études, les auteurs rapportent avoir mis moins de 20 minutes pour faire passer le questionnaire avec le patient ou le personnel. Les études de fiabilité montrent des accords interjuges excellents [18].

ÉCHELLE POUR DÉTERMINER LES BESOINS DE SOINS ET DE SERVICES (EDBES)

Cette méthode a été développée à partir de 1981 par Hugues Cormier au Québec. Elle résulte de la recherche nord-américaine en santé publique et sur les services. Les travaux de Levin et al. [14] et de Solomon et Davis [24] ont influencé la définition des besoins de patients souffrant de troubles mentaux graves et recevant leur congé de l'hôpital. On ne distingue toutefois pas la distinction entre interventions et ressources comme le fait le NFCAS ; seuls les « services » pouvant être offerts pour aider ces patients sont considérés. La méthode a d'abord été utilisée pour des programmes intégrés de traitement et de réadaptation destinés aux jeunes adultes souffrant de schizophrénie et vivant dans la communauté. Plus récemment, l'EDBES a été utilisée au Québec pour décrire l'impact de ressources communautaires par rapport aux autres ressources publiques chez des patients plus âgés souffrant de troubles mentaux graves [28].

L'EDBES comprend un manuel d'instruction avec deux séries de définitions : l'une sur le niveau de fonctionnement et l'autre sur les indications sur les services. Les 27 champs couverts par l'EDBES sont décrits au tableau FT5-I. Ils regroupent trois types de services :

– les interventions de crise ;

– les interventions cliniques ;

– les interventions de réadaptation.

Le recueil des données implique une revue du dossier, une entrevue avec le patient, une entrevue avec le personnel – les opinions de l'un et l'autre sont enregistrées séparément pour la perception d'un besoin dans le champ concerné et des services utilisés et requis dans ce champ. De plus, l'évaluateur forme et enregistre son opinion pour tous les champs. Il en résulte pour chaque champ une liste des besoins définis selon le patient, selon le personnel et selon l'évaluateur de recherche. Deux autres échelles recueillent l'information sur les motifs de non-utilisation des services et sur leur prestation excessive.

On estime que la méthode comprenant la revue de dossiers et les entrevues avec le patient et le personnel demande près de deux heures de travail, bien que chaque entrevue se fasse en moins de 45 minutes. La méthode a été développée en français et traduite en anglais. D'après une première étude [6], l'équipe de recherche et celle du médecin traitant sont en parfait accord sur l'évaluation. Une autre étude non publiée [Cormier, communication personnelle], portant sur 70 cas, rapporte des taux d'accord interjuges entre trois évaluateurs indépendants qui vont de bons à excellents pour tous les champs de besoins, sauf celui du parrainage.

MÉTHODES D'ÉVALUATION INDIVIDUELLE DES BESOINS DE SOINS AVEC JUGEMENT CLINIQUE PRÉDÉTERMINÉ

INVENTAIRE DES CARACTÉRISTIQUES INDIVIDUELLES (ICI), POUR LES PERSONNES PRÉSENTANT DES INCAPACITÉS INTELLECTUELLES

Le système d'information sur les individus ayant des incapacités intellectuelles dues à leur développement (SINFOIID) est un système de collecte d'informations constitué de deux volets : un inventaire général (ICI) qui recueille l'information sur les attributs statutaires fonctionnels et les services requis par la personne, et l'échelle Minnesota de comportements adaptatifs (EMCA) qui couvre 18 domaines du développement de la personne [11, 21].

L'ICI comprend trois parties, soit l'identification, le bilan fonctionnel et l'information sur les programmes. La partie identification fournit essentiellement des données socio-démographiques concernant la personne. Le bilan fonctionnel permet de tracer un profil individuel des besoins de la personne, tels les troubles majeurs et associés du développement, les problèmes de santé, les crises d'épilepsie, les problèmes nutritionnels, la médication, le langage et les habiletés sensori-motrices, les comportements préjudiciables à l'intégration, l'autonomie et les activités de la vie quotidienne. Enfin, la troisième partie concerne les services résidentiels et les programmes de jour que la personne reçoit actuellement ainsi que les services professionnels et généraux communautaires qu'elle reçoit ou non ou qu'elle reçoit mais de façon insuffisante. Enfin, elle identifie les obstacles à la satisfaction des besoins de la personne en programme et en services. Auto-administré par un membre du personnel connaissant bien l'usager, ce questionnaire dans sa forme complète demande entre 45 minutes à une heure pour être complété.

Un exemple de résultats fournis par cette échelle se trouve dans Pilon et Arsenault [20] : le tableau FT5-II traduit les niveaux résultant de l'application de la grille chez 156 patients hospitalisés ou récemment sortis dans des « ressources résidentielles protégées », suite à un long séjour hospitalier.

INVENTAIRE DU NIVEAU DE SOINS (INS) ET AUTONOMIE FONCTIONNELLE

Le département d'État de la Santé mentale de New York a étudié les besoins des populations psychiatriques institutionnalisées [8]. Le *level of care survey* (LOCS) du bureau de la Santé mentale de l'État de New York a été créé pour donner une idée générale de la situation psychiatrique et médicale et des besoins fonctionnels de la population psychiatrique dans les hôpitaux d'état. Fondé sur les besoins physiques et mentaux identifiés de chaque patient, il détermine le niveau approprié de soins. Ce niveau de soins comporte douze catégories qui reflètent la grande diversité des besoins et des services requis pour les patients souffrant de problèmes mentaux.

L'INS comprend des questions concernant les problèmes de santé physique et mentale de la personne, ses comportements, les soins de nursing qu'elle reçoit et, enfin, des questions ayant trait aux habiletés de la personne à accomplir diverses activités de la vie quotidienne. Un algorithme d'origine clinique et statistique, résultant de consultations auprès d'experts dans le domaine, sert à déterminer les deux principaux niveaux de soins : le niveau de soins psychiatriques et le niveau de soins physiques.

Le niveau de soins psychiatriques peut avoir trois valeurs :

– *intégré* : l'individu présente des problèmes psychiatriques légers d'ordre affectif, relationnel, de propreté personnelle, d'orientation et quelques manifestations de symptômes psychotiques, de dépression ou d'agitation, mais à un degré moindre qu'en réadaptation. Il n'est pas dangereux et ne requiert pas de soins psychiatriques constants ;

– *réadaptation* : l'individu présente des problèmes psychiatriques moyens (plus prononcés qu'au niveau intégré) d'ordre affectif, relationnel, de propreté personnelle, d'orientation et quelques manifestations d'éléments psychotiques, dépressifs ou d'agitation. Il n'est pas dangereux mais nécessite des soins psychiatriques plus suivis ;

– *intensif* : l'individu présente des problèmes psychiatriques plus sévères comme des symptômes psychotiques, de dépression, d'agitation ou de dangerosité. Il a besoin d'un soutien psychiatrique plus continu et systématique.

Le niveau de soins physique (Phys) peut avoir quatre valeurs :

– *autonome* : l'individu est physiquement sain et généralement autonome dans les activités de la vie quotidienne. Il n'a besoin d'aucun soin physique ;

– *supervisé* : l'individu nécessite une supervision au niveau des activités de la vie quotidienne, mais il est en général physiquement sain. Aucun soin infirmier n'est nécessaire ;

– *soins de base* : l'individu est plus sérieusement affecté dans les activités de la vie quotidienne, et il nécessite une assistance physique pour certaines de ces activités. Il est en moins bonne santé et peut nécessiter des soins infirmiers ;

– *soins infirmiers* : l'individu est gravement ou totalement déficient au niveau des activités de la vie quotidienne et présente de sérieux problèmes de santé physique. Il nécessite des soins infirmiers plus continus.

En combinant les trois valeurs du niveau de soins psychiatriques et les quatre valeurs du niveau de soins physiques obtenus, on obtient le niveau de soins global de l'individu. Par la suite, les douze niveaux de soins possibles sont distribués dans un tableau à double entrée.

TABLEAU FT5-II. – DISTRIBUTION DU NIVEAU DE SOUTIEN POUR LA POPULATION INTERNE ET EXTERNE EN FONCTION DE L'ÂGE ET DU SEXE (modifié d'après [20])

Population		Groupe d'âge									
		18-34		35-54		55-64		65-74		Total	
		N	p. 100	N	p. 100	N	p. 100	N	p. 100	N	p. 100
Interne											
Intermittent	F										
	H										
Limité	F	1	33,3							1	5,9
	H	4	23,5	2	6,9	1	14,3	1	50,0	8	14,5
Important	F			1	11,1					1	5,9
	H	5	29,4	7	24,1	3	42,9			15	27,3
Intense	F	2	66,7	8	88,9	5	100,0			15	88,2
	H	8	47,1	20	69,0	3	42,9	1	50,0	32	58,2
Externe											
Intermittent	F										
	H			1	4,3	5	23,8			6	12,0
Limité	F			1	6,7			1	50,0	2	8,3
	H	1	25,0	3	13,0	3	14,3			7	14,0
Important	F	1	33,3	4	26,7	1	25,0	1	50,0	7	29,2
	H			6	26,1	8	38,1	1	50,0	15	30,0
Intense	F	2	66,7	10	66,7	3	75,0			15	62,5
	H	3	75,0	13	56,5	5	23,8	1	50,0	22	44,0

Les études sur le LOCS révèlent que cet instrument a une bonne stabilité et fidélité. Par exemple, Lambert [12] confirme les résultats obtenus par Fabisiak en 1979 et montre une corrélation interjuges de 0,75 pour tous les items. Dans une autre étude, Furman et ses collaborateurs [8] obtiennent un coefficient kappa de 0,65 (test-retest) pour le niveau de soins global. Ces auteurs rapportent des coefficients de consistance interne (alpha) des sous-échelles de 0,67 à 0,88. Lambert [12] conclut que les sous-échelles du LOCS présentent une fidélité satisfaisante. Bien qu'en règle générale la littérature sur cet instrument soit peu abondante, les résultats démontrent qu'il est fiable, bien conçu et qu'il mérite d'être davantage développé [7, 12].

La révision des échelles et des indices au moyen de l'analyse factorielle a permis d'en réduire le nombre et de les simplifier. L'INS a été traduit en français au Québec et utilisé de façon massive pour évaluer les besoins de milliers de patients des hôpitaux psychiatriques québécois. Au Québec, c'est la version de 1988 de l'INS qui a été utilisée, à laquelle a été ajouté le volet d'autonomie fonctionnelle. Ce volet répond davantage aux nouvelles orientations des services d'adaptation, d'intégration sociale et de maintien dans la communauté [20]. Le concept d'autonomie est défini comme un continuum comportant divers degrés d'autonomie, allant de la dépendance entière à l'indépendance complète [15]. L'autonomie est la capacité d'effectuer seul ou avec un minimum d'aide la plupart des activités de la vie quotidienne. Une personne, souffrant de problèmes mentaux ou non, est considérée comme apte à gérer ses propres affaires, sa vie personnelle et sociale, à prendre des décisions concernant ses intérêts et à utiliser les ressources disponibles dans la communauté. On ne fait aucune distinction entre le milieu communautaire et l'institution, c'est-à-dire que la personne peut posséder et démontrer des habiletés d'autonomie aussi bien à l'intérieur qu'à l'extérieur, même si son milieu actuel ne lui donne pas toujours l'occasion de les exercer. Le volet d'autonomie fonctionnelle est constitué d'items distribués dans quatre échelles principales. L'autonomie fonctionnelle correspondant au score global d'autonomie traite des habiletés nécessaires au maintien d'une autonomie personnelle, sociale et communautaire. Comme les niveaux de soins obtenus dans les autres sections de l'INS, ce nouveau volet permet de fournir des équivalences fonctionnelles, des niveaux d'autonomie selon les scores obtenus. La fiabilité de cette section d'autonomie fonctionnelle s'est révélée très satisfaisante [20].

La dernière modification a été l'ajout d'une section sur les besoins de services, comme pour le SINFOIID. Cette section se divise en sous-sections de services résidentiels, d'activités de jour, de support professionnel et de services de soutien à l'individu et à sa famille dans la communauté. Dans chaque sous-section, l'évaluateur (souvent le personnel traitant de l'usager) doit juger les services reçus et faire un rapport sur les services requis, ou encore dire si les services rendus sont suffisants. La valeur de cette opinion dépendra du degré de connaissance de cet évaluateur/membre du personnel traitant et de sa position dans l'équipe traitante. Dans une communication personnelle, Pilon et Arsenault signalent des résultats préliminaires d'accords interjuges satisfaisants pour les besoins résidentiels, mais pauvres pour les autres sections. Cette difficulté peut être attribuée à l'immense choix de services possibles dont disposent les évaluateurs, alors que le choix résidentiel ne peut s'arrêter que sur une seule option ; cela peut les amener à choisir des items différents d'un évaluateur à l'autre, même s'il y avait accord sur l'équivalence fonctionnelle. Finalement, la dernière version complète de l'INS avec le questionnaire d'autonomie fonctionnelle et la section sur les besoins de services demande environ une heure pour être complétée par un membre du personnel connaissant bien l'usager.

AUTRES MÉTHODES INDIVIDUELLES RELATIVES AUX BESOINS DE SOINS

ÉVALUATION DES BESOINS EN SOINS INFIRMIERS PSYCHIATRIQUES

Cet outil provient, comme la CTMSP décrite plus loin, des travaux menés depuis plus de deux décennies en recherche opérationnelle par Tilquin. Ce dernier a développé une série d'outils pour mesurer la charge de travail infirmier en milieu hospitalier. L'adaptation de l'outil PRN (*processus de recherche en nursing*) [26] aux spécificités des soins infirmiers en psychiatrie, tant hospitaliers qu'en hôpital de jour, a été menée par le centre de Rouffac en France [9]. L'évaluation des besoins en soins infirmiers psychiatriques repose sur la mesure pour chaque patient des services reçus divisés en une série d'activités de base décrivant les activités infirmières. Ces activités de base sont toutes décrites de façon précise aussi bien en ce qui concerne leur contenu que les modalités d'utilisation des résultats. Leur description tient en deux volumes de 200 et 70 pages respectivement en milieu hospitalier, et de 162 pages en hôpital de jour. Ces activités de base recouvrent les différentes dimensions de soins : soins physiques, activités psychothérapeutiques et activités psycho-socio-thérapeutiques. Par exemple : présentation d'un cas clinique, rencontre psychothérapique avec les proches – guider et diriger, sortie pédestre à l'extérieur, prise en charge de patients très désorganisés. Le système de mesure consiste à attribuer une valeur numérique à chaque action de soins planifiée pour les 24 heures à venir ; chaque activité de base est dotée d'une valeur en points, le nombre de points étant fonction du temps moyen nécessaire au personnel soignant pour répondre à ces besoins. La formule pour arriver à chaque activité de base a pris en compte le degré de dépendance physique et psychique de la personne, l'infrastructure technique nécessaire, le nombre de soignants participant à l'acte et l'assistance d'autres professionnels. La formule a fait l'objet d'une série de validation auprès d'équipes dans des services et des situations différents du centre Rouffac. Une fois les activités de base décrites, et les mesures pour l'exécution définies, il restait à évaluer la charge de travail nécessaire et donc le nombre de soignants indispensables pour dispenser les soins requis.

La méthode a d'abord été élaborée dans un souci opérationnel pour les soins infirmiers de donner une juste idée de la charge de travail et du personnel nécessaire pour répondre aux besoins réclamés par l'équipe selon ses modèles de soins. Cette évaluation se limite au cadre hospitalier et extra-hospitalier et aux soins infirmiers. Il suppose une grande qualité dans le processus d'identification des besoins et des problèmes du patient et de la planification des actions de soins – le choix d'une partie de ces actions étant défini par les prescriptions médicales et l'autre par la démarche de soins infirmiers. Ce processus qui implique un jugement sur ce qui est requis n'est toutefois pas encadré dans cette procédure comme les mesures décrites précédemment ; il repose aussi sur l'observation et, somme toute, le jugement d'une seule catégorie professionnelle.

Cette méthode unique n'a pas fait l'objet de mesures psychométriques de fiabilité ou de validité hors ce centre français. Elle mérite des recherches plus poussées car elle pourrait ouvrir sur des mesures plus satisfaisantes que la CTMSP pour les patients psychiatriques très gravement handicapés et présentant une grande perte d'autonomie due à des causes psychiques.

CLASSIFICATION PAR TYPES EN MILIEU DE SOINS ET SERVICES PROLONGÉS (CTMSP)

En effet, malgré le développement récent de la procédure PLAISIR (« planification informatisée des soins infirmiers requis », équipe de recherche opérationnelle de la santé-EROS, département d'administration de la Santé de l'université de Montréal, 1992) [26], qui ajoute à la grille PRN les éléments psychiatriques de la collaboration avec le centre Rouffac, c'est la grille CTMSP développée en 1985 par l'équipe EROS qui est en vigueur au Québec, le transfert des placements en milieu hospitalier, en centres d'hébergement et de soins de longue durée.

La CTMSP se concentre sur les activités de base de soins physiques et reflète particulièrement bien cet aspect. Contrairement à la grille précédente qui décrit les interventions fournies dans différentes dimensions, la grille relève ici les différentes problématiques et le niveau d'aide requis. Un algorithme traduit en termes d'heures les soins requis en fonction de ce profil. Cet algorithme a été développé par une série d'études de validation menées au Québec, en Belgique et en pays hispanophones par l'équipe du Pr Tilquin. Les détails psychométriques de ces études n'ont toutefois pas été publiés et on ne connaît pas la fiabilité de cette méthode, malgré sa grande utilisation au Québec.

La CTMSP implique peu de jugement clinique du nursing. Elle s'attache plutôt aux observations à partir desquelles les experts évaluent de façon détaillée les ressources nécessaires à la mise en œuvre des interventions, compte tenu des problématiques. Elle se rapproche ainsi des méthodes INS ou SINFOIID précédemment décrites, mais avec une volonté opérationnelle de produire la somme des ressources requises. La grille précédente sur les besoins en soins infirmiers psychiatriques et la procédure PLAISIR exigeaient, avant l'étape de l'algorithme d'experts, de relever les interventions considérées comme nécessaires par le nursing et, en ce sens, respectaient davantage notre modèle conceptuel de la mesure des besoins, qui articule problématiques, interventions et ressources en trois étapes distinctes. Ici aussi, il convient de recommander des recherches plus approfondies car la grille PLAISIR pourrait ouvrir sur des mesures plus satisfaisantes que la CTMSP pour les patients psychiatriques qui sont très gravement handicapés et qui ont perdu toute autonomie à la suite de troubles psychiques. Elle sera limitée aux patients très gravement handicapés qui ont connu de longs séjours hospitaliers.

RÉFÉRENCES

1. Bebbington PE, Brewin CR, Marsden L, Lesage AD. Measuring the need for psychiatric treatment in the general population : the community version of the MRC Needs for Care Assessment. Psychol Med, 1996, *26* : 229-236.
2. Brewin CR, Wing JK. The MRC needs for care asssessment : progress and controversies. Psychol Med, 1993, *23* : 837-841.
3. Brewin CR, Wing JK, Mangen SP et al. Principles and practice of measuring needs in the long-term mentally ill : the MRC needs for care assessment. Psychol Med, 1987, *17* : 971-981.
4. Comtois G, Morin C, Lesage A et al. Patients versus rehabilitation practitioners : a comparison of assessments of needs for care. Can J Psychiatry, 1998, *43* (*2*) : 159-165.
5. Cormier HJ, Borus JF, Reed RB et al. Combler les besoins de services de santé mentale des personnes atteintes de schizophrénie. Can J Psychiatry, 1987, *32* : 454-458.
6. Cormier HJ, Pinard G, Leff HS, Lessard R. Needs and utilization of mental health services in schizophrenia. Acta Psychiatr Belg, 1986, *86* (*4*) : 388-393.
7. Côté J, Lachance R, Ouellet L, Pilon W. La concordance entre paires d'observateurs à 22 variables de l'inventaire du niveau de soins et la stabilité de leurs observations. Rapport de recherche au CQRS. Centre de recherche, université de Laval Robert-Giffard, Québec, 1989.
8. Furman WW, Phil M, Lund DA. The assessments of patient needs : description of the level of care survey. Journal of Psychiatric Treatment and Evaluation, 1979, *1* : 38-46.
9. Gaubert S. Évaluation et soins infirmiers : l'expérience du centre de Rouffac. *In* : V Kovess. Évaluation de la qualité en psychiatrie. Paris, Économica, collection Santé publique, 1994.
10. Holloway F. Day care in an inner city. II. Quality of the services. Br J Psychiatry, 1991, *158* : 810-816.
11. Joiner MP, Krantz JW. The assessment of behavioral competence of developmentally disabled individuals. The MDPS. New York State Office of Mental Retardation and Developmental Disabilities, Albany, New York, 1979.
12. Lambert EW. Reliability of subscales of the New Yourd State Level of Care Survey. Journal of Psychiatric Treatment and Evaluation, 1982, *4* : 427-431.
13. Lesage AD, Fournier L, Cyr M et al. The reliability of the community version of the MRC Needs for Care Assessment. Psychol Med, 1996, *26* : 237-243.
14. Levin, G, Wilder JF, Gilbert J. Identifying and meeting clients'needs in six community mental health centers. Hospital and Community Psychiatry, 1978, *29* : 185-188.
15. MacNair RH. Assessment of social functioning : a client instrument for practioners, vol. 6. University of Georgia, Institute of Community and Area Development, 1981.
16. Marshall M, Hogg LI, Gath DH, Lockwood A. The cardinal needs schedule : a modified version of the MRC needs for care assessment schedule. Psychol Med, 1995, *25* : 605-617.
17. Phelan M, Slade M, Dunn G et al. Camberwell assessment of needs version 3.0. PRISM, Institute of Psychiatry, De Crespigny Park, London SE5 8AZ, 1994.
18. Phelan M, Slade M, Thornicroft G et al. The Camberwell assessment of need : the validity and reliability of an instrument to assess the needs of people with severe mental illness. Br J Psychiatry, 1995, *167* (*5*) : 589-595.
19. Pilon W, Arsenault R. Système d'information sur les individus ayant des incapacités dues à leur développement (SINFOIID) : guide d'utilisation. Centre de recherche, université Laval Robert-Giffard, Québec, 1992.
20. Pilon W, Arsenault R. Caractéristiques des populations au centre hospitalier psychiatrique Robert-Giffard : personnes ayant des incapacités intellectuelles et personnes atteintes de maladie mentale. Santé Mentale au Québec, 1997, *XXII* (*2*) : 115-136.
21. Pilon W, Côté J, Lachance R. Système d'information sur les individus ayant des incapacités dues à leur développement. Rimouski (Québec), Association du Québec pour l'intégration sociale, 1988.
22. Quinsey VL, Cyr M, Lavallée YJ. Treatment opportunities in a maximum security psychiatric hospital : a problem survey. International Journal of Law and Psychiatry, 1988, *11* : 179-194.
23. Slade M, Phelan M, Thornicroft G. A comparison of needs assessed by staff and by an epidemiologically

representative sample of patients with psychosis. Psychol Med, 1998, *28* (*3*) : 543-550.
24. SOLOMON P, DAVIS J. Meeting community service needs of discharged psychiatric patients. Psychiatr Q, 1985, *57* : 11-17.
25. THORNICROFT G, TANSELLA M. Designing instruments for mental health service research. Social Psychiatry and Psychiatric Epidemiology, 1994, *29* : 197.
26. TILQUIN C. Le système PRN. La mesure du niveau de soins infirmiers requis. EROS, département d'Administration de la santé, université de Montréal, 1981.
27. VAN HAASTER I, LESAGE AD, CYR M, TOUPIN J. Further reliability and validity studies of a procedure to assess the needs for care of the chronically mentally ill. Psychol Med, 1994, *24* : 215-222.
28. WALLOT H. Évaluation du potentiel de ressources communautaires en santé mentale. Rev Can Psychiatrie, 1999, *44* (*1*) : 48-56.
29. WIERSMA D, NIENHUIS FJ, GIEL R et al. Assessment of the need for care 15 years after onset of a Dutch cohort of patients with schizophrenia, and an international comparison. Social Psychiatry and Psychiatric Epidemiology, 1996, *31* (*3-4*) : 114-121.
30. WING JK. Meeting the needs of people with psychiatric disorders. Social Psychiatry and Psychiatric Epidemiology, 1990, *25* : 2-8.

Fiche technique 6

INSTRUMENTS DE MESURE DU VÉCU DES PROCHES[1]

Au cours des quarante dernières années, la tendance qui consiste à traiter les patients hors des hôpitaux psychiatriques a obligé l'entourage proche ou éloigné des personnes atteintes de troubles mentaux [18] à s'adapter aux « exigences » de ces personnes ou nouvelles conditions de vie. Dans ce contexte, les concepts de fonctionnement social et de performance sociale sont devenus plus importants non seulement pour la personne atteinte, mais aussi pour les membres de sa famille et ses proches. Ceux-ci, qui avaient été écartés des tâches de soignant naturel avec le mouvement d'institutionnalisation datant du début du siècle, devaient de nouveau composer avec les comportements dysfonctionnels inhérents à la plupart des maladies mentales graves. De surcroît, les professionnels de la santé mentale ont longtemps considéré que ces familles jouaient un rôle ou étaient responsables de la genèse ou de l'exacerbation de la maladie de leur proche. Ce n'est que tout récemment que l'on a mis de côté les approches thérapeutiques envers la famille « pathologique » pour prendre en compte le défi que représente pour la famille le soutien à leur proche atteint [2]. Plusieurs expressions ont été utilisées pour décrire l'impact de la maladie mentale sur la famille mais, de façon générale, l'expression « fardeau familial » est la plus fréquente dans les textes, même si elle revêt une connotation de blâme pour le malade et risque de le stigmatiser davantage [5]. Szmukler et al. [17] préfèrent ne pas utiliser le terme « fardeau », qui sous-entend a priori une expérience négative vécue par la famille ou l'« aidant naturel »[2] en relation avec les problèmes posés par le patient. Au contraire, ces auteurs insistent sur le fait que la situation d'aide peut en elle-même revêtir un caractère positif pour l'entourage.

(1) Cette fiche technique a été en grande partie réalisée par Jean-Pierre Bonin, MSc, faculté de Nursing, université de Montréal.

La liste d'instruments décrits dans cette fiche technique n'étant pas forcément exhaustive, des informations plus précises peuvent être obtenues en consultant le site internet du Réseau de la santé mentale au Québec (RSMQ) : http://www.mcgill.ca/rsmq/fr/fressourcescommunes.htm.

CONCEPTS DE « FARDEAU » ET D'« AIDANTS NATURELS »

Selon Schene et al. [16], qui ont travaillé de façon approfondie sur les instruments de mesure du vécu des familles, on a évalué ce concept de « fardeau » auprès des familles ou des « aidants naturels » pour différentes raisons :

– pour évaluer la possibilité de placement de la personne dans la communauté ;

– pour préciser le concept de fardeau, son contenu et ses structures ;

– parce que c'est une variable à prendre en compte dans l'évaluation de programmes et des essais cliniques contrôlés.

Ces auteurs expliquent aussi que, même si l'on parle souvent de fardeau familial, la plupart des études vérifient cet état de choses auprès d'aidants naturels. Cette notion de fardeau de l'aidant naturel représente une perspective plus étroite que celui de fardeau familial, cette dernière expression faisant aussi allusion aux effets négatifs que la personne atteinte peut entraîner sur les membres de la famille autres que l'aidant naturel. Ces effets peuvent affecter les relations interpersonnelles dans la famille, entre les enfants des patients, et dans l'entourage de toute la famille[3].

Hoenig et Hamilton [6] ont été les premiers à tenter de préciser le concept de fardeau en proposant de distinguer le fardeau subjectif du fardeau objectif. Le fardeau objectif décrit les effets négatifs de la maladie sur le foyer, par exemple sur les coûts financiers, sur la

(2) L'aidant naturel est celui qui assume la responsabilité, sans être payé ni préparé, des soins d'une personne présentant des problèmes mentaux de longue durée, entraînant des incapacités, et pour lesquels il n'existe pas de traitement disponible.

(3) En France, on dispose également de la recherche de M. Bungener, *Trajectoires brisées, familles captives : la maladie mentale à domicile*, Paris, Inserm, 1995.

santé, sur les habitudes de vie de la famille. Le fardeau subjectif représente les sentiments de la famille (perte, deuil, culpabilité, anxiété) au regard de la présence et du comportement du malade et la perception de la maladie en tant que fardeau [14]. Selon Maurin et Boyd [7], cette conception du fardeau a été souvent utilisée dans les travaux de recherche, mais n'a pas été opérationnalisée adéquatement, ce qui aurait eu pour conséquences d'obscurcir les bases conceptuelles du fardeau.

Deux difficultés ont été relevées dans la mesure du fardeau [14]. Premièrement, le concept de fardeau est associé à la notion de performance sociale ; les changements dans les comportements ou la performance sociale du malade, et le fardeau qui en découle, sont évalués en fonction des normes et des attentes d'un milieu donné. Il en résulte qu'à un niveau de fardeau objectif donné, les niveaux de stress ou de détresse de l'aidant naturel peuvent être variables [10]. L'autre difficulté résulte d'un manque de clarté dans les définitions et les distinctions entre les fardeaux objectif et subjectif. Ainsi, dans certaines études, le comportement symptomatique de la personne atteinte ou ses difficultés de fonctionnement social sont-ils considérés comme des dimensions du fardeau objectif [9], alors que, selon Platt [10], ces caractéristiques propres au patient devraient être clairement distinguées du fardeau subjectif. Bien que plusieurs instruments ou échelles de mesures de fardeau aient été développés, il n'existe pas encore d'instrument standard universellement accepté par la communauté scientifique.

Schene et al. [16] ont relevé 21 instruments différents pour mesurer le fardeau chez les aidants naturels, sans tenir compte des instruments plus anciens, utilisés pour les travaux de recherche antérieurs à 1980. Les auteurs ont identifié les avantages et les faiblesses des différents instruments, sans pouvoir en recommander un en particulier, ayant en effet eux-mêmes créé de tels instruments. Il est cependant possible de classer les instruments selon leur mode d'utilisation (questionnaire auto-administré, réponse par téléphone, etc.), leur durée, le type d'étude, la clientèle et le type de concepts mesurés. Nous renvoyons à cette excellente revue de littérature et proposons pour notre part les instruments les plus utilisés et qui semblent jouir de la plus grande popularité actuellement en milieu de recherche francophone, ou encore ceux qui présentent des caractéristiques spéciales en touchant des dimensions nouvelles.

INSTRUMENTS POUVANT ÊTRE UTILISÉS AVEC DIFFÉRENTES CLIENTÈLES

SOCIAL BEHAVIOR ASSESSMENT SCHEDULE (SBAS)

Le *social behavior assessment schedule* (SBAS ; 186 questions), élaboré par Platt et al. [11, 12], a été développé en Angleterre et est encore très largement utilisé. Cet instrument est administré par des intervieweurs formés à l'aide du guide de formation compris dans la documentation de l'instrument. Il permet, de plus, d'évaluer les comportements symptomatiques, le fonctionnement social du malade et les effets indésirables sur l'entourage, et de mesurer le fardeau subjectif en fonction de ces aspects. Le SBAS est constitué de six sous-échelles ou sections :

- antécédents du malade en ce qui concerne son comportement et ses effets sur les autres ;
- description du comportement du malade comprenant la sévérité des troubles et la détresse causée à l'aidant naturel (fardeau subjectif) ;
- performance du malade dans les rôles sociaux et détresse ressentie par la personne-soutien ;
- effets néfastes du comportement du malade sur la famille et l'entourage et la détresse émotionnelle causée à l'aidant naturel ;
- présence d'événements stressants et intervenant dans la vie de la personne soutien et de sa famille ;
- aide apportée à l'aidant naturel par les amis, les parents, les services sociaux et situation familiale.

L'échelle complète et les sous-échelles peuvent être utilisées indépendamment. Selon Platt [10], les propriétés psychométriques du SBAS ont été vérifiées dans de nombreuses études. Le SBAS a été traduit et adapté en français [14]. Cette version a été utilisée dans deux recherches auprès d'aidants naturels de personnes atteintes de troubles mentaux graves. Cet instrument nécessitant trop de temps (plus d'une heure) n'est pas recommandé pour la clinique et ne peut être utilisé qu'en recherche.

FAMILY BURDEN INTERVIEW SCHEDULE (FBIS)

Le *family burden interview schedule* (FBIS) [18] mesure le fardeau familial objectif et subjectif. Il contient 100 items dans la version originale, mais il existe une version courte de 65 items. Il consiste en une entrevue structurée qui peut être réalisée en prenant contact avec la personne et par téléphone. Il contient cinq sous-échelles :

- aide dans la vie quotidienne ;
- supervision de comportements ;
- dépenses ;
- impact sur la routine quotidienne ;
- inquiétudes.

Cet outil génère huit scores indépendants (cinq scores de fardeau objectif et trois scores de fardeau subjectif), traduisant le dérangement perçu quant à l'aide, la supervision et l'impact. Il a été validé auprès de deux échantillons indépendants de familles de personnes souffrant de maladie mentale. Tout comme le SBAS, sa durée de près d'une heure ne le destine pas à la clinique, mais uniquement à la recherche. Il est cependant considéré par Schene et al. [15] comme permettant une recherche longitudinale. Il ne requiert pas de formation particulière de la part des intervieweurs. Une traduction française est disponible.

INVOLVEMENT EVALUATION QUESTIONNAIRE

L'*involvement evaluation questionnaire* (77 questions) [15] a été développé initialement aux Pays-Bas afin de mesurer l'impact sur une famille de l'hospitalisation de jour d'un de leur proche atteint, comparativement à une hospitalisation habituelle. Il a par la suite été révisé pour être utilisé lors d'une vaste enquête auprès d'aidants naturels de personnes atteintes de troubles psychotiques. Cet instrument peut être administré en trente minutes environ, ce qui le rend valable en recherche et en clinique. Il présente l'avantage de pouvoir être utilisé soit comme questionnaire auto-administré soit comme questionnaire envoyé par la poste. Les propriétés psychométriques sont bien établies. Les principaux paramètres mesurés sont :

- l'aide apportée dans la vie quotidienne ;
- les relations familiales ;
- les finances ;
- la santé ;
- les loisirs ;
- les enfants.

Une version française de cet instrument serait en cours de développement en Belgique.

BURDEN ASSESSMENT SCALE

La *burden assessment scale* [13] représente une option intéressante pour la recherche et la clinique, puisque cet instrument comportant 19 questions peut être administré en cinq minutes, soit à l'aide d'une entrevue, soit auto-administré. Cinq concepts principaux sont mesurés : le dérangement dans les activités, la détresse personnelle, la perspective temporelle, la culpabilité et le fonctionnement social de base. Il peut être rempli par l'aidant naturel principal, mais aussi par les autres membres de la famille. Les qualités psychométriques sont bien connues. Une version française de cet instrument est actuellement en cours de validation [Provencher, communication personnelle] et est disponible depuis janvier 1999.

EXPERIENCE OF CAREGIVING INVENTORY

L'*experience of caregiving inventory* [17] est un instrument récent qui a tenté, d'une part, d'intégrer un cadre théorique (celui de Lazarus et Folkman [in 17]) dans la mesure du vécu des familles et, d'autre part, d'introduire des sections mesurant les aspects positifs du soutien à un proche atteint de troubles mentaux. Il se compose de dix dimensions, soit huit ayant une connotation négative (comportements difficiles, stigmates, problèmes avec les services, effets sur la famille, nécessité de soutenir le proche atteint, dépendance et perte) et deux permettant une évaluation positive du soutien (expérience personnelle positive et bonnes relations avec le patient). L'instrument s'est avéré convenir au modèle *stress-coping*, et la validité a été démontrée par comparaison avec le GHQ [4].

INSTRUMENTS AYANT DES CARACTÉRISTIQUES SPÉCIALES

Certains instruments ont été conçus pour être employés dans certains contextes. Ils méritent d'être décrits brièvement.

FAMILY ECONOMIC BURDEN INTERVIEW

La *family economic burden interview* [3] a été développée aux États-Unis. Il contient 70 items auxquels on peut répondre en personne ou par téléphone. C'est le seul instrument entièrement destiné à mesurer le « fardeau » financier. Il est plus spécifique du fardeau objectif. Étant assez récent, ses propriétés psychométriques sont encore peu connues et il serait étonnant qu'il existe une version française de cet instrument.

TEXAS INVENTORY OF GRIEF-MENTAL ILLNESS VERSION

La *Texas inventory of grief-mental illness version* [8] contient 24 items, est auto-administrée et peut être passée en dix minutes. Elle est plus concentrée sur les réactions de deuil des membres de la famille de la personne atteinte. Bien que le spectre des concepts visés par cet instrument soit très peu étendu, il permet la meilleure mesure disponible sur le deuil de la famille quant à la perte de la santé mentale de leur proche. Des sous-échelles concernent les sentiments initiaux et présents face à la perte de santé mentale. Les propriétés psychométriques de cet instrument sont disponibles quant à la consistance interne et la validité de construit. À l'heure actuelle, nous n'avons pas connaissance d'une version française.

Entre deux revues de littérature sur les instruments de mesure sur le fardeau familial [15, 16], Schene et al. ont constaté l'ajout de neuf nouveaux instruments. Or il importe que la mesure du fardeau se dote d'instruments qui soient considérés comme standard afin d'améliorer la comparaison entre les différentes études. À cet effet, Schene et al. considèrent que la récente publication de modèles théoriques [15] constitue un progrès certain pour l'avenir.

RÉFÉRENCES

1. BUNGENER MJ. Trajectoires brisées, familles captives. La maladie mentale à domicile. Paris, Inserm, 1995.
2. CARLING PJ. Return to community : building support systems for people with psychiatric disabilities. New York, Guilford, 1995, 297-313.
3. CLARK RE, DRAKE RE. Expenditures of time and money by families of people with severe mental illness

and substance use disorders. Community Ment Health J, 1994, *30* : 145-163.
4. GOLDBERG DP, HILLIER VF. A scaled version of the general health questionnaire. Psychol Med, 1979, *9 (1)* : 139-145.
5. GUBMAN GD, TESSLER RC, WILLIS G. Living with the mentally ill : factors affecting household complaints. Schizophrenia Bull, 1987, *13* : 727-736.
6. HOENIG J, HAMILTON MW. The schizophrenic patient in the community and his effect on the household. Int J Soc Psychiatry, 1966, *12* : 165-176.
7. MAURIN JT, BOYD CB. Burden of mental illness on the family : a critical review. Archives of Psychiatric Nursing, 1990, *6* : 99-107.
8. MILLER F, DWORKIN J, WARD M, BARONE D. A preliminary study of unresolved grief in families of seriously ill patients. Hospital and Community Psychiatry, 1990, *41* : 1321-1325.
9. NOH S, TURNER RJ. Living with psychiatric patients : implications for the mental health of family members. Soc Sci Med, 1987, *25* : 263-271.
10. PLATT S. Measuring the burden of psychiatric illness on the family : an evaluation of some rating scales. Soc Sci Med, 1985, *15* : 383-393.
11. PLATT S, HIRSCH S, WEYMAN A. Training manual and rating guide, 3rd ed. Windsor, NFER-Nelson, 1983.
12. PLATT S, WEYMAN A, HIRSCH S, HEWETT S. The social behaviour assessment schedule (SBAS) : rationale, contents scoring and reliability of a new interview schedule. Soc Psychiat, 1980, *15* : 43-45.
13. REINHARD S, GUBMAN G, HORWITZ A, MINSKY S. Burden assessment scale for families of the seriously mentally ill. Evaluation and Program Planning, 1994, *17* : 261-269.
14. RICARD N, BONIN JP, EZER H. Factors associated with burden and resignation in primary caregivers of mentally ill patients. Int J Nurs Sci, 1999, *36 (1)* : 73-83.
15. SCHENE AH. Objective and subjective dimensions of family burden. Social Psychiatry et Psychiatric Epidemiology, 1990, *25* : 289-297.
16. SCHENE AH, TESSLER RC, GAMACHE GM. Instruments measuring family or caregiver burden in severe mental illness. Social Psychiatry et Psychiatric Epidemiology, 1994, *29* : 228-240.
17. SZMUKLER GI, BURGESS P, HERRMAN H et al. Caring for relatives with serious mental illness : the development of the experience of caregiving inventory. Social Psychiatry and Psychiatric Epidemiology, 1996, *31* : 137-148.
18. TESSLER RT, GAMACHE GM. Toolkit for evaluation family experience with severe mental illness. Cambridge (MA), Human Services Research Institute, 1995.
19. WEISSMAN MM. The assessment of social adjustment : an upgrade. Arch Gen Psychiat, 1981, *38* : 1250-1258.

Fiche technique 7

DESCRIPTION DU DISPOSITIF QUÉBÉCOIS DES SERVICES EN SANTÉ MENTALE[1]

RÉGIME DE SANTÉ ET DE PROTECTION SOCIALE

UN RÉGIME DE SANTÉ UNIVERSEL

Tous les résidents du Québec peuvent bénéficier de services médicaux et hospitaliers universellement accessibles et gratuits, y compris les services de santé mentale. Le droit aux services est fondé sur la résidence : toute personne résidant légalement au Québec a droit aux services de santé, quels que soient son âge et son statut par rapport au marché du travail.

Les services assurés sont ceux qui sont médicalement requis et qui sont rendus par les médecins omnipraticiens et les médecins spécialistes, en établissement, en cabinet privé ou au domicile des personnes. Les patients peuvent choisir leur médecin et leur établissement de même que le médecin peut choisir ses patients ; l'établissement a le devoir de prendre en charge ou d'envoyer dans un autre établissement toute personne qui a besoin de services.

Le patient reçoit des services gratuitement. Les médecins, qu'ils pratiquent en cabinet privé ou en établissement, sont rémunérés, le plus souvent à l'acte, directement par l'État, selon des tarifs négociés périodiquement. Les établissements sont totalement financés par l'État sur la base d'un budget global annuel.

Les médicaments consommés hors établissement sont couverts par un programme spécifique : les personnes doivent être assurées soit par un régime collectif privé, tenu d'offrir la protection de base prévue par la loi, soit par le régime public. Les usagers doivent participer à une partie du coût des médicaments (environ 30 p. 100).

Les soins dentaires et les soins optométriques ne sont pas assurés, sauf pour des groupes particuliers, comme les enfants, les personnes âgées et les personnes dont les revenus sont inférieurs à un seuil déterminé.

Le régime de santé est financé sur les revenus généraux de l'État.

UN REVENU DE BASE POUR TOUS

Outre les grands programmes de sécurité sociale contributifs, assurant une protection en cas notamment d'accident du travail, de maladie professionnelle, d'accident d'automobile, de chômage, de retraite, d'invalidité ou de décès, le régime québécois de sécurité du revenu assure un revenu minimal aux personnes qui ne disposent pas d'un revenu suffisant pour assumer leurs besoins essentiels. L'aide financière se fait sous la forme d'une prestation de base versée le premier jour de chaque mois. Ce montant est calculé en fonction du nombre d'adultes faisant partie d'un même foyer, les besoins des enfants étant assurés par les allocations familiales, dont le montant varie en fonction du revenu. Des allocations supplémentaires peuvent être attribuées en plus de la prestation de base pour des dépenses liées à la santé ou pour des événements imprévus. Ces prestations sont gérées par le ministère de l'Emploi et de la Solidarité et sont financées par l'État.

DISPOSITIF SANITAIRE ET SOCIAL

Au Québec, les services de santé et les services sociaux sont intégrés dans un même réseau d'établissement depuis plus de 25 ans. Ce réseau est sous la responsabilité du ministre de la Santé et des Services sociaux.

DISPOSITIF GÉNÉRAL

La loi sur les services de santé et les services sociaux prévoit que les services offerts par les établissements publics (93,7 p. 100 de l'effectif total) et privés

(1) Ce chapitre a été fait par A. Ouellet.

(6,3 p. 100 de l'effectif total) sont accessibles dans cinq types de centres :

– les centres locaux de services communautaires[(2)] (CLSC) ont pour mission d'offrir en première ligne des services de santé et des services sociaux courants, de nature préventive ou curative, de réadaptation ou de réinsertion. Chaque CLSC couvre un territoire bien délimité, comprenant en moyenne environ 50 000 personnes ;

– les centres hospitaliers (CH) offrent des services diagnostiques, des soins médicaux généraux et spécialisés et des soins infirmiers, des services psychosociaux spécialisés, des services préventifs et des services de réadaptation ;

– les centres de protection de l'enfance et de la jeunesse (CPEJ) offrent aux jeunes et à leur famille des services de nature psychosociale, des services en matière de placement d'enfants et de médiation familiale, des services d'expertise à la Cour supérieure sur la garde d'enfants, des services d'adoption et de recherche d'antécédents biologiques ;

– les centres d'hébergement et de soins de longue durée (CHSLD) ont pour mission d'offrir aux adultes en perte d'autonomie fonctionnelle ou psychosociale un milieu de vie qui se rapproche de la normale et plusieurs services, dont l'hébergement, l'assistance, le soutien, la surveillance et la réadaptation. Ils offrent aussi à ces personnes des services psychosociaux, médicaux, infirmiers et pharmaceutiques ;

– les centres de réadaptation (CR) offrent dans les installations d'établissement ou dans le milieu de vie des personnes des services d'adaptation, des services de réadaptation et d'intégration sociale, des services d'accompagnement et des services de soutien à l'entourage.

Il y avait, en juillet 1998, plus de 520 établissements (tableau FT7-I).

TABLEAU FT7-I. – RÉPARTITION DES ÉTABLISSEMENTS DE SANTÉ ET DE SERVICES SOCIAUX, QUÉBEC, JUILLET 1998 (d'après la Régie de l'assurance maladie du Québec, *Statistiques annuelles*, 1997)

CATÉGORIE D'ÉTABLISSEMENT	NOMBRE
Centres locaux de services communautaires (CLSC)	147
Centres hospitaliers (CH)	126
Centres de protection de l'enfance et de la jeunesse (CPEJ)	19
Centres d'hébergement et de soins de longue durée (CHSLD)	342
Centres de réadaptation (CR)	97

(2) Centres extrahospitaliers.

TABLEAU FT7-II. – RÉPARTITION DES PLACES DANS LES ÉTABLISSEMENTS, QUÉBEC, JUILLET 1998 (d'après le service de l'analyse statistique, MSSS, août 1998)

NATURE DES PLACES	NOMBRE	TAUX POUR 1 000 PERSONNES
Courte durée[(1)]	23 929	3,22
Longue durée[(2)]	53 926	7,27
Réadaptation[(3)]	13 570	1,83
Total	91 425	12,32

(1) Comprend les lits de soins généraux et spécialisés, incluant ceux de psychiatrie ainsi que les lits d'hôtellerie et ceux de néonatologie.
(2) Comprend les lits d'hébergement et de soins de longue durée permanents et temporaires, de même que les places en pavillon.
(3) Les places en réadaptation se répartissent come suit : 1) internats (installations de réadaptation de 10 places ou plus) ; 2) foyers (installations de réadaptation de 9 places ou plus) ; 3) externes (services externes de réadaptation, tels les services d'apprentissage aux habitudes de travail) ; 4) autres (autres ressources de réadaptation, telle la réadaptation fonctionnelle intensive).

Le tableau FT7-II présente la répartition des places disponibles dans les établissements à des fins de soins hospitaliers, d'hébergement et de réadaptation, en juillet 1998. Au total, il y a plus de 12 places pour 1 000 personnes.

Les médecins omnipraticiens, spécialistes ou résidents (spécialistes en formation) dispensent leurs services en cabinet privé, à domicile ou en établissement. Ils sont rémunérés à l'acte, à l'unité, en salaire ou en honoraires forfaitaires. Souvent, les médecins sont regroupés dans des cliniques ; on en compte près de mille. Comme le montre le tableau FT7-III, il y a à peu près autant de spécialistes que de généralistes.

Le système compte enfin plus de 2 000 organismes communautaires subventionnés qui jouent un rôle de premier plan auprès de nombreuses clientèles. La gamme de services offerts comprend notamment :

– des services de prévention, d'aide et de soutien aux personnes, y compris des services d'hébergement temporaire ;

TABLEAU FT7-III. – RÉPARTITION DES MÉDECINS, QUÉBEC, 1996 (d'après la Régie de l'assurance maladie du Québec, *Statistiques annuelles*, 1997)

CATÉGORIE	NOMBRE	TAUX POUR 100 000 HABITANTS
Omnipatriciens et résidents	7 346	101
Spécialistes	7 354	102
Psychiatres	990	14
Total des médecins	14 700	203

– des activités de promotion, de sensibilisation et de défense des droits et des intérêts des personnes utilisant des services de santé ou des services sociaux ;

– la promotion du développement social, l'amélioration des conditions de vie ou la promotion de la santé pour l'ensemble du Québec ;

– des activités répondant à des besoins nouveaux ou visant des groupes particuliers de personnes.

Le système de santé et de services sociaux du Québec emploie près de 10 p. 100 de la population active. La gestion de ce système est assurée par le ministère de la Santé et des Services sociaux et par dix-sept régies régionales et un conseil régional répartis dans dix-huit régions socio-sanitaires.

LE SYSTÈME DE SANTÉ SPÉCIALISÉ EN SANTÉ MENTALE

Le dispositif de services spécialisés en santé mentale est une partie du système de services de santé et de services sociaux. Les services de santé mentale sont dispensés chez les médecins omnipraticiens ou psychiatres, dans les centres locaux de services communautaires, les départements de psychiatrie des centres hospitaliers, les quelques centres hospitaliers psychiatriques qui ont survécu à la vague de retour des malades mentaux dans la communauté amorcée au milieu des années 1960, les centres d'hébergement et de soins de longue durée, les centres de réadaptation et de nombreux organismes communautaires. De nombreux services sont aussi dispensés par plus de 1 700 psychologues en cabinet privé, mais ils ne sont pas remboursés par l'assurance maladie.

Depuis plusieurs années, les services de santé mentale connaissent une période de transition majeure. Nous assistons à un passage d'une organisation de services centrée sur les hôpitaux à une organisation inscrite dans la communauté. Ce mouvement résulte, d'une part, des recommandations des divers groupes chargés de proposer des alternatives aux modes traditionnels de prise en charge des personnes atteintes de maladie mentale [3, 5] et des moyens de leur permettre de vivre de la façon la plus « normale » possible et, d'autre part, des impératifs d'une meilleure maîtrise de l'évolution des coûts des services de santé.

Ainsi le nombre de lits hospitaliers de courte et de longue durée en psychiatrie a-t-il diminué de façon sensible ; cela est dû au fait que la durée des séjours en hôpital a baissé et que la prise en charge dans la communauté des personnes atteintes de maladie mentale a augmenté. Le mouvement de désinstitutionnalisation a permis de passer de plus de 20 000 lits en 1962, à 8 975 en 1983 et à 6 830 en 1990 [2]. Il s'est accéléré ces dernières années : le nombre de lits est passé de 6 062 (0,83 lit pour 1 000 habitants) le 31 mars 1995, à 4 779 (0,64 lit pour 1 000 habitants) trois ans plus tard. Cette réduction devrait se poursuivre. On vise à atteindre un ratio de 0,4 lit pour 1 000 personnes en 2002 [5] (0,25 pour les hospitalisations de courte durée et 0,15 pour les hospitalisations de longue durée).

La répartition des dépenses consacrées à la santé mentale dans le système de santé témoigne de cette évolution (tableau FT7-IV). Les dépenses effectuées par les centres locaux de services communautaires et les organismes communautaires se sont accrues au détriment de celles effectuées par les centres hospitaliers psychiatriques et les centres d'hébergement et de soins de longue durée. Par ailleurs, on estime qu'environ 30 p. 100 des dépenses des centres hospitaliers psychiatriques et des dépenses en psychiatrie des centres hospitaliers de soins généraux et spécialisés sont en fait des dépenses engagées vers les services extrahospitaliers, dans la communauté.

En ce qui concerne les dépenses dues à la rémunération des médecins, 69 p. 100 sont dues aux psychiatres. Globalement, les dépenses de santé mentale représentent environ 9 p. 100 de l'ensemble des dépenses publiques de santé et de services sociaux.

Depuis la fin des années 1960, les services de psychiatrie pour les enfants, les adultes et les personnes âgées sont sectorisés dans les régions de Montréal et de Québec. Dans les régions moins peuplées, la sectorisation va de soi, à toutes fins utiles, étant donné que les ressources disponibles sont concentrées dans des établissements qui couvrent de vastes territoires. C'est ainsi que, pour la population adulte de Montréal, le territoire est actuellement (1998) découpé en six sous-régions, comprenant quatorze secteurs. Le découpage est différent en ce qui concerne les jeunes et les personnes âgées.

Le principal défi auquel les services de santé mentale sont confrontés depuis près de 40 ans réside dans

TABLEAU FT7-IV. – RÉPARTITION DES DÉPENSES DE SANTÉ MENTALE, QUÉBEC, 1994-1995 ET 1996-1997 (d'après le ministère de la Santé et des Services sociaux, données non publiées)

DISPENSATEURS	POURCENTAGES DES DÉPENSES TOTALES	
	1994-1995	1996-1997
Centres locaux de services communautaires	3,2	6,4
Centres hospitaliers de soins généraux et spécialisés	25,4	27,3
Centres hospitaliers psychiatriques	38,8	35,0
Centres d'hébergement et de soins de longue durée	4,8	3,7
Centres de réadaptation	2,1	1,3
Médicaments	6,0	6,2
Médecins	16,6	16,5
Organismes communautaires	3,1	3,5

l'organisation de services de base adéquats. Depuis le début de la mise en place du réseau des CLSC dans les années 1970 et davantage encore depuis la publication de la politique de santé mentale en 1989 et l'élaboration des premiers plans régionaux d'organisation des services (PROS) qui l'ont suivie, chaque territoire de CLSC devrait pouvoir compter sur des services de base capables de répondre aux besoins. Selon un groupe de travail du comité de la santé mentale du Québec[3], les services de base doivent comprendre :

– l'accueil, l'évaluation et l'orientation ;

– l'intervention en situation de crise, le *counseling* ou la thérapie, l'entraide aux personnes en détresse psychologique et dont la santé mentale est menacée ;

– le suivi des personnes présentant des troubles graves et persistants mais dont l'état de santé est stabilisé et qui ne nécessitent pas un suivi régulier et intensif [1].

L'organisation des services de base n'emprunte pas un modèle unique, en raison de la disparité des ressources locales et régionales et de la diversité des besoins. Généralement, ces services regroupent des équipes de santé mentale en CLSC, des médecins de famille, des centres de crise psychosociale, des ressources d'hébergement et de dépannage, ainsi que des services offerts par les organismes communautaires (soutien et entraide, défense des droits, assistance juridique, aide matérielle, répit, etc.).

Pour pouvoir être efficaces, les services de base, lorsqu'ils ne peuvent répondre aux besoins d'une personne, nécessitent de pouvoir compter rapidement sur les services spécialisés, notamment les services hospitaliers d'urgence.

Malgré les efforts consacrés à la reconfiguration des services de santé mentale depuis de nombreuses années, les progrès accomplis ont été lents et partiels. Le document de consultation [4] rendu public en avril 1997 insiste encore sur la transformation nécessaire des services de santé mentale de façon à diversifier et intensifier les services dans la communauté et à renforcer les liens entre les équipes d'intervenants. Le document propose d'ailleurs d'étendre la distribution des dépenses publiques (hormis celles consacrées à la rémunération des médecins et aux médicaments) sur une période de cinq ans : le ministère souhaite que 60 p. 100, plutôt que 40 p. 100 comme cela se produit actuellement, des sommes disponibles soient consacrées aux services offerts dans la communauté, près des milieux de vie, en donnant la priorité aux personnes ayant des problèmes sévères et persistants.

(3) Mis sur pied en 1971, le comité de la santé mentale du Québec (CSMQ) est un organisme conseil auprès du ministre de la Santé et des Services sociaux. En plus de conseiller le ministre sur les questions de santé mentale, il est chargé de contribuer, par ses études et ses avis, aux fonctions de planification et d'évaluation dont le ministère a la responsabilité. Depuis sa création, il a produit une trentaine d'avis. Il a largement contribué à l'élaboration de la politique de santé mentale.

ADMINISTRATION DE LA SANTÉ

AU NIVEAU CENTRAL

Le ministère de la Santé et des Services sociaux est responsable des objectifs fixés par l'Assemblée nationale dans les domaines de la santé et des services sociaux. Son leadership s'exerce sous l'autorité du ministre, et sa mission est définie au regard des fonctions centrales et stratégiques du système. Il est investi d'un mandat général de régulation, chargé de définir et de contrôler les règles de fonctionnement du système. Il détermine les grandes priorités, les objectifs et les orientations en matière de santé et de services sociaux, et veille à leur application. Son rôle consiste essentiellement à définir les objectifs nationaux et les politiques d'ensemble en matière de santé et de services sociaux, ainsi qu'à assurer la répartition équitable des ressources entre les régions et leur utilisation efficace.

D'une manière plus spécifique, le ministère de la Santé et des Services sociaux a pour fonction :

– d'établir les politiques de santé et de services sociaux ;

– de s'occuper de leur mise en œuvre, de leur application et de leur évaluation ;

– d'approuver les priorités régionales et les plans régionaux d'organisation de services ;

– de répartir équitablement les ressources humaines, matérielles et financières entre les régions ;

– de faire coordonner l'enseignement et la recherche dans le domaine de la santé et des services sociaux ;

– d'élaborer les cadres de gestion des ressources humaines, matérielles et financières ;

– d'établir les politiques et les programmes d'adaptation du personnel du réseau ;

– d'assurer la coordination inter-régionale des services ;

– d'assurer la coordination des programmes de santé publique et de prendre les mesures pour assurer la protection de la santé publique ;

– d'établir les politiques relatives à l'approvisionnement en commun de biens et de services par les établissements[4].

AU NIVEAU RÉGIONAL

Le Québec est divisé en dix-huit régions administratives. Dans chaque région, une régie régionale de la santé et des services sociaux administre la planification, l'organisation, la coordination des programmes et des services, ainsi que l'allocation des ressources. Les régies régionales ont comme mission d'adapter les services socio-sanitaires aux besoins et aux réalités des diverses clientèles concernées. Chaque région peut ainsi dévelop-

(4) D'après le site internet du ministère : http://www.msss.gouv.qc.ca/fr/organisa/systs/minister/mission/index.htm.

per son mode d'organisation propre qui tienne compte des caractéristiques de sa population, de sa géographie, de ses caractéristiques socio-économiques et culturelles et des établissements qui se trouvent dans cette région.

D'une manière plus précise, les régies régionales de la santé et des services sociaux ont pour fonction :

– d'assurer la participation de la population à la gestion du réseau et le respect des usagers ;

– de définir les priorités régionales ;

– de décider de l'organisation des services sur leur territoire et d'en évaluer l'efficacité ;

– d'allouer les budgets aux établissements et d'accorder les subventions aux organismes communautaires ;

– de coordonner l'action de toutes les composantes du réseau régional ;

– de mettre en place des mesures visant à assurer la protection de la santé publique ;

– d'inciter les établissements à se regrouper pour gérer de façon efficace leurs ressources.

RÉFÉRENCES

1. Comité de la santé mentale du Québec (CSMQ). Défis de la reconfiguration des services de santé mentale, 1997 : 63.
2. Lecomte Y. De la dynamique des politiques de désinstitutionnalisation au Québec. Santé mentale au Québec, 1997, *XXII* (2) : 7-24.
3. MSSS. Rapport Harnois, Politique de santé mentale. Québec, Gouvernement du Québec, 1989, 62 pages.
4. MSSS. Orientations pour la transformation des services de santé mentale. Ministère de la Santé et des Services sociaux du Québec, document de consultation, 17 avril 1997.
5. MSSS. Plan d'action pour la transformation des services de santé mentale. Ministère de la Santé et des Services sociaux du Québec, Gouvernement du Québec, 1998.

Fiche technique 8

DESCRIPTION DU DISPOSITIF FRANÇAIS[1]

DISPOSITIF SOCIAL

SÉCURITÉ SOCIALE

En France, la protection sociale contre les risques financiers liés à la maladie est assurée principalement par l'Assurance maladie, branche de la Sécurité sociale, à financement contributif obligatoire. Le financement de la Sécurité sociale est fondé sur la solidarité professionnelle, et l'essentiel des ressources est fourni par les cotisations des salariés et des employeurs. Depuis quelques années, avec la mise en place de la contribution sociale généralisée, une partie des ressources de la Sécurité sociale est fiscalisée. En 1999, on estimait à 99,8 p. 100 la population protégée par l'Assurance maladie, le plus souvent sur une base professionnelle.

À partir de 2000, les personnes exclues de l'Assurance maladie sont couvertes grâce à la création de la couverture maladie sur critère de résidence. En règle générale, l'assuré social paie directement au médecin ou au pharmacien les frais de consultation ou de médicaments (ce qui n'est pas le cas pour les frais d'hospitalisation) et se fait ensuite rembourser par l'Assurance maladie, le plus souvent de façon partielle. Les sommes remboursées sont calculées en fonction d'un tarif et d'un pourcentage, le « ticket modérateur » qui reste à la charge de l'assuré et qui varie selon le type de soins (soins hospitaliers, soins médicaux, soins d'auxiliaires médicaux, frais de laboratoire, médicaments, prothèses dentaires, lunettes). Pour réduire la partie des dépenses qui reste à la charge de l'assuré (du fait des règles de remboursement partiel), 87 p. 100 de la population ont recours à une assurance complémentaire, délivrée par les mutuelles, les sociétés d'assurance et les institutions de prévoyance[2].

PROTECTION SOCIALE

Le système français de protection sociale assure à certaines catégories de personnes des minima de revenus, par le biais d'allocations différentielles. Ces prestations appelées « minima sociaux » obéissent à une logique non contributive.

Allocation adulte handicapé (AAH)

Cette allocation est destinée à assurer à toutes les personnes handicapées un revenu minimal. L'AAH est accordée, sous condition de nationalité et de ressources, aux personnes ayant un taux d'incapacité de 80 p. 100 (ou compris entre 50 et 80 p. 100 avec une impossibilité de se procurer un emploi du fait du handicap), apprécié par une commission. Son montant qui s'élève à 3 471 F par an au 1er janvier 1998 est versé par la Caisse d'allocations familiales. On comptait 646 000 bénéficiaires de l'AAH au 31 décembre 1998.

Revenu minimum d'insertion (RMI)

Le revenu minimum d'insertion est destiné à assister les personnes les plus démunies. L'allocation du revenu minimum d'insertion est une allocation qui correspond à la différence entre les ressources des personnes et le montant du revenu minimum (dont le seuil est fixé à 2 429 F par mois pour une personne seule au 1er janvier 1998). Cette allocation est accordée à des personnes résidant en France (titulaires d'une carte de résident ou d'un titre de séjour, pour les étrangers), âgées de plus de 25 ans ou ayant des enfants à charge. Elle est financée par l'État et versée par les caisses d'allocation familiale. Les bénéficiaires doivent s'engager dans une activité d'insertion mise en place par les conseils généraux. Au 31 décembre 1998, on comptait 993 000 bénéficiaires du RMI en France

(1) Ce chapitre a été fait par B. Boisguérin.

(2) En raison de l'application au 1er janvier 2000 de la loi portant création d'une couverture maladie universelle du 27 juillet 1999. Cette loi met également en place une couverture maladie complémentaire gratuite pour les personnes ayant de faibles ressources. Les personnes bénéficiant de cette couverture complémentaire auront droit à la dispense d'avance de frais.

métropolitaine et 119 000 dans les départements d'outre-mer.

On peut citer également, parmi les minima sociaux, le minimum vieillesse, le minimum invalidité, l'allocation parent isolé, l'allocation de veuvage et l'allocation de solidarité spécifique.

DISPOSITIF SANITAIRE ET SOCIAL

En France, le dispositif sanitaire est distinct du dispositif social, tant par le financement que par les autorités compétentes. D'un point de vue réglementaire, les établissements de santé sont régis par la loi portant réforme hospitalière modifiée par les ordonnances d'avril 1996, tandis que les établissements sociaux sont régis par la loi du 30 juin 1975 relative aux institutions sociales et médico-sociales.

DISPOSITIF GÉNÉRAL

Dispositif sanitaire

Établissements de santé

• Les *hôpitaux publics* et *privés*, généraux ou spécialisés, de court, moyen ou long séjour assurent principalement des soins avec hébergement et, dans une moindre mesure, des soins en hospitalisation de jour ou de nuit ainsi que des traitements et des cures ambulatoires et des consultations externes (tableau FT8-I). Dans les hôpitaux généraux, les malades sont accueillis, selon leur cas, dans des services de médecine, de chirurgie, d'obstétrique, d'odontologie ou de psychiatrie. Les établissements de moyen et de long séjour dispensent des soins de suite et de réadaptation et accueillent les personnes ayant perdu toute autonomie.

Les hôpitaux publics (et privés participant au service public hospitalier) se distinguent des hôpitaux privés par l'étendue de leurs missions, les modalités de fonctionnement et le mode de financement.

Les *hôpitaux publics* sont financés par une dotation globale attribuée par l'Agence régionale de l'hospitalisation (ARH) à partir d'une dotation régionale. Le montant total est déterminé en fonction de l'objectif national d'évolution des dépenses de l'Assurance maladie.

Les *hôpitaux privés* sont financés sur la base de tarifs arrêtés par le directeur de l'ARH. Le remboursement des caisses d'Assurance maladie aux établissements privés se décompose en plusieurs éléments : un paiement forfaitaire à la journée destiné à couvrir les frais d'hébergement et les soins infirmiers courants, un forfait de salle d'opération et un paiement à l'acte pour les analyses et les services de médecin. Les dépenses des établissements privés sont encadrées par une enveloppe limitative : le montant annuel des frais d'hospitalisation remboursé par les régimes d'Assurance maladie, déterminé en fonction de l'objectif national d'évolution des dépenses de l'Assurance maladie.

TABLEAU FT8-I. – ÉTABLISSEMENTS DE SANTÉ

Établissements publics	
Centres hospitaliers régionaux	29
Centres hospitaliers	554
Hôpitaux locaux	343
Centres hospitaliers spécialisés en psychiatrie (CHS)	94
Autres établissements	44
Total public	1 064
Établissements privés	
Établissements de soins de courte durée	1 096
Établissements d'enfants à caractère sanitaire	83
Établissements de soins de suite et de réadaptation de longue durée	725
Hôpitaux psychiatriques privés	25
Autres établissements de lutte contre la toxicomanie et l'alcoolisme	301
Traitements de soins à domicile, dialyse ambulatoire	512
Autres établissements	386
Total privé	3 128
Total public + privé	4 192

Dans les hôpitaux publics, les médecins sont salariés, alors que dans les hôpitaux privés, la majorité des médecins sont libéraux.

Au 1er janvier 1998, l'équipement en lits d'hospitalisation complète s'élève à 375 334 lits pour les hôpitaux publics (et privés participant au service public hospitalier) et à 123 505 pour les hôpitaux privés non participant au service public hospitalier, soit un total de 498 839 lits, ce qui correspond à 8,5 lits pour 1 000 habitants (trois quarts appartenant au public ou participant et un quart au privé) (tableau FT8-II).

• Les *soins ambulatoires* et à domicile sont pour la plupart assurés par des professionnels libéraux, médecins ou auxiliaires médicaux qui sont rémunérés à l'acte (tableau FT8-III).

À côté des cabinets des professionnels libéraux, il existe des dispensaires et des centres de soins dépendant de municipalités ou de mutuelles ; 90 p. 100 d'entre eux sont de statut public et les professionnels y exercent en tant que salariés.

• *Pharmacie* : la production et la distribution de médicaments sont réglementées dans le cadre de procédures établies par les pouvoirs publics. La vente au

TABLEAU FT8-II. – RÉPARTITION DE L'ÉQUIPEMENT EN LITS D'HOSPITALISATION COMPLÈTE AU 1ER JANVIER 1998 EN FRANCE MÉTROPOLITAINE

	Public	Privé participant au service public hospitalier	Privé non participant au service public hospitalier	Ensemble	Taux pour 1 000
Court séjour(1)	160 505	18 563	74 638	253 706	4,32
Psychiatrie	47 869	10 601	11 592	70 068	1,19
Toxicomanie et alcoolisme	1 173	129	567	1 868	0,03
Soins de suite ou de réadaptation	38 805	19 925	32 900	91 630	1,56
Soins de longue durée(2)	74 746	3 019	3 808	81 573	1,39
Total	323 098	52 236	123 505	498 839	8,49

(1) Médecine, chirurgie obstétrique.
(2) Non comprises les places de maison de retraite pour personnes âgées avec section de cure médicale, totalisant 135 839 places, soit 2,32 pour 1 000.

public est réalisée dans des officines qui sont des entreprises libérales. L'inscription des médicaments remboursables par l'Assurance maladie, leur prix et leur taux de remboursement sont fixés par arrêté.

Institutions sociales et médico-sociales (tableau FT8-IV)

Le secteur social et médico-social est constitué d'une large gamme d'organismes et d'activités de statut public ou privé, qui offrent des services aux familles, aux enfants, aux personnes inadaptées, handicapées ou âgées. Il peut s'agir d'aides à domicile ou d'hébergement en établissements. Les modes de prises en charge, le financement et le contrôle de ces structures sont très divers, et la gestion est assurée soit par des associations à but non lucratif, soit par les collectivités locales et leurs établissements publics.

L'autorisation et le contrôle des établissements et services sont du ressort soit du conseil général (élus du département) pour l'aide sociale à l'enfance, l'hébergement des personnes âgées et handicapées, soit du représentant de l'État (préfet, directeur départemental des Affaires sanitaires et sociales) pour les établissements dont le financement est pris en charge par l'Assurance maladie ou par l'État. Mais il est fréquent que le financement soit double et, dans ce cas, les autorisations relèvent à la fois du préfet et du président du conseil général.

TABLEAU FT8-III. – RÉPARTITION DES MÉDECINS LIBÉRAUX AU 1ER JANVIER 1998 EN FRANCE MÉTROPOLITAINE

Catégorie	Nombre	Taux pour 100 000 personnes
Généralistes	67 072	115
Spécialistes	50 936	87
– dont psychiatres	6 291	11
Total	118 008	202

DISPOSITIF DE SOINS PSYCHIATRIQUES

Le dispositif de soins psychiatriques appartient au dispositif sanitaire ; les malades mentaux peuvent avoir accès au dispositif social en faveur des personnes handicapées. L'offre de soins psychiatriques repose sur un dispositif diversifié comportant un dispositif public et un dispositif privé.

Dispositif public

• La psychiatrie de service public est organisée en *secteurs* rattachés à des établissements de santé publics (97 centres hospitaliers spécialisés en psychiatrie et 151 hôpitaux généraux disposant de services de psychiatrie) ou privés participant au service public hospitalier (25 hôpitaux psychiatriques privés faisant fonction de public). Les secteurs sont des circonscriptions géo-démographiques, dans lesquelles une même équipe pluridisciplinaire assure des actions de prévention, de soin, de réadaptation et de réinsertion.

En 1997, on comptait 829 secteurs de psychiatrie générale pour les adultes (un secteur pour 54 000 habitants de 20 ans et plus), 321 secteurs de psychiatrie infanto-juvénile pour les enfants (un secteur pour 49 000 habitants de moins de 20 ans) et 26 secteurs de psychiatrie en milieu pénitentiaire pour les détenus.

L'équipe intervient dans les différentes structures du secteur qui permettent de dispenser des soins à temps complet (en service d'hospitalisation, centre de post-cure, appartement thérapeutique, accueil familial thérapeutique), des soins à temps partiel (hôpital de jour, hôpital de nuit, atelier thérapeutique, centre

TABLEAU FT8-IV. – FINANCEMENT DU DISPOSITIF SANITAIRE ET SOCIAL EN FRANCE MÉTROPOLITAINE ET EN DOM AU 1ER JANVIER 1998

	Financeur			Capacité totale
	Conseil général	Assurance maladie	État	Taux pour 1 000
Aide sociale à l'enfance	1 342 établissements			0,86
Enfants handicapés : établissement d'éducation spéciale		1 934 établissements		1,89
Adultes handicapés :				
– foyers d'hébergement	1 236 établissements			
– foyers occupationnels	892 établissements			1,46
– foyers à double tarification	Forfait hébergement, 191 établissements	Forfait soins		
– maisons d'accueil spécialisées		297 établissements		
– centres d'aide par le travail			1 313 établissements	1,89
– centres de rééducation professionnelle			84 établissements	
Personnes âgées :				
– maisons de retraite, foyers logements	Hébergement	Forfait soins courants		9,63
– section de cure médicale		Forfait soins		
Adultes en difficulté :				
– centres d'hébergement et de réadaptation sociale				0,48

d'accueil thérapeutique à temps partiel) ou des soins « ambulatoires » en centres médico-psychologiques (centres de consultation). L'équipe intervient également au domicile des patients (ou en institution substitutive au domicile) et dans les services somatiques des hôpitaux.

• Les services de psychiatrie *non sectorisés* sont essentiellement dans des centres hospitaliers régionaux.

L'ensemble du dispositif public représentait en 1997 :

– 57 000 lits d'hospitalisation complète ;

– 24 055 places d'hospitalisation partielle (hospitalisation de jour et de nuit) ;

– 2 100 centres médico-psychologiques ouverts au moins cinq jours par semaine ;

– 1 400 centres d'accueil thérapeutique à temps partiel.

Dispositif privé

• *Établissements de soins privés* : en 1997, on comptait 152 cliniques de lutte contre les maladies mentales et 27 foyers de post-cure, 74 hôpitaux de jour associatifs disposant de 14 000 lits d'hospitalisation complète et 2 995 places d'hospitalisation partielle (hospitalisation de jour et de nuit).

• *Professionnels spécialisés* : ce sont des professionnels spécialisés libéraux, psychiatres (6 342 psychiatres libéraux au 1er janvier 1998, y compris les psychiatres libéraux ayant une activité salariée à temps partiel), et les psychologues. En France, seuls les actes relevant de psychiatres libéraux sont remboursés par l'Assurance maladie.

• *Centres médico-psycho-pédagogiques* : il existe 532 centres médico-psycho-pédagogiques (CMPP) qui sont des centres de consultation pour les enfants et adolescents, de statut associatif.

ADMINISTRATION DE LA SANTÉ

AU NIVEAU CENTRAL

Le système de santé est placé sous la responsabilité de l'État. L'État, par l'intermédiaire du ministère chargé des Affaires sociales et de la Santé, assume la prise en charge des problèmes généraux de santé publique, assure la formation des personnels de santé, veille à l'adéquation des structures de soins aux besoins, exerce la tutelle sur le fonctionnement des hôpitaux publics et intervient sur les modalités de fonctionnement de la protection sociale et sur la prise en charge des soins. Depuis 1996, le *Parlement* fixe annuellement les objectifs sanitaires et le cadre du financement du système de protection sociale. La *conférence nationale de santé* analyse les données sur la situation sanitaire et les besoins de santé. Elle propose des priorités pour la politique de santé publique et des orientations pour la prise en charge des soins. Ses analyses font l'objet d'un rapport au gouvernement, transmis également au parlement. Le *gouvernement* élabore le projet de loi de financement de la Sécurité sociale, qui tient compte des analyses de la conférence nationale de santé.

Le Parlement vote la loi de financement de la Sécurité sociale qui fixe l'objectif national des dépenses de l'Assurance maladie (ONDAM). Cet objectif se décompose en quatre éléments :

– l'hospitalisation publique (établissements publics et privés participant au service public hospitalier) : montant total des dotations globales versées aux établissements réparti en enveloppes régionales ;

– l'hospitalisation privée (montant total annuel des frais d'hospitalisation pris en charge par l'Assurance maladie), réparti par région ;

– les soins de ville ;

– le secteur médico-social.

AU NIVEAU LOCAL

• Au *niveau régional* (22 régions métropolitaines et 3 régions pour les départements d'outre-mer) : la conférence régionale de santé analyse l'évolution des besoins de santé, procède à l'examen des données relatives à la situation sanitaire et sociale de la population propres à la région et définit des priorités.

La direction régionale des affaires sanitaires et sociales (DRASS, service de l'État dans la région), sur la base des orientations de la conférence régionale de santé, détermine et anime la politique régionale de santé et identifie les problèmes prioritaires de santé, qui peuvent faire l'objet de programmes régionaux de santé. Ces programmes couvrent l'ensemble des actions de promotion de la santé, d'éducation de la santé, de soins, de rééducation et de réinsertion. En matière hospitalière, la DRASS agit dans le cadre de l'agence régionale de l'hospitalisation. La DRASS s'assure du lien entre la politique hospitalière et les politiques conduites dans le domaine des soins de ville et des secteurs médico-social et social. En matière de protection sociale, la DRASS évalue au niveau local le degré de réalisation des objectifs fixés par les conventions nationales d'objectif et de gestion conclues entre l'État et les caisses nationales de Sécurité sociale.

L'agence régionale de l'hospitalisation est un groupement d'intérêt public, associant les services de l'État (DRASS et DDASS) et l'Assurance maladie. Elle est chargée de la planification au niveau régional (carte sanitaire et schéma régional d'organisation sanitaire [SROS]) et de l'attribution des ressources aux établissements de santé publics et privés. Elle fixe le montant de la dotation globale annuelle des établissements de santé publics (et privés participant au service public hospitalier) à partir d'une dotation régionale hospitalière fixée par le gouvernement, et elle arrête les tarifs d'hospitalisation des établissements privés.

Elle établit des contrats pluri-annuels (de 3 à 5 ans) d'objectifs et de moyens avec les établissements de santé publics et privés, qui déterminent les orientations stratégiques des établissements de santé en tenant compte des objectifs des SROS.

• Au *niveau départemental* (100 départements) : la direction départementale des affaires sanitaires et sociales (DDASS, service de l'État dans le département) détermine les politiques d'intégration, de solidarité et de développement social, les actions de promotion et de prévention en matière de santé publique ainsi que la lutte contre les épidémies. En matière hospitalière, la DDASS agit dans le cadre de l'agence régionale de l'hospitalisation. La planification et l'allocation de ressources dans le domaine social et médico-social sont de la responsabilité de la DDASS.

PLANIFICATION

La carte sanitaire détermine les limites des régions et des secteurs sanitaires, ainsi que la nature et l'importance des équipements nécessaires pour répondre aux besoins de la population. Elle définit des ratios concernant les capacités d'hébergement et les équipements lourds par rapport aux effectifs de population ; elle définit également les normes d'utilisation des techniques médicales coûteuses. Elle a une fonction d'encadrement quantitatif de l'offre de soins.

Le schéma régional d'organisation sanitaire gère, à l'intérieur de chaque région, la répartition géographique des équipements ou activités. Il précise la répartition géographique, au sein de la zone sanitaire concernée, des installations et des activités de soins qui permettent de répondre au mieux aux besoins de la population. Il prend en compte l'accessibilité, la qualité, le type et la permanence des soins. Une annexe au schéma doit établir, compte tenu des équipements existants, des objectifs et des priorités du schéma, les opérations nécessaires à l'obtention du résultat visé (projets de création, de transformation, de regroupements ou de suppression d'activités ou d'équipements).

ENJEUX

En 1970, la France s'est dotée d'un outil de régulation de l'offre de soins hospitaliers, la carte sanitaire, déterminant le nombre de lits et d'équipements nécessaires par millier d'habitants. C'est à la fin des années 1980 qu'une autre approche, complémentaire, est définie pour répartir et organiser le dispositif de soins hospitalier public et privé. En psychiatrie d'abord, des schémas départementaux d'organisation sont élaborés entre 1988 et 1989. Puis, une loi hospitalière, en 1991, étend aux autres disciplines médicales l'obligation d'un schéma d'organisation désormais régional.

Parallèlement à cette régulation et à cette organisation de l'offre de soins hospitalière sur le plan du nombre de lits et des équipements, des mesures sont prises en 1985 pour réaliser une régulation budgétaire en modifiant le mode de rémunération des établissements de santé publics. Autrefois financés selon un prix de journée, à partir de 1985 les hôpitaux publics sont financés par une dotation globale évoluant chaque année d'un certain pourcentage, le taux directeur. Ce taux directeur ne peut pas beaucoup prendre en compte l'évolution des activités des hôpitaux ; aussi, au début des années 1990, cette réforme du mode de financement des hôpitaux est-elle complétée par un système de répartition des moyens liée à la nature de l'activité, système inspiré des *diagnostic related groups* américains, le PMSI (programme médicalisé des systèmes d'information). Le PMSI français ne concerne pour l'instant que le dispositif de soins en médecine, chirurgie, obstétrique. Récemment, il vient d'être étendu aux soins de suite et de réadaptation, et aux cliniques privées. La psychiatrie expérimente un modèle de PMSI adapté à ses particularités et permettant de financer les établissements de santé en fonction de la nature de leurs activités.

Les activités médicales ambulatoires, dans le secteur privé, sont rémunérées à l'acte. La liberté de prescription est grande mais limitée. Les actes jugés inutiles ou dangereux pour le malade peuvent entraîner des sanctions financières contre le médecin praticien. L'inventaire de ces actes inutiles ou dangereux, concernant plusieurs grandes pathologies, est désigné sous le nom de RMO (références médicales opposables). Progressivement, chaque grande catégorie de professionnels de santé s'est vue fixer un objectif annuel de dépenses à ne pas dépasser (infirmières libérales, laboratoires de biologie médicale, médecins libéraux depuis les ordonnances du 24 avril 1996). Les mesures à prendre en cas de dépassement de ces objectifs de dépenses annuels font encore l'objet de discussions avec les médecins libéraux.

Les RMO ne concernent que l'activité des médecins libéraux exerçant en ambulatoire, mais leur application à l'hôpital public est en projet. Par ailleurs, on peut penser que le système des RMO évoluera sous peu. Les RMO déterminent ce qu'il ne faut pas faire, les actes trop inutiles ou dangereux. À l'avenir, les RMO se rapprocheront plutôt des recommandations de bonne pratique (donnant des indications de prescriptions devant telle ou telle pathologie).

Avec les schémas régionaux d'organisation il va s'agir de répartir et d'organiser l'offre de soins hospitalière publique et privée, sur une période de cinq ans, de manière à répondre au mieux aux besoins de la population. Avec la mise en place du PMSI est recherchée une allocation des ressources adaptée à la nature des activités réalisées par les hôpitaux et les cliniques. Les ordonnances de 1996 ont complété ce dispositif de contrôle des dépenses en instituant un système d'accréditation des établissements de santé : l'agence nationale d'accréditation et d'évaluation en santé (ANAES).

La gestion plus rigoureuse du dispositif de soins ne s'est pas faite d'un seul coup, mais peu à peu. Par ailleurs, l'articulation de ces différentes approches, par l'organisation, la répartition budgétaire et l'accréditation, reste à concevoir. Les moyens d'une gestion satisfaisante du dispositif de soins sont maintenant presque tous réunis. Il faut maintenant apprendre aussi à les utiliser de façon complémentaire.

Le schéma régional d'organisation sanitaire (SROS), chargé d'organiser l'offre de soins hospitalière publique et privée sur le territoire régional, prend des dispositions qui s'appliquent aux seuls hôpitaux et cliniques. L'organisation de la médecine ambulatoire, des institutions et services médico-sociaux échappe à ses décisions. L'autorité administrative compétente pour élaborer un SROS, l'agence régionale d'hospitalisation (ARH) instituée par les ordonnances de 1996 et réunissant les services de l'Assurance maladie et de l'État, n'a pas de responsabilité pour organiser ou financer les activités réalisées dans les champs de l'ambulatoire, du médico-social et du social. L'organisation de l'ambulatoire n'obéit pas à un schéma arrêté. Le financement de cette activité est assuré à l'acte et relève de l'Assurance maladie.

Le secteur médico-social est placé sous l'autorité du préfet. Le secteur social relève, selon les populations concernées, de l'autorité des collectivités locales ou du préfet. Aucune autorité n'a la charge d'établir la cohérence générale nécessaire entre les gestions séparées du sanitaire et du social, de l'hospitalier et de l'ambulatoire.

Mais d'autres clivages, à l'intérieur d'un même domaine d'activité, viennent compliquer les tâches de gestion. La coupure public-privé dans le dispositif hospitalier, en faisant obéir à des règles différentes ces deux secteurs, rend difficile la recherche d'organisations permettant d'assurer une utilisation optimale des ressources nécessaires à la satisfaction des besoins. Les hôpitaux publics sont sous tutelle de l'ARH. Ainsi leurs projets d'établissement doivent-ils être approuvés par l'ARH pour pouvoir être mis en œuvre. Les cliniques privées ont plus de liberté, elle peuvent recruter les praticiens de leur choix et développer sans contrainte leurs activités. Les différences de financement entre ces deux secteurs public et privé ne simplifient pas les collaborations nécessaires entre structures de soins. Les praticiens ne sont pas rémunérés de la même façon pour des activités identiques. Les médecins du secteur public sont salariés. Les médecins du secteur privé sont rémunérés à l'acte. Le budget de l'hôpital est contenu dans une enveloppe arrêtée par l'ARH. Les cliniques privées, financées selon un prix de journée, ne doivent pas dépasser une enveloppe de dépenses déterminée au niveau national, appelée OQN (objectif quantifié national). Il est question d'établir des OQR (objectifs quantifiés régionaux) qui donneraient la responsabilité de cette enveloppe privée aux ARH. Alors seraient réunies sous la même autorité les décisions d'organisation avec le SROS et les décisions portant sur le contrôle de l'enveloppe de dépense et sur la répartition des moyens entre les cliniques.

Dans le secteur hospitalier public et privé et extra-hospitalier, la prise en compte de la qualité se fait grâce à la procédure d'accréditation relevant de l'autorité d'une structure administrative nationale, l'ANAES. Dans le secteur libéral, l'évaluation de la qualité développe, dans le cadre de l'ANAES, ses propres méthodes, étant entendu que la réforme de la formation continue y jouera son rôle.

Afin de pouvoir dépasser les clivages existants entre les différents secteurs chargés de concourir à la santé de la population, et pour rééquilibrer les efforts entrepris entre les soins et la prévention, les ordonnances de 1996 ont organisé dans chaque région une conférence régionale de santé composée des principaux acteurs et décideurs qui travaillent dans le domaine de la santé sur le plan régional. Cette conférence est annuelle. À partir de débats et de confrontations des points de vue, elle a pour but de déterminer les priorités de santé vers lesquelles doivent converger toutes les énergies. Il s'agit d'élaborer et de conduire des programmes régionaux de santé (PRS) qui vont tenter de mobiliser, autour de la prise en charge de problèmes de santé particuliers, l'ensemble des autorités, institutions, services et organismes compétents dans les champs de la prévention, des soins et de la réinsertion-réadaptation. Manifestement, une articulation doit se créer entre, d'un côté, les schémas régionaux d'organisation sanitaire touchant principalement l'hospitalier, et conduits sous l'autorité de l'agence régionale de l'hospitalisation et, de l'autre, les programmes régionaux de santé proposés par la conférence régionale de santé et élaborés sous l'autorité du préfet de région. La recherche de ces articulations est bien sûr compliquée par la fragmentation des responsabilités administratives gérant l'ensemble des secteurs touchant à la santé. Par ailleurs, la volonté de rééquilibrer les efforts nécessaires à la prévention est limitée par les très faibles moyens accordés à ce domaine d'intervention.

La prise de conscience de l'importance des questions posées à la société française par l'organisation du système de santé et son fonctionnement ne cesse de croître au sein de la population et des responsables politiques et administratifs du pays. La France est l'un des pays au monde qui consacre le plus de moyens à la santé par rapport à sa richesse nationale (tableau FT8-V). Et il n'est pas certain que les résultats obtenus soient à la hauteur de l'effort. Depuis les ordonnances de 1996, le Parlement est appelé à voter tous les ans une loi de financement de la Sécurité sociale qui fixe l'enveloppe des ressources affectée à la santé. Ainsi la détermination des efforts consacrés à la santé s'appuie-t-elle désormais sur la légitimité de la représentation nationale. Cette réforme installe au cœur

TABLEAU FT8-V. – COMPARAISON DES RESSOURCES ENTRE LA FRANCE ET LE QUÉBEC EN 1996-1998 (d'après l'*Annuaire des statistiques sanitaires et sociales 1998*, ministère de l'Emploi et de la Solidarité)

	FRANCE	QUÉBEC	UNITÉ
Nombre d'habitants	58 494	7 431	Milliers d'habitants
Taux de chomage[(1)]	12,4	11,8	p. 100
PIB par habitant	20 525	22 055	$US PPA[(2)]
Dépenses de santé par habitant[(3)]	1 978	2 078	$US PPA
Généralistes	149	101	Pour 100 000 habitants
Spécialistes	149	102	Pour 100 000 habitants
Psychiatres	20	14	Pour 100 000 habitants
Total des médecins	298	203	Pour 100 000 habitants
Psychologues cliniciens	30	75	Pour 100 000 habitants
Lits d'hospitalisation complète (total)	8 369	12,32	Pour 1 000 habitants
Lits d'hospitalisation complète (psy)	1,24	0,64	Pour 1 000 habitants
Places d'hospitalisation jour et nuit	0,45		Pour 1 000 habitants

(1) OCDE taux standardisé rapporté à la population active totale.
(2) Par personne/année.
(3) Dépenses nationales de santé, définition OCDE.

du débat démocratique les questions de santé. Cette ouverture du débat démocratique va plus loin que le seul vote de la loi de financement de la Sécurité sociale par le Parlement. Avec les conférences régionales de santé associant à la détermination de priorités de santé l'ensemble des acteurs et responsables œuvrant dans le champ de la santé, avec les états généraux de la santé lancés fin 1998 par le gouvernement ouvrant sur la santé un vaste débat national, avec les schémas régionaux d'organisation sanitaire qu'il convient d'élaborer en associant les citoyens à la réflexion, les voies pour arriver à plus de démocratie dans la gestion du système de santé sont recherchées.

Devant l'ampleur des difficultés rencontrées pour conserver les avantages offerts à sa population par son système de protection sociale, la France organise de façon plus résolue le débat démocratique, seul capable d'impliquer chacun dans la recherche et la mise en œuvre des solutions nécessaires et de donner une forte légitimité aux choix à effectuer.

RÉFÉRENCES

1. CECCALDI D. Les institutions sanitaires et sociales. Paris, Foucher, 1993.
2. DURIEZ M, SANDIER S. Le système de santé en France, organisation et fonctionnement. Paris, CREDES et ministère des Affaires sociales, 1993.
3. MINISTÈRE DES AFFAIRES SOCIALES, DE LA SANTÉ ET DE LA VILLE. Les Français et leur santé : enquête santé 1991-1992. *In* : Solidarité, santé et études statistiques. Paris, Service des statistiques, des études et des systèmes d'information, 1994.
4. THÉVENET A. Les institutions sanitaires et sociales de la France. Paris, PUF, « Que Sais-Je ? », 1994.

Fiche technique 9

PRATIQUE DE LA PLANIFICATION EN FONCTION DES BESOINS EN SANTÉ MENTALE (1)

Enquête menée en 1996 au Québec et en France aux niveaux national et régional auprès de planificateurs, d'intervenants, d'usagers et de leurs proches

Une enquête a été menée sur la pratique de la planification en fonction des besoins en santé mentale par le comité franco-québécois sur la mesure des besoins et a été résumée au chapitre 2. On trouve aussi au chapitre 2 des informations supplémentaires à celles des fiches techniques 7 et 8 sur les contextes de planification en France et au Québec ; on y livre les hypothèses et les objectifs de l'étude, de même qu'une revue sommaire des méthodes et une synthèse des résultats. Cette fiche technique 9 reprend plus en détail la méthodologie et rapporte le guide d'entretien et une synthèse élargie des résultats.

MÉTHODOLOGIE

PARTICIPANTS À L'ÉTUDE

Le tableau FT9-I donne une liste des différents types de participants au Québec et en France.

Au niveau des régions et de la planification nationale, des informateurs ont été choisis en fonction de leurs connaissances du milieu professionnel et de la problématique étudiée. Au niveau régional, on a donné la priorité aux personnes qui ont été impliquées dans des processus de planification (par exemple, au Québec, dans l'élaboration des plans régionaux d'organisation des services [PROS]). Ces personnes ont été identifiées par les membres des groupes québécois et français qui les ont contactées personnellement ou via leurs connaissances. Une fois ces informateurs identifiés et contactés, pour la planification à l'échelle nationale, l'informateur chargé de la direction de la planification a dû identifier les personnes ressources les plus adaptées. En ce qui concerne les régions, l'informateur a été chargé d'identifier et de contacter deux ou trois répondants dans chacun des groupes concernés ayant la capacité d'apporter de l'information sur les questions posées.

La méthode consistait à constituer des groupes de discussion (en anglais, *focus groups*) dix au Québec et neuf en France. Chaque groupe ne devait pas comporter plus de six participants.

Un agent de recherche, dans les deux cas un médecin engagé dans une formation en santé publique et spécialisé en psychiatrie, a animé les groupes et les analyses préliminaires au Québec et en France. Lors des rencontres nationales et dans certaines régions, des membres du groupe franco-québécois sur la mesure des besoins ont assisté aux rencontres à titre d'observateurs. Les rencontres pouvaient durer de deux à trois heures et les discussions étaient enregistrées sur bande audio pour référence. L'agent de recherche prenait des notes lors des rencontres et un compte rendu détaillé de la rencontre était assuré immédiatement après chaque rencontre. Les participants avaient reçu l'assurance que, afin de conserver leur anonymat, leur nom et leur fonction précise ne seraient pas divulgués.

Le canevas (*voir* plus bas) gravite autour de trois grandes questions :

– quel est le champ couvert par la planification en santé mentale ?

– planifie-t-on en tenant compte des besoins en santé mentale ?

– quels sont les outils et les stratégies disponibles pour la mesure des besoins ?

Au moins une semaine avant la rencontre, afin de pouvoir se préparer au mieux à cette rencontre, chaque participant recevait une lettre explicative et le canevas d'entrevue. Les participants devaient donner des réponses brèves par écrit sur la copie du canevas d'entrevue. Ils devaient également fournir des documents relatifs à la planification, utilisés ou développés par eux ou leur organisation.

(1) Cette étude a été en grande partie réalisée par Daniel Reinharz, MD, PhD, pour la section du Québec et par le Docteur Françoise Chastang pour la section sur la France.

TABLEAU FT9-I. – TYPES DE PARTICIPANTS AU QUÉBEC ET EN FRANCE

		QUÉBEC
Niveau national		Fonctionnaires du ministère de la Santé et des services sociaux
Niveau régional	Planificateurs	Fonctionnaires de la régie régionale, chefs de département de psychiatrie universitaire adultes ou pédo-psychiatrique, représentants des ressources
	Intervenants	Psychiatres, nursing, service social, intervenants en CLSC, intervenants ressources communautaires
	Usagers/familles/communauté	Représentants des groupes d'usagers et des familles, rarement de la communauté
		FRANCE
Niveau national		Fonctionnaires du ministère du Travail et des Affaires sociales (direction des hôpitaux et direction générale de la santé), représentants de la mission d'appui en santé mentale de la Caisse nationale d'Assurance maladie, de l'École nationale de Santé publique
Niveau régional	Planificateurs	Fonctionnaires de la DRASS, médecins inspecteurs, directeurs de DDASS, directeurs de CRAM, médecins conseils régionaux
	Intervenants	Psychiatres du public et du privé, infirmiers, médecins généralistes, directeurs d'établissement
	Usagers/familles/communauté	Représentants d'associations des familles, conseillers généraux, présidents d'administration des centres hospitaliers

Les rencontres des groupes se sont bien déroulées, avec une participation active des personnes concernées. Il faut cependant noter que, dans certains cas, les discussions n'ont pu être menées à terme, faute de temps, ce qui a empêché certains groupes d'aller jusqu'au bout de leur réflexion.

GUIDE D'ENTRETIEN ET CADRE D'ANALYSE

QUESTIONS ET SOUS-QUESTIONS	CADRE DE L'ANALYSE
Question 1	
Q1. Quel champ est couvert par la planification en santé mentale ? **SQ1-1.** Parlez-nous d'abord de ce qui se passe et ensuite de ce qui serait souhaitable selon vous. **SQ1-2.** Quel est l'objet de la planification en santé mentale (politiques, organisation, allocation des ressources, évaluation) ? **SQ1-3.** Quel rapport y a-t-il dans la planification avec les politiques de santé mentale ? **SQ1-4.** Quel rapport y a-t-il avec l'organisation des soins en santé mentale ? L'organisation sociale et sanitaire ? L'organisation publique et privée des soins hospitaliers ? L'organisation de l'offre de soins hospitalière et ambulatoire ? L'organisation des services de base et des services spécialisés ? **SQ1-5.** Quel rapport y a-t-il entre la planification et l'allocation des ressources ? **SQ1-6.** Quel rapport y a-t-il entre la planification et l'évaluation ?	Explorer : *Objet* : – politique – organisation (sanitaire/social, ressources de base/ spécialisées, public/privé) – allocation des ressources – évaluation (efficacité, qualité) *Problèmes* : – troubles mentaux (transitoires/graves et persistants) – détresse psychologique – épiphénomènes (itinérance, violence, judiciarisation, suicide, immigrants, déficience intellectuelle) *Interventions* : – information – promotion – prévention – soins, aide – réadaptation, réinsertion

<table>
<tr><td>SQ1-7. Quel rapport avec les problématiques ?
Se concentre-t-on sur les personnes souffrant de troubles mentaux graves et persistants ?
Qu'en est-il des personnes aux prises avec des troubles mentaux moins graves ou avec des problèmes de santé mentale liés à des difficultés d'adaptation ?
Les phénomènes de suicide, de violence, d'itinérance, de judiciarisation, de situation particulière aux immigrants et aux communautés ethniques sont-ils considérés ?
Les conduites addictives entrent-elles dans le champ de la santé mentale ?
SQ1-8. Les interventions suivantes sont-elles considérées : informations, soins et aide, réadaptation et réinsertion sociale, prévention et promotion de la santé mentale ?</td><td></td></tr>
<tr><td colspan="2">Question 2</td></tr>
<tr><td>Q2. Comment planifiez-vous en tenant compte des besoins en santé mentale ?
SQ2-1. Parlez-nous d'abord de ce qui se passe et ensuite de ce qui serait souhaitable selon vous.
SQ2-2. Selon quelle séquence temporelle se fait votre planification ? Selon les besoins ?
SQ2-3. Dans quel espace géographique s'applique cette planification (province, région, secteur psychiatrique, CLSC) ?
SQ2-4. Qui est impliqué dans la détermination des beoins ?
SQ2-5. Comment définissez-vous les besoins ? En termes d'états de santé, de services, de ressources ?
SQ2-6. Citez au moins un exemple d'approches précises pour identifier les besoins et reliez ces besoins aux réponses à organiser.
SQ2-6-1. Fixez-vous des objectifs concrets aux réponses apportées aux besoins, et en situant ensuite les dispositifs, les ressources par rapport à ces objectifs ?
SQ2-6-2. Comparez-vous les actions réalisées à des référentiels ou des normes que vous vous êtes donnés ou qui ont été fixés ?
SQ2-6-3. Comparez-vous les prises en charge des problèmes à des normes d'états de santé, de niveau des phénomènes (comme le suicide, l'itinérance, les conséquences des troubles de santé mentale) ?</td><td>Se référer à la définition de besoins, en fonction de l'appartenance du répondant (usagers, planificateurs, etc.) au niveau de la population et de l'individu (top down et botton-up) ; des modèles de planification proposés par le comité franco-québécois au cours de ses travaux du 15 au 20 juin 1996
Établissement de la chaîne liant les politiques, identification des besoins, objectifs, normes et référentiels, organisation, allocation, évaluation
Les différents niveaux d'acteurs (planificateurs, intervenants, population)
Arriver à l'élaboration de quatre scénarios (national, chacune des trois régions) du processus de planification en fonction des besoins, avec des exemples de problématiques, d'identification des besoins, des outils utilisés, de la concertation, de la détermination des objectifs, de référentiels (organisation, allocation des ressources, évaluation)
Obtenir des documents écrits sur la planification, sur le ou les exemples cités</td></tr>
<tr><td colspan="2">Question 3</td></tr>
<tr><td>Q3. Quels sont les outils, les stratégies d'identification des besoins disponibles pour la mesure des besoins ?
SQ3-1. Parlez-nous d'abord de ce qui se passe et ensuite de ce qui serait souhaitable selon vous.
SQ3-2. Dites-nous aussi à quel point vous êtes satisfait de ces différentes mesures des besoins ?
SQ3-3. Par exemple, considérez-vous comme nécessaires à la mesure des besoins les informations suivantes ?
– données sur l'accessibilité
– données géographiques et climatiques
– données démographiques et socio-économiques
– données sur la mortalité
– données sur la morbidité dans la population, à l'hôpital, dans différents points de service (par exemple, chez les itinérants, les détenus, dans les écoles)
– données sur les flux de malades, les taux d'attraction et de fuite
– données sur l'utilisation des services de base, les services spécialisés, les services hospitaliers, ambulatoires, les services communautaires
– données sur l'opinion de la population</td><td>Situer les instruments, outils, procédures dans la matrice des besoins (niveau état de santé et conséquence, niveau interventions ou services, niveau ressources) en fonction de l'appartenance du répondant (usager, planificateur, etc.)
Besoins selon une perspective épidémiologique ou individuelle ?
Stratégie de mesure des besoins exprimés, resssentis, normatifs, comparatifs, d'experts, diagnostiqués, signalés ou intuitifs</td></tr>
</table>

– données émergant de recherche évaluative, universitaire ou locale – données sur la qualité des soins, sur l'inspection professionnelle – PMSI (programme médicalisé des systèmes d'information en France) ou DRG (*diagnostic related group*) – autres	

SYNTHÈSE DES RÉSULTATS

QUESTION 1 : CHAMP COUVERT PAR LA PLANIFICATION EN SANTÉ MENTALE

Québec

Objet de la planification

Bien que seuls les planificateurs aient clairement expliqué que le problème de la santé mentale est trop vaste pour pouvoir être pris en charge de manière satisfaisante, tous les groupes de travail pensent que la planification en santé mentale doit d'abord s'appliquer aux troubles mentaux, tout en insistant sur les possibilités de promouvoir l'intersectorialité entre les ministères concernés là où elle serait nécessaire. Plus particulièrement, la planification doit comporter trois axes principaux :

– la réponse aux besoins en soins et en services ;

– la complémentarité entre les différentes ressources afin d'assurer aux personnes atteintes de troubles mentaux la meilleure continuité possible dans les services reçus ;

– la mise en place de mécanismes de diffusion de l'information sur l'ensemble des ressources disponibles.

La conjonction de ces trois axes permet d'assurer, dans la pratique, la politique de santé mentale qui place l'usager au centre du système de soins.

Planification et politique. La politique dans le champ de la santé mentale suscite deux réflexions principales. D'un côté, elle permet d'établir les valeurs fondamentales qui doivent orienter les objectifs poursuivis dans la planification des services. La manière dont fut élaborée la *politique de la santé mentale*, rendue publique en 1989 et qui a notamment donné lieu à des consultations parlementaires, est considérée comme satisfaisante. Tout le monde est d'accord sur le fait que le document reflète bien les valeurs auxquelles on aimerait que souscrivent les textes plus opérationnels de la planification.

D'un autre côté, l'élaboration des politiques apparaît comme un processus trop soumis au jeu des pouvoirs. Le poids du pouvoir central notamment est ressenti comme un frein à l'autonomie des régions, que l'on doit sauvegarder si l'on veut rendre possible l'atteinte des objectifs régionaux. On explique ainsi que, jusqu'à présent, certains groupes de personnes atteintes, caractérisés comme les « moins dérangeants », ont été négligés. On pense, en effet, que ce sont les groupes les moins préoccupants politiquement (comme les jeunes) qui sont généralement les plus délaissés. La politique doit non seulement établir des échelles de valeurs mais aussi définir les priorités, ce qui est considéré comme essentiel mais aussi le plus difficile par les planificateurs des trois régions.

Planification et organisation. L'idée que se font les personnes qui participent à l'organisation des services varie selon les groupes et les régions. Tous souhaitent cependant un type d'organisation qui assure une meilleure concertation entre les acteurs (ce qui, jusqu'à présent, n'était pas le cas), de façon à assurer une meilleure continuité des soins. En fait, ce que souhaitent la plupart des répondants, c'est un système qui comprenne l'ensemble des ressources existantes, qu'elles soient institutionnelles ou non, et qui ne considère pas la personne atteinte au cours d'un seul épisode de soins mais bien tout au long de son parcours dans le réseau de soins et en dehors de ce réseau. Pour la plupart, un tel système reste idéal, car très éloigné de ce qu'ils connaissent.

De nombreux répondants déplorent en effet que le système soit encore trop centré sur le médical et le secteur hospitalier. Cela est particulièrement pénalisant pour les patients qui sont sortis de l'hôpital et qui doivent affronter les difficultés de la vie (à savoir les difficultés pour trouver un hébergement, obtenir un soutien ou des informations sur les possibles ressources communautaires ou alternatives). Ceux qui empêchent toute communication entre acteurs sont critiqués. Ils réduisent toute coordination entre les différentes ressources, pourtant nécessaire pour garantir une meilleure prise en charge des patients. L'organisation est également ressentie comme insuffisante par les usagers des trois régions en ce qui concerne l'aide et le soutien aux familles de personnes malades. Les CLSC par exemple, qui sont considérés par presque tous comme devant jouer un rôle majeur maintenant que les soins psychiatriques sont de plus en plus requis en dehors de l'hôpital, sont critiqués. On pense qu'ils n'ont ni les compétences requises pour s'occuper d'une nouvelle clientèle qui devrait pourtant être la leur, ni la volonté de vouloir occuper ce nouveau champ d'activités que sont les soins ambulatoires et à domicile pour les personnes souffrant de troubles mentaux. On peut noter à cet égard qu'une des régions, celle du Bas-Saint-Laurent, semble avoir réussi à développer de manière assez satisfaisante les activités de santé mentale dans ses CLSC.

En outre, tous souhaitent que l'organisation assure une plus grande accessibilité à toutes les catégories d'usagers qui pourraient bénéficier de services en santé mentale. Cette accessibilité doit par ailleurs s'accompagner d'une plus grande adéquation entre les compétences des ressources et les clientèles qu'elles sont amenées à traiter. Étant donnée l'importance accrue du milieu communautaire, certains types d'intervenants peuvent être amenés à prendre en charge des patients, et ce milieu se pose clairement la question des aptitudes requises pour s'occuper de personnes souffrant de troubles mentaux.

Néanmoins, la situation actuelle peut être considérée comme une époque nouvelle dans laquelle la concertation entre différents organismes commence à s'établir. Que ce soit dû à une volonté délibérée des responsables de la politique de santé mentale comme dans l'Outaouais ou à une nécessité induite par les contraintes financières, on semble partout s'acheminer vers un modèle d'organisation plus cohérent.

Planification et allocation des ressources. Tous les répondants reconnaissent que la répartition des ressources entre les différents types d'intervenants est peu satisfaisante. Alors qu'un mouvement vers l'ambulatoire et le communautaire est promu, le secteur hospitalier reste un secteur largement privilégié (même si les sommes qu'il reçoit sont souvent considérées comme insuffisantes par ceux qui y travaillent), ce qui préoccupe beaucoup l'ensemble des participants. Le dernier document sur le plan d'action pour la transformation des services de santé mentale du ministère (1998) suggère que l'équilibre était atteint car plus de 60 p. 100 du budget de santé mentale étaient consacrés à l'hospitalisation et le reste aux services extrahospitaliers ; les budgets affectés aux services extrahospitaliers, les ressources communautaires en géraient 12 p. 100 ; les CLSC 12 p. 100 ; les départements de psychiatrie des hôpitaux généraux 29 p. 100 ; les hôpitaux psychiatriques 34 p. 100.

Cette disproportion dans l'allocation des ressources inquiète : pour de nombreux participants, l'élément moteur de la planification semble être, de nos jours, la contribution du secteur de la santé à la réduction des dépenses publiques. Le risque que des coupures budgétaires se poursuivent sans que l'argent économisé par les fermetures de lits soit transféré vers le secteur communautaire a été évoqué au niveau national et régional. Il est tellement urgent de réduire le déficit des finances publiques que certains prennent des décisions trop hâtives, sans concertation réfléchie, sur des problèmes qui nécessitent pourtant des prises de décision mûrement réfléchies, car affectant considérablement la structure de l'offre de soins. Les coupures budgétaires sont vues comme introduisant des effets pervers dans l'offre de service. À Montréal, le bénévolat s'est révélé nécessaire pour suppléer le manque de ressources dans la communauté et prendre en charge une population de bénéficiaires potentiels par ailleurs toujours plus nombreuse. Le peu de soutien des planificateurs donne aux bénévoles le sentiment d'être les victimes d'un système qui tente de transférer ses responsabilités sur ceux qui ne peuvent, pour raisons diverses, se soustraire à l'aide qu'ils apportent aux malades mentaux.

De nombreux participants pensent toutefois que les contraintes financières présentent des aspects positifs. Les enjeux financiers sont l'élément fondamental permettant de conduire une réforme en profondeur d'un système qui doit être repensé. Les coupures budgétaires ont aussi certainement contribué, tout au moins dans les régions du Bas-Saint-Laurent et de Montréal, à amorcer un dialogue entre intervenants qui auparavant n'existait pas. À Montréal, où le secteur hospitalier prédomine, les intervenants qui s'occupent des ressources communautaires pensent que, grâce aux difficultés économiques, ils sont actuellement partie prenante des discussions sur l'organisation des services.

Des questions importantes ont été soulevées. En particulier, sur quoi doit-on se fonder pour allouer les ressources ? Comment doit-on faire pour mesurer et comparer le coût/efficacité des diverses options existantes ? Peut-on identifier un seuil optimal de services ? Certains s'interrogent aussi sur les transferts d'argent vers des « producteurs » de services de moins en moins formés, mais moins coûteux. Est-ce que cette « déprofessionnalisation » des services de prise en charge des patients a-t-elle un impact sur l'état de santé et la qualité de vie des usagers ?

Planification et problématique. Les problématiques de santé mentale qui pourraient bénéficier de services de soins sont non seulement très nombreuses, mais parfois difficiles à préciser. L'absence de données épidémiologiques sur la prévalence et l'incidence de la maladie mentale au Québec, mais aussi la difficulté de mesurer l'intensité de la maladie mentale dans de nombreux cas représentent certainement un défi pour les planificateurs.

Une première distinction est faite entre deux catégories d'usagers : ceux qui sont atteints de maladie « sévère et persistante » et les autres. On considère que les malades atteints de troubles « sévères et persistants » sont en général bien pris en charge dans le milieu institutionnel. C'est, en revanche, lors de leur sortie de l'hôpital que leur situation devient problématique (*voir* plus haut).

Quant aux usagers qui ne souffrent pas de troubles « sévères et persistants », deux constatations s'imposent :

– d'une part, la santé mentale est influencée par l'environnement qui se dégrade de plus en plus, ce qui a des répercussions alarmantes sur ceux dont l'état mental est fragilisé. La pauvreté et le chômage constituent partout de sérieux obstacles à toute tentative de réinsertion des personnes souffrant de troubles mentaux ;

– d'autre part, on constate que le système a négligé de nombreuses catégories d'usagers qui pourraient pourtant fortement bénéficier de services, soit parce qu'ils sont considérés comme peu dérangeants (*voir* plus haut), même si leur souffrance est réelle, soit parce que les services existants sont débordés, manquent de ressources et sont incapables de ce fait de prendre en charge une population qui paraît moins prioritaire. Les jeunes, les itinérants, les communautés « ethniques », les personnes dépendantes des drogues ou de l'alcool, de même que les déficients intellectuels avec troubles mentaux, ceux qui ont des tendances suicidaires et les personnes âgées ayant des troubles mentaux sont considérés comme étant les groupes les plus délaissés.

On remarque par ailleurs que ces groupes d'usagers potentiels se répartissent de manière inégale à l'intérieur du Québec. Montréal a une population plus multiethnique et présente des conditions socio-économiques plus difficiles. Elle a donc des besoins particuliers que la planification doit considérer. D'autre part, on a évoqué le cas complexe de personnes souffrant de multipathologies (par exemple psychose et toxicomanie) que les services de soins psychiatriques refusent de prendre en charge sous prétexte que c'est aux spécialistes des problèmes de toxicomanie qu'il appartient d'offrir les soins appropriés.

Planification et évaluation. La place de l'évaluation dans la planification est vue de manière très diverse selon les régions. Alors qu'elle est considérée comme un élément fondamental de l'amélioration des services tant au ministère (niveau national) que dans l'Outaouais, elle est perçue de manière plus critique à Montréal et dans le Bas-Saint-Laurent.

Au ministère, la politique de santé mentale était en cours d'évaluation au moment de l'enquête. Dans la région de l'Outaouais, les planificateurs accordaient une importance considérable à l'évaluation. De nombreuses études ont été réalisées dans les années qui ont suivi le début de l'implantation du PROS (plan régional d'organisation des services). Ces évaluations ont amené à de constants réajustements des actions planifiées. Tous les acteurs semblent convaincus que l'amélioration du système, dont tout le monde reconnaît le fait, est largement tributaire de ces évaluations.

Dans la région du Bas-Saint-Laurent, le manque d'évaluation a été souligné. Le peu d'expertise locale et la complexité de procéder aux évaluations sont reconnus comme des contraintes majeures. A Montréal, l'évaluation du PROS est ressentie par les groupes autres que les planificateurs comme ayant été réalisée essentiellement pour rassurer la démarche politique à la base de la planification existante. Chez ces groupes, on reconnaît pourtant qu'une évaluation qui ne porterait pas exclusivement sur les aspects financiers est indispensable pour pouvoir orienter l'offre de services.

Toutefois, de nombreux répondants ont insisté sur les difficultés liées aux évaluations. Peu d'indicateurs paraissent utiles. Il est souvent difficile d'interpréter les informations disponibles parce qu'elles sont abondantes, que les données provenant de diverses banques sont difficiles à regrouper et que l'on manque de points de référence. De plus, les déterminants de la santé mentale sont nombreux et sortent souvent du champ des soins de santé mentale. Il devient difficile de procéder à des évaluations et d'en utiliser les résultats pour aider à la planification.

Planification et activités de prévention, d'information et de réadaptation-réinsertion. C'est avant tout sur les aspects curatifs et sur la prise en charge des patients souffrant de troubles mentaux graves que le travail de planification doit porter. Selon les représentants des usagers, la réinsertion sociale et la valorisation des individus en les aidant à participer à une occupation dans la société (si possible un travail) devraient être les premiers objectifs de toute planification.

La prévention et la promotion ne sont pas pour autant négligées dans les préoccupations et l'on déplore partout leur peu d'importance. Cependant, la prévention primaire de la maladie mentale n'est pas possible pour des pathologies encore largement idiopathiques. De toute façon, la prévention est jugée difficile en l'absence d'intersectorialité, définie au Québec comme la collaboration entre les ministères pour soutenir des actions qui auront un impact sur la santé mentale ou sur la réinsertion sociale : on pensera aux politiques contre le chômage, aux politiques familiales ou aux politiques d'accès au logement. La promotion doit être plus développée pour assurer une meilleure information sur ce qu'est la maladie mentale. Une plus grande acceptabilité par la société est en effet perçue comme essentielle aux tentatives de réinsertion de la personne malade.

Acteurs majeurs de la planification

Tout le monde est d'accord sur le fait que l'ensemble des groupes concernés par la santé mentale, entre autres ceux ayant participé aux travaux organisés au Québec au niveau national et au niveau régional avec les trois grands groupes d'acteurs, devrait participer à l'exercice de planification. On a insisté sur ceux qui sont sur le terrain, les usagers, les proches et les intervenants, voire ceux qui travaillent dans d'autres secteurs comme l'éducation ou l'emploi. On déplore surtout la participation trop faible ou inexistante des usagers et des intervenants ; ces derniers ont l'impression de ne pas être, ou trop peu, écoutés ou, lorsqu'ils participent à des tables de concertation ou à des conseils d'administration, d'être dénués de tout pouvoir réel.

France

Objet de la planification en santé mentale

Dans tous les groupes, chacun reconnaît que, en France, la planification n'a traité essentiellement, jusqu'à présent, que de l'organisation de l'offre de soins publique, même si dans les textes, elle devrait concerner le public et le privé. Il est regrettable que dans plusieurs groupes, la planification n'ait pas aussi porté sur le dispositif de soins privé, hospitalier et ambulatoire. De même, on espère que le secteur médico-social sera également concerné par cette planification. Le groupe des planificateurs au niveau national a insisté sur les obstacles qui, en France, ont fait que la planification est restée cantonnée à un secteur limité du sanitaire, essentiellement l'hospitalisation publique : le poids des institutions, le manque d'outils, le clivage sanitaire et social, les contraintes budgétaires et une politique obéissant à la logique des structures plus qu'à une logique de mission.

Le groupe des planificateurs au niveau national considère que la planification devrait concerner tout le champ de la santé mentale. Le groupe des intervenants en Rhône-Alpes insiste sur la différence qui existe entre la planification en psychiatrie traitant de soins, notamment hospitaliers, et la planification en santé mentale traitant d'actions qui se situent en amont ou en aval du soin. On regrette l'absence d'une planification de l'ensemble, en soulignant que planifier en amont du soin est très difficile. Les intervenants d'une région opposent tout ce qui, hors de la psychiatrie, relève de la santé mentale, en insistant sur son caractère flou et vague, à la planification qui est une démarche rigoureuse et méthodique. Les planificateurs d'une région font remarquer que la planification en santé mentale nécessite un réel travail interministériel dans le sens où les conditions de logement, de travail et d'environnement génèrent, voire entretiennent, des troubles de santé mentale.

Planification et politique

Dans tous les groupes, il apparaît que la planification traite de l'organisation. En Rhône-Alpes, les groupes de planificateurs et d'intervenants estiment que la planification se définit « comme étant l'organisation du dispositif sanitaire et se décline en fonction d'objectifs, de priorités, et en fonction de moyens disponibles ». En Aquitaine, le groupe des planificateurs distingue les trois dimensions d'une politique de santé : la planification, l'allocation et l'évaluation. Le groupe des proches définit la planification comme étant l'organisation des liaisons entre les partenaires. Dans le Nord, la planification est définie comme l'action qui repère les facteurs de risque ou les événements favorisant les troubles psychologiques, et qui évalue les moyens d'action sur ces événements. Elle permet également de hiérarchiser les problèmes à privilégier, anticipe et définit les priorités sur une zone géographique déterminée.

La planification consiste-t-elle à définir une politique de santé mentale, partielle peut-être quand elle ne traite que de la psychiatrie, ou bien est-elle un outil d'aide à la décision, comme cela a été rappelé au sein du groupe de planificateurs au niveau national, au service d'une politique définie au préalable ?

Planification et organisation sanitaire et sociale

Il est généralement regrettable que la planification en psychiatrie prenne assez peu en compte le secteur privé, tant pour l'hospitalier que pour l'ambulatoire, et qu'elle méconnaisse l'activité des médecins généralistes. Enfin, le clivage entre le sanitaire et le social rend difficile une organisation globale des réponses aux problèmes de santé mentale. Ce constat est partagé par l'ensemble des groupes.

La cohérence des politiques entre elles est demandée par le groupe des planificateurs régionaux. Par ailleurs sont réclamés les moyens d'imposer au secteur privé les orientations décidées dans le cadre du schéma régional d'organisation sanitaire (SROS).

Il est attendu de la planification du dispositif de soins de favoriser l'accès aux soins grâce à la proximité de l'offre par rapport aux populations et grâce à une plus grande disponibilité des structures. Par ailleurs, le développement des collaborations diverses entre les acteurs est espéré par les planificateurs du travail sur les organisations. Le groupe des proches attend de ce travail sur les organisations permis par la planification un meilleur accueil des patients, notamment dans le cadre de l'urgence.

Planification et allocation des ressources

Tous admettent que les liens entre planification et allocations des ressources doivent être étroits. La planification est chargée de trouver un moyen d'organiser le dispositif de soins. L'allocation de ressources est ensuite décidée en fonction de cette organisation choisie. Il faut cependant insister sur les difficultés rencontrées pour allouer les budgets en se soumettant aux choix d'organisation retenus par la planification. De multiples obstacles sont dressés face aux nécessaires redéploiements de moyens.

En région, un groupe de planificateurs remarque qu'il existe une nette contradiction entre la planification et les contraintes budgétaires. Les contraintes budgétaires rendent difficile la mise en place des orientations voulues par le SROS. Le mode d'allocation budgétaire et ses contraintes peuvent-ils modeler l'offre de soins plus sûrement que la volonté planificatrice ? Le groupe de planificateurs au niveau national affirme que l'organisation de l'offre de soins ne peut pas découler de l'application pure et simple d'un système d'allocation budgétaire. L'allocation des ressources n'est qu'un outil de régulation à ne pas confondre avec la prise en compte du système de soin, ni avec la planification qui est la mise en place globale d'une politique de santé.

Planification et évaluation

Il est évident pour tous que l'évaluation est fondamentale et indispensable. Cependant, ses interactions avec la planification ne sont pas évidentes. En particulier, certains s'interrogent sur l'impact, en matière de planification, des résultats de l'évaluation des soins et des organisations pour les mettre en œuvre.

Le groupe des planificateurs au niveau national reconnaît qu'il n'existe pas, actuellement, un véritable système d'évaluation et ce groupe insiste sur les différents niveaux d'évaluation à concevoir. L'évaluation, comme l'allocation des ressources, est conçue comme étant un outil de régulation. Elle ne saurait, par la seule application de ses effets, éliminant les mauvais et conservant les bons, modeler à elle seule l'offre de soins.

L'évaluation est nécessaire, certes, mais difficile et cela particulièrement en santé mentale. Est-ce la raison pour laquelle elle occupe peu de place dans les faits ? Un comité technique régional a été mis en place dans une région, dans le cadre de l'élaboration du SROS de psychiatrie, sur le thème de l'évaluation. Ce groupe note l'aspect « multidimensionnel » que doit avoir l'évaluation. Selon ce groupe, pour planifier il faut avoir :

– une bonne connaissance des besoins théoriques ;

– une connaissance des besoins des patients ;

– la possibilité d'établir des comparaisons et de mettre en évidence les disparités ;

– la possibilité de tenir compte des critiques du personnel et des usagers.

Ce comité a aussi proposé un outil pour évaluer la qualité du fonctionnement des structures. Reste à savoir à partir de quel degré l'évaluation va déclencher une démarche de planification chargée de remédier aux problèmes identifiés. Pour l'un des groupes d'intervenants, les évaluations doivent se faire à partir de l'avis des experts, de leurs analyses consensuelles. Dans tous les cas, on manque d'évaluations « objectives ».

Planification et problématiques

Quel que soit le groupe, on considère que le champ de la santé mentale est plus large que celui de la psychiatrie. La psychiatrie concerne les pathologies mentales. Elle est rangée du côté de la maladie, du côté sanitaire, du côté des soins. La santé mentale n'est pas toujours clairement définie. Quand elle est définie, elle l'est par le champ qu'elle concerne (sanitaire, social et médico-social). Des proches mettent les problèmes de toxicomanie, d'alcoolisme dans le champ de la santé mentale et pas forcément de la psychiatrie. Au fond, pour eux, certains comportements posent problème, entraînent une souffrance qui n'est pas forcément pathologique et qui ne relève pas forcément de la médecine.

Les planificateurs considèrent que le champ de la santé mentale s'étend du mal-être à la pathologie mentale. La psychiatrie apparaît ainsi concernée par un secteur limité, inclus dans le champ de la santé mentale, mais nettement distinct du reste. On sent bien, à travers l'enquête dans tous les groupes, apparaître à la fois cette inclusion de la psychiatrie dans le champ de la santé mentale et cette différence de nature profonde entre ce qui relève de la psychiatrie, la maladie, la médecine, et ce qui relève de la santé mentale, la simple souffrance, le mal-être.

Mais si la vision d'une psychiatrie incluse dans le champ de la santé mentale est nette et franche, celle de la différence de nature profonde entre la psychiatrie et le reste cohabite avec celle des perceptions atténuant l'impression de la coupure budgétaire. Ainsi est confirmé le fait que le social n'est pas sans retentissement sur la sphère des maladies mentales dont traite la psychiatrie. Des intervenants craignent que la psychiatrie soit utilisée pour aider à la gestion des problèmes sociaux ou qu'elle devienne une sorte de « modérateur social » pour certains planificateurs. La psychiatrie déborderait alors de son champ par « défaut » de réponses apportées, tant dans le domaine sanitaire que social, par tous ceux qui sont confrontés à la souffrance humaine, quelle que soit sa forme.

Ainsi certains souhaitent-ils établir des limites entre ce qui relève de la psychiatrie et ce qui n'en relève pas ; d'autres insistent davantage sur la nécessité d'avoir une vision d'ensemble des problèmes de santé mentale et sur l'importance des politiques complémentaires et articulées pour mener des actions dans le sanitaire, le social et le médico-social. Les clivages entre ces deux sensibilités ne sont pas forcément liés à l'appartenance à tel ou tel groupe interrogé.

Planification et activités de prévention, d'information et de réadaptation-réinsertion. Ces domaines d'activité sont actuellement très peu pris en compte par la planification. Certains intervenants expliquent cette situation par la difficulté de ce travail. D'autres proches des patients font le même constat, bien qu'ils considèrent que cette difficulté est moins grande pour la petite enfance. Personne, en revanche, ne semble exclure la prévention du champ de la planification en santé mentale.

Acteurs essentiels de la planification

Les groupes d'intervenants pensent que la planification est trop souvent imposée « par le sommet ». Mais, dans le même temps, il est reconnu que la tendance est d'accorder une place de plus en plus grande à la concertation entre tous les acteurs. Les intervenants en psychiatrie sont encore insuffisamment associés aux décisions, quand celles-ci portent sur des champs voisins du social et du médico-social. Tous les groupes considèrent que les professionnels de santé doivent être concernés par la concertation. L'association des médecins généralistes à la démarche de planification est jugée insuffisante, malgré leur représentation dans les instances de concertation.

Le groupe des planificateurs d'une région relève le cas des usagers, en remarquant qu'ils sont présents dans le dispositif de concertation, mais mal informés. De manière générale les groupes, quels qu'ils soient, insistent davantage sur la participation à la concertation des professionnels de santé et du social, des élus, voire des sociologues et des économistes, que sur celle des usagers.

QUESTION 2 : MESURE DES BESOINS

Québec

Intégration des besoins

Les besoins sont considérés par tous comme étant à la base de la planification des services en santé mentale. En ce sens, le document de la politique de santé mentale qui place l'usager au centre des services qui lui sont nécessaires est considéré comme exemplaire et illustrant la manière dont une politique devrait s'élaborer. C'est lorsque les intentions de la politique sont traduites en termes plus opérationnels que sont ressenties les faiblesses de la planification.

Il est vrai que les planificateurs de deux des trois régions ont l'impression que leur travail a permis, dans une large mesure, la prise en compte des besoins dans les orientations dégagées par la planification. Mais une telle vision n'est pas partagée par tous dans leur région.

Un intervenant par exemple considère que l'organisation des services planifiée dans la région a plus été conçue pour protéger les professionnels que pour répondre aux besoins des usagers.

On reconnaît qu'incorporer les besoins à la planification est difficile. La définition des besoins peut considérablement varier, les besoins ne sont pas tous connus et, pour les planificateurs, un équilibre difficile doit toujours être recherché entre les besoins collectifs et les besoins individuels. Leur volonté de promouvoir la santé de la population se heurte parfois au désir de répondre à des besoins individuels.

Il en est tout autrement au niveau des intervenants et du terrain où des plans de soins ou de traitement individuels qui tiennent compte des besoins sont généralement développés. Dans les ressources communautaires(2) et dans les CLSC, la recherche des besoins à un niveau individualisé est considérée comme un prérequis, permettant la participation et la prise en compte de la satisfaction de l'usager. Au niveau hospitalier, en revanche, les plans de traitements offerts sont plus standardisés et soumis aux contraintes budgétaires et de leur corollaire, la limitation des durées des séjours hospitaliers. Ils sont fondés essentiellement sur le diagnostic d'admission, la réduction des symptômes et très peu sur les autres besoins individuels des usagers. On peut aussi souligner que, dans certains hôpitaux, la recherche des besoins par l'intermédiaire de questionnaires sur la satisfaction ou sur les attentes des patients a également été utilisée non pas pour concevoir un plan de traitement individualisé, mais bien pour permettre la réorganisation des services de psychiatrie.

Séquence temporelle

À quel moment les besoins devraient-ils être considérés dans la planification ? Pour la plupart, aux étapes très précoces de l'exercice. Des planificateurs voient la prise en compte des besoins à toutes les étapes de la planification. Pour certains intervenants cependant, cette question ne se pose pas vraiment puisqu'il n'existe pas de moyen satisfaisant de mesure des besoins.

Espace géographique. Dans l'ensemble, tous pensent que le modèle théorique de la planification qui conçoit la définition des grandes orientations au niveau national et les décisions tactiques et opérationnelles à un niveau plus périphérique est pertinent. Ce sont les territoires des CLSC qui représentent la plus petite unité dans laquelle les besoins à des fins de planification doivent être recherchés.

On fait toutefois remarquer que l'application de ce modèle laisse souvent à désirer. Pour certains, il semblerait que, en période de difficultés, une délégation plus importante des responsabilités est faite vers la périphérie tandis que, dans des moments de prospérité, une tendance naturelle à une certaine centralisation de la planification, mesure des besoins comprise, s'opère.

On met également en garde contre le risque d'une répartition géographique des tâches trop rigide. À Montréal, par exemple, les intervenants soutiennent que la vocation suprarégionale de certains de ses établissements sur-spécialisés n'est pas prise en compte dans la planification, en raison justement d'une répartition appliquée sans considération des situations particulières.

Qui est impliqué dans la détermination des besoins ? En règle générale, on pense dans tous les groupes que ceux qui devraient être impliqués dans la détermination des besoins sont avant tout les usagers, leur famille, des personnes clefs de la communauté et éventuellement les intervenants. Cependant, dans la planification, on ne fait pas assez appel aux usagers et aux familles pour mieux préciser les besoins. Ainsi les usagers ne sont-ils pas toujours invités aux tables rondes. Le problème est reconnu et l'on note une volonté de la part des planificateurs des trois régions d'y remédier. Cette volonté de faire participer les usagers se heurte toutefois aux difficultés qu'ont certains patients à exprimer leurs besoins. Ils nécessitent alors l'aide de leurs proches, voire des intervenants.

Quant aux régies régionales, tout en reconnaissant la nécessité de s'enquérir auprès de la base des besoins en services, elles considèrent comme également essentielle l'utilisation d'autres sources d'information comme les données statistiques ou les résultats d'enquêtes.

Définition des besoins. La définition des besoins a été dans l'ensemble particulièrement difficile. Seuls le niveau national et un intervenant d'une région ont été en mesure d'en proposer une d'emblée. Pour le ministère, les besoins peuvent être conçus comme l'écart entre ce qui est désiré par l'usager et ce que le système peut offrir. En fait, cette vision est celle de la politique de santé mentale, mais elle est éloignée de l'approche effective de la planification. Pour l'intervenant, le besoin correspond aux enjeux de reconnaissance et de succès, c'est-à-dire de valorisation sociale que recherche tout individu. Cette dernière définition rejoint ce qui est par la suite proposé par les usagers de la même région : l'autonomie et le retour au travail.

Dans l'ensemble, les besoins sont vus comme étant trop individuels pour pouvoir être prédéfinis. En haut lieu, on a conscience qu'il faudrait arriver à une définition des besoins sans laquelle toute planification acceptable ne serait pas possible, mais la pauvreté des moyens existants permettant de définir et de quantifier les besoins au niveau de la population reste un obstacle dont tous sont conscients.

Il en est tout autrement à un niveau plus individuel, où le mot « besoins » évoque la recherche de soutien, de support aux familles (dans les trois régions), d'écoute des patients et de leurs proches, de soins plus adéquats surtout en communauté, ou la recherche d'un plus haut niveau de satisfaction.

(2) Les ressources communautaires représentent l'équivalent en France de l'ensemble du système extrahospitalier public et associatif ainsi que les ressources mises en place par les collectivités locales.

Exemples. Même si, selon les représentants du ministère, dans beaucoup de régions on ne peut établir de liens entre l'identification des besoins et l'organisation des services, dans les trois régions explorées, les planificateurs ont pu citer un exemple d'une organisation de service conçue ou en voie de conception à partir d'une identification de besoins. Considérons maintenant les objectifs et les normes utilisés.

Dans l'ensemble, aussi bien les planificateurs que les intervenants travaillent à partir d'objectifs. Ces objectifs peuvent être ceux définis au niveau central ou ceux établis à un niveau régional lors de la conception des PROS. Dans ce dernier cas, les besoins ont été discutés soit de manière horizontale (entre les différents types d'intervenants) et verticale (entre les types d'intervenants pris individuellement et les planificateurs) comme dans l'une des régions, soit de façon plus restreinte, aux cours de discussions essentiellement verticales. On déplore alors que les divers échanges entre intervenants ne soient pas plus systématiquement promus par les planificateurs.

À un niveau plus individuel, les intervenants établissent également des objectifs soit conjointement avec les usagers (ce qui semble être la règle dans le milieu communautaire), soit seuls ou avec une équipe de soins (dans le milieu hospitalier). Il est évident que c'est plutôt le milieu de travail avec ses contraintes que les habitudes du professionnel ou le rapport intervenant-patient qui déterminera les objectifs. Cela met en évidence les nombreux déterminants de la prise en charge des usagers que l'on ne peut entièrement rapporter à la relation intervenant-malade.

L'utilisation de référentiels ou de normes est variable selon les groupes interrogés. Pour les planificateurs, ceux-ci sont avant tout tirés de la littérature. Pour les intervenants qui travaillent en milieu communautaire, c'est le niveau de satisfaction des usagers qui fait foi. À l'hôpital, c'est surtout la durée des séjours qui est prise en considération.

Les états de santé de la population sont bien entendu pris en compte par les planificateurs. À un niveau individuel, les intervenants se sentent préoccupés par le devenir de leurs patients, mais aussi par la détérioration des conditions médico-sociales de la région, qui rend toujours plus difficiles les possibilités de prendre en charge au mieux des personnes souffrant de troubles mentaux.

France

Séquence temporelle

L'étude des besoins est un préalable nécessaire pour les différents groupes. Certains intervenants proposent toute une série d'enquêtes utiles pour déterminer les « vrais besoins » :

– enquêtes en population générale différenciant les besoins exprimés, les besoins non médicalisés, pour définir où commencent et où se terminent les soins ;

– enquêtes d'opinion de la population ;

– enquêtes de pratique (notamment l'existant médical).

D'autres intervenants souhaiteraient la réalisation d'enquêtes ciblées auprès de populations spécifiques. Les planificateurs régionaux insistent sur la difficulté méthodologique à passer des besoins à l'organisation d'une offre, en indiquant qu'il manque une étape entre la prévalence des troubles mentaux, les modes d'interventions et les ressources disponibles. Ils s'interrogent sur la chaîne logique qui le permettrait.

Espace géographique

L'impression qui domine parmi les réponses données par les différents groupes à cette question est celle de confusion. La région apparaît comme l'espace géographique de la planification en santé mentale, mais avec quelles subdivisions ? Un groupe de proches ne parle pas d'autre espace plus précis. Un groupe d'intervenants rappelle l'intérêt qu'il y aurait à prendre en considération, pour la planification en santé mentale, le secteur sanitaire de la médecine-chirurgie-obstétrique. Au sein du groupe des planificateurs au niveau national, le débat existe entre ceux qui proposent de retenir le département et ceux qui préféreraient opter pour le secteur sanitaire. Les autres groupes d'intervenants retiennent pêle-mêle les espaces de secteur, d'intersecteur, de département, de région et national, alors que les planificateurs d'une région Nord privilégient le bassin de vie (zone géographique qui tient compte de l'habitat, de l'emploi et de l'éducation). Un autre groupe de planificateurs distingue le niveau départemental où s'élabore l'analyse des besoins et de l'adéquation des réponses, du niveau régional où s'élabore la planification.

Qui est impliqué dans la détermination des besoins ?

Certains intervenants considèrent que ce sont les professionnels et les usagers qui doivent être impliqués dans la détermination des besoins. Certains planificateurs régionaux mettent en avant les acteurs politiques qui décident des budgets et les épidémiologistes, mais ne parlent pas des usagers. D'autres planificateurs régionaux insistent sur le rôle des représentants des usagers sur cette question. Le groupe des planificateurs au niveau national souligne la difficulté de mettre en évidence les besoins et reconnaît l'implication nécessaire des professionnels, des élus et des associations dans la détermination des besoins. Un dernier groupe d'intervenants trouve que la détermination des besoins ne dépend pas des acteurs de terrain mais d'aspects financiers. Sans doute est-ce pour s'en plaindre.

Définition des besoins

La difficulté de définir les besoins demeure un problème constant dans tous les groupes. Selon certains groupes, cela est dû au fait qu'il s'agit d'une définition variable qui est fonction des idéologies. Selon d'autres groupes, la difficulté vient du fait que le besoin peut être une notion très subjective, dépendant de celui qui l'exprime : professionnel, politique, usager.

Le groupe des proches d'une région se demande qui est chargé de dépister, d'analyser et de définir les besoins. Il trouve qu'il ne faut pas tout « psychiatriser ».

Un groupe de planificateurs régionaux propose trois niveaux de besoins :

– un noyau dur concerne la psychiatrie (constitué par la clientèle traditionnelle des secteurs de psychiatrie) ;

– un niveau de définition plus flou qui est fonction de l'offre existante ;

– un niveau constitué par les conduites suicidaires, la violence, l'exclusion et l'itinérance, renvoyant à une « définition sociologique du besoin en relation avec l'évolution de la société ».

Ce même groupe considère que la définition des besoins renvoie à une question politique : jusqu'à quelle limite va-t-on pour définir un besoin ?

Dans une autre région, le groupe des planificateurs explique que, s'il est difficile de définir les besoins en santé mentale, il est toutefois possible d'utiliser certains indicateurs pour tenter de mieux appréhender l'existence de besoins tels que le chômage. Ce groupe souligne l'importance qu'il y a à prendre en compte la demande non exprimée, c'est-à-dire celle qui ne se traduit pas par un recours au dispositif de soins.

Les planificateurs d'une dernière région soulignent l'absence d'outils et de méthodologie pour déterminer les besoins. Les professionnels de terrain pensent qu'il est plus facile d'identifier les manques, et ils différencient les besoins liés aux moyens (considérés comme insuffisants), les besoins liés aux actions spécifiques et les besoins liés à l'évolution sociale de la psychiatrie.

Exemples

Une constante : les exemples d'approche précise pour identifier les besoins et relier ces besoins aux réponses à organiser sont rares.

Un groupe d'intervenants cite l'exemple de l'insuffisance de lits d'hospitalisation adaptés pour accueillir des adolescents en urgence. La démarche pour identifier ce besoin s'est appuyée sur un travail inter-départemental et un partenariat avec des représentants des administrations, des médecins (psychiatres, pédiatres et médecins des urgences), des familles, des professionnels de l'enseignement public et privé et du réseau social. À partir de ce constat, il y a eu une évaluation des sites et des objectifs ont pu être fixés. Un autre groupe d'intervenants cite l'exemple des services d'urgence. Une enquête a été menée dans les services d'urgence des hôpitaux généraux et universitaires. Elle a évalué le pourcentage d'urgences qui relevait de la psychiatrie et a décrit les relations entre les services d'urgence et les services de psychiatrie et les moyens en personnel psychiatrique dans les services d'urgence. Des propositions visant à renforcer les moyens dans certains services d'urgence en ont résulté et un poste a été créé.

Un groupe de planificateurs a indiqué des objectifs quantitatifs portant sur l'offre de soins (réduction des inégalités d'équipement, diminution des lits d'hospitalisation complète au profit des alternatives...). Les référentiels cités sont des indices d'équipement (indices de la carte sanitaire, comparaison avec la moyenne nationale). Mais la comparaison des actions par rapport à des normes de santé et à des référentiels fait souvent défaut, ce qui est confirmé par des planificateurs des régions.

Le groupe des planificateurs au niveau national cite l'exemple des PSAS (programmations stratégiques des actions de santé), notamment sur le suicide. Mais il considère que les repères méthodologiques manquent.

QUESTION 3 : OUTILS DE LA MESURE DES BESOINS

Québec

Outils et stratégies

Les outils et les stratégies de la mesure des besoins sont nombreux, mais pas toujours considérés comme satisfaisants. Le problème du manque d'outils de mesure des besoins « vraiment pertinents » a été soulevé, de même que celui de la difficulté à quantifier les troubles mentaux avec les instruments existants.

Les planificateurs au niveau national travaillent essentiellement sur la base de deux sources d'information : les indicateurs utilisés dans des enquêtes et les données administratives sur l'utilisation des services. Parmi les indicateurs utilisés dans les enquêtes nationales se trouve surtout l'indice de détresse psychologique, qui reste la mesure de référence pour estimer l'évolution de la santé mentale de la population. Parmi les données administratives, c'est surtout un indicateur construit à partir des taux d'hospitalisation et modulé par trois variables se trouvant dans la banque sur les hospitalisations MEDECHO (le sexe, l'âge et l'état civil) qui est utilisé. D'autres sources d'informations sont consultées, mais elles se rapportent avant tout à des données de morbidité et de mortalité hospitalières, et à des données de production de services. Enfin, certains utilisent également des données socio-économiques. Mais la pertinence de toute cette information pour définir les besoins est complètement remise en question. Il faudrait procéder à d'autres approches comme des enquêtes plus qualitatives sur des populations bien déterminées.

À un niveau régional, l'utilisation d'informations provenant de statistiques diverses et d'enquêtes est complétée par l'organisation de tables de concertation autour desquelles les besoins sont discutés. Ces approches semblent satisfaire autant les planificateurs que les intervenants, sauf qu'une plus grande participation des usagers serait souhaitable. Pour les intervenants, les tables de concertation sont un élément important de l'identification des besoins. Les données statistiques étant imprécises, des désaccords pouvant surgir quant à leur interprétation et à leur portée sur la population (qui peut cacher des besoins dans des sous-groupes de la population), il est nécessaire de compléter ces sources par des discussions où les expériences de chacun peuvent être confrontées. Les milieux communautaires, en particulier, pensent que ces rencontres leur permettent de présenter leur perception des besoins et de pouvoir les justifier face aux instances de planification.

Outre ces approches plus traditionnelles, on peut utiliser des questionnaires que l'on distribuerait aux usagers ou à la population, grâce auxquels on pourrait connaître les attentes des patients ou de leurs proches, ou leur niveau de satisfaction. Certains hôpitaux utilisent également des indicateurs de gestion des lits ou de consultation pour estimer dans quelle mesure ils répondent aux besoins de leurs utilisateurs.

À un niveau plus individuel, dans certains hôpitaux, des grilles de besoins ont été établies pour chaque motif de consultation/hospitalisation à partir de la littérature. Un traitement relativement standardisé peut alors être offert à chaque nouveau patient. Dans d'autres hôpitaux ou en milieu ambulatoire ou communautaire, des intervenants utilisent non pas des instruments formels, mais plutôt des appréciations subjectives concernant la satisfaction des patients, l'expression de leurs désirs ou de leurs attentes.

Satisfaction. Les répondants sont peu satisfaits des instruments existants utilisés pour la mesure des besoins, car ils ne permettent pas de cerner la complexité du champ de la santé mentale. Aussi certains se trouvent-ils inondés d'informations sans savoir ni comment gérer toute cette masse, ni comment l'interpréter. On soupçonne les données traditionnellement utilisées à des fins de planification (enquêtes, données administratives) de risquer de masquer les besoins individuels. En fait, on pense que des indicateurs de besoins plus spécifiques que ceux utilisés actuellement devraient être développés, mais personne ne peut indiquer avec précision quel type d'instrument serait souhaitable. Ce sont surtout les données qualitatives sur des populations bien définies qui semblent, au moins à ce jour, être les plus prometteuses.

À un niveau individuel, on s'aperçoit que les répondants les plus satisfaits sont ceux qui travaillent en se fondant sur la recherche de l'amélioration de la satisfaction des usagers. Cet indicateur, même s'il n'est pas formalisé, est le plus apte, aux dires des répondants, à orienter les services en fonction des besoins réels ressentis, à défaut de pouvoir toujours être exprimés par les usagers. Bien entendu, la satisfaction définie à un niveau exclusivement individuel ne peut cependant pas être pleinement considérée comme un indicateur des besoins présentant une utilité pour l'aide à la planification.

Information pertinente

Quelles sont les informations nécessaires pour établir une planification en fonction des besoins ? Aucun accord unanime ne ressort lorsque l'on pose cette question. Deux grands groupes peuvent d'ores et déjà être distingués : ceux qui soutiennent que toute information comme celle présentée à la question 3 présente un intérêt potentiel, et ceux qui redoutent le large ratissage d'information parce qu'il est porteur d'effets pervers contraires à l'effort recherché.

Le second groupe est réticent, car il craint que les données sur l'utilisation de services, sur la morbidité vue à travers l'utilisation des services, et les données socio-économiques n'entraînent une organisation des services sur la base de la consommation de services et non des besoins. Le lien entre besoins et utilisation des services, trop souvent fait de manière abusive, ne peut évidemment pas être accepté.

Lorsque l'on considère les différents types d'information susceptibles d'être intéressants pour la planification et proposés aux répondants dans la dernière section de la question 3 (*voir* p. 152), il apparaît des différences entre les groupes et entre les régions. Tant les intervenants que les usagers d'une région se posent la question de l'utilité des données géographiques, démographiques ainsi que celles de mortalité.

Les DRG (*diagnostic related groups*, groupes homogènes de patients selon le diagnostic) sont rejetés par les planificateurs nationaux et les planificateurs d'une région, mais pour des raisons bien différentes. Au niveau national, l'intérêt d'utiliser les DRG pour la planification est mis en doute par la trop faible corrélation entre le diagnostic et l'utilisation des services. Au niveau régional, c'est le degré de précision de la classification des DRG pour catégoriser les patients souffrant de troubles mentaux qui est considéré comme trop faible.

Pour les intervenants d'une région travaillant en milieu communautaire, ce sont l'opinion de la population et la détresse régionale qui devraient être prioritaires. Pour les intervenants de la même région mais qui travaillent dans les hôpitaux, de même que pour les usagers d'une autre région, le critère le plus important doit être la qualité des soins. Pour les usagers d'une région, l'effort devrait porter sur la mesure de la santé générale de la population et de la situation socio-économique.

D'autres suggestions ont été proposées comme pouvant aider l'intégration des besoins dans la planification, comme la recherche de l'opinion des intervenants et des professionnels, la recherche d'informations sur les trajectoires suivies par les usagers, leur devenir, comme sur leur réinsertion sociale. À cela s'ajoute un intérêt pour des données concernant la continuité des soins et l'utilisation des services en externe et dans le réseau communautaire.

France

Pour des problèmes de temps, apparemment, la situation de la France n'a pu être étudiée de façon aussi détaillée que voulu.

Outils et stratégies

Les planificateurs nationaux identifient des informations disponibles pertinentes à différents niveaux :

– concernant le dispositif de soins : accessibilité géographique, données démographiques, flux de malades, taux d'attraction et de fuite, utilisation des services, opinion de la population ;

– concernant les pathologies : données de mortalité, données de morbidité hospitalière ;

– concernant l'évaluation : qualité des soins, données issues du PMSI[3] (avec une certaine prudence).

---

(3) Programme médicalisé des systèmes d'information qui tente d'évaluer des coûts par pathologie et des groupes homogènes de malades.

Dans une région, on souligne aussi le travail en synergie de plusieurs départements d'information médicale (DIM) sur l'exploitation des fiches par patient et les travaux issus de recherche évaluative universitaire. Un réseau sentinelle sur le suicide semble aussi fournir des informations sur l'ampleur du phénomène parasuicidaire.

Satisfaction. Les planificateurs nationaux souhaiteraient un « véritable réseau d'informations » : toute information utile pourrait ainsi être mobilisable soit à tout moment, soit selon des périodes déterminées à l'avance. Ce réseau bénéficierait d'une amélioration dans la connexion et la transmission des données. Il y aurait aussi un réel travail en réseau épidémiologique entre les organismes ORS, DDASS, INSEE, CREDES. On voudrait par ailleurs obtenir des informations sur les parcours individuels des patients ; anticiper les axes futurs (enquête de qualité des soins, PMSI, etc.). Enfin, il ne faut pas négliger certains types d'information comme l'absentéisme ou les arrêts de travail, pouvant être révélateurs de problèmes au sein des établissements, les données sur la réinsertion professionnelle, la nature des soins existants et leur évolution.

D'une manière générale, pour les planificateurs régionaux, les données d'environnement (géographiques et climatiques, socio-démographiques, socio-économiques) sont disponibles de manière satisfaisante. Pour les planificateurs, comme pour les intervenants, la disponibilité des données sur l'offre, sur l'utilisation des structures et sur la morbidité de la clientèle est jugée satisfaisante pour le dispositif public (avec une réserve pour un groupe d'intervenants, car l'aspect longitudinal de la prise en charge du patient n'est pas prise en compte). Planificateurs et intervenants souhaiteraient disposer de plus de précision sur l'activité des cliniques privées et sur l'utilisation des services de base, en particulier des médecins généralistes. La nécessité de disposer de données de morbidité de la population est également soulignée par plusieurs groupes. Selon un groupe d'intervenants, seules les enquêtes en population générale peuvent donner des renseignements fiables pour déterminer les besoins, avec la possibilité de s'appuyer sur les résultats d'enquêtes réalisées dans d'autres régions ou d'autres pays. Pour un groupe de planificateurs, en revanche, les enquêtes en population générale, de réalisation lourde ne sont pas indispensables ; ce groupe souhaite une optimisation des données existantes. Des enquêtes d'opinion auprès de la population générale et auprès des utilisateurs de soins sont également souhaitables. Un groupe de planificateurs indique qu'une solution serait de déterminer des indicateurs médico-économiques (sur le suicide, l'alcool, le revenu minimum d'insertion…) et de réaliser des enquêtes spécifiques auprès de services proches de la population (services sociaux du conseil général et services de la protection maternelle et infantile).

Information pertinente. Tous les groupes nationaux et régionaux de planificateurs et d'intervenants considèrent comme pertinents les indices proposés à la question 3. Selon un planificateur national, pour des raisons évidentes (histoire récente, difficultés de développement), le concept de santé mentale n'en est qu'à l'état embryonnaire en France. La prévention demeure embryonnaire, et les soins ne concernent qu'un petit nombre de demandes. Les outils déclinés à la question 3 ne représentent qu'une étape intermédiaire qui demande à être développée à partir de l'expérience qui sera progressivement acquise.

Fiche technique 10

TEXTES DES POLITIQUES, RÈGLEMENTS, LITTÉRATURE ET RECOMMANDATIONS[1]

TEXTES ET RÈGLEMENTS

Les textes politiques donnent les grandes orientations et philosophies en matière de soins tandis que les textes réglementaires indiquent des objectifs chiffrés concernant l'offre de soins, les objectifs à atteindre ou les limites à ne pas dépasser.

En France on peut distinguer les textes réglementaires (arrêtés et décrets) qui fixent des normes d'équipement ou de personnel et les circulaires qui indiquent plutôt des orientations, des recommandations ou des priorités.

TEXTES RÉGLEMENTAIRES

L'arrêté du 11 février 1991 « relatif aux indices de besoin, concernant les équipements psychiatriques » détermine des indices d'équipement rapportés à la population des secteurs psychiatriques ou du groupe de secteurs (généralement le département). Ce texte distingue un indice partiel qui concerne seulement les lits d'hospitalisation complète et un indice global qui regroupe les lits d'hospitalisation complète, les places d'hospitalisation de jour, les lits d'hospitalisation de nuit, les places d'accueil familial thérapeutique, les places d'appartement thérapeutique, les lits de centre de crise et les lits de post-cure ; ces indices sont définis pour la psychiatrie générale et pour la psychiatrie infanto-juvénile. En psychiatrie infanto-juvénile, l'indice partiel se situe entre 0,1 et 0,3 pour 1 000 habitants de 0 à 16 ans et l'indice global entre 0,8 et 1,4 pour 1 000 habitants de 0 à 16 ans. En psychiatrie générale, l'indice partiel se situe entre 0,5 et 0,9 pour 1 000 habitants et l'indice global entre 1 et 1,8 pour 1 000 habitants.

Le décret du 30 mai 1997 relatif aux conditions techniques de fonctionnement, auxquelles doivent satisfaire les établissements de santé pouvant mettre en œuvre l'activité de soins « accueil et traitement des urgences », donne des indications sur les normes de personnel psychiatrique dans les services d'urgence des hôpitaux généraux :

– la présence d'un psychiatre est obligatoire vingt-quatre heures sur vingt-quatre, tous les jours de l'année, dans les services d'accueil et de traitement des urgences lorsque l'examen de l'activité du service fait apparaître que l'analyse et la fréquence habituelle des urgences comportant des aspects psychiatriques le nécessitent. Dans les autres cas, l'équipe médicale du service doit pouvoir faire venir un psychiatre à tout moment ;

– il faut au moins un infirmier expérimenté en psychiatrie, dans l'équipe paramédicale du service d'accueil et de traitement des urgences et dans celle de l'unité de proximité d'accueil de traitement et d'orientation des urgence ou, à défaut, on doit pouvoir en faire venir un sans délai.

CIRCULAIRES

Deux circulaires définissent les grandes orientations de la politique de santé mentale, ainsi que les missions et l'organisation du dispositif public de psychiatrie : la circulaire du 14 mars 1990 relative aux orientations de la politique de santé mentale et la circulaire du 11 décembre 1992 relative aux orientations de la politique de santé mentale en faveur des enfants et des adolescents. Ces deux circulaires indiquent également des objectifs et des priorités.

La *circulaire du 14 mars 1990* relative aux orientations de la politique de santé mentale indique dans son titre III « La transformation du dispositif psychiatrique public » des objectifs à atteindre, en tout secteur psychiatrique, dans les cinq années à venir. Ces objectifs concernent :

• l'accessibilité aux soins :

– en tout secteur de psychiatrie générale, il faut au moins un centre médico-psychologique (ouvert au moins cinq jours par semaine) ;

(1) Ce chapitre a été rédigé par B. Boisguérin, V. Kovess et A. Lesage.

– en psychiatrie infanto-juvénile, il faut au moins deux centres médico-psychologiques (ouverts au moins cinq jours par semaine) ;

• la réponse à l'urgence :

– avec un point d'accueil spécifiquement psychiatrique et une présence permanente de soignants psychiatriques (psychiatre et infirmier) dans les services d'urgence des centres hospitaliers les plus importants ou, à défaut, un contact permanent de l'équipe de secteur psychiatrique avec ces services ;

• les prestations ambulatoires et à temps partiel :

– en psychiatrie générale, il faut au moins une formule de soins ou d'accompagnement permettant une prise en charge à temps partiel plus importante ;

– en psychiatrie infanto-juvénile, il faut au moins deux formules de soins institutionnels à temps partiel ou séquentiel (accueil à la journée, à la demi-journée, accueil du soir, accueil du mercredi) ;

• les soins à temps complet :

– en psychiatrie infanto-juvénile, tout secteur ou groupe de secteurs doit pouvoir assurer aux enfants dont l'état le nécessite des soins à temps complet en milieu institutionnel ou en accueil familial, en privilégiant des formes variées (unités d'accueil familial, thérapeutique, centre de crises pour adolescents) ;

• la réadaptation.

Chaque secteur ou groupe de deux ou trois secteurs de psychiatrie générale devra disposer, hors enceinte de l'hôpital, d'au moins une structure conçue aux fins de réadaptation permettant une certaine insertion dans le milieu social et un réentraînement à l'autonomie (appartement thérapeutique, centre de post-cure, placement familial thérapeutique, atelier thérapeutique, hôpital de jour).

La *circulaire du 11 décembre 1992* relative aux orientations de la politique de santé mentale en faveur des enfants et des adolescents indique parmi les cinq actions prioritaires à développer :

– de mieux assurer l'accueil et le suivi de populations jusqu'ici difficilement accessibles : les nourrissons, les très jeunes enfants, les adolescents (en indiquant de nouvelles approches) ou certains groupes très défavorisés ;

– de développer les formules de prise en charge à temps partiel et tout particulièrement les centres d'accueil thérapeutiques à temps partiel ;

– de maintenir un potentiel de soins à temps complet, par secteur ou groupe de secteurs, répondant à un projet thérapeutique précis.

À côté de ces deux grands textes, il existe des circulaires donnant des orientations dans des domaines plus précis.

La *circulaire du 30 juillet 1992* relative à la prise en charge des urgences psychiatriques définit les modes d'amélioration de prise en charge des urgences psychiatriques.

La *circulaire du 8 décembre 1994* relative à la prise en charge sanitaire des détenus et à leur protection sociale et guide méthodologique précise l'organisation des soins somatiques et psychiatriques en milieu pénitentiaire.

Au Québec, il n'existe pas de textes réglementaires pour les équipements psychiatriques. Seul équivalent d'une circulaire, le document de consultation « Plan d'action pour la transformation des services de santé mentale » (1998) énonce deux objectifs à atteindre d'ici 2002, en termes d'équipement et de budget. Le premier objectif concerne la réduction du nombre de lits en psychiatrie adulte pour parvenir à un taux d'équipement de 0,4 pour 1 000 habitants répartis en 0,25 lit de soins de courte durée et 0,15 lit de soins de longue durée (le taux actuel est de 1,0 lit par 1 000 habitants). Le second objectif concerne une modification dans la répartition du budget de la santé mentale, pour que la part attribuée à l'extra-hospitalier pour des soins dispensés dans la communauté (actuellement 60 p. 100 du budget sont consacrés aux services d'hospitalisation). Ce document donne comme objectif général de compléter la mise en place, dans chaque région, des services de santé mentale s'adressant prioritairement aux personnes atteintes de troubles mentaux sévères et persistants, en privilégiant les interventions dans la communauté et en améliorant la qualité, la continuité et la coordination des services. Les principes retenus sont d'intervenir de façon efficace dans le milieu de vie de l'individu, de l'aider à acquérir les ressources matérielles de base, de favoriser le développement des aptitudes et de l'autonomie, de soutenir et d'informer les familles. Ces objectifs seraient remplis par la présence des services requis dans la communauté : les fonds doivent être réalloués en priorité pour mettre en place et renforcer cinq types de services :

– l'accès au logement et l'obtention de moyens de subsistance ;

– l'intervention de crise en tout temps ;

– l'accès au traitement en tout temps ;

– l'accès à des services de réadaptation ;

– des activités de soutien aux familles et aux proches.

Les régies régionales peuvent développer des plans régionaux d'organisation des services (PROS), comme récemment la Régie régionale de la santé et des services sociaux de Montréal-centre dans son document de juin 1998 « Plan d'amélioration des services de santé et des services sociaux 1998-2002 ». Dans ce document, les objectifs reprennent les orientations du ministère ; on suggère le développement d'alternatives à l'hospitalisation et des réallocations budgétaires, mais sans énoncer de normes en équipements ou en personnel, sauf pour les lits de courte durée.

Les seuls textes réglementaires québécois portent sur l'hospitalisation involontaire et ont fait l'objet d'une révision récente dans la loi 39 « sur la protection des personnes atteintes de maladie mentale ».

Ainsi, au Québec comme en France, les objectifs et les orientations visent-ils à réduire l'hospitalisation au profit des soins extra-hospitaliers qui apparaissent comme la meilleure réponse aux besoins des patients et de leur famille.

NORMES

Les normes sont établies par des experts à partir de leur expérience acquise dans des secteurs considérés comme secteurs pilotes ; elles sont très pragmatiques et dépendent également du milieu dans lequel elles ont été développées et ne peuvent ainsi prétendre à l'universalité. Dans ces secteurs, l'utilisation des services a été confrontée à une série d'études d'évaluation pour déterminer si ces services étaient requis et si d'autres pouvaient l'être en alternative à ceux-ci : on a dissocié les prestations excessives et les besoins non comblés de ressources. L'accumulation des exercices de ce genre entre différents pays, différentes régions, différentes configurations de services permet d'obtenir un meilleur tableau. Ainsi un consensus se dégage-t-il concernant le nombre de lits en psychiatrie, cette donnée étant très facilement accessible pour tous les pays, différentes régions, différents modèles d'organisation de services, et la comparaison permettant aux experts d'avancer des chiffres.

Très peu de normes ont été proposées au niveau des « ressources résidentielles protégées ». On citera ici les normes proposées par le Royal College of Psychiatrists [12] en Grande-Bretagne, et qui ont été exposées au chapitre 4 (*voir* tableau 4-III), et les normes issues de l'expérience de Trieste en Italie.

L'expérience de Trieste en Italie rapportée par Dell'acqua et al. [4] indique un taux de 65 personnes en « ressources résidentielles protégées » pour 100 000 habitants : 30 groupes d'appartements (douze sur le terrain de l'ancien hôpital psychiatrique et dix-huit en ville) hébergent au total 160 personnes, pour un secteur de 252 000 habitants. Ces groupes d'appartements accueillent entre trois et dix personnes, et des intervenants aident à l'organisation de la vie quotidienne durant la journée en fonction de l'intensité des besoins exprimés par les usagers ; cinq groupes seulement nécessitent la présence d'un intervenant durant la nuit.

On aboutit ainsi à un taux d'équipement en « ressources résidentielles protégées » inférieur aux normes proposées en Grande-Bretagne, avec un niveau de supervision moins élevé. Toutefois, l'expérience de Trieste accompagne le dispositif de soutien à domicile par des équipes bien dotées déployées sur le territoire. Néanmoins, il s'agit-là d'une référence et c'est par l'accumulation de telles données que des normes pourront être discutées au niveau international et relevées par exemple au Québec.

Ces deux exemples de normes proposées au niveau des « ressources résidentielles » font abstraction de l'hébergement par les familles d'un de leur proche atteint de troubles mentaux. Cette pratique varie selon les habitudes culturelles ; ainsi l'hébergement par la famille est-il plus fréquent en Europe du Sud, qu'en Europe du Nord. Au-delà de ces différences culturelles le choix d'imposer cet hébergement aux familles, faute d'alternative, d'apporter un soutien aux familles, par des programmes de répit par exemple, ou même de considérer l'hébergement par la famille comme non pertinent est un choix politique. En France, l'UNAFAM (Union nationale des amis et familles des malades mentaux) demande qu'après 25 ans, le domicile familial ne soit pas considéré comme le domicile normal des patients.

Ces exemples montrent qu'il est difficile d'établir des normes dont la signification peut varier suivant les ressources prises en considération, en particulier dans le domaine social où les situations peuvent être très différentes suivant les pays mais aussi les niveaux locaux et régionaux. Ils montrent aussi qu'aucune norme n'est idéologiquement neutre et que la norme repose sur un projet de soin et sur l'évaluation de ce qui est souhaitable, d'une part, et de ce qui est acceptable en terme d'investissement, d'autre part. Il faut aussi signaler qu'après la mise en place de normes se pose le problème de leur application concrète ; or, dans de nombreux cas, les normes ne sont pas appliquées.

ÉCRITS SCIENTIFIQUES

Beaucoup de revues scientifiques sont répertoriées dans le domaine de la santé et des sciences humaines. Pour les seules revues psychiatriques et psychologiques, le *science citation index* répertorie plus de 50 revues, qui publient chaque année des centaines d'articles, sans compter la littérature non publiée dans des revues avec comités de lecture, les livres ou les documents émanant d'organismes publics, d'ordre professionnel, comme les guides de pratique. Devant une telle abondance de littérature, comment les planificateurs, les intervenants ou les usagers peuvent-ils dégager rapidement une opinion claire sur des questions comme l'efficacité du suivi intensif dans le milieu, la valeur de la médication antidépressive ou de la psychothérapie cognitive dans la dépression, l'hôpital de jour ? Le développement des communications par internet favorise l'accès à des sites d'information de qualité variable : les usagers comme les cliniciens voudront rapidement avoir accès eux aussi à une information spécifique (de qualité) sur la question.

Une masse de données ne fait pas une information et, dans cet ordre d'idée, un article original de recherche, aussi impeccable soit-il, ne suffira pas à élucider un problème. Il faudra toujours le situer par rapport à l'ensemble des connaissances et des autres enjeux de santé publique éclairant le choix d'une option de soin. La décision doit dépendre non seulement des preuves d'efficacité des interventions, mais aussi du contexte d'application qui peut moduler les choix les meilleurs selon des critères explicites. Ainsi la figure FT10-1 présente-t-elle une hiérarchie des sources d'information qui permet d'élucider les problèmes d'efficacité des interventions et des besoins de santé mentale. Cette figure fait apparaître cinq niveaux.

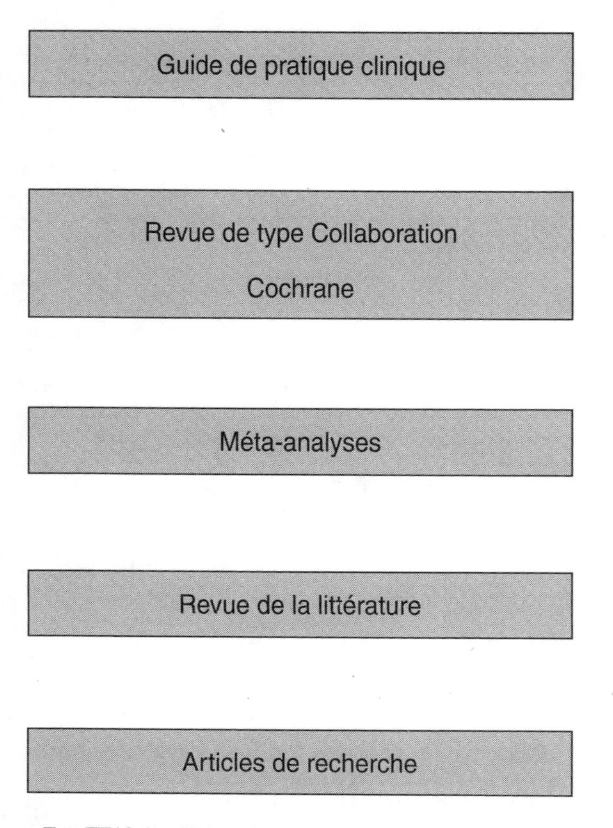

FIG. FT10-1. – HIÉRARCHIE DES SOURCES D'INFORMATION.

Les guides de pratique clinique représentent le plus haut niveau d'intégration de la littérature à un moment donné ; ils devraient reposer sur les articles de recherche les plus récents, les revues de littérature, les méta-analyses et une revue de type Cochrane quand elles existent. Ils représentent la synthèse de ces documents élaborés par un groupe d'experts. De par leur ampleur et les coûts de leur réalisation, ces guides n'existent pas pour toutes les questions ; la stratégie proposée suggère, en leur absence, de consulter l'échelon suivant, à savoir une revue de la littérature de type Cochrane, une méta-analyse, une revue de littérature et les articles de recherche.

La composition et l'origine des guides de pratique clinique risquent évidemment d'orienter les choix et les valeurs qui sont inhérents de l'élaboration d'un guide de pratique. Considérons justement cette source d'information de façon plus détaillée pour se sensibiliser à ses forces et ses faiblesses.

GUIDES DE BONNE PRATIQUE CLINIQUE

Il a été proposé de les définir comme une position développée de façon systématique afin d'aider le clinicien et l'usager à arriver à la décision la plus appropriée concernant le traitement dans des circonstances cliniques spécifiques [10, 11]. Les guides de bonne pratique cherchent à lier les hypothèses aux résultats, à équilibrer les significations statistiques et cliniques. Une intervention qui se révèle efficace dans un certain contexte expérimental ne sera pas probable si on veut la généraliser. Les guides de pratique transmettent une masse de connaissances médicales sous une forme facilement utilisable pour le clinicien. Ils fournissent non seulement les preuves d'efficacité, mais aussi les résultats obtenus, les preuves scientifiques et les commentaires des chercheurs. Parmi des exemples de guides de bonne pratique, on citera ceux sur le traitement de la schizophrénie, de la dépression, du trouble obsessionnel-compulsif proposés par l'American Psychiatric Association, par l'Association des psychiatres du Canada, par les associations britanniques ou australiennes.

On doit toutefois garder un regard critique sur les guides de bonne pratique clinique. Tout d'abord, toute source doit être comparée aux autres sources, par exemple, en comparant les guides de recommandation de l'Association des psychiatres du Canada à celle d'autres pays ou de l'Association des psychologues. On doit ensuite s'assurer du bien-fondé des recommandations en se posant les questions suivantes :

– toutes les hypothèses et tous les résultats ont-ils été spécifiés ?

– y-a-t-il une méthode systématique bien décrite pour identifier, choisir et établir la preuve ?

– existe-t-il une méthode systématique et sensible bien décrite pour évaluer les différents résultats ?

– a-t-on prévu les développements à venir ?

– les guides de pratique ont-ils été soumis à l'évaluation de comités de pairs ou d'études ?

– toutes les options (prévention, dépistage, diagnostic, traitement, réadaptation, organisation des services) relatives à la question et tous les résultats ont-ils été spécifiés ?

– a-t-on rapporté des méta-analyses avec toutes les preuves disponibles (et pas seulement avec les essais randomisés) ?

– a-t-on utilisé l'avis d'experts (lesquels, des gens de recherche, des gens de pratique, des usagers) ?

– le processus est-il reproductible ?

Le processus qui permet d'établir la valeur des divers résultats doit également être pris en considération et avoir été traité de façon rigoureuse. Il est ici question de choix et de valeurs. Quelles valeurs ont-elles été considérées et retenues (par exemple, l'autonomie du patient, la qualité de vie, le *primum non nocere*, l'équité, les coûts-bénéfices, les coûts) ? Quelles sont les sources des jugements de valeurs et quelles méthodes de consensus ont-elles été utilisées (par exemple, utilisation de panels, avec quels types de participants, financés par qui) ?

L'intensité des recommandations doit enfin être considérée. Premièrement, correspondent-elles aux questions posées au départ ? Tiennent-elles compte des bénéfices relatifs, absolus, de la signification clinique, du nombre de personnes à traiter pour obtenir un bénéfice, des effets secondaires ? Donne-t-on une analyse de sensibilité selon le degré d'incertitude de la preuve, ou en fonction des facteurs de risque (par exemple, réussite dans la dépression majeure avec comorbidité) ?

Une telle description fait ressortir les limites des guides de bonne pratique. S'ils semblent correspondre exactement à l'attente des planificateurs, des décideurs et du public pour éclairer les choix sur les besoins d'intervention, il faut reconnaître qu'il s'agit d'une méthodologie en développement et que, actuellement, il n'existe aucune méthode reconnue pour ordonner la preuve (par exemple, les études randomisées, les études d'observation, selon les résultats de bénéfice absolu) et les recommandations, mais seulement des textes pour guider leur lecture critique.

Ces recommandations sont de valeur inégale, mais elles représentent cependant une base sur laquelle on peut s'appuyer pour évaluer les pratiques et, partant, mettre en place des actions garantissant à chacun l'accès aux meilleurs soins possibles. Elles permettent d'évaluer la qualité des pratiques tout en gardant à l'esprit que le praticien doit les adapter à chaque cas individuel. Elles peuvent aussi être érigées en recommandations contractuelles par convention entre les représentants des médecins et les caisses de sécurité sociale, comme c'est le cas en France avec les recommandations médicales opposables qui impliquent des contrôles et d'éventuelles sanctions financières dans le cadre d'une maîtrise des dépenses médicalisée.

REVUE DE LA LITTÉRATURE DE TYPE COCHRANE

La collaboration Cochrane a développé une série de méthodes précises pour passer en revue les articles de recherche rapportant des essais randomisés. Lancée depuis seulement le début des années 1990, cette collaboration bénévole internationale émergeant des milieux académiques se répand très rapidement car elle repose sur les forces d'un réseau et sur des valeurs communes alliées à la force de l'internet.

Elle sera plus détaillée car elle représente un idéal vers lequel toute méta-analyse ou revue de la littérature devrait tendre. La Collaboration Cochrane a été fondée par 77 personnes de onze pays en octobre 1993 lors d'une rencontre organisée par l'académie des Sciences de New York. Il existe des centres Cochrane au Canada (McMaster)[(2)] et en France (centre Cochrane français)[(3)].

C'est l'épidémiologiste britannique Archie Cochrane qui en est à l'origine vers les années 1970. Il pensait que notre profession devrait être accusée de ne pas avoir organisé une revue critique de tous les essais randomisés, selon la spécialité, et révisée de façon régulière. La collaboration Cochrane produit d'abord les revues Cochrane qui représentent l'aboutissement d'un travail d'un groupe Cochrane sur une question. Chaque groupe est international, avec un siège situé dans un pays donné, responsable d'un groupe et de son animation internationale. Au début 1997, on comptait plus de quarante groupes touchant la plupart des domaines de la santé et des soins de santé. Les groupes comprennent des chercheurs, des cliniciens, des usagers, des décideurs et autres. Le groupe sur la schizophrénie a, par exemple, produit des revues sur les questions suivantes : l'électroconvulsothérapie dans la schizophrénie ; les interventions familiales dans la schizophrénie ; le suivi intensif dans le milieu (*assertive community treatment*) ; les anticholinergiques dans le traitement de la dyskinésie tardive. Les revues en préparation sont : l'olanzapine dans la schizophrénie ; l'efficacité des hôpitaux de jour ; la remédiation cognitive dans la schizophrénie.

Les groupes s'appuyent pour leur travail sur des méthodes de revue standardisées et comprises dans la base de données des méthodes systématiques de revue. Une revue Cochrane comprend les éléments suivants :

– une page couverture avec le titre, le nom des auteurs, le groupe, les sources de financement, la date ;

– un abrégé structuré (une page) ;

– un rapport structuré bref (trois pages) ;

– une discussion des résultats ;

– les jugements sur les implications pour la pratique et la recherche ;

– la liste des études incluses et celles éligibles non incluses et les raisons ;

– la table des caractéristiques des études avec les résultats de l'évaluation ;

– les tables et graphiques de la revue, avec présentation des méta-analyses (si applicables).

Les méthodes de méta-analyse et de construction de la revue deviennent largement standardisées dans les revues Cochrane, garantissant leur reproductibilité.

Les revues Cochrane, soucieuses de généralisation, tentent des jugements sur les implications. Elles deviennent ainsi comparables aux guides de pratique et, de ce fait, sont exposées à de nombreux travers. Cela ne doit pas empêcher tout effort de baliser ces

---

(2) Le site internet canadien de McMaster permet d'avoir accès à tous les groupes et centres, en plus du matériel de la librairie Cochrane (http://hiru.mcmaster.ca/cochrane/default.htm). La librairie Cochrane comprend une base de données des abrégés des revues systématiques (DARE) qui est accessible sans frais de n'importe quel site internet Cochrane. Les revues Cochrane doivent être commandées auprès des centres Cochrane ou sont disponibles auprès des bibliothèques des universités. La collaboration Cochrane est également engagée dans la constitution d'un registre Cochrane des essais randomisés en collaboration avec la National Library of Medicine des États-Unis et l'éditeur scientifique hollandais Reed-Elsevier (qui réalise la base de littérature scientifique EMBASE). Enfin, il faut signaler que, dans la foulée de la collaboration Cochrane, le ministère de la Santé britannique a instauré une base de données sur les études randomisées d'évaluation économique d'interventions et dont on trouvera le lien auprès du groupe Cochrane d'Oxford.

(3) Centre Cochrane français : Dr Jean-Pierre Boissel, centre Léon-Bérard, 28, rue Laennec, 69373 Lyon cedex ; tél. : +33 478 78 28 34 ; fax : +33 478 78 28 38 ; ccf@upcl.univ-lyon1.fr.

exercices et de les rendre les plus explicites possibles afin de faciliter leur examen. En ayant structuré les groupes Cochrane et la révision des revues par la présence obligatoire de groupes d'usagers et de décideurs, des balises importantes ont été posées pour assurer un avis plus éclairé sur la généralisation. Il faut aussi souligner les groupes sur la dépression, l'anxiété et les névroses(4), et le groupe sur les pratiques efficaces et l'organisation des soins(5).

Les limites des revues Cochrane doivent être bien comprises. D'abord, elles ne tiennent compte que des études avec groupe contrôle et randomisées : même si ce type d'essais représente le meilleur contrôle et tend à être le plus rigoureux, il limite la preuve nécessaire pour se faire une opinion. Ensuite, connaître l'efficacité des interventions ne renseigne pas sur les conditions qui doivent être mises en place pour assurer l'implantation des interventions efficaces. L'expertise des cliniciens est-elle suffisante pour les mettre en place ? Les usagers sont-ils prêts à l'accepter ? Il faut tenir compte des besoins des usagers, des ressources à déployer et des priorités. Comme les guides de pratique, les recommandations Cochrane tentent de guider les choix à partir de ces considérations et de ces valeurs. Elles sont donc rarement applicables de façon automatique et universelle.

MÉTA-ANALYSES

Les méta-analyses sont une revue de la littérature où des études quantitatives sont additionnées à l'aide de techniques statistiques. Ces techniques permettent de ramener à des dénominateurs communs des études avec des nombres et des instruments de mesure différents. Elles bénéficient ainsi d'une puissance accrue par les grands nombres. Il dépasserait le cadre de ce rapport de décrire ces méthodes. Cependant, les éléments critiques du choix des articles retenus et des conclusions à tirer sont les mêmes que ceux exposés pour les guides de bonne pratique.

REVUES DE LA LITTÉRATURE

Elles représentent la forme la moins structurée pour résumer un champ, et pourtant la plus fréquente. Il existe d'excellentes revues de littérature, certaines étant en fait des revues Cochrane, mais d'autres s'éloignent des principes de reproductibilité ou de qualité représentées par la revue Cochrane. De plus, souvent les revues de la littérature ne correspondent pas au travail d'un groupe d'experts, mais d'un seul individu. Il y a ici le risque du syndrome « professeur Nimbus » ou, si l'on préfère, les énoncés « ex cathedra ». Leur méthode n'est soumise à aucune standardisation, et elles doivent être jugées à la lumière des critères de qualité émis pour les guides de bonne pratique et les revues Cochrane. Les revues de la littérature apparaissent dans les revues scientifiques régulières et dans d'autres publications spécialisées justement dans les revues, appelant les plus grands experts du champ à écrire une revue. C'est ce que font l'American Psychiatric Association et l'American Psychological Association. Il existe aussi des revues récentes sur les pratiques basées sur des preuves scientifiques *(evidence based medicine)* qui situent les articles par rapport à l'efficacité réelle des interventions.

CONFÉRENCES DE CONSENSUS(6)

Les conférences de consensus établissent des recommandations de bonne pratique à partir d'arguments scientifiques établis par des professionnels en toute transparence et dans le respect de la diversité des pratiques. D'après une définition de l'Agence nationale pour le développement de l'évaluation médicale (ANDEM), « une conférence de consensus est une méthode visant à définir une position dans une controverse portant sur une procédure médicale, dans le but d'améliorer la pratique clinique. Cette démarche résulte de la réunion d'un jury qui doit faire la synthèse des bases scientifiques qui sont présentées publiquement par les experts et qui se rapportent à des questions prédéfinies ». Ces conférences ont été mises en place aux États-Unis pour répondre à deux types de préoccupations :

– le constat que les résultats de la recherche n'étaient pas appliqués assez rapidement dans la pratique médicale ;

– l'augmentation rapide des dépenses de santé due, en partie, à la mise en œuvre de nouvelles techniques qui sont très coûteuses et dont le bénéfice réel pour l'usager n'a pas été préalablement évalué.

Des règles méthodologiques précises encadrent le déroulement d'une conférence de consensus. Ainsi, en France, l'ANDEM a-t-elle publié des documents précisant ces règles [1-3]. Un promoteur prend l'initiative de la conférence et en assure les moyens de financement. Il choisit le thème puis confie la responsabilité à un comité d'organisation indépendant. Le comité d'organisation cerne les problèmes posés par le thème, libelle les questions auxquelles la conférence doit apporter des réponses concrètes, désigne les experts, choisit un jury et désigne son président.

Le jury est composé de personnalités médicales représentant les multiples disciplines concernées : médecins, chercheurs, professionnels de la santé non médecins, méthodologistes ainsi que des personnalités non médicales représentant les domaines éthique, économique et législatif, et la collectivité : représentants du public (d'associations de consommateurs ou d'usagers). Ce jury doit avoir une certaine aptitude au travail de groupe mais il est surtout précisé que ses membres ne doivent pouvoir en aucun cas tirer un bénéfice quelconque de leur participation à la conférence et ne doivent avoir aucun intérêt financier qui pourrait fausser leur

(4) http://www.iop.kcl.ac.uk/home/depts/psychiat/segp/ccdan/cp.html.

(5) http://www.abdn.ac.uk/public health/hsru.

(6) Ce paragraphe a été fait à partir de V. Kovess. L'évaluation de la qualité en psychiatrie, Paris, Economica, 1994, 318 pages [6].

démarche. Aucun de ses membres ne doit faire partie des experts désignés pour la conférence.

Les experts doivent avoir une parfaite connaissance du thème traité, leur compétence étant attestée par des travaux et des publications récentes, médicales ou non, et représenter toutes les opinions. Ils doivent fournir les informations nécessaires pour répondre aux questions précises posées lors de la conférence. Ils doivent aussi présenter les données actuelles et formuler leur avis à partir d'arguments objectifs.

Une phase de préparation précède la conférence au cours de laquelle les experts font la synthèse des données de la littérature qu'ils communiquent aux membres du jury et au comité d'organisation avec le texte de leur réponse. Ces documents doivent parvenir au moins un mois avant la conférence afin que les membres du jury puissent demander le cas échéant des informations supplémentaires.

La conférence proprement dite s'étend sur deux à trois jours et est ouverte au public ; le public participe ainsi aux exposés des experts et aux débats avec le jury. On a d'ailleurs reproché aux conférences d'être trop théâtrales et de mimer une sorte de procès qui, de fait, est le modèle dont elles sont inspirées ; l'ouverture au public conduit forcément à cet aspect qui ne présente pas que des inconvénients puisqu'il induit une sorte d'obligation de résultats. À l'issue de cette conférence, le jury se retrouve à huis clos pour débattre et rédiger ses conclusions et recommandations afin d'apporter des réponses aux questions posées. Au décours de la conférence, le promoteur et le comité d'organisation font connaître les recommandations du jury et évaluent l'impact de la conférence. Pour assurer la diffusion des recommandations, ils envoient directement les documents aux professionnels, mais ils organisent aussi une conférence de presse à laquelle sont conviés les journalistes « grand public » et « professionnels », afin qu'ils publient largement les recommandations dans leurs journaux.

On peut citer une dizaine de conférences de consensus organisées en Amérique du Nord sur des thèmes de psychiatrie : médicaments et insomnie (NIMH, 1983) ; prévention pharmacologique des troubles de l'humeur (NIMH, 1984), électro-convulsivo-thérapie (NIMH, 1985) ; diagnostic différentiel de la démence (NIH, 1987), suivi en 1989 d'une conférence sur l'évaluation de la démence (NHRDP) ; traitement des comportements clastiques, chez les personnes atteintes de troubles du développement (OMAR, 1985) ; traitement du trouble panique (NIMH, 1991) ; diagnostic et traitement de la dépression dans la dernière partie de la vie (NIMH, 1991). D'autres conférences ont été conduites dans divers pays européens et tout d'abord au Royaume-Uni : besoin d'institutions pour les malades mentaux et les infirmes (King's Fund, 1987) ; diagnostic et détection de la dépression en médecine générale, suivi d'une conférence sur le traitement et la gestion de la dépression dans ce contexte (Royal College of Psychiatrists, Royal College of Practitionners, 1991). Le Danish Hospital Institute et le Danish Medical Research Concil and Swedish Planning and Rationalization Institute of Health Service ont organisé en 1984 une conférence sur le traitement des troubles dépressifs et une série de conférences sur la méthodologie des essais thérapeutiques avec les antipsychotiques et les anxiolytiques. Les thèmes de ces conférences sont assez larges, et les commanditaires variés ; il s'agit de sujets couvrant des problèmes de santé publique en psychiatrie. En France, mise à part la conférence sur l'évaluation des hypnotiques et des tranquillisants organisée en 1990 par le Syndicat national de l'industrie pharmaceutique, on peut citer la conférence sur les stratégies thérapeutiques à long terme des psychoses schizophréniques et celle sur les « troubles dépressifs chez l'enfant : reconnaître, soigner, prévenir, devenir », organisées avec le concours de l'ANDEM, ainsi que celle sur les modalités de sevrage des toxicomanes qui présentent une dépendance aux opiacés.

RECOMMANDATIONS DE BONNE PRATIQUE

Les conférences de consensus ne sont pas la seule méthode pour élaborer des recommandations ; elles ont leurs avantages et leurs inconvénients. Elles représentent une mobilisation humaine et matérielle considérable mais permettent un large et authentique débat sur les problématiques abordées. Elles ont en effet un impact important, bien que les modifications des pratiques soient difficiles à mettre en évidence.

Les recommandations peuvent être élaborées à partir de comités d'experts et l'ANDEM a organisé nombre de ces comités dont les recommandations sont ensuite validées par un groupe plus important. Parmi les principaux sujets traités, on trouve :

• des thèmes qui ont été publiés dans les recommandations et références médicales de l'ANAES :

– prescription des hypnotiques et des anxiolytiques (1995) ;

– prescription des neuroleptiques, suivi des psychotiques (1995) ;

– médicaments antidépresseurs (1996) ;

• des rapports spécifiques à des questions de psychiatrie :

– autisme (1994) ;

– prise en charge hospitalière des adolescents après une tentative de suicide (1998) ;

– indications et modalités de l'électro-convulsivothérapie (1998) ;

– audit clinique appliqué à l'utilisation des chambres d'isolement en psychiatrie (1998).

Ces textes sont disponibles sur le site internet : www.anaes.fr.

Cependant, si les règles méthodologiques propres aux conférences de consensus et aux recommandations de bonne pratique permettent d'en assurer la qualité scientifique, le problème essentiel réside dans la diffusion des recommandations et surtout de leur mise en pratique effective par les intervenants qui doit être régulièrement évaluée.

RÉFÉRENCES

1. ANDEM. Les conférences de consensus : base méthodologique pour leur réalisation en France. Paris, Service des études, 1990.
2. ANDEM. Guide pratique pour la réalisation d'une conférence de consensus. Paris, Service des études, 1992.
3. ANDEM. Conférence de consensus : texte des experts. Stratégies thérapeutiques à long terme dans les psychoses chroniques. Paris, Frison-Roche, 1994.
4. DELL'ACQUA G, MARSILI M, ZANUS P. L'histoire et l'esprit des services de santé mentale à Trieste. Santé Mentale au Québec, 1998, *XXIII* (*1*) : 120-133.
5. KING'S FUND. The need for asylum in society for the mentally ill or infirm, Consensus statement. London, King Edward's Hospital Fund for London, 1987.
6. KOVESS V. L'évaluation de la qualité en psychiatrie, Paris, Economica, 1994, 318 pages.
7. KOVESS V, PASCAL JCh, PLANTADE A. Faut-il faire des conférences de consensus ? L'Information Psychiatrique, 1996, *73* (*3*) : 234-242.
8. NIMH. Electroconvulsive therapy. US Department of Health and Human Services, National Institute of Health, Consensus statement, vol. 5, n° 11, 10-12 June 1985.
9. NIMH. Treatment of destructive behaviors in persons with developmental disabilities. US Department of Health and Human Services, National Institute of Health. Consensus statement, vol. 7, n° 9, 11-13 September 1989.
10. WILSON MC, HAYWARD RC, TUNIS SR et al. Users'guide to the medical literature. VIII. How to use clinical practice guidelines. A : are the recommendations valid ? JAMA, 1995, *274* (*7*) : 570-574.
11. WILSON MC, HAYWARD RC, TUNIS SR et al. Users'guide to the medical literature. VIII. How to use clinical practice guidelines. B : what are the recommendations and will they help you in caring for your patients ? JAMA, 1995, *274* (*20*) : 1630-1632
12. WING JK. Epidemiologically-based mental health needs assessments. Review of research on psychiatric disorders (ICD-10, F2-F7). London, Royal College of Psychiatrists, 1992.

Fiche technique 11

GROUPES DE CONSULTATION (1)

Jordan et al. [4] considèrent que les approches de consultation du public peuvent se répartir selon deux simples dimensions, suivant la mise à disposition ou non d'informations aux personnes impliquées dans le processus, et la possibilité ou non d'engager une discussion ou de délibérer afin d'en arriver au résultat demandé (tableau FT11-I).

MÉTHODES SANS INFORMATIONS, AVEC DISCUSSION

GROUPE DE DISCUSSION

Le groupe de discussion (en anglais *focus group*) est sans doute la méthode la plus connue pour l'évaluation des besoins de santé. Cette méthode de recherche, qui a été couramment utilisée par des organisations de marketing, peut aussi l'être en tant qu'instrument d'évaluation et de décision, par exemple lorsqu'un centre hospitalier modifie ou étend des services existants. Ainsi Richter et al. [7] ont-ils appliqué cette technique à un groupe lors de la mise sur pied d'un service en santé mentale, afin d'évaluer les soins requis par la population. Nous l'avons également utilisée pour connaître la perception de la planification en fonction des besoins en santé mentale au Québec et en France (*voir* chapitre 2 et fiche technique 9). Cette méthode peut aussi servir à générer des questions de recherche pour des études quantitatives, l'évaluation et la planification de programme.

Les groupes comprennent généralement entre huit et douze personnes qui discutent d'un sujet particulier sous la direction d'un coordonnateur qui encourage les interactions et assure que la discussion reste centrée sur le sujet prévu. La nature du sujet détermine le nombre de groupes qui seront menés. Cette décision doit être prise en fonction non pas d'un degré de signification quelconque ou d'une grandeur d'échantillon, mais plutôt du jugement et de l'expérience. La plupart peuvent être complétés en six à huit groupes, bien que quatre soient souvent suffisants. Les participants ne sont pas choisis au hasard, mais en fonction du but de la recherche. Le groupe doit être homogène quant aux variables propres à l'étude. Signalons que la fiche technique 9 décrit en détail un exemple de la méthode nécessaire à la conduite de tels groupes de discussion.

Les avantages de ce type de méthodes sont d'être relativement peu onéreuses, de réduire la distance entre le service et la population, et de permettre un échange d'idées et une interaction qui peuvent pousser la réflexion plus loin que ne le feraient des entrevues individuelles. Enfin, les résultats sont obtenus très rapidement, et les réponses sont plus spontanées [3]. Les limites sont que les résultats ne peuvent et ne doivent pas être interprétés de façon quantitative, que les membres peuvent ne pas être représentatifs de la population, que les réponses peuvent être influencées par le coordonnateur ou les autres participants et que certaines personnes peuvent trouver difficile de discuter de certains sujets en public.

Par ailleurs, on a souvent tendance à sous-estimer l'expertise et le temps nécessaire pour réaliser les analyses. Ainsi, Morgan [6] considère-t-il que les deux approches de base pour l'analyse des groupes de discussion sont le résumé ethnographique et le codage systématique via l'analyse de contenu. Le chercheur doit traverser ces étapes en passant souvent de l'une à l'autre et en revenant souvent sur les précédentes. Comme on peut le constater dans la méthode de notre propre étude rapportée dans la fiche technique 9, les intervieweurs et analystes avaient une bonne expérience ; de plus, il a fallu environ dix heures d'analyse pour chaque heure d'entrevue. Ce temps pourrait être plus important encore selon les approches d'analyse qualitative retenues.

(1) Cette fiche technique a été en grande partie réalisée par Jean-Pierre Bonin, MSc, faculté de Nursing, université de Montréal.

TABLEAU FT11-I. – APPROCHES DE CONSULTATIONS PUBLIQUES SUR LES PRIORITÉS DE SOINS DE SANTÉ (d'après [4])

	INFORMATIONS FOURNIES	PAS D'INFORMATIONS FOURNIES
Avec discussion	Jury de citoyens Consultation de panels d'usagers	Groupes de discussion (*focus group*)
Sans discussion	Questionnaires avec informations écrites incluses	Sondage d'opinion auprès de panels représentatifs

MÉTHODES AVEC OU SANS INFORMATIONS, ET SANS DISCUSSION

GROUPE NOMINAL

Le groupe nominal travaille avec de petits groupes afin d'évaluer les perceptions des problèmes par la communauté, tout en surmontant la non-représentation des opinions souvent constatée [3]. Cette méthode consiste en une série de procédures auprès de petits groupes, conçues pour compenser le problème de la dynamique du pouvoir social des « groupes de discussion » et autres types de groupes. Elle permet d'identifier et d'établir des priorités selon les problèmes, et elle serait plus efficace que la technique Delphi (*voir* plus loin) pour générer des idées et s'assurer d'une participation égale des membres [9].

La méthode peut se résumer ainsi. Il faut d'abord former des groupes de six à sept personnes, qui doivent de préférence être représentatives de ou connaître la communauté concernée. On pose d'abord la question de manière générale et chaque participant doit écrire sa réponse sur une feuille. Un tour de table permet alors de recueillir ces réponses, qui sont alors inscrites sur un tableau. Ensuite, on permet aux participants de poser des questions afin de bien comprendre les items affichés ; aucune discussion n'est permise à ce moment. On demande alors à chaque participant de choisir et de classer par ordre de priorité les items qu'il préfère, puis l'on additionne les scores pour chaque item afin d'établir les priorités en ce qui concerne les besoins exprimés pour l'ensemble des participants.

Les avantages de cette méthode sont :

– de partager et de générer des idées en groupe, tout en éliminant l'influence excessive des autres ;

– d'être d'un faible coût, puisque l'on réalise ce type de groupe en une journée ;

– d'assurer la clarté de la formulation ;

– de permettre d'atteindre un consensus.

On constate cependant quelques limites :

– nécessité de coordonner les agendas ;

– difficulté d'atteindre la représentation ;

– difficulté d'interprétation en cas de questions mal formulées au départ ;

– perte d'idées lors du processus.

TECHNIQUE DELPHI

Cette méthode est utile lorsqu'une rencontre face-à-face est irréalisable. Elle consiste à envoyer par courrier des séries de questionnaires à un petit nombre d'experts, de leaders ou d'informateurs clés. Les conflits entre les informateurs sont réglés par le chercheur sans qu'il n'y ait de confrontation. Les étapes à suivre sont :

– constituer un groupe d'experts ou de répondants ayant les connaissances nécessaires et pouvant s'exprimer facilement par écrit ;

– envoyer les questions par la poste (il importe de bien préciser le but de l'étude ainsi que la date limite de réponse) ;

– colliger les items obtenus par ce premier envoi, puis retourner le résultat aux participants en leur demandant de choisir, par exemple, les sept plus importants et de les classer par ordre ;

– retourner les items choisis une troisième fois pour obtenir le vote final sur les propositions.

Les avantages de cette méthode sont :

– de permettre de joindre des personnes qui n'auraient pu, par manque de temps ou à cause de la distance, se présenter à un processus de groupe ;

– de donner aux participants le temps de réfléchir ;

– de diminuer la tendance à se conformer ;

– de divulguer l'ensemble des points de vue ;

– de conserver l'anonymat des participants dans le cas de questions délicates.

Les inconvénients sont qu'il est nécessaire d'avoir un service postal adéquat, que le processus demande beaucoup de temps (45 à 70 jours), qu'il nécessite des participants une habileté de s'exprimer par écrit ainsi qu'un désir et une persévérance à répondre à tous les questionnaires.

MÉTHODES AVEC INFORMATIONS ET DISCUSSION

JURY DE CITOYENS

Cette méthode est considérée comme une tentative pour impliquer significativement les membres de la communauté dans les décisions qui les affectent en ce qui concerne leur santé. Des expériences utilisant cette méthode afin de consulter les citoyens sur leurs priorités en matière de santé ont été décrites, notamment, par Bowie et al. [1] et Lenaghan et al. [5]. Elles consistent à sélectionner des personnes représentatives, en choisissant les participants à l'aide d'une méthode aléatoire stratifiée. Ces personnes doivent ensuite siéger pendant plusieurs jours, souvent consécutifs, afin de donner leur avis sur différentes questions en matière de santé. Au cours de ces journées, différents groupes d'experts fournissent aux membres de ce jury toute l'information disponible pour pouvoir juger de la question. Ainsi Lenaghan et al. ont-ils demandé à seize jurés, durant quatre jours, quelles étaient leurs priorités en matière de santé, à partir de quels critères et jusqu'à quel point le public devait-il être impliqué dans le processus.

Cette méthode présente les mêmes avantages et limites que les groupes de discussion. On obtient ainsi rapidement l'opinion de la population en ce qui concerne leurs besoins en matière de santé et les citoyens sont impliqués dans le processus de décision. Le choix des membres par une méthode aléatoire devrait assurer une certaine représentativité de ces derniers. Le problème de cette méthode est qu'elle ne représente pas l'opinion réelle de la communauté, mais ce qu'elle serait si les citoyens possédaient toute l'information sur le sujet, ce qui peut constituer un avantage et une limite. La méthode de jury présente quelques limites, que sont la dynamique du groupe, l'implication possible du coordonnateur, la quantité d'informations nécessaire à chacun pour bien comprendre les points à débattre, ainsi que le manque de neutralité dans les informations données aux participants. Ainsi Lenaghan et al. soulignaient-ils que les membres du jury auraient aimé avoir l'opinion d'un expert neutre.

CONSULTATIONS PUBLIQUES

Cette méthode consiste à inviter tous ceux qui sont intéressés par le problème des besoins en matière de santé à venir discuter avec un groupe d'experts sur ces problèmes. Cette expérience est répétée jusqu'à ce que l'on constate une saturation des données. Un certain nombre d'informations est donné à l'assemblée et la discussion est engagée.

Cette méthode permet aussi d'obtenir rapidement une idée de l'opinion de la population sur ses besoins en matière de santé. Cependant, elle présente les mêmes lacunes que les autres méthodes discutées précédemment, à savoir que certains participants moins convaincants peuvent avoir des difficultés à faire valoir leurs opinions. De plus, au cours de ces rencontres, on note généralement une forte représentation de membres d'organisations qui ont un point de vue bien défini sur les questions qui sont bien documentées et qui occupent une grande partie du temps alloué aux citoyens.

Nous avons présenté ici les principales méthodes qualitatives utilisées pour évaluer les besoins en matière de santé des populations. Il en existe plusieurs autres qui représentent des variantes de ces approches. Citons entre autres une variante du groupe nominal où des consensus sont établis de la façon suivante : chaque personne écrit sur une feuille deux services qu'elle aimerait voir améliorés ou organisés. Par la suite, les participants, par groupe de deux, puis quatre, puis huit, doivent arriver à ne conserver que la moitié des idées à chaque étape. Les réponses sont ensuite rassemblées. Une autre technique, moins utilisée, consiste à demander aux participants de s'imaginer mentalement leur maison, leur rue, leur ville de façon idéale, sans censure ; les résultats sont ensuite mis en commun et l'on peut établir un consensus sur ces idées. Cette technique permet une très grande créativité ; si les idées ne sont pas réalisables, elles peuvent souvent mener vers des pistes d'actions réalistes et novatrices.

RÉFÉRENCES

1. BOWIE C, RICHARDSON A, SYKES W. Consulting the public about healthcare priorities. Br Med J, 1995, *311* : 1155-1158
2. CRESWELL JW. Qualitative inquiry and research design. Sage, Thousand Oaks, 1998.
3. GREEN LW, KREUTER MW. Health promotion planning : an educational and environnemental approach, 2nd ed. Mayfield, Mountain View, 1991.
4. JORDAN J, DOWSWELL T, HARRISON S et al. Health needs assessment : whose priorities ? Listening to users and the public. Br Med J, 1998, *316* : 1668-1670.
5. LENAGHAN J, NEW B, MITCHELL E. Setting priorities : is there a role for citizens'juries ? Br Med J, 1996, *312* : 1591-1593.
6. MORGAN DL. Focus groups as qualitative research. Qualitative research methods series 16. Sage, Newbury Park, 1988.
7. RICHTER JM, BOTTENBERG DJ, ROBERTO KA. Focus group : implications for program evaluation of mental health services. The Journal of Mental Health Administration, 1991, *18* : 148-153.
8. STEVENS A, GILLAM S. Health needs assessment : needs assessment : from theory to practice. Br Med J, 1998, *316* : 1448-1452.
9. VAN DE VEN AH, DELBECQ AL. The nominal group as a research instrument for exploratory health studies. Am J Public Health, 1972, *62* : 337-342.

Fiche technique 12

SYSTÈMES D'INFORMATION EN SANTÉ MENTALE[1]

Outre les enquêtes que nous avons décrites au chapitre 3, il existe des systèmes qui recueillent en routine des informations intéressantes dans le cadre de planification en santé mentale.

REGISTRES DE CAS

Dans la mesure où les personnes souffrant de problèmes de santé mentale utilisent des ressources de type très divers, qui dépassent largement le cadre des soins spécialisés en santé mentale, les soins ou actes qui leur sont prodigués devraient pouvoir être enregistrés au fur et à mesure à tout niveau, qu'il s'agisse du système de soin spécialisé ou général ou du système social. Ce recueil implique que différentes bases de données puissent être rassemblées autour d'un dénominateur commun : l'usager identifié le plus souvent par son nom ou un numéro d'identification nationale.

Ce recueil systématique au cours du temps d'une population d'usagers est appelé registre de cas ; le registre est cumulatif et les informations sont colligées de façon standardisée et systématique [4]. Certains registres sont très anciens et permettent de suivre l'évolution des dispositifs sur plusieurs décennies. Il en existe actuellement dans des régions ou des secteurs au Canada (la Saskatchewan a un tel système, la région de Kingston en Ontario), en Grande-Bretagne, en Italie, en Espagne et aux Pays-Bas. Certains registres ne couvrent que l'hospitalisation, d'autres couvrent les soins extrahospitaliers ; rares sont ceux qui couvrent toutes les interventions.

Leur gestion étant très lourde, ils sont généralement mis en place dans le contexte d'activités de recherche, qui portent sur la transformation des services spécialisés en psychiatrie. Étant par définition nominatifs puisqu'ils doivent permettre un recueil des informations de provenances diverses, ces registres posent des problèmes complexes de confidentialité, qui ont amené à la fermeture de nombre d'entre eux et à une certaine opposition à leur mise en place dans de nombreux pays, dont la France et le Québec, bien que les systèmes de cryptage soient de plus en plus sophistiqués et qu'il soit possible de mettre en place des garants de cette confidentialité.

Il en résulte qu'en France comme au Québec, malgré l'existence de nombreuses sources d'information, il n'existe actuellement pas de système d'information unifié en santé mentale si on entend sous ce terme un recueil de données couvrant l'ensemble des services de santé mentale, entretenu par un recueil de données régulier et standardisé qui donne lieu à des exploitations et à des résultats aux niveaux national, régional, ou à des niveaux plus affinés.

Dans la description des recueils utilisables en santé mentale, on distinguera les recueils d'information propres au dispositif de soins en psychiatrie, les recueils d'information non spécifiques à ce dispositif et qui renseignent sur l'utilisation du dispositif sanitaire ou social, et les recueils d'information donnant indirectement des informations sur l'état de santé de la population.

DESCRIPTION DES RECUEILS D'INFORMATION EN FRANCE

RECUEILS D'INFORMATION PROPRES AU DISPOSITIF DE SOINS PSYCHIATRIQUES

Fiche par patient

Les secteurs de psychiatrie générale depuis 1988, infanto-juvénile depuis 1991, et les services médico-psychologiques régionaux (SMPR) depuis 1995 remplissent pour chaque patient vu dans l'année une « fiche par patient ». Cette fiche permet de recueillir les caractéristiques du patient : sexe, âge, catégorie diagnostique (CIM-10 pour les adultes, classification française des

(1) Ce chapitre a été rédigé par A. Lesage et B. Boisguérin.

troubles mentaux de l'enfant et de l'adolescent pour les enfants), l'origine géographique, la situation matrimoniale, le mode de vie et l'activité professionnelle (pour les adultes), le type de scolarité suivie (pour les enfants) et les allocations. Cette fiche recueille de plus, pour tous les jours de l'année, les modalités de prises en charge dans le secteur, selon une typologie qui décrit les types de prise en charge : ambulatoire, à temps partiel et à temps complet. Ces fiches par patient restent au niveau du secteur et font partie du dossier médical. Une partie de ces données sont rassemblées par secteur pour renseigner le rapport annuel de secteur (*voir* ci-dessous).

Pour les autres données, l'exploitation par secteur, ou la transmission de ces données pour une exploitation par établissement ou par département sont laissées à l'appréciation du médecin-chef de secteur.

Rapport annuel de secteur

Ces questionnaires collectent dans le dispositif de soins sectorisé, par secteur de psychiatrie générale, de psychiatrie infanto-juvénile et par SMPR, des informations sur le personnel médical et non médical, les différentes structures de soins du secteur, sur la file active du secteur (définie comme le nombre de patients vus au moins une fois et par l'un des membres de l'équipe) et sa répartition par âge, par sexe et les modalités de prise en charge par le secteur dans l'année (ambulatoire, à temps partiel, à temps complet) (fig. FT12-1).

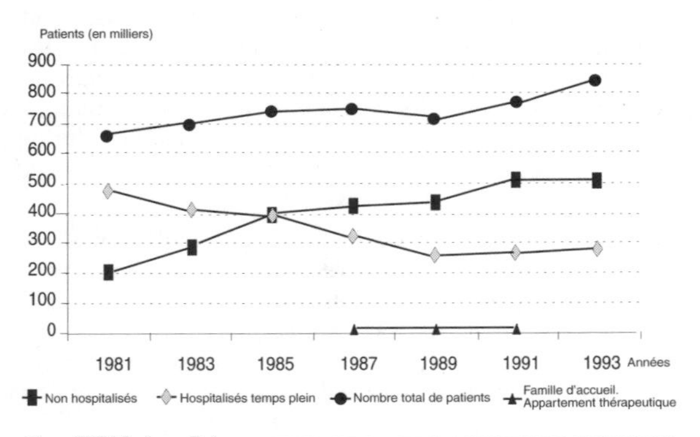

FIG. FT12-1. – RÉPARTITION DE LA FILE ACTIVE DES SECTEURS DE PSYCHIATRIE GÉNÉRALE SELON LES MODALITÉS DE PRISE EN CHARGE, ÉVOLUTION 1981-1993 (modifiée d'après [6]).

Les rapports annuels de secteur sont collectés annuellement et transmis à l'établissement, à la DDASS et à la DRASS. Ils font l'objet d'une exploitation au niveau national tous les deux ans par le ministère de la Santé. Leur exploitation au niveau régional, qui permettrait de faire des comparaisons entre départements d'une même région et entre différentes régions, n'est pas systématique, en raison notamment d'un manque de validation des informations[2]. Ce recueil d'information indique les modalités de prise en charge du secteur et non le recours au reste du dispositif sanitaire ou social.

SYSTÈMES NON SPÉCIFIQUES

L'exploitation des données issues du PMSI (programme médicalisé des systèmes d'information, recueil d'information utilisé pour l'allocation des ressources) devrait permettre d'obtenir également ce type de données.

En France, un travail a été effectué pour élaborer des outils spécifiques afin d'étendre le programme médicalisé des systèmes d'information (équivalent des *diagnostic related groups*) à la psychiatrie. Ce travail a été effectué selon deux approches. L'objectif de la première approche était de définir un modèle de prévision médico-économique « à la journée pondérée » pour décrire des épisodes de prise en charge avec hospitalisation, complétée par un système de paiement à l'acte pour tenir compte des multiples activités alternatives à l'hospitalisation. L'exploitation du recueil expérimental des données est en cours. Pour la seconde approche, les travaux menés avaient pour objectif d'identifier des prises en charge thérapeutiques considérées dans leur globalité (sur un an, *voir* plus haut), l'hypothèse de départ étant que le poids économique des prises en charge était prévisible à partir des caractéristiques médico-sociales des patients. Les travaux de ce type ont été effectués en exploitant rétrospectivement une base de données constituée à partir de la fiche par patient.

Données statistiques concernant le personnel de santé

Ces données concernent presque essentiellement les médecins et l'activité des médecins libéraux.

Le répertoire ADELI géré par les DDASS indique, par département, le nombre de médecins en activité, selon le statut (libéral ou salarié) et la spécialité (généralistes ou spécialistes). Il fournit donc le nombre de psychiatres libéraux et salariés par département.

La caisse nationale d'Assurance maladie des travailleurs salariés dénombre les médecins libéraux et leur activité à l'aide du SNIR (Système national interrégimes). Ce recueil d'information permet de rassembler, au niveau national, les données sur l'activité ayant occasionné un remboursement par les caisses des différents régimes d'Assurance maladie. Ce recueil d'information fournit pour les psychiatres libéraux le nombre moyen d'actes et le montant des prescriptions.

Données sur les prescriptions de médicaments

Les sources d'information concernant les données quantitatives sur les médicaments psychotropes sont issues de panels utilisés par le marketing de l'industrie pharmaceutique. Ces sources relèvent d'entreprises privées (IMS, DOREMA, GERS) qui vendent leurs don-

(2) Une validation des informations pour obtenir des résultats au niveau national peut être effectuée grâce à un contrôle de cohérence et supporte un taux de non-réponse de 5 p. 100. À un niveau géographique plus petit, le seuil d'exigence est plus haut, compte tenu du nombre réduit d'unités traitées.

nées exclusivement à l'industrie pharmaceutique. C'est pour remédier à cet état de fait qu'a été créé l'Observatoire national des prescriptions et de consommation des médicaments, organisme placé auprès de l'Agence du médicament, qui réalise des études particulières (par exemple, étude sur la prescription et la consommation des antidépresseurs en France, juillet 1998).

Données financières

Actuellement, on ne dispose pas de l'ensemble des coûts relatifs au dispositif de soins spécialisé en psychiatrie. Il est théoriquement possible de rassembler les données financières concernant les hôpitaux publics (ou participant au service public) ayant des services de psychiatrie. Pour les hôpitaux privés, c'est également possible, mais plus compliqué en raison des règles de financement. Par ailleurs, l'estimation des coûts concernant les psychiatres libéraux doit être réalisable par le recueil d'information des caisses d'Assurance maladie.

DONNÉES STATISTIQUES INDIRECTES SUR L'ÉTAT DE SANTÉ

Les caisses d'Assurance maladie (Sécurité sociale) font procéder à un examen médical des personnes assurées sociales atteintes de pathologie d'une certaine gravité (affection de longue durée et interruption de travail ou soins continus sur une certaine durée). Les données statistiques produites correspondent aux nouveaux malades vus lors de cet examen médical, par diagnostic (codé selon la CIM-9), dont les troubles mentaux.

CAUSES MÉDICALES DE DÉCÈS

Les données sur les causes médicales de décès résultent de l'exploitation des diagnostics portés sur les certificats médicaux de décès établis par le médecin ayant constaté le décès. Ces certificats sont transmis de manière anonyme à l'Inserm qui les exploite. On dispose ainsi du nombre de décès par suicide (ou séquelles des tentatives de suicide) par sexe et par groupe d'âge et du taux de mortalité par suicide. Ces résultats sont disponibles aux niveaux national et régional. Cependant, des études auprès d'instituts médico-légaux indiquent que la sous-estimation des suicides résultant de la méconnaissance des causes médico-légales concerne 10 à 20 p. 100 des suicides, et celle-ci est variable selon les départements.

DESCRIPTION DES RECUEILS D'INFORMATION EN SANTÉ MENTALE AU QUÉBEC

RECUEILS D'INFORMATION PROPRES AU DISPOSITIF DE SOINS PSYCHIATRIQUES

Fichier d'hygiène mentale

Ce fichier, tenu à jour pour le gouvernement fédéral, fournit des informations sur les personnes hospitalisées dans les hôpitaux psychiatriques, en fonction de l'âge, du sexe et du diagnostic. Les informations sur l'hospitalisation dans les services psychiatriques des hôpitaux généraux sont fournies par les enquêtes hospitalières (*voir* plus loin). Ainsi les données issues de ces deux types de recueil sont-elles limitées à l'hospitalisation des hôpitaux psychiatriques.

RECUEILS D'INFORMATIONS NON SPÉCIFIQUES AU DISPOSITIF DE SOINS PSYCHIATRIQUES

Il existe aussi des recueils d'informations non spécifiques au dispositif de soins psychiatriques mais donnant des informations sur le dispositif ou sur le recours au dispositif sanitaire ou social pour troubles mentaux.

Systèmes d'information hospitaliers

• Le *système MEDECHO* recueille dans les hôpitaux l'information sur les sorties d'hospitalisation (événements de congé hospitalier) : numéro d'Assurance maladie de la personne, nom, adresse, âge, sexe, diagnostics selon la classification internationale des maladies (CIM-9), établissement et durée de séjour. Ce recueil d'information fournit des données sur l'hospitalisation psychiatrique des services de psychiatrie des hôpitaux généraux et, depuis 1998, des hôpitaux psychiatriques (que ce soit pour leurs lits de court ou de long séjour). Il permet notamment d'établir les taux de sortie pour les lits de court séjour. Potentiellement, le MEDECHO peut produire des résultats sur l'hospitalisation psychiatrique, en fonction de l'âge, du sexe et du diagnostic, mais cela n'est pas fait régulièrement ; ces résultats pourraient être fournis pour le Québec et à des niveaux géographiques plus affinés : région et secteur de recensement (moins de 6 000 habitants).

Le fichier d'hygiène mentale et MEDECHO commencent juste à être harmonisés, et il n'est pas encore possible d'avoir une information patient sur toutes les personnes ayant été hospitalisées en psychiatrie dans le système public québécois au cours d'une période donnée. Ce système permet également de produire des résultats sur les séjours hospitaliers dans les services non psychiatriques, pour des personnes présentant un diagnostic de trouble mental.

• Le *rapport statistique annuel* des centres hospitaliers de longue durée (CHSLD) et des centres hospitaliers (CH) fournit, pour les hôpitaux publics et privés conventionnés, le nombre de lits autorisés et le nombre de personnes hospitalisées, mais sans distinguer les diagnostics, ainsi que le nombre et la distribution du personnel. Il fournit ces informations pour les hôpitaux psychiatriques et éventuellement pour les services de psychiatrie des hôpitaux généraux.

• Le *fichier des établissements* (sanitaires et sociaux) fournit le nombre de lits ou de places autorisés des hôpitaux.

• *Autres approches*, comme les DRG : pour mesurer les besoins de ressources lors de l'hospitalisation, les autres secteurs de la santé ont vu émerger le système de remboursement fondé sur les DRG (*diagnostic related groups*). La validité de ce système repose sur la capacité à démontrer que différents DRG discriminent très bien les besoins de ressources hospitalières et qu'il y a peu de variation à l'intérieur d'un groupe. En psychiatrie, le diagnostic seul s'est révélé insuffisant pour prévoir les coûts ou la durée de séjour [2]. Ce n'est qu'en associant des mesures de gravité de la condition, du dysfonctionnement social et de niveaux de réadaptation que l'on pouvait mieux pronostiquer la variation des coûts, allant jusqu'à prédire 42 p. 100 de la durée de séjour [3, 7]. Si des recherches ultérieures sont requises pour arriver à des mesures plus adéquates, aucun pays n'a adopté cette approche dans le secteur des soins psychiatriques [5, 8].

Données statistiques concernant le personnel de santé

Le fichier du personnel de santé « Santé et Bien-être Canada » tient un fichier du personnel de la santé au Canada, qui peut être décomposé par province. Il comprend le nombre de médecins, de spécialistes, de pharmaciens et d'infirmières.

Le recueil d'information lié à la carte d'Assurance maladie fournit des données concernant l'activité des médecins. La carte d'assurance maladie attribuée à tout résident par la régie de l'Assurance maladie du Québec (RAMQ) donne un accès gratuit à tous les services médicaux requis, tant à l'hôpital qu'auprès de n'importe quel médecin. La quasi-totalité des médecins sont rémunérés par la RAMQ, que ce soit à l'acte, à la vacation ou en salaire (les médecins salariés représentent 5 p. 100 du système). Le paiement à l'acte implique d'enregistrer le numéro d'assurance maladie de la personne, son nom, son âge et son sexe, les diagnostics CIM-9, les actes thérapeutiques pratiqués, le site (hospitalier ou ambulatoire) et les dates. Ce système informatisé depuis 1970 n'a jamais été exploité, à notre connaissance, pour explorer l'activité médicale générale ou spécialisée en santé mentale. Potentiellement, ce recueil d'information pourrait fournir le volume d'activité des médecins libéraux généralistes et spécialistes, mais aussi des médecins travaillant à l'hôpital (pour ceux payés à l'acte), pour des fins de santé mentale, ainsi que les caractéristiques des usagers (âge, sexe et diagnostic). Cependant, pour les psychiatres travaillant à l'hôpital, la part d'activité liée à la vacation ou au salaire (31 p. 100 de l'activité pour les psychiatres) n'est pas comptabilisée par usager.

Données sur les prescriptions de médicaments

Depuis 1997, le Québec dispose d'un système universel d'assurance médicaments. Ce système d'assurance obligatoire mixte public-privé ne dispose pas d'information sur tous les médicaments prescrits sur ordonnance en ambulatoire, l'information étant contenue dans les banques de données de diverses compagnies d'assurances. Les médicaments prescrits dans les hôpitaux ou dans les centres hospitaliers de soins de longue durée (CHSLD) sont fournis par ces institutions. Les remboursements pour les personnes âgées et celles recevant des suppléments de revenus de l'État sont gérés par la RAMQ. En théorie, ce système d'information dispose de données que sont le nom de la personne, son numéro d'assurance maladie, son âge, son sexe, son adresse, le type de médicament prescrit, la posologie, les dates, l'assureur (privé ou l'état), le médecin prescripteur et le diagnostic. Il a par exemple permis à des chercheurs d'analyser les effets de la suppression des psychotropes dans la couverture des personnes âgées sur leur consommation de ces produits.

Données sur le dispositif social

Le fichier des établissements (sanitaires et sociaux) fournit le nombre de lits ou de places autorisés, pour les centres de réadaptation, les centres de protection de l'enfance et de la jeunesse.

Le SIMPJ est le système d'information ministériel de la protection de la jeunesse et comprend tous les cas signalés en vertu de la loi sur la protection de la jeunesse.

Données financières

Les rapports financiers annuels des établissements permettent d'établir un fichier de l'ensemble des ressources financières des établissements. Les informations combinées de ces rapports financiers avec ceux de la RAMQ, ceux des régies régionales, les informations sur les sommes allouées aux organismes communautaires sont maintenant intégrées dans le SIFO (système d'information financière et organisationnelle) qui permet d'examiner les dépenses par catégories de centres de responsabilités (centres hospitaliers, CLSC), de régions et des secteurs, dont la santé mentale.

DONNÉES STATISTIQUES INDIRECTES SUR L'ÉTAT DE SANTÉ

La commission de santé et sécurité au travail (CSST) traite les demandes d'indemnités consécutives aux accidents de travail. Il existe un débat pour déterminer si l'épuisement professionnel (*burn out*) peut être indemnisé. D'autres événements portent peu à litige, par exemple un état de stress post-traumatique chez un chauffeur d'autobus public victime d'un assaut lors d'un vol de la caisse. Il est théoriquement possible d'identifier à partir des fichiers de la CSST le nombre d'accidents résultant en morbidité psychologique et le nombre de personnes ainsi affectées, avec leur âge, leur sexe, leur adresse, leur titre d'emploi, le type, la durée et l'ampleur de l'incapacité, les diagnostics, les circonstances et le lieu de l'accident.

Le bureau du coroner (pour les décès violents ou inexpliqués) et le ministère pour les décès en général tiennent un fichier des décès au Québec. Il est possible en particulier d'identifier ceux par suicide, par mort inexpliquée ou par surdosage médicamenteux. Comme en France, on dispose ainsi du nombre de décès par suicide (ou séquelles des tentatives de suicide) par sexe et par groupe d'âge et du taux de mortalité par suicide.

Ces résultats sont disponibles au niveau national et régional.

Ainsi existe-t-il, en France, comme au Québec, de nombreuses données concernant la description du dispositif de soins en santé mentale et le recours à ce dispositif. En raison de l'organisation actuelle des recueils d'information, les principales lacunes de ces données sont les suivantes :

– elles ne couvrent qu'une partie du dispositif ;

– elles émanent de recueils d'information, couvrant différentes parties du dispositif et non harmonisés, ce qui se traduit par l'impossibilité de disposer de données comparables pour ces différentes parties ;

– elles ne sont pas disponibles à tous les échelons géographiques.

En France, si l'on cerne assez bien le dispositif de soins sectorisés, on ne dispose pas d'informations équivalentes sur les services hospitaliers non sectorisés, les cliniques psychiatriques privées et les psychiatres libéraux. Il est ainsi impossible de connaître le nombre total de patients suivis dans le dispositif de soins spécialisés en psychiatrie (les secteurs, les services hospitaliers non sectorisés, les cliniques privées, les patients des psychiatres libéraux). Le recueil d'information lié au PMSI qui sera mis en place devrait fournir des informations harmonisées de l'activité psychiatrique pour le dispositif de soins rattaché aux hôpitaux publics et les cliniques psychiatriques privées. Par ailleurs, le recours aux médecins généralistes et au dispositif social est actuellement mal connu et les données financières sont incomplètes. Enfin, si l'on dispose régulièrement de résultats à l'échelon national, les données ne donnent pas systématiquement lieu à des exploitations à des échelons géographiques plus réduits (régional et départemental). Toutefois, l'analyse des données sur l'utilisation des services peut révéler des « manques » à défaut de mesurer des besoins. Ainsi, En France, le faible taux de recours des adolescents au dispositif de soins sectorisés révèle-t-il des besoins non couverts par ce dispositif. De même, les enquêtes transversales ont révélé un taux d'activité professionnelle très faible des personnes suivies dans ce dispositif, ce qui montre les efforts à faire dans le domaine de la réinsertion professionnelle.

Au Québec, il n'existe pas de recueils d'information propres au dispositif de soins psychiatriques, comparables à ceux existant en France. Il n'existe pas d'équivalent de la fiche par patient permettant de dénombrer les personnes vues dans les services ambulatoires psychiatriques ou dans les ressources communautaires. Seule l'hospitalisation peut être circonscrite, à travers différents recueils. Il y a certes eu des travaux pour la création d'un tel système d'information en santé mentale, mais les plans se sont heurtés, d'une part, à des objections éthiques des ressources communautaires et, d'autre part, à d'importants enjeux de financement et d'opérationnalisation d'un système avec autant de « points de services ». Il faudra sans doute attendre la mise en place d'un système d'information général en santé et en services sociaux. En revanche, des exploitations spécifiques des recueils d'information existants pourraient fournir des résultats intéressants. Il en est ainsi du recueil d'information MEDECHO qui pourrait fournir régulièrement les caractéristiques des patients hospitalisés en psychiatrie. De même, l'exploitation du recueil lié au paiement à l'acte des médecins pourrait produire de précieux résultats sur les recours aux médecins généralistes pour des fins de santé mentale. Le recueil d'information SIFO donne des informations complètes sur les différentes composantes des coûts du dispositif psychiatrique.

Ces différents recueils d'information existants mériteraient donc d'être améliorés pour être plus complets, harmonisés et pertinents à différents échelons géographiques. De plus, en raison de leur dispersion, les différentes sources d'information ne sont pas toujours identifiées et connues de l'ensemble des personnes concernées par la planification en santé mentale.

RÉFÉRENCES

1. Craven MA, Cohen M, Campbell D et al. Mental health practices of Ontario family physicians : a study using qualitative methodology. Can J Psychiatry, 1997, *42* : 943-949.
2. Creed F, Tomenson B, Anthony P, Trammer M. Predicting length of stay in psychiatry. Psychol Med, 1997, *27* (*4*) : 961-966.
3. Essock-Vitale S. Patient characteristics predictive of treatment costs on in-patient psychiatric wards. Hospital and Community Psychiatry, 1987, *38* : 263-269.
4. Fryers T, Greatorex I. Case registers and mental health information systems. *In* : G Thornicroft, CR Brewin, J Wing. Measuring mental health needs. London, Gaskell, 1992 : 81-98.
5. Hunter CE, McFarlane AC. DRGs and Australian psychiatry. Aust NZ J Psychiatry, 1994, *28* (*1*) : 114-120.
6. Kovess V, Boisguerin B, Antoine D. Has the sectorisation of psychiatry in France really been effective ? Social Psychiatry and Psychiatry Epidemiology, 1995, *30* : 132-138.
7. Stoskopt C, Horn SD. Predicting length of stay for patients with psychoses. Health Services Research, 1992, *26* (*6*) : 743-766.
8. Wellock CM. Is a diagnosis-based classification system appropriate for funding psychiatric care in Alberta ? Can J Psychiatry, 1995, *40* (*9*) : 507-513.

Fiche technique 13

DÉMARCHE QUALITÉ, AUDIT, ACCRÉDITATION ET PLANIFICATION[1]

Les résultats des démarches qualité entreprises dans les établissements de santé sont pertinentes dans le processus de planification en ce qu'elles renseignent sur les modalités de fonctionnement du système de soin : sa sécurité, les efforts mis en place pour s'assurer de la satisfaction des usagers et des problèmes qu'ils rencontrent.

ÉVALUATION DE PROCESSUS ET DÉMARCHE QUALITÉ

Donabedian [2, 3], l'un des auteurs de référence dans l'évaluation en médecine, propose de décrire trois dimensions :

– la *structure*, c'est-à-dire les moyens matériels et humains et la gestion de ces moyens. En psychiatrie il s'agit essentiellement de moyens en personnel, de plus, les structures sont très diversifiées et les moyens humains sont répartis de manière complexe pour respecter la continuité des soins ;

– le *processus*, qui est la façon dont le soin est donné au patient : accessibilité, évaluation à l'admission, organisation de la sortie, établissement du diagnostic. L'évaluation de processus est en fait l'étude de la manière dont le soin est donné : plutôt que de comparer deux ou plusieurs méthodes de soin, on décrit le modèle théorique, l'organisation des soins correspondant à sa mise en pratique qui peut être formalisée sous forme de standards ou de conduites à tenir. On vérifie ainsi que ce qui est fait correspond bien à ce qui est prévu, quitte à revoir la mise en pratique si elle se révèle inadéquate dans l'environnement dans lequel le soin doit être donné ;

– les *résultats*, qui se mesurent à partir d'indicateurs : réinsertion (par exemple l'habitat, l'occupation, le réseau social), niveau de fonctionnement (social, relationnel, professionnel), baisse ou rémission des symptômes, réhospitalisations et rechutes, qualité de vie telle qu'évaluée par le patient, mais aussi événements « sentinelles » (patient emprisonné, sorties contre avis médical, installation d'une dépendance à l'alcool ou à la drogue, perte de vue d'un patient dangereux pour lui-même ou autrui) ou indésirables (sortie contre avis médical, fugues, accident des neuroleptiques).

La plupart des évaluations de la qualité partent du principe qu'une structure adéquate permet des processus adéquats qui aboutissent à de bons résultats. La preuve de cet enchaînement n'est pas évidente et ne constitue pas véritablement l'objet de l'évaluation de la qualité ; cependant la relation causale dans le domaine de la santé mentale est extrêmement complexe, et l'on peut imaginer qu'une structure adéquate génère des processus inadéquats, voire que des processus de qualité aboutissent à de mauvais résultats.

Pour toutes ces raisons, il est conseillé de recueillir des indicateurs aux trois niveaux, ce qui permet de mieux cerner les composantes du soin et les difficultés rencontrées dans sa mise en œuvre. Ainsi l'évaluation de processus ne tient-elle pas compte des moyens en tant que tels ; elle travaille plutôt à moyens constants, ce qui ne signifie pas qu'elle ignore la question. Qui plus est, dans les évaluations de processus, on estime que la gestion adéquate des ressources fait partie d'un processus de qualité et que le gâchis est une forme de non-qualité. L'étude des processus de soin implique donc des éléments qui tiennent compte d'une organisation économique à ressource constante.

La figure FT13-1 illustre la démarche de l'évaluation. On peut se brancher sur le cercle de Fowkes à n'importe quel point, mais on le suit toujours : on compare sa pratique avec les recommandations, on met en route les changements nécessaires pour corriger les différences, on vérifie l'effet réel de ces changements en observant les pratiques que l'on compare aux recommandations de bonne pratique ou à des standards établis à partir d'autres sources. L'évaluation de la qualité est une

(1) Ce chapitre a été fait en partie par V. Kovess, à partir de L'évaluation de la qualité en psychiatrie, Paris, Economica, 1994.

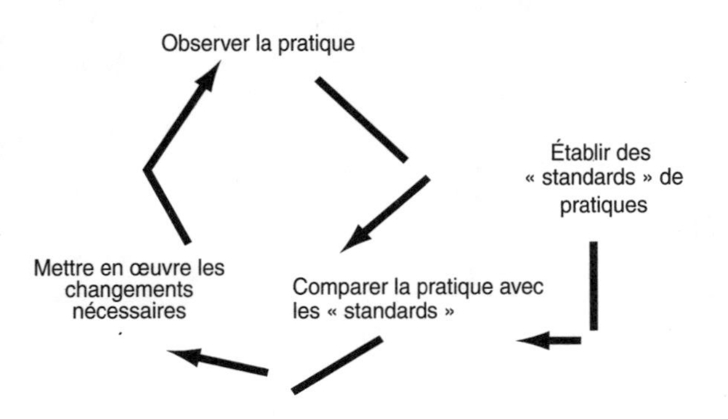

FIG. FT13-1. – L'ÉVALUATION DE LA QUALITÉ S'INTÈGRE DANS UN MOUVEMENT PERPÉTUEL ILLUSTRÉ PAR LE CERCLE DE FOWKES (modifiée d'après [4]).

dynamique, c'est un processus d'évolution constante qui repose sur un état d'esprit : la culture de la qualité.

Cette attention portée au processus plutôt qu'aux résultats peut dérouter, voire choquer, puisque les patients, leur famille et le public en général souhaitent avant tout des « résultats ». En fait, nous l'avons dit, l'évaluation de processus repose sur l'hypothèse que la mise en œuvre de processus adéquats entraîne de meilleurs résultats. Des indicateurs de résultats sont d'ailleurs recueillis lors de l'évaluation de processus mais ils sont utilisés à titre d'indicateurs servant à étudier plus particulièrement une situation qui semble génératrice de mauvais résultats dans le cadre d'une démarche qualité.

Cependant, certains systèmes comme le système australien, après une large concertation des professionnels, on choisit des indicateurs de deux types :

– des taux : nombre de réadmissions non planifiées dans les vingt-huit jours/nombre total des sorties (par exemple, le seuil proposé est de 10 p. 100) ;

– des événements sentinelles qui sont des événements rares impliquant une étude particulière, par exemple un suicide en cours d'hospitalisation.

Ces indicateurs doivent être relevés par les différentes structures et servent à constituer une banque de données nationales qui permet de comparer les structures. Cependant, il faut garder à l'esprit l'importance des modalités d'interprétation pour lesquelles le lien causal est complexe à établir et peut conduire à des conclusions hâtives alors que ces comparaisons devraient être interprétées dans une démarche servant à améliorer la qualité.

QUALITÉ ET POLITIQUE DE SANTÉ

L'évaluation de la qualité s'intègre dans une politique de santé. La qualité ne s'adresse pas seulement aux soins techniques donnés par le médecin et les autres prestataires de soins en fonction de leur savoir et de leur savoir-faire, mais intègre la relation qu'ils établissent avec le patient, les conditions matérielles dans lesquelles le soin est donné, la façon dont le soin prescrit est suivi par le patient, sa famille, et le contexte dans lequel il est dispensé. Le soin est en effet prescrit dans une communauté donnée, il doit être accessible et répondre aux priorités, c'est-à-dire s'intégrer dans une politique de santé à un niveau local et régional, telle qu'elle est définie par les schémas prévus à cet effet : schémas départementaux puis régionaux.

Ainsi le soin doit-il s'évaluer non seulement au niveau de la performance technique mais également au niveau d'un résultat très global qui inclut les préférences de l'usager, sa propre participation et celle de son milieu socio-culturel.

AUDIT CLINIQUE

L'audit clinique a été couramment utilisé outre-Atlantique depuis plus de vingt ans, puis en Europe. Cette méthode est fondée sur la mesure de la pratique réelle par comparaison avec une pratique de référence en utilisant un ensemble de critères explicites, représentatifs de la qualité des soins. La mesure des écarts et l'analyse de leurs causes doivent conduire à la mise en œuvre de mesures correctives pour améliorer le niveau de qualité.

De nombreuses présentations de la méthode de l'audit existent, mais quelle que soit la version choisie, les étapes clefs sont toujours :

– la construction du référentiel ;

– la mesure de la pratique réelle et la comparaison au référentiel ;

– le réajustement entre la pratique et la référence ;

– le suivi de l'évaluation.

Les étapes de l'audit, définies par le guide méthodologique publié en juin 1994 par l'ANDEM, *L'évaluation des pratiques professionnelles dans les établissements de santé : l'audit clinique*, sont les suivantes :

– *choix du thème* et *initialisation de l'étude*. Le thème doit être d'intérêt général et permettre d'aboutir à une amélioration significative de la pratique. Une analyse de l'existant doit être réalisée ;

– *choix des critères* (ou constitution du référentiel). Il est précédé d'une analyse bibliographique et/ou d'un consensus d'experts ou de professionnels. Les critères sont des éléments mesurables, ils doivent être liés à la qualité de la pratique étudiée ;

– *choix du type d'étude et de la méthode de mesure*. Cette étape permet de définir les modalités de conduite de l'évaluation ;

– *recueil des données* et *mesure*. À cette étape, chaque acte de soin ou dossier est étudié, les données sont recueillies et le niveau d'atteinte des critères est mesuré ;

– *analyse des résultats*. Les écarts entre la pratique réelle et la référence sont identifiés et leurs causes analysées. Celles-ci peuvent être d'origine professionnelle, organisationnelle ou institutionnelle ;

– *élaboration des recommandations* et *suivi*. Les recommandations découlent logiquement de l'étape précédente. Elles sont regroupées dans un plan d'action qui doit comporter un calendrier de réalisation et des modalités de suivi.

Une réévaluation permettra de mesurer l'impact de l'audit. Elle sera réalisée 6 à 12 mois après la première évaluation. Cette étape est fondamentale pour démontrer par des résultats objectifs l'amélioration des pratiques.

ACCRÉDITATION

L'accréditation correspond à une institutionnalisation de la démarche qualité ; cette institutionnalisation est à la fois celle de l'établissement puisque l'accréditation se conçoit à l'échelle d'un établissement qui doit y engager tous ses secteurs d'activités, une institutionnalisation nationale dans le sens où le processus débouche sur l'attribution d'une cote d'accréditation qui situe les établissements dans leur contexte national et régional.

L'accréditation est pratiquée depuis plusieurs dizaines d'années dans divers pays tels que les États-Unis, le Canada, l'Australie, l'Angleterre et la Hollande, et elle est en train de se mettre en place en France. Dans le contexte de ce rapport, nous n'étudierons que les systèmes français et canadiens dont nous verrons l'interface avec la planification.

DÉFINITIONS

Pour le conseil canadien d'accréditation d'agrément, l'accréditation se définit ainsi :

– c'est une démarche fondée sur l'évaluation externe d'un processus d'auto-évaluation ;

– c'est une visite de professionnels engagés dans la pratique ;

– elle aboutit à un rapport d'évaluation et à un label de qualité délivré par le conseil d'accréditation qui est un organisme pluriprofessionnel indépendant ;

– l'accréditation se fait sur une base *volontaire* et engage un établissement ;

– au Canada, l'accréditation se pratique d'une manière autonome depuis les années cinquante après avoir été commune avec l'accréditation développée aux États-Unis dans le cadre du conseil canadien d'agrément des établissements de santé (CCAES).

En France, l'accréditation est définie par l'ANAES(2) [1] (Agence nationale d'accréditation et d'évaluation en santé) comme « une procédure d'évaluation externe à un établissement de santé, effectuée par des professionnels, indépendante de l'établissement et de ses organismes de tutelle, concernant l'ensemble de son fonctionnement et de ses pratiques ». Elle vise à s'assurer que les conditions de sécurité et de qualité des soins et de la prise en charge de l'usager sont réunies.

L'accréditation, processus d'évaluation externe à un établissement de santé, effectuée par les pairs, se différencie notamment d'autres démarches qui ont leurs propres procédures d'évaluation :

– la *démarche de planification* qui consiste à déterminer, en fonction des besoins de santé et des installations existantes, les services et les disciplines à implanter dans un espace géographique donné et pour une période de temps définie. Les schémas régionaux d'organisation sanitaire et les cartes sanitaires sont des outils de planification. Ceux-ci sont de la compétence de l'État et des agences régionales de l'hospitalisation ;

– la *procédure d'autorisation* qui permet à une structure désignée d'exercer une activité donnée. Elle est délivrée par l'État à l'échelon national ou régional. Les autorisations d'ouverture de lits, les transplantations, l'assistance médicale à la procréation, la chirurgie cardiaque, le diagnostic prénatal sont quelques exemples d'activités soumises à autorisation ;

– l'*allocation de ressources* qui a pour objet d'allouer les moyens de financement aux établissements. Les outils utilisés sont nombreux et varient selon le statut des établissements et donc leurs mécanismes d'allocation budgétaire tels que le budget global, l'objectif quantifié national, le programme de médicalisation du système d'information, le taux de recours à l'hospitalisation, les priorités nationales, les enquêtes diverses, etc. ;

– l'*inspection* et le *contrôle de conformité* qui présentent des objectifs ciblés, des méthodes spécifiques et qui font intervenir des acteurs spécialisés ;

– l'*évaluation des compétences individuelles* : l'appréciation sur les personnes et les procédures disciplinaires sont du ressort d'instances internes ou externes à l'établissement.

Il n'en demeure pas moins que si l'accréditation se distingue de ces précédentes démarches, ses résultats fournissent des éléments d'appréciation qui pourront être pris en compte dans les processus de décision.

L'accréditation se distingue de la *certification*, qui ne constitue pas un prérequis à l'accréditation. La certification présente des caractéristiques différentes de l'accréditation quant à son mode et à son champ d'intervention.

POSITIONNEMENT DE L'ACCRÉDITATION

La procédure d'accréditation est conduite à l'aide d'indicateurs de critères et de référentiels portant sur les procédures, les bonnes pratiques cliniques et les résultats des différents services et activités des établissements de santé. « Cette procédure se distingue d'un examen de conformité à des normes de sécurité, figurant dans des dispositions réglementaires. S'agissant du contrôle de conformité en matière de sécurité sanitaire, celui-ci est du champ de compétence de l'État et de ses services déconcentrés.

---

(2) Tous les documents peuvent être consultés sur le site : www.ANAES.fr.

Aussi l'appréciation par l'établissement de santé de son niveau de conformité en matière de sécurité sera-t-elle effectuée au moment de sa demande d'engagement dans la procédure d'accréditation. Cette appréciation sera établie sous la forme d'un bilan déclaratif, réalisé par l'établissement de santé. Ce bilan sera l'un des éléments du dossier accompagnant la demande d'engagement dans la procédure d'accréditation.

Ce bilan sera composé, d'une part, des conclusions et des recommandations des rapports produits à l'issue des visites systématiques prévues réglementairement, notamment dans les domaines de la sécurité des personnes et des locaux, dont la sécurité incendie et l'hygiène, la pharmacie, la matériovigilance, les produits sanguins et autres produits biologiques, etc.

Ces derniers éléments rentrent dans le champ réglementaire des « normes planchers » qui sont du domaine de l'obligatoire avec visites contrôles et sanctions en cas de non-respect, par opposition au domaine de l'assurance qualité qui, a priori, se situe dans un autre domaine qui ne peut cependant exister que si le précédent est évalué.

Ces modalités sont très proches de la pratique de l'accréditation au Canada puisque les établissements doivent produire ces mêmes éléments à la connaissance des visiteurs au moyen d'une documentation.

On doit encore préciser que l'accréditation intervient après l'évaluation des actes professionnels. Au Québec, l'évaluation « technique » des actes professionnels est faite plusieurs mois avant l'accréditation et ses résultats sont communiqués aux visiteurs. L'accréditation doit être bien différenciée de ce type de contrôle des actes qui est un contrôle obligatoire pour tous les établissements, organisé par l'équivalent du Conseil de l'ordre des médecins ou des différentes professions représentées dans les structures.

INDÉPENDANCE DE L'ACCRÉDITATION

Au Canada, l'accréditation est délivrée à partir des résultats d'une visite de l'établissement faite par un comité tripartite (administratif, médical et infirmier), tous les trois ans, et dont les résultats déterminent si l'hôpital est « accrédité » totalement (pour trois ans), partiellement (pour deux voire un an) ou non accrédité. Les accréditeurs sont des praticiens, toujours en fonction, reconnus dans leur discipline et formés spécialement par le conseil d'accréditation.

Ce conseil est un organisme composé de représentants des corporations médicales : médecins généralistes, spécialistes, universitaires, membres de la corporation des infirmiers et des diverses associations d'hôpitaux ; un représentant des consommateurs est également présent. Le conseil est financé par sa propre activité qu'il fait payer aux hôpitaux et il est indépendant du ministère de la Santé ou de l'Assurance maladie.

L'accréditation est un label de qualité important pour le rayonnement de l'établissement, mais qui n'intervient pas dans l'attribution de moyens. Cependant le rapport d'accréditation peut comporter des recommandations sur une augmentation de moyens qui peuvent être utilisées par l'établissement comme bon lui semble dans ses rapports avec les bailleurs de fonds. En revanche, l'utilisation des ressources et la mise en place de mécanismes de contrôle de cette utilisation sont une partie inhérente à l'évaluation de la qualité ; la définition de la qualité implique, entre autres choses, une optimisation des résultats à partir des moyens disponibles.

Le rapport d'accréditation est la propriété de l'établissement et est tenu secret ; mais l'établissement est encouragé à le diffuser auprès de son personnel. Les organes de planification, en particulier les régies régionales, ne reçoivent pas ce rapport et en ignorent le contenu à moins que l'établissement ne souhaite en faire état de son propre chef. Le public, quant à lui, sera informé de l'adhésion de l'établissement à un programme d'assurance qualité.

En France, les ordonnances ont amené à la création d'une agence, l'ANAES, comportant un conseil scientifique de l'accréditation qui propose des candidatures au collège de l'accréditation ; ces candidatures doivent être approuvées par certains membres du conseil d'administration, à savoir ceux qui représentent la profession médicale, les paramédicaux et les personnels administratifs des établissements de santé ainsi que les professions médicales et paramédicales en exercice libéral, à l'exclusion des représentants de l'État, des organismes d'Assurance maladie et des organismes mutualistes. Cette disposition illustre le souci d'indépendance face aux instances impliquées dans le financement, rappelé dans la lettre d'envoi des ordonnances aux directeurs d'établissement qui leur précise que la procédure d'accréditation n'a pas de lien avec celle prévue pour l'attribution de moyens.

L'équipe des visiteurs est pluri-professionnelle, avec des médecins, des professionnels du paramédical et des gestionnaires ; ces visiteurs sont issus des établissements de soin publics et privés, universitaires et non universitaires, et ils ne peuvent exercer cette fonction à temps plein. Ils sont choisis par l'ANAES qui constitue ainsi un réseau et forme ses visiteurs. Ces visiteurs font un rapport de visite qu'ils transmettent à l'ANAES et au directeur de l'établissement qui dispose d'un mois pour faire part de ses observations, sachant que les observations doivent faire l'objet d'une concertation entre les destinataires du rapport. Le collège d'accréditation attribue ensuite une note d'accréditation sur un continuum ; cette note peut être contestée et conduire à une nouvelle visite (tableau FT13-I). Cependant, contrairement à ce qui se passe au Canada, ce rapport est transmis automatiquement à l'agence régionale.

CHAMP DE L'ACCRÉDITATION

Au Canada, l'accréditation concerne tous les organes de l'établissement : le conseil d'administration et la direction générale, mais aussi les services cliniques et tous les services de soutien. La qualité y est mesurée à la fois au niveau de la performance des soins (services cliniques), de l'organisation (direction générale, service

TABLEAU FT13-I. – MODALITÉS DE L'ACCRÉDITATION

APPRÉCIATIONS	MODALITÉS SUIVIES PAR...	DÉLAI D'ENGAGEMENT ENTRE DEUX PROCÉDURES
1. Sans réserve	L'établissement	À l'échéance du terme entre deux procédures
2. Avec observations	L'établissement avec bilan de suivi des recommandations à produire lors de ou avant la future procédure	À l'échéance du terme entre deux procédures
3. Avec réserves	L'établissement et l'ANAES avec bilan de suivi des recommandations transmis à l'ANAES à échéance déterminée	Délai réduit, selon les réserves
4. Avec réserves majeures	L'établissement et l'ANAES avec calendrier de résolution	Visite ciblée à échéance fixée par le collège à l'issue de la procédure, sur des points de recommandations déterminés

du personnel, conseil d'administration) et des services généraux (alimentation, entretien).

Elle ne peut concerner qu'un établissement dans son ensemble et est demandée par le directeur d'établissement.

En France le périmètre d'intervention est défini comme suit :

– l'accréditation concerne tous les établissements de santé publics et privés, civils et potentiellement les établissements militaires. Elle concerne également les groupements de coopération sanitaire entre établissements et les réseaux de soins ;

– l'accréditation s'applique à l'établissement au sens juridique du terme. Dans le cas d'établissements installés sur plusieurs sites, l'ANAES pourra mettre en œuvre la procédure par site géographique.

Cette définition pose problème pour la psychiatrie qui est structurée suivant des modalités respectant la psychiatrie de secteur, c'est-à-dire un large développement des structures extrahospitalières faisant partie administrativement de l'établissement qui pourraient être exclues du processus alors qu'elles sont la priorité des équipes.

MÉTHODES

L'accréditation se fait à partir d'un document, « guide aux fins d'agrément » ou « manuel d'accréditation », qui contient les normes de l'accréditation utilisées par les visiteurs. Ce manuel qui sert de base à l'évaluation permet de préparer la visite, la préparation devant impliquer tous les personnels de l'établissement. Ce document est donc rempli en premier lieu par l'établissement lui-même, soulignant l'importance d'une auto-évaluation, puis est envoyé avant la visite pour servir de point de départ à celle-ci. On estime qu'il faut environ trois ans à un établissement pour se mettre à niveau.

Le manuel canadien propose des standards qui reflètent trois questions applicables à tous les services médicaux et non médicaux et dont le schéma peut être présenté ainsi :

– où voulez-vous en venir ? Raisons d'être, buts, objectifs ;

– comment ferez-vous pour y parvenir ? Organisation et direction, politiques et procédures, ressources humaines et matérielles, orientation, perfectionnement et formation continue ;

– quels sont les résultats ? Prestations délivrées aux patients, évaluation de la qualité.

La norme est énoncée par une phrase de type : « il doit exister des activités d'évaluation des actes médicaux ». Ensuite, un choix est proposé entre plusieurs types de démarche ; on insistera cependant sur la structuration de la démarche : responsabilités clairement établies, mise en place d'activités de formation pour corriger les problèmes, évaluation des résultats de ces activités.

L'évaluation se fait pour chaque norme, puis pour l'ensemble des normes d'une section, enfin des sections d'un chapitre. Les résultats de chaque chapitre sont alors rassemblés et pondérés suivant des règles pré-établies dans lesquelles les services sont classés en services essentiels et autres services. Cette procédure se fonde systématiquement sur la vérification de documents écrits. Ainsi chaque action doit-elle avoir une trace écrite, faute de quoi elle ne pourra être reconnue.

En France, le manuel comporte les chapitres suivants :

I. Le patient et sa prise en charge :

1. Droits et information du patient ;

2. Dossier du patient ;

3. Organisation des soins et coordination des prestations médico-techniques.

II. Management, gestion et logistique :

1. Management de l'établissement et des secteurs d'activité ;

2. Gestion des ressources humaines ;

3. Gestion des fonctions logistiques ;

4. Gestion du système d'information.

III. Qualité et prévention :

1. Gestion de la qualité et prévention des risques ;

2. Vigilances sanitaires et sécurité transfusionnelle ;

3. Surveillance, prévention et contrôle du risque infectieux.

Chaque chapitre comporte une dizaine de « références » qui se composent de quelques critères énonçant un moyen ou un élément plus précis qui permet de satisfaire la référence d'accréditation. Il doit, dans la mesure du possible, pouvoir être mesurable, objectif et réalisable.

On constate donc que les deux méthodes sont relativement semblables, quoiqu'à des degrés d'évolution très différents puisque la France n'a commencé le processus qu'en 1999.

CONCLUSION

La démarche qualité et ses applications dans le cadre de l'audit clinique n'ont a priori pas d'implications dans la planification, mais il n'en est pas de même pour l'accréditation. Dans les deux pays, les résultats de la procédure d'accréditation sont portés à la connaissance des instances de planification.

Au Québec, les régies régionales reçoivent une information succincte qui indique que l'établissement a été accrédité. Le rapport appartient à l'établissement et peut parfois comprendre des recommandations suggérant d'accroître les ressources ; cela est assez rare et il appartient à l'établissement d'en faire état. En général, les interactions de la planification et de l'accréditation sont très faibles, voire inexistantes, sauf par le biais d'une éventuelle augmentation de la clientèle qui, par sa connaissance de l'accréditation, peut décider de choisir l'établissement ou au contraire de le déserter.

En France, le contexte est différent puisque l'accréditation se met en place et que l'on ne sait pas encore quel en sera le retentissement. Il est, en revanche, clairement admis que les agences régionales d'hospitalisation recevront les résultats détaillés de cette procédure. Dans le contexte des restructurations, certains y voient une procédure « propre » pour justifier les restructurations et justifier des sources d'économie supplémentaires. Ces craintes semblent, de fait, peu justifiées dans la mesure où il existe des instruments de planification bien décrits dans ce travail qui ont leur méthode et leur échéancier. L'accréditation a commencé fin 1999 et s'étend progressivement. Par conséquent, il est probable que la plupart des restructurations seront déjà en cours quand elle fonctionnera pleinement.

Plus pertinente est la question de l'intérêt que présente, pour le planificateur, une connaissance assez détaillée des niveaux de sécurité et de qualité des établissements dont il a la responsabilité. En effet, s'il s'avère que certains dysfonctionnements mettant en jeu la qualité des soins, dont la sécurité, sont en rapport avec un manque de ressources, il ressort de cette responsabilité que ces ressources devraient être attribuées. En fait, les conséquences de cette accréditation seront probablement bien différentes selon qu'il s'agit de zones excédentaires où il faut réduire le nombre de lits ou de zones sous-dotées dans lesquelles aucune suppression n'est envisageable.

On voit donc l'intérêt pour une agence de planification à connaître le niveau de qualité d'un établissement et son niveau de sécurité car ces informations font partie d'un faisceau d'éléments qui vont guider les décisions, y compris celle d'attribuer des moyens pour améliorer la qualité.

RÉFÉRENCES

1. ANAES. Le manuel d'accréditation des établissements de santé, Paris, février 1999.
2. Donabedian A. Evaluating the quality of medical care. Milbank Memorial Fund Quaterly, 1996, *44* (*suppl. 3*) : 166-206.
3. Donabedian A. The effectiveness of quality assurance. International Journal of Quality Health Care, 1996, *8* (*4*) : 401-407.
4. Kovess V. L'évaluation de la qualité en psychiatrie, Paris, Economica, 1994, 318 pages.

Fiche technique 14

SIGLES ET ABRÉVIATIONS

AAH	Allocation adulte handicapé
AEMO	Aide éducative en milieu ouvert
AFAQ	Association française pour l'assurance de la qualité
AFNOR	Association française de normalisation
AGEFIPH	Association nationale de gestion du fonds pour l'insertion professionnelle des handicapés
ANAES	Agence nationale d'accréditation et d'évaluation en santé
ANDEM	Agence nationale pour le développement de l'évaluation médicale
ANHPP	Association nationale de l'hospitalisation privée faisant fonction du public
ANPA	Association nationale de prévention de l'alcoolisme
AP	Assistance publique
APA	*American Psychiatric Association*
APAQESM	Association pour la promotion de l'assurance qualité en santé mentale
APM	Agence de presse médicale
ARH	Agence régionale de l'hospitalisation
ASE	Aide sociale à l'enfance
BVQI	*Bureau veritas quality international*
CA	Conseil d'administration
CARS	*Children Autism rating scale*
CAT	Centre d'aide par le travail
CATTP	Centre d'aide thérapeutique à temps partiel
CBA	Analyse coût-bénéfice
CCASS	Centre canadien d'accréditation des services de santé
CCOMS	Centre collaborateur de l'organisation mondiale de la santé
CCSMA	Caisse contrôle de secours mutuelle agricole
CDES	Commission départementale de l'éducation spéciale
CDPH	Commission départementale des hospitalisations psychiatriques
CDSM	Commission départementale en santé mentale
CEA	Analyse coût-efficacité
CEDEP	Comité européen droit, éthique et psychiatrie
CESD	*Center for epidiological study of depression*
CFES	Comité français d'éducation pour la santé
CFTMEA	Classification française des troubles mentaux de l'enfant et de l'adolescent
CGAS	*Children's global assessment of functioning scale*
CHAA	Centre d'hygiène alimentaire et d'alcoologie (centre spécialisé dans le traitement de l'alcoolisme)
CHG	Centre hospitalier général
CHRS	Centre d'hébergement et de réadaptation sociale
CHS	Centre hospitalier spécialisé
CHSLD	Centre d'hébergement et de soins de longue durée
CHU	Centre hospitalier universitaire
CIA	Analyse coût-identification
CIDI	*Composite international diagnostic interview*
CIDIH	Classification internationale des déficiences, incapacités et handicaps

CIDIS	*Composite international diagnostic interview simplified*
CIM	Classification internationale des maladies
CLAHP	Comité de liaison et d'action de l'hospitalisation privée
CLIS	Classe d'intégration spéciale
CLSC	Centre local des services communautaires (Québec)
CMC	Catégorie majeure clinique
CME	Commission médicale d'établissement
CMP	Centre médico-pédagogique
CMPP	Centre médico-psycho-pédagogique
CMT	Commission médicale totale
CNAM	Caisse nationale d'Assurance maladie
CNAMTS	Caisse nationale d'Assurance maladie des travailleurs salariés
CNIL	Commission nationale de l'information et des libertés
COTOREP	Commission technique d'orientation et de reclassement professionnel
CPC	Centre de post-cure
CPEJ	Centre de protection de l'enfance et de la jeunesse
C-Psy-FIEHP	Fédération intersyndicale des établissements d'hospitalisation privée
CQCIDIH	Centre québécois sur la classification internationale des déficiences, des incapacités et des handicaps
CRACIP	Collectif rhodanien d'association concourant à l'insertion des personnes en difficultés psychologiques
CRAM	Caisse régionale d'Assurance maladie
CREAI	Centre de réadaptation pour enfants et adolescents inadaptés
CREDES	Centre de recherche, d'études et de documentation en économie de la santé
CROSS	Comité régional de l'organisation sanitaire et sociale
CSMF	Confédération des syndicats médicaux français
CSMQ	Comité de la santé mentale au Québec
CSP	Code de la santé publique
CSSI	Contrôle et sécurité de systèmes d'information
CSST	Commission de santé et de sécurité au travail
CTE	Comité technique d'établissement
CUA	Analyse coût-utilité
DARH	Directeur de l'agence régionale de l'hospitalisation
DAS	*Disabilities assessment schedule*
DDASS	Direction départementale des affaires sanitaires et sociales
DEPRES	*Depression research in European society*
DGS	Direction générale de la santé
DH	Direction des hôpitaux
DIM	Département d'information médicale
DIS	*Diagnostic interview schedule*
DMOS	Diverses mesures d'ordre social
DMS	Durée moyenne de séjour
DRASS	Direction régionale des affaires sanitaires et sociales
DRG	*Diagnostic related group*
DRUGSTN	Nom de variable représentant les toxicomanes
DSM	*Diagnostic and Statistical Manual*
DSM-IV	*Diagnostic and Statistical Manual*, 4th edition
DSSI	Direction du service de soins infirmiers
DU	*Denver university*
ECA	*Epidemiological catchment area program*
ECT	Électro-convulsivo-thérapie
EGF	Échelle de fonctionnement global
EHP	Établissement hospitalier public
ENSM	École nationale supérieure de la magistrature
ENSP	École nationale de la santé publique
ESM	Échelle santé maladie
ESMS	*European service mapping schedule*
ETP	Équivalent temps plein
FA	File active
FEHAP	Fédération des établissements hospitaliers et d'assistance privés
FFP	Fédération française de psychiatrie
FHF	Fédération hospitalière de France
FNAP-PSY	Fédération nationale des patients et ex-patients psychiatriques
FNARS	Fédération nationale des associations d'accueil et de réadaptation sociale
FNPEIS	Fonds national de prévention et d'éducation en information sanitaire
FPP	Fiche par patient
FSQ	Évaluation de la qualité de vie
GAF	*Global assessment scale*
GFEP	Groupe français d'épidémiologie psychiatrique
GHJ	Groupe homogène de journées
GHM	Groupe homogène de malades

GHQ	*Global health questionnaire*
GIA	Groupe information asiles
GIE	Groupement d'intérêt économique
GIP	Groupement d'intérêt public
GIS	Groupement d'intérêt sanitaire
HCSP	Haut comité de la santé publique
HDT	Hospitalisation à la demande d'un tiers
HG	Hôpital général
HO	Hospitalisation d'office
HPP	Hôpital psychiatrique privé
HSC	*Hopkin symptom checklist*
HSC	Hospitalisation sans consentement
ICMHC	*International classification of mental health care*
ICP	Indicateur de complexité des pathologies
ICS	Indicateur de complexité des soins
IGAS	Inspection générale des affaires sociales
IMC	Invalide moteur cérébral
IME	Institut médico-éducatif
INED	Institut national d'études démographiques
INS	Inventaire de niveau de soins
INSEE	Institut national de la statistique et des études économiques
INSERM	Institut national de la santé et de la recherche médicale
IR	Institut de rééducation
ISO	*International organization of standardization*
LEDS	*Life events and difficulties schedule*
MA	Méta-analyse
MADRS	*Amontgomery-Amberg depression rate scale*
MAS	Maison d'accueil spécialisé
MCI	Mise en chambre d'isolement
MEDECHO	Maintien et exploitation des données pour l'étude de la clientèle hospitalière
MGEN	Mutuelle générale de l'éducation nationale
MHDPS	*Mental health demographic profile system*
MINI	Version abrégée du CIDI
MIRE	Mission interministérielle de recherche et d'expérimentation
MMSE	*Minimental state examination*
MSPAM	Ministère de la santé publique et de l'assurance maladie
MSSS	Ministère de la santé et des services sociaux
NFCAS-C	*Needs for care assessment schedule-community version*
NGAP	Nomenclature générale des actes professionnels
NHRDP	*National health research Department progress* (Canada)
NIH	*National institute of health*
NIMH	*National institute of mental health*
NIR	Numéro d'inscription au répertoire
NIRM	*National institute for medical research*
NNT	*Number need to treat*
NPI	Nouveaux pays industrialisés
OCDE	Organisation pour la coopération et le développement économique
OMAR	*Office for medical application of research*
OMS	Organisation mondiale de la santé
ONDAM	Objectif national des dépenses de l'assurance maladie
OQN	Objectif quantifié national
ORS	Observatoire régional de la santé
ORSPERE	Observatoire régional sur la souffrance psychique en rapport avec l'exclusion
PAQ	Programme d'amélioration de la qualité
PDI	Programme départemental d'insertion
PEC	Profil d'évaluation clinique
PF	Placement familial
PIB	Produit intérieur brut
PJJ	Protection judiciaire de la jeunesse
PMSI	Programme de médicalisation des systèmes d'information
PO	Placement d'office
PRAPS	Plan régional d'accès à la prévention et aux soins
PROS	Plan régional d'organisation des service
PRS	Projet régional de santé
PSAS	Programmation stratégique des actions de santé
PSE	*Present state examination*
PSPH	Participant au service public hospitalier
PSS	*Psychiatric status schedule*
PT	Plein temps (hospitalisation)
PV	Placement volontaire
QALY	*Quality adjusted life years*
QIS	Quartier intermédiaire sortant

Q-TWIST	*Quality adjusted time without symptoms*
RAS	Réseau d'aide spécialisée
RDI	*Renard diagnostic interview*
RESHUS	Réseau des usagers de l'hôpital
RHS	Résumé hebdomadaire standardisé
RMI	Revenu minimum d'insertion
RMO	Référence médicale opposable
RNSP	Réseau national de santé publique
RSA	Résumé de sortie anonyme
RSIO	Responsable du système informatique et organisation
RSS	Résumé de sortie standardisé
RUG	*Ressource utilisation groups*
SADS	*Schedule for affective disorders and schizophrenia*
SAE	Statistique annuelle des établissements
SAU	Service d'accueil d'urgence
SAVD	Service à votre domicile
SCAN	*Schedule for clinical assessment in neuropsychiatry*
SDF	Sans-domicile fixe
SDO	Schéma départemental d'organisation
SESI	Service des statistiques et des études d'information
SML	Syndicat des médecins libéraux
SMPR	Service médico-psychologique régional
SMR	Service de maintenance régional
SNIP	Syndicat national de l'industrie pharmaceutique
SNIR	Système national inter-régimes
SPH	Syndicats des praticiens hospitaliers
SROS	Schéma régional d'organisation sanitaire
SSR	Soins de suite ou de réadaptation
UMAP	Unité pour malades agités ou perturbateurs
UMD	Unité pour malades difficiles
UNAFAM	Union nationale des amis et familles de malades mentaux
UNEP-UHP	Union nationale des établissements psychiatriques d'hospitalisation privée-union hospitalière privée
UPA	*Underpriviledged aera index*
UPID	Unité psychiatrique intersectorielle départementale
URSP	Unité régionale de soins pénitenciers
VAD	Visite à domicile

TROISIÈME PARTIE

COMMENTAIRES

Commentaire 1

Ce travail est d'une grande richesse, il s'appuie sur une revue pertinente de la littérature dans ce domaine et sur les pratiques des chercheurs et des experts interviewés dans ce projet. Je me limiterai dans ce court commentaire à deux remarques, l'une positive, l'autre plus polémique.

Ce rapport est novateur sur beaucoup de points, mais le plus important me semble être la partie sur la recherche en épidémiologie des troubles mentaux et ses conséquences pour la définition des besoins. Le chapitre 3 en est la clef de voûte, avec une présentation des principales études empiriques accompagnée de la proposition de problématiques avancées dans la définition des populations cibles en santé mentale. Une version « allégée » devrait d'ailleurs être envisagée sous forme de guide pratique pour assurer une plus large diffusion des apports essentiels de ce chapitre aux questions de planification. Plus précisément, l'exposé systématique de la séquence : populations cibles (diagnostics, situations de détresse, fonctionnement social) – (in) adéquation des services actuels à ces besoins – stratégies de planification, est d'un grand intérêt car elle constitue une grille de lecture pertinente des attentes dont le secteur de santé mentale est l'objet, de la part des professionnels des autres secteurs ou des usagers eux-mêmes.

Si le cadre conceptuel me semble bien posé, notamment dans la partie sur la définition des besoins, ce cadre me semble en revanche un peu trop conventionnel, notamment quand il est fait référence aux travaux de R. Pinault. Je ne conteste pas ici la pertinence de cet auteur, qui est allé très loin dans le choix d'une problématique des besoins en planification. Mais le schéma linéaire par niveau de planification (p. 8 du chapitre 1 du rapport) me semble plutôt mal rendre compte du mouvement en deux temps qui semble affecter de plus en plus les pratiques actuelles de planification. Le premier temps est celui du bilan de situation et des orientations ; il consiste en enquêtes de besoins, référentiels techniques, et normes techniques qui vont, avec les projets des services, être la substance de ce premier temps de la planification. Dans un second temps, les orientations du schéma vont permettre d'émettre un appel d'offres en direction des services qui seront incités à réaliser les objectifs du schéma de planification en santé mentale. L'articulation entre ces deux phases est essentielle, du bon équilibre entre l'approche populationnelle, de nature « scientifique » et les projets des services, de nature stratégique me semble dépendre la réussite d'une politique de santé mentale au plan local. D'ailleurs, l'expérience française montre bien les limites d'une planification *down-top* du type de celle qui fut initiée par le « guide méthodologique » de 1987, autant que d'une planification *top-down* par la carte sanitaire incapable de réduire les inégalités entre secteurs. Dans les travaux du groupe « Franco-Québécois », cette conception linéaire de la planification a pour effet involontaire d'évacuer tout débat sur la question du décideur public, le modèle de planification proposé n'a d'ailleurs pas de « manager ».

En somme, ce rapport est une véritable avancée sur les outils et concepts vers une approche populationnelle, dans un domaine où les préoccupations de planification sont avant tout influencées par la montée au créneau des élus locaux. Mais la dimension stratégique de la mise en œuvre des schémas de planification me semble négligée. Je pense que les données épidémiologiques permettent de préciser ce que peut être l'intérêt collectif dans le cadre de construction d'un schéma de référence. Ces données permettront aux acteurs de se faire une opinion qu'ils défendront au cours de la phase de concertation, au départ du schéma. Ces points de vue d'acteurs seront d'autant mieux pris en compte par le décideur qu'il pourra s'appuyer dessus pour formuler un projet régional susceptible d'être mis en place par les acteurs du terrain.

Alain Jourdain
Professeur
École nationale de Santé publique, Rennes

Commentaire 2

Ce très impressionnant travail s'attache à tenter de définir les logiques susceptibles de régler (à l'avenir) les rapports entre les ressources affectées aux soins de psychiatrie et les besoins effectifs. L'entreprise est à saluer tant notre discipline, quel que soit le pays où elle s'exerce, voit sa mise en œuvre en grande partie gouvernée par des déterminants qui lui sont étrangers : contraintes financières, modalités (ou modes) des politiques de santé, représentations sociales, lobbies industriels ou sociaux, etc. Quel est le juste niveau de soins pour les pathologies psychiatriques existantes ? Et quels principes peuvent présider à l'équitable répartition des ressources qui leur sont affectées ? Telles sont les deux questions essentielles traitées.

Ce rapport doit d'abord passer par l'examen et la prise en compte des données actuelles en matière de planification, d'épidémiologie, de classification, de définition du cas, de définition du besoin, d'outils de mesure, de systèmes d'information, de pratiques d'évaluation, de modélisation des systèmes en fonction des besoins, etc. De très complètes fiches techniques, commentées, archivent les éléments constitutifs de cet « état des lieux ».

Il se conclut sur des recommandations, de portée générale, pour poursuivre et approfondir cette indispensable démarche. Il reste prudent en matière d'objectifs opérationnels.

Discuter de chacun des domaines successivement examinés, dont la synthèse dans ce rapport est puisée aux meilleures sources de la littérature, excéderait de loin mes compétences.

Mon propos s'attachera plutôt à revenir sur l'objectif général, les principes qui le guideront, les préalables qu'il suppose.

Un besoin existe-t-il en santé mentale ? Comment le définir ? Comment le mesurer ? Comment le satisfaire ? Ces questions sont abordées au chapitre 1. Comment définir la « santé mentale » ? Quels paramètres extérieurs au diagnostic doivent-être pris en compte pour un individu ? Et comment mesurer le besoin dès lors que celui-ci doit au moins pouvoir être comblé par une intervention adéquate ? De ces questions primordiales découleront secondairement la question de la mesure et de la satisfaction des besoins d'une population.

Si l'on devait, de mon point de vue de clinicien, regretter quelque chose de ce travail considérable, c'est que cette question ne soit pas davantage développée sur deux axes, liés et complémentaires[1] :

– celui de l'**articulation** du registre du **besoin** avec celui de la **demande**, en ce qu'elle est aussi déterminée d'une part par l'état d'une société, de ce qu'elle accepte ou refuse de la situation de ses membres, de ce qu'elle suscite comme suppléances interstitielles, de la mobilisation de ses agents, des « aidants naturels », et d'autre part par l'attente des usagers, domaines en constante évolution : y a-t-il une « juste exigence » ?, des critères qui permettraient de discerner ce qu'il en serait du besoin légitime, et de la demande qui outrepasse ?...

– celui de l'**articulation** du champ **thérapeutique** et du champ **social**, en ce qu'ils se recouvrent sur bien des aspects liés à la santé mentale, en particulier celui de l'autonomie. Est-il possible d'individualiser précisément des besoins de type social et des besoins de type thérapeutique ? Et si tel n'est pas le cas, comment alors quantifier exactement le niveau d'interventions thérapeutiques ? Et si l'on se résout à « globaliser », n'est-on pas conduit à définir, à substantifier une population « psychiatrique », ce qui pose d'autres questions, en particulier sur le plan philosophique : si on peut s'en accommoder pour certains types de pathologie, comment l'accepter pour d'autres (patients dépressifs, en détresse psychologique, addictifs, etc.) ? Nous savons cette distinction propre à la France, et qu'elle est beaucoup critiquée, mais elle a son intérêt heuristique : elle vient marquer ce qui doit faire l'objet d'une demande

(1) Cette question est par contre évoquée (mais sans qu'un parti ne soit pris) dans le rapport d'enquête réalisé auprès de divers intervenants et figurant dans la fiche technique 5 (p. 119 et suivantes)

de soins, engager le sujet dans la volonté de guérir, et ce qui doit lui être délivré sans discussion, comme un droit. Confondre thérapeutique et social soulève en effet cette question : mesurer le besoin de soin d'un sujet peut-il aller jusqu'à lui dispenser sans qu'il le demande ?[2]

Quel est en effet le juste niveau d'intervention des systèmes de soins pour chacune des pathologies psychiatriques qui constituent des problèmes de santé publique ? Si on voit assez bien la réponse qui pourrait faire l'objet de consensus pour les pathologies les plus invalidantes, psychoses chroniques, autismes, arriérations, etc., que dire des pathologies dépressives, des troubles anxieux, des problématiques suicidaires, du « mal-être » ? Inférer de l'existence dans la population générale de pathologies psychiatriques, de souffrances mentales non prises en charge, le besoin qu'elles le soient n'est-il pas imprudent ? Les chiffres de prévalence, ponctuelle, ou « vie entière » de ces pathologies, ne sont-ils d'ailleurs pas fortement liés aux conceptions sous-tendant les systèmes classificatoires en vigueur, et aux instruments de mesure qui en sont issus ? Les variations selon les pays, classiquement attribuées aux déterminants « culturels » (quand ils ne sont pas plus platement interprétés comme des différences de morbidité), ne viennent-elles pas traduire ces différences de conception dans l'attente réciproque qui lie demandeurs et dispensateurs de soins, et sans doute aussi citoyens d'une société et valeurs qu'elle promeut ? Sans en nier l'intérêt pour la quantification de phénomènes donnés, ne serait-il pas sage de garder un certain recul quant à leur sens, vis-à-vis du sujet lui-même, et du groupe social auquel il s'adresse ? Être triste, par exemple, même si cela dure, même si aucune raison raisonnable n'en rend compte, justifie-t-il d'être systématiquement dépisté, investigué, diagnostiqué, traité, surveillé, évalué ? C'est-à-dire seulement considéré comme malade, victime de quelque « dysfonctionnement » objectivant ?

Certes, j'ai la part belle de formuler ici des précautions épistémologiques, et éthiques, que chacun a en tête. Il faut bien prévoir, administrer, gérer, organiser les systèmes, répartir les ressources. La planification est incontournable (je ne sais même pas pourquoi j'ai besoin de le rappeler). Il faut s'y atteler, et sans doute mettre en place des systèmes équitables et astucieux. Il faut mettre à disposition. Mais jusqu'où ? La dérive de modèles qui s'avéreraient parfaits serait qu'ils finissent par dispenser l'administrateur de veiller à la justice, le politique de choisir, le médecin de réfléchir et de distinguer, et surtout le malade de demander. Et chacun de ces actes respectifs est nécessaire. C'est bien la demande qui donne son sens aux soins. La plainte n'est émise, par qui que ce soit, même le plus démuni, ou retiré en lui-même, que parce qu'elle peut être entendue par quelqu'un. Et même, encore, si elle est réponse à un questionnaire. Existerait-il une plainte s'il n'existait un quelqu'un, individuel ou collectif, présent ou espéré, pour l'entendre ? La demande, par ailleurs, engage le demandeur dans un contrat, qui le dissuade de pervertir sa relation à celui qui consent à y répondre. Alors que l'intervention sociale, comme dû, induit l'abus.

Imaginer par conséquent les contours d'un pur besoin n'a pas de sens.

Dans cet esprit, peut être pourrait-il d'ailleurs être entrepris la consultation directe de l'usager, en France et au Québec, sur ses attentes en matière de santé mentale, de soins psychiatriques, et de suppléances sociales en cas de dépendance lourde. Quels « besoins » éprouve-t-il, pour sa part ? Et quelles sont ses « priorités » ? Cette dernière notion présente du reste l'intérêt, en ne fermant pas les choses (définir une « priorité » n'est pas planifier pour trente ans, mais répondre simplement à l'urgence), de laisser du champ à la dynamique future entre la demande et l'action. Certes, cette démarche est analogue à celle des « Conférences de Santé » françaises, dont on sait le caractère insatisfaisant, parce que fatalement insuffisamment préparées, et confuses, mais elle approche bien souvent, du seul point de vue qui vaille, celui du sujet souffrant, le cœur des choses.

Pour toutes ces raisons, j'approuve complètement la prudence finale de ce rapport. Il faut y aller, mais le chemin reste long, et tant mieux.

Bien entendu ces quelques idées ne sont qu'un premier et pauvre écho à la richesse des éléments et réflexions rassemblés par ce travail. Celui-ci demande à être assimilé, approfondi par le lecteur. C'est d'ores et déjà un document de référence. Mais sans doute ne tranche-t-il pas encore cette question que je souhaitais évoquer, et qui, me semble-t-il, doit rester vivante. Bien d'autres aspects auraient mérité commentaires, et je reste à disposition pour d'autres discussions, plus interactives.

Denis Leguay
Psychiatre, Les Ponts de Cé

(2) Cette distinction thérapeutique/social existe-t-elle au Québec ? Notons que les instruments de mesure individuelle des besoins de soins (p. 119 et suivantes des fiches techniques) globalisent souvent des registres qui sont distingués dans notre pays. Par exemple, les psychothérapies et l'aide au logement. Quels sont les effets de cette globalisation de besoins hétérogènes sur la prise en charge, la manière dont elle est négociée, argumentée, mise en œuvre ? Y a-t-il un effet « modalités du financement » sur les prises en charge ? Que se passe-t-il au Québec dans ce registre de l'interprétation individuelle du droit au soin, face à la réglementation ? D'où viennent les conflits, et comment sont-ils traités ? Qu'est-il alors renvoyé au sujet ? Comment ce dernier comprend-il la « position » de la société, et des systèmes de soins et d'assistance ? Fait-il cette différence entre le thérapeutique et l'assistance ?

Commentaire 3

C'est avec beaucoup d'intérêt que nous avons pris connaissance du rapport du comité franco-québécois intitulé « Planification et évaluation des besoins en santé mentale ». En effet, à titre de responsable, dans un CLSC, des services aux adultes et aux personnes présentant des problèmes de santé mentale, la façon dont sont pris en compte les besoins est extrêmement importante, car la capacité de l'établissement de répondre aux demandes très diversifiées que lui adresse la clientèle en dépend. Et à titre de responsable, à l'échelle du Québec, du support aux établissements dans ce dossier, s'ajoute à la question de l'équité entre les clientèles celle de l'équité en fonction du territoire où les gens demeurent.

Nous voulons tout d'abord souligner l'importance et la richesse de ce document, fruit d'un travail colossal, et ce, à plusieurs niveaux :

1. Les auteurs ont pris la peine d'élucider un nombre important de concepts parfois utilisés dans des sens différents. Cela seul justifierait déjà la lecture de ce rapport.

2. Ils synthétisent l'état des connaissances et des efforts entrepris dans plusieurs pays occidentaux pour tenter de mesurer les besoins en santé mentale.

3. Ils adoptent un cadre conceptuel et proposent une démarche de planification intégrant différentes méthodes, à la fois rigoureuse et suffisamment pragmatique pour inspirer les responsables de la planification aux niveaux central et régional, à tout le moins pour la santé mentale.

4. Enfin, l'ensemble des instruments présentés dans les fiches techniques sera utile à tous ceux qui s'intéressent à ce domaine d'activité, qu'ils soient chercheurs, planificateurs, gestionnaires ou cliniciens.

Nous reprendrons le cheminement du gestionnaire d'établissement pour souligner de quelle façon ce document peut l'aider dans son travail.

Ce rapport fait preuve d'une grande rigueur scientifique, que ce soit au niveau du processus de planification, de l'analyse des mesures de besoins ou dans la proposition des stratégies de mesure de besoins pour le Québec et pour la France.

Depuis les 30 dernières années, plusieurs auteurs ont développé des modèles de planification qui permettent l'intégration des différents niveaux et activités de l'organisation des services et ceci, pour un processus fort dynamique de prise de décisions. Lorsqu'on applique ces différents modèles à l'organisation des services de santé, c'est à l'étape des besoins que cela se complexifie : comment les identifier, les mesurer, quelles données utiliser, quels indicateurs sont les plus probants, quelle étude épidémiologique ou quelle étude expérimentale doit-on prendre en compte, comment concilier les points de vue parfois différents de tous les interlocuteurs concernés, quel est le potentiel et quelles sont les limites de la mesure des besoins dans la planification, comment évaluer la réponse aux besoins et les services et comment faire en sorte que ces évaluations transforment les opérations… ? Dans ce rapport franco-québécois, on trouve plusieurs réponses à ces questions. On y trouve aussi une perspective critique permettant de faire cheminer la réflexion.

L'identification des besoins est au cœur de la démarche de planification, dans le domaine de la santé. Encore faut-il s'entendre sur ce que couvre la planification et sur ce que l'on entend par santé mentale : quelle envergure veut-on donner à ces concepts, et en fonction de quelle logique ? Il faut aussi s'entendre sur la définition de « besoins ». La contribution des auteurs est significative dans ces trois domaines.

Les auteurs ont retenu le modèle de planification de Pineault et Daveluy (1993), car il a pour point de départ l'état de santé de la population. Il prend en compte, dans l'étude de besoins, les autres déterminants de la santé. Ce modèle de planification nous apparaît particulièrement intéressant comme assise pour les services de santé en général, et les services de santé mentale en particulier. Il se réfère en effet à la finalité des services de santé : l'amélioration de l'état de santé de la population. Dans cette perspective, les différentes dimensions de la planification (stratégique, tactique, ou opérationnelle) sont subordonnées à cet objectif que l'on ne peut perdre de vue, et qui inclut, nécessairement, le champ de la prévention et de la promotion.

Pour encadrer l'ensemble du processus de planification, on peut utiliser le cadre éthique de Thornicroft et Tansella (1999). Les neuf principes de ce cadre de référence sont élaborés à partir de préoccupations d'ordre plus clinique. En période de transformation du réseau de la santé et des services sociaux et de restrictions budgétaires, ce cadre éthique prend toute son importance et ceci, peu importe le niveau (local ou régional ou central) où l'on travaille. Ce cadre devrait donc devenir une référence habituelle au cours des différentes étapes du processus de planification, principalement lorsqu'on définit la gamme des services nécessaires, les objectifs qui y sont reliés, les ressources humaines, financières et matérielles pour leur réalisation, les résultats attendus auprès de la clientèle ciblée. On a aussi tout intérêt à utiliser ce cadre éthique pour construire les indicateurs d'évaluation des résultats, que l'on doit identifier avant la mise en œuvre des services.

Il est important dans un processus de planification, de bien définir la problématique de la santé mentale. Cet exercice se complexifie à mesure que l'on s'éloigne des pathologies psychiatriques majeures. La synthèse que font les auteurs des travaux faits à ce jour autant que leur choix conceptuel de considérer la santé mentale au sens large et d'en définir les dimensions constitutives présentent un grand intérêt.

Les auteurs de ce document la définissent selon trois (3) axes :

– l'axe santé/maladie mentale ;

– l'axe bien-être/détresse psychologique ;

– l'axe du fonctionnement/dysfonctionnement social.

Cette façon de circonscrire la santé mentale est très intéressante, novatrice et dynamique : elle s'éloigne du seul diagnostic qu'elle relativise, elle permet de prendre en compte la diversité des situations de vie des personnes et s'attarde plus à l'impact de la maladie et à son retentissement fonctionnel qu'au diagnostic comme tel. D'une certaine façon, on adopte ici la perspective du client par rapport à la seule perspective du professionnel. Cette approche contribuera certainement autant à outiller le planificateur qu'à aider les parties intéressées à adopter un cadre de compréhension intégré permettant de mettre en perspective les besoins des uns et des autres.

Enfin, les auteurs proposent un cadre de référence quant au besoin de soin en santé mentale qui distingue et clarifie les notions de « demande de soins », et « besoin de soins », en donnant des paramètres qui les spécifient (la durée, le retentissement par exemple, pour que l'on parle de besoin de soins). L'utilisation des services comme moyen de mesurer les besoins de soins est aussi abordée et analysée à partir de plusieurs études.

S'inspirant de leur cadre conceptuel, les auteurs ont retenu les groupes de population suivants :

– personne souffrant de troubles psychotiques avec retentissement fonctionnel ;

– personne souffrant de troubles mentaux non psychotiques avec retentissement fonctionnel ;

– personne souffrant de déficience intellectuelle avec retentissement fonctionnel ;

– personne souffrant de toxicomanie avec retentissement fonctionnel ;

– personne souffrant de démence avec retentissement fonctionnel ;

– personne présentant une détresse psychologique sans trouble mental caractérisé ;

– personne présentant un dysfonctionnement social sans trouble mental caractérisé ;

– personne à risque sans trouble mental, sans détresse psychologique ou dysfonctionnement social.

Ces différents groupes représentent bien la clientèle desservie dans les programmes Adultes/Santé mentale des CLSC.

Les auteurs ont fait une recension critique des plus récentes et plus significatives études épidémiologiques, études de prévalence ou enquêtes auprès de groupes spécifiques. Ils analysent les forces et les limites des indicateurs sociaux selon l'objet de la planification (groupes de population souffrant de troubles majeurs, par exemple, ou population en général). Ils font ressortir que la plupart des problèmes de santé mentale sont reliés à des variables sociales relativement simples, tels le sexe, l'âge, l'emploi, le statut social, le statut matrimonial ou encore le fait de vivre seul. Ces variables sont en lien direct avec la prévalence des différents problèmes en santé mentale. Elles peuvent et doivent donc être constituées en indicateurs utilisés pour fins de planification. Ils font le même exercice pour apprécier l'apport des données issues de l'utilisation des services aux fins de planification des services.

Les auteurs soulignent les différents niveaux de la planification : central, régional et local (bassin de vie et établissement). Les planificateurs à tous les niveaux doivent être sensibles au fait que les résultats des études peuvent avoir un sens bien différent, selon qu'elles ont été faites à l'un ou l'autre de ces niveaux.

Nous sommes conscients que le mandat confié aux auteurs concernait la mesure des besoins aux niveaux central et régional. Cependant, l'application opérationnelle aboutit au niveau local où les services concrets sont donnés. La planification et l'organisation locales sont donc majeures. Il aurait été très intéressant de trouver dans cet ouvrage des informations ou des liens plus systématiques entre ces trois niveaux et leur traduction, ou leur interaction au niveau local, d'autant plus que plusieurs types d'analyse, ne seraient-ce que celles qui partent de l'utilisation des services pour « remonter » aux paliers régional ou central en sont issus.

Toute planification se traduit, en fin de compte, par un choix d'allocation de ressources. L'expérience récente montre que les budgets arrivent avec des commandes de plus en plus précises du central au local. Les budgets pouvaient être alloués il y a quelques années pour répondre aux besoins de santé mentale d'un bassin de population. Aujourd'hui, par exemple, on donne un montant pour développer un service de suivi intensif dans la communauté pour des personnes souffrant de troubles majeurs de santé mentale. Cette façon de faire, qui s'apparente à une prescription de moyens, est issue à la fois des résultats de la recherche qui a montré que ce service faisait partie des « meilleures pratiques », mais aussi du besoin des autorités de s'assurer que l'on répond bien aux besoins de certains groupes jugés prioritaires. Cette façon d'utiliser la recherche peut devenir très contraignante sur le terrain et stériliser certaines initiatives. Est-ce la meilleure façon de mettre à profit le résultat des études ? Ne vaudrait-il pas mieux s'assurer que le niveau local dispose des résultats de recherche et se donne les moyens, par ses propres mécanismes de planification, de prendre en compte et de répondre aux besoins de ces mêmes groupes prioritaires plutôt que de lui dicter les services à développer ? À cet égard, une analyse des liens entre les niveaux de planification dans la mesure des besoins en santé mentale aurait été pertinente. Cela suscite aussi une réflexion sur la façon dont la recherche pourrait ou devrait être utilisée.

En poursuivant la séquence d'une démarche de planification, une décision doit être prise concernant l'ordre des priorités à la suite d'une étude de besoins. On doit donc établir les critères susceptibles de faciliter ces choix. En voici quelques-uns :

– l'urgence de la situation d'un nombre de personnes touchées ;

– la possibilité des solutions et les services déjà existants, ainsi que ;

– la disponibilité des ressources humaines et financières.

Pour être crédible, la démarche de priorisation doit non seulement s'appuyer sur la considération documentée de l'ensemble des besoins de toute la population, ce en quoi le cadre conceptuel proposé est pertinent, mais elle doit « être l'aboutissement d'une logique démocratique et non d'une logique purement technique ». Les auteurs soulignent fort justement ces deux ordres de logiques qui peuvent alors s'enrichir et contribuer à une plus grande équité quand ils s'exercent de façon complémentaire.

L'organisation des services est une autre étape du processus de planification. Les gestionnaires peuvent puiser des informations intéressantes dans les études citées autant qu'utiliser certains des instruments présentés dans les fiches techniques pour mieux planifier leurs services, orienter leurs ressources autant que pour apprécier la satisfaction de la clientèle. Le schéma de la page 20, par exemple, montre qu'il y a encore des efforts à faire pour sensibiliser la population aux problèmes de santé mentale, autant que des efforts de formation auprès des médecins de famille pour qu'ils repèrent mieux ce type de problèmes. La proposition d'une nouvelle catégorisation dissociant les troubles graves de la chronicité est aussi très importante pour l'organisation des services.

L'évaluation est la dernière étape du processus de planification ; elle permet d'apprécier et de mesurer :

– le degré de satisfaction de la clientèle ;

– la qualité et la suffisance des ressources humaines, matérielles et financières, en fonction des services offerts ;

– la qualité des soins ;

– l'impact sur la situation globale de la population desservie.

Dans l'organisation des services, les différents acteurs doivent prendre conscience du fait que pour améliorer la santé mentale d'une population, il est important d'impliquer les individus, les familles et les communautés. Il faudra aussi mobiliser les différentes ressources et demander une part plus active des secteurs : économie, éducation, municipalités, autres... car ils sont aussi des acteurs essentiels dans les services rendus aux citoyens. Ils ont donc un rôle primordial dans les volets : promotion, prévention, intégration et réadaptation en santé mentale. La concertation entre les différents acteurs est fondamentale pour assurer le bien-être d'une population.

Dans le quatrième et dernier chapitre, à partir de l'étude de Kamis-Gould et Minsky au New-Jersey (1995), les auteurs proposent un cadre conceptuel adapté pour le Québec et la France basé sur une analyse exhaustive des modèles utilisés dans différents pays.

Ce chapitre est particulièrement utile car il montre concrètement comment intégrer les différentes sources d'information à travers quatre grandes stratégies de mesure des besoins : la première stratégie fait l'état de situation sur les besoins à l'aide des indicateurs sociaux et des taux de prévalence des personnes traitées par secteurs de soins hospitaliers et extra-hospitaliers ; la deuxième permet d'établir les priorités dans le développement du programme en santé mentale avec la participation de différents interlocuteurs concernés ; la troisième vise à déterminer le nombre de personnes à desservir, et la dernière propose une catégorisation en 4 groupes cliniques selon GRG Minsky (1992) :

– troubles graves et chroniques ;

– troubles graves et non chroniques ;

– troubles non graves et chroniques ;

– troubles non graves et non chroniques.

Les auteurs optent pour une logique de planification en fonction des besoins tout en reconnaissant la pertinence de parfois procéder à partir de l'utilisation des services et en donnant des balises pour ce type de planification. On émet l'hypothèse que chacun de ces groupes présente des types de besoins bien différents. Cette catégorisation est intéressante car elle dissocie la gravité de la chronicité, ce que ne faisait pas la Politique de santé mentale québécoise de 1989. Cette distinction, conforme aux constats de la pratique clinique, est, tel que signalé plus haut, majeure pour l'organisation des services en ce sens qu'elle sort de l'ombre une partie non négligeable de la population, celle qui souffre de troubles non graves et chroniques, comme par exemple les personnes présentant un dysfonctionnement social sans trouble mental caractérisé ou les personnes présentant une détresse psychologique sans trouble mental caractérisé.

Kamis-Gould et Minsky constatent que la modélisation des besoins d'une population à partir d'indicateurs sociaux économiques est bien acceptée par les gestionnaires et les intervenants dans la communauté.

Les modalités d'études de besoins d'une population sont une source de connaissance que tout planificateur ou gestionnaire du réseau de la santé doit posséder afin de pouvoir élaborer des mesures de besoins ou d'en analyser les rapports.

Il est aussi important de sensibiliser les différents étudiants qui auront à œuvrer dans l'organisation des services de la santé, tels les travailleurs sociaux, les infirmiers, les psychologues, comme le sont déjà les médecins. Les personnes qui suivent une formation en gestion ou en administration de la santé doivent avoir ce type de connaissances car souvent, ils en seront les planificateurs sans pour autant avoir des connaissances épidémiologiques en mesure de besoins en santé mentale. Il serait important que tout administrateur de la santé ait des notions sur les mesures de besoins en santé mentale. D'ailleurs, ce document est un outil de travail et de référence de dimension universitaire.

Nous voulons souligner un élément qui n'a pas été abordé par les auteurs et qui nous semble important. Il s'agit des « temps différents » d'une démarche scientifique rigoureuse, de la planification des opérations ainsi que des impératifs et de la logique « politique ». Une étude épidémiologique prend du temps et elle est coûteuse. La recherche évaluative, qui alimente aussi la planification, est longue, du moins par rapport au rythme des opérations qui souvent ont besoin de réponses rapidement. Quant aux impératifs politiques, ils sont aussi déterminants qu'imprévisibles, le plus souvent fonction d'événements ou de pressions circonstancielles. Comment ajuster ces différents « tempo » ? Les résultats de telle recherche ou de la construction de tel modèle sera-t-il encore valable 4 ou 5 ans après ? La planification des effectifs médicaux, par exemple, a montré récemment le danger d'un ajustement trop lent de modèles de planification à des phénomènes émergents ou sous-estimés ; dans ce cas, c'est notamment l'impact de la féminisation de la profession et du changement de valeurs des jeunes médecins, jumelés à des estimations trop conservatrices des besoins de services d'une population vieillissante, qui a fait en sorte qu'un nombre insuffisant de médecins sera formé.

Cette question doit faire l'objet d'attention. La planification se doit d'être rigoureuse. La rigueur scientifique demande aussi du temps, et le temps requis risque d'avoir un effet pervers en rendant désuets les résultats lorsqu'ils sont obtenus. En outre, des décisions politiques dictées par d'autres impératifs peuvent aussi réduire à néant l'impact de travaux bien documentés.

Autre point qui est effleuré dans le document : les rapports de la recherche et de la planification. On parle de la nécessité pour la recherche de « pénétrer la démarche de planification », et du fait que les acteurs doivent être formés à comprendre et interpréter les résultats de la recherche. Nous partageons cet avis avec les nuances suivantes : c'est au début, au moment même de la formulation des questions de recherche que les planificateurs ou disons plus largement « les gens du terrain » doivent être là, avec les chercheurs. Pour qu'elle soit intégrée et change les pratiques, peut-être plus au niveau clinique qu'en planification, la recherche doit se faire en partenariat. Ces deux mondes doivent s'apprivoiser et apprendre à travailler ensemble, au long cours, non pas de façon épisodique seulement. Cela implique tout une modification de l'organisation et des modes de financement dans les deux milieux. Cela vaut certainement la peine de s'y arrêter car l'amélioration de la qualité, de l'efficacité et de l'efficience de l'organisation des services futurs en dépend. Ce qui est difficile, c'est d'amorcer ce rapprochement, mais il faut créer une culture de la recherche rigoureuse dans les services et la démocratiser.

Au début de ce troisième millénaire, où il y a rareté des ressources financières, alors que dans le champ de la santé mentale, les besoins progressent, la planification de l'organisation des services doit plus que jamais reposer sur des bases solides faisant l'objet de consensus sociaux, avec comme assise l'identification de l'ensemble des besoins en santé mentale de la population. Les auteurs de ce rapport apportent une contribution inestimable alliant rigueur scientifique et pragmatisme. Une planification rigoureuse est essentielle pour tout système de santé visant l'efficience, l'efficacité, la transparence et l'imputabilité.

Gabrielle Mercier-Leblond
Conseillère, Fédération des CLSC du Québec
et Michèle Vigeoz
Conseillère cadre à l'Association
des CLSC et des CHSLD du Québec

RÉFÉRENCES

1. KAMIS-GOULD E, MINSKY S. Needs assessment in mental health service planning. Administration and Policy in Mental Health, 1995, *23* : 43-58.
2. MINISTÈRE DE LA SANTÉ ET DES SERVICES SOCIAUX DE QUÉBEC. La planification par programme dans le domaine de la santé et des services sociaux – MSSS, Michèle Morneau, 1991.
3. MINISTÈRE DE LA COMMUNAUTÉ FRANÇAISE. Santé communautaire et promotion de la santé, des concepts et une éthique, 1999.
4. MINSKY S. Assessment and assignment of clients to clinically related groups : a reliability study, Bureau of research and Evaluation Report, N J Division of mental Health and hospitals, 1992.
5. PINEAULT R, DAVELUY C. La planification de la santé : concepts, méthodes et stratégies, Éd. Agence d'Arc, 1993.

Commentaire 4

L'objectif de cette recherche franco-québécoise est ambitieux : *« que les personnes impliquées aux divers niveaux de la planification* (en santé mentale) *disposent d'un document facilement accessible faisant le point sur les expériences entreprises dans les différents pays et proposant des instruments et des méthodes permettant de mesurer les besoins en soins, en prévention et en réinsertion-réadaptation »*.

Le rapport remis constitue une somme d'informations, de données, d'analyses, et de pistes de travail considérable, qui marque un pas majeur sur ce sujet, sans occulter les limites, les difficultés et le balbutiement actuel de cet abord, dans les deux États étudiés.

Remarquable synthèse des expériences existantes, dont on ne peut que souligner la très faible part d'études françaises, ce travail clarifie également le cadre conceptuel de la démarche, en jetant un regard objectif, alimenté par l'enquête menée au Québec et en France en 1996, sur les démarches de planification aux différents échelons géographiques, et en abordant de manière très complète, et comparative, les notions de besoins et de demandes de soins, de prévention et de réadaptation, l'intrication avec le champ social, la complexité du champ de la santé mentale enfin, peu exploré, dont une définition univoque est absente des textes français.

La démarche théorique est claire, une fois rappelés les trois axes selon lesquels doit être considérée la santé mentale : *l'axe santé/maladie, l'axe bien-être/détresse psychologique, l'axe du fonctionnement social*, tous les écueils et risques sont signalés, pour aboutir à des propositions de stratégies pour la France et le Québec et à un certain nombre de recommandations.

L'état de santé de la personne peut être décrit selon une ou plusieurs problématiques de type santé/maladie et selon un degré de bien-être et de fonctionnement social. À cette description, il s'agira ensuite de faire correspondre des besoins tant dans le contexte du soin que de celui de la réadaptation et de la prévention de manière à les transcrire dans une planification des services.

Les différents outils utilisables à chaque étape (mesure de l'état de santé mentale dans ses différentes composantes, mesure des besoins) sont décrits. La principale difficulté ne vient pas de l'absence de données, puisqu'un grand nombre de sources d'information et d'instruments existent, mais comme le dit fort justement le rapport, une masse de données ne fait pas une information. Elle vient de la dispersion de ces données, pas toujours identifiées, ni connues des personnes concernées par la planification en santé mentale, et surtout de la quasi-absence de « cas pratique ».

« Il existe peu d'articles expliquant de manière opérationnelle l'articulation entre les sources d'information permettant de mesurer les besoins en santé mentale et l'exercice d'une planification en santé mentale effectuée en fonction des besoins ».

On rencontre une *« difficulté méthodologique à passer des besoins à l'organisation d'une offre, il manque une étape entre la prévalence des troubles mentaux, les modes d'intervention et les ressources disponibles »*.

Le contenu du rapport ne lève pas totalement cette difficulté, tout en allant aussi loin que possible. Il n'en demeure pas moins que le chemin qui reste à parcourir pour couvrir l'ensemble de cette démarche, indispensable, partant de la mesure des besoins pour aboutir aux différents niveaux de planification, demeure impressionnant.

L'exemple du New Jersey (étude de Kamis-Gould et Minsky-1995) est décrit en détail et permet de dégager un certain nombre d'enseignements sur la nécessité, pour le planificateur, d'adopter une stratégie adaptée à l'estimation des besoins qu'il recherche, construite à partir de deux grands axes : celui du niveau de planification, et celui de la population à l'étude.

C'est sur ce dernier point qu'une distinction importante est réalisée, avec une analyse des avantages et des inconvénients de chaque stratégie, ainsi qu'une présentation assez opérationnelle des sources d'informations différentes utilisables.

Une démarche de planification peut en effet vouloir s'intéresser, en priorité, soit à l'organisation des prises en charge des personnes consommant une part importante des ressources, soit à telle ou telle population présentant certaines caractéristiques d'état de santé mentale. La première part des pratiques effectives, qui peuvent être inadéquates, et risque de fausser les enjeux de la planification, qui vise précisément à modifier ces approches, la seconde, qui part directement des pathologies et des besoins tient moins compte des réalités, et le passage à des directives concrètes sera plus difficile. La confrontation des résultats des deux approches serait idéale et constituerait une sorte de validation.

Si les cinq recommandations adressées aux deux États restent à un niveau théorique, sans ordre de priorité, une déclinaison en termes opérationnels peut en être faite. Elle montre qu'un certain nombre de « passages obligés », pour aller au-delà d'un rapport sur cette question, sont connus. Leur rappel, à l'issue d'un travail de cette envergure, n'en a que plus de poids.

Une pratique rigoureuse de la planification, soit :

– une planification en fonction des besoins ;

– une planification intégrant les résultats des recherches existantes ;

– une planification de concertation ;

– une planification orientée vers les résultats.

Cette recommandation souligne en particulier, outre l'exigence de transparence et de large concertation (dont le lieu, aux différents échelons de la planification, n'est pas défini), la nécessité de rapprocher planification et recherche clinique ou épidémiologique, et d'identifier clairement les résultats escomptés. La déclinaison qui pourrait en être faite en termes opérationnels passe par des actions de formation à grande échelle et l'élaboration d'indicateurs de résultats consensuels. Elle suppose aussi, nous semble-t-il que soit défini le lieu d'un thésaurus des expériences et recherches, accessible aux différents échelons de la planification.

Que chaque État se dote d'un ensemble d'indicateurs sociaux :

– cohérents ;

– confrontés fréquemment lors d'enquêtes épidémiologiques ;

– choisis par une équipe opérant dans le cadre du programme national d'évaluation.

Le rapport plaide, à juste titre, pour une meilleure utilisation des indicateurs socio-économiques qui, s'ils ne constituent que des indicateurs indirects d'estimation des besoins, sont considérés comme très opérants dans le domaine de la santé mentale, et présentent l'avantage d'être facilement accessibles à des coûts minimes.

Concernant les études de population :

– la priorité accordée aux enquêtes longitudinales et au transfert des connaissances ;

– les dimensions relatives à la santé mentale intégrées dans les enquêtes générales sur la santé ;

– des enquêtes de population répétées périodiquement ;

– des enquêtes de population spécifiques touchant les groupes sur lesquels on manque d'informations.

L'inclusion de la santé mentale dans les enquêtes générales sur la santé, malgré les difficultés à surmonter, constituerait un apport (y compris symbolique) intéressant. Les études longitudinales manquent tout particulièrement.

Que chaque état développe le plus tôt possible un système d'information sur les services de santé mentale :

– couvrant l'ensemble du dispositif et harmonisé ;

– respectant la confidentialité ;

– élaboré en concertation ;

– fournissant des données à un niveau géographique adapté à celui de la planification.

Un système d'information minimum, fiable, harmonisé et régulier, sur les intervenants, la nature des interventions et les bénéficiaires, ne constitue certes pas une estimation des besoins en santé mentale, mais représente à l'évidence un minimum indispensable pour évaluer le dispositif actuel (les ressources existantes et leur utilisation), étape nécessaire dans toute démarche de planification, quelle que soit la stratégie retenue (*voir* chapitre 1). Ce système d'information doit couvrir l'ensemble du dispositif (y compris social, libéral, non spécialisé) et être lisible à chaque niveau de planification.

Harmonisation et accessibilité de données existantes actuellement dispersées nous apparaissent, de même que pour les expériences et recherches, constituer des leviers prioritaires pour aborder l'objectif poursuivi.

Que chaque État établisse un programme national d'évaluation :

– spécifique ;

– étalé sur plusieurs années et doté d'un budget spécifique ;

– associant divers milieux ;

– couvrant les multiples facettes des services en santé mentale.

Cette recommandation s'impose, à l'évidence, car *« le travail à effectuer est considérable »*. Participation diversifiée, transparence, priorité donnée à la diffusion d'une « culture » de l'évaluation pour prévenir les réserves bien décrites dans le rapport (technocratie, cercle fermé, etc.) qui condamneraient d'emblée une réelle volonté d'adhésion des partenaires, ces conditions doivent être remplies pour donner à ce programme national d'évaluation toutes les chances d'être un véritable lieu de « recherche appliquée ».

En conclusion, ce travail représente une démarche majeure vers la nécessité d'objectivité accrue dans les processus de planification. La qualité et la profondeur de la tâche accomplie, ainsi que l'objectivité qui se dégage des constats, permettent d'entrevoir un choix parmi les nombreux efforts à accomplir et d'en estimer l'ampleur, pour faire évoluer le dispositif psychiatrique vers un dispositif de santé mentale.

Une priorité se dégage, définir ce qu'est la santé mentale pour permettre d'écrire une politique de santé mentale.

Intégrer la prise en compte des besoins dans la planification passe par un travail de fond et de longue haleine qu'il convient d'entamer au plus vite.

La place qui doit être faite à l'évaluation, des activités certes, mais également des pratiques, des enseignements initiaux, sur des définitions correctement arrêtées de la santé et des besoins de santé, ne doit pas être sous-évaluée.

Les allers et retours indispensables entre les différents niveaux de planification doivent être inscrits comme des préalables et les interactions planification-résultats-évaluation comme les clés d'une évolution réussie des dispositifs sanitaires.

Le caractère acceptable de la planification ne peut être obtenu qu'en concertation avec les professionnels et les usagers des systèmes de soins. La place qui doit être faite aux généralistes nécessite qu'ils soient associés, non seulement au niveau de leurs représentations traditionnelles, mais également aux niveaux de planification proches du terrain, c'est-à-dire dans la détermination des objectifs locaux.

Avec tous ces acteurs, le contrat initial ne peut être établi qu'à partir d'une expression claire de la politique nationale de santé mentale.

Ce rapport justifie d'une publication in-extenso, fiches techniques comprises, pour l'éclairage qu'il apporte sur un sujet peu exploré.

Il doit être connu du plus grand nombre, mais reste d'un abord difficile, compte tenu de son volume (209 pages) et de sa densité. Une large diffusion pourrait en être faite sous forme d'articles de presse, internet, avec indication des références pour se procurer le document complet.

Services extérieurs de l'État, Assurance maladie, établissements de santé gérant des services ou des secteurs de psychiatrie, représentation des médecins généralistes et des psychiatres libéraux, organismes de recherche et de formation, associations d'usagers, et plus largement, associations concernées par la question de la santé mentale tireraient profit d'un tel document.

G. Waagenar
Psychiatre
Mission d'appui, Paris

Commentaire 5

Le rapport intitulé « Planification et évaluation des besoins en santé mentale » est un ouvrage extrêmement intéressant à trois niveaux. D'abord, il fait connaître des études épidémiologiques françaises et québécoises et met ainsi en valeur leur utilité. Ensuite, il nous présente à travers ses fiches techniques des instruments particulièrement intéressants pour effectuer des enquêtes épidémiologiques et évaluatives. Enfin, et c'est le point le plus important, il propose des stratégies prometteuses pour réussir à faire mieux avec les mêmes ressources. C'est pourquoi le document sera utile à divers groupes : les chercheurs dans le champ de la santé mentale, expression quelque peu « minée », pour quiconque s'intéresse à l'organisation des services de santé mentale, notamment les planificateurs et les décideurs, et enfin pour les individus sur le terrain, qu'il s'agisse des intervenants cliniques qui éprouvent souvent un sentiment de manque de ressources adéquates mais aussi les personnes souffrant de troubles de santé mentale ou leur proche. Cependant, le style de rédaction du rapport correspond plutôt aux deux premiers groupes mentionnés. Cela signifie que les passages les plus intéressants se trouvent aux chapitres trois et quatre, ainsi qu'aux fiches techniques rattachées à ce chapitre.

C'est pourquoi, il n'est pas évident que le lecteur doive commencer par le premier chapitre ni même le lire, malgré son intérêt sauf s'il s'agit des destinataires immédiats, à savoir le Comité de santé mentale du Québec et la Direction générale de la santé en France. Et pour les fins de la post-face, nous choisissons d'évoquer d'abord le deuxième chapitre.

CONTEXTE

Le deuxième chapitre du rapport, ainsi que les fiches techniques 1 et 2 qui s'y rapportent constitueront pour certains une introduction appropriée au rapport. En effet, ces pages présentent bien les contextes français et québécois, tant au niveau de l'organisation des services de santé en général, qu'en matière de services en santé mentale. Les textes mentionnés ont l'avantage d'initier les lecteurs « profanes » à la problématique visée par le document. En France, l'approche de la sectorisation, reposant sur la prise en charge de l'ensemble des problèmes de santé mentale d'un territoire donné par une organisation unique disposant notamment d'un hôpital psychiatrique comme pôle physique important, diffère de façon radicale de l'approche québécoise fondée sur la hiérarchisation des niveaux de soins. Après une introduction brève des contextes français et québécois appuyée par deux excellentes fiches techniques, le chapitre 2 présente les résultats de l'enquête des auteurs sur les pratiques de planification en France et au Québec en fonction des besoins en santé mentale pour l'année 1996. La fiche technique 3 correspond à cette partie qui détaille l'enquête. Cette dernière s'est faite notamment à l'aide de groupes de discussion composés d'informateurs privilégiés (planificateurs, intervenants, représentants des services spécialisés et des services de base, des groupes associatifs et communautaires, des représentants des élus, des usagers et des familles). Il conclut sur deux constats majeurs : 1) « la planification dans le domaine de la santé est un exercice difficile » ; 2) « les modes de planification actuels ne se préoccupent que marginalement de la mesure des besoins et les groupes de discussion composés d'informateurs privilégiés déplorent que la planification s'effectue en fonction de l'utilisation actuelle et des services disponibles ». Par ailleurs, au Québec, la distinction entre planification et organisation au niveau national est plus nette. Les orientations, les objectifs et l'allocation des ressources se décident alors que les planificateurs des régions doivent se les approprier pour organiser et évaluer les services. Deux priorités sont proposées par le rapport : une vision la plus consensuelle possible et une logique démocratique et non purement technique dans l'établissement des priorités. Quant à la prise en compte des besoins, elle se heurte, selon les auteurs, à une première difficulté, c'est que la définition des besoins ne fait pas l'unanimité. Aussi, nous ajouterons que ce qui pourrait en être mesuré (thème du rapport) en serait d'autant grevé. Par ailleurs, la situation se complique d'une certaine incohérence pratique mais prévisible selon nous pour les éléments qui viennent d'être évoqués : quand on a des indicateurs de besoins, on ne les utilise pas toujours, et quand on n'en a pas, on les redoute au titre de solution technocratique. Au Québec, les groupes de discussion composés d'informateurs privilégiés sont peu satisfaits des instruments existants utilisés pour la mesure des besoins.

On doit alors se demander quelles sont les informations nécessaires pour établir une planification en fonction des besoins. Aucune unanimité ne ressort lorsque l'on pose cette question. En fait, une constante se dégage, les exemples d'approche précise pour identifier les besoins et les relier aux réponses à donner sont rares. Le rapport mentionne deux exemples concrets à petite échelle, exemples où l'on n'a pas eu recours à des instruments scientifiques sophistiqués et dûment validés, mais apparemment à des données surtout administratives.

Le propos du rapport serait-il, comme la santé mentale elle-même, entaché d'utopie ? Outre la tension entre d'une part des élaborations statistiques complexes qui permettraient de relier les informations des indicateurs de besoins à l'allocation des ressources et à l'organisation des services en fonction de ces besoins et, d'autre part, les tables de concertation sous-régionales où les différents acteurs de la planification s'expriment sur leur vécu des besoins (dans une logique peut-être plus démocratique mais aussi selon une démocratie lacunaire tributaire de perspectives restreintes sinon d'intérêts parfois corporatistes). Les auteurs identifient un manque de système d'information intégré ! C'est espérer beaucoup d'une solution future venant de l'information qui pourrait ressembler à quelque chose de technique et d'organisationnel.

L'ensemble des contextes suggère plutôt d'ouvrir plus largement la notion de besoin en santé mentale : au-delà des besoins des individus et des populations objectivés par les indicateurs, il y a aussi des besoins culturels et politiques qui fissurent constamment les efforts de rationalité scientifique auxquels il ne s'agit pourtant pas de renoncer. Mais où en est-on justement en termes de rationalité scientifique ?

LA MESURE DES BESOINS : L'ÉTAT DES INSTRUMENTS ET DES ÉTUDES AU QUÉBEC ET EN FRANCE

Le troisième chapitre introduit la première partie du titre du rapport, « La mesure des besoins en santé mentale ». À partir d'exemples d'études françaises et canadiennes extrêmement intéressants et insuffisamment connus, les auteurs distinguent quatre sources de données : les enquêtes de population, les systèmes de soins, les indicateurs sociaux, les résultats des évaluations des services. Les fiches techniques 1 à 6 et 10 à 13 devraient être déposées sur le web à l'intention des chercheurs et planificateurs. Elles fournissent un examen minutieux de certains instruments de mesure dont la version française a été validée.

Le chapitre, en demeurant au niveau des mesures, n'illustre pas le passage des mesures à la planification. On sait bien mesurer, mais sait-on bien planifier ? Et les mesures décrites ont-elles une quelconque utilité actuelle ou future ? Mais, au juste, qu'est-ce que la planification ?

LE BIEN-FONDÉ DE LA PLANIFICATION

Le premier chapitre ouvre sur cette question. Il porte sur planification, santé mentale et besoin de soins. C'est le chapitre central, mais aussi le plus ardu à lire, si l'on imagine pour ce document qui sera publié, un lectorat plus large dans un esprit de transfert des connaissances. La première section de ce chapitre porte sur la planification. Le document prend appui sur la définition qu'en donne Nutt, comme processus visant à réduire l'écart entre un état désiré et un état actuel (*performance gap*), et sur la nécessité de « s'organiser pour utiliser au mieux les moyens dont nous disposons pour améliorer la santé des populations ». Les auteurs du rapport font référence ensuite aux perspectives de Pineault et Daveluy (1993) qu'ils épousent et qu'ils traduisent ainsi : « pour mieux s'organiser, il faut savoir ce qui va mal. Pour savoir ce qui va mal, il faut d'abord évaluer les besoins d'une population ». Nous ne partageons pas cet avis : prévoir l'avenir, ce n'est pas nécessairement voir des aspects négatifs dans le présent ou même l'avenir, mais c'est surtout mieux voir d'avance pour mieux décider des actions présentes et futures. Suivant en cela Schaeffer (1975) les auteurs du rapport définissent la planification comme un « processus méthodique consistant à repérer les besoins et demandes non satisfaits qui constituent le problème, à fixer des buts réalistes et réalisables, à déterminer l'ordre des priorités, à recenser les ressources nécessaires pour les atteindre et à projeter les actions en évaluant les diverses stratégies d'interventions possibles pour résoudre le problème. (...) La première préoccupation d'une démarche de planification doit demeurer l'amélioration de l'état de santé mentale de la population. » Par la suite, les auteurs établissent des niveaux de planification « normative et stratégique », « tactique (structurelle) » et enfin « opérationnelle ».

Malgré leur précaution à conserver un certain pragmatisme, le rapport propose une conception du processus assez programmatique sinon machiniste, extension à la gestion du processus tayloriste de division du travail (Jelinek, 1979). Peu de choses sont dites sur la faisabilité de ce processus, ni sur les acteurs. Comme dit Wildavsky : « La planification n'est pas réellement défendue pour ce qu'elle est mais pour ce qu'elle symbolise (...) des normes universelles de choix rationnels » (1973 :141 ; voir aussi Minztberg, 1994). Faut-il être pessimiste ?

LA SANTÉ MENTALE ET LES BESOINS

On planifie pour répondre aux besoins dans le champ de la santé mentale. Mais qu'est-ce que la santé mentale ? Qu'en est-il ? Du côté de la France, faute d'une définition, les propos d'une circulaire sont très judicieux, à savoir que promouvoir la santé mentale, c'est promouvoir les facteurs de santé, au niveau de trois sphères : l'individu, la famille et le groupe social. Santé mentale et santé s'y trouvent donc très inextricablement reliées. L'intérêt de la problématique de la santé mentale est d'introduire une vision qui sort des catégories diagnostiques : démoralisation, détresse, dysfonctionnement social, et qui insiste sur les facteurs de risque. Le document propose avec raison de considérer la santé mentale sous trois axes : santé/maladie, bien-être/détresse, fonctionnement social. Le document fait bien ressortir l'opposition de perspectives entre le modèle français de la sectorisation, qui refuse en principe toute séparation des patients en fonction du diagnostic ou du niveau aigu ou chronique de la maladie, et le modèle québécois qui, dans un cartésianisme extrême doublé d'un langage presque paramilitaire, distingue des « lignes » (niveaux) de soins.

Malgré les définitions toujours meilleures et peu satisfaisantes de la santé mentale, on peut se demander si, par comparaison avec la santé, nous ne sommes pas aux prises avec un euphémisme confondant, lorsqu'on parle de santé mentale. Dès le XIXe siècle, en France, on parlait de « maisons de santé » lorsqu'on parlait d'asiles ou d'hôpitaux psychiatriques. Certains acteurs québécois très en vue et personnages de terrain affichent leur malaise avec le concept de santé mentale.

Par exemple voici ce qu' à l'attention du ministre de la Santé et des services sociaux du Québec écrit Georges Parent, président de la Boussole (Regroupement des parents et amis de la personne atteinte de maladie mentale) : « La boussole compte plus de 460 familles membres. C'est au titre de porte-parole de ces dernières que nous [...] dénonçons l'ambiguïté que provoque l'utilisation du concept "santé mentale" au détriment du concept "maladie mentale" à l'intérieur de la Politique de santé mentale. [...] Nous sommes conscients que l'expression maladie mentale n'est pas un terme à la mode. Par contre, le concept de santé mentale est un excellent euphémisme qui sert de fourre-tout en minimisant notre dure réalité ». La lettre se termine par des demandes, la première étant de « nommer clairement les problèmes de schizophrénie et de maladie affective bipolaire [...] par une dénomination juste et adéquate : des maladies mentales » (Le Soleil, 30 novembre 1995, p. A15).

Autre exemple : le directeur du département de psychiatrie de l'Université Laval, également directeur du très important et très subventionné Centre de recherche Laval-Robert-Giffard, le Docteur Michel Maziade, affirme que le concept de « santé mentale » est l'art d'éviter l'essentiel et que le concept même de santé mentale devient pernicieux dans la façon dont le lobby psychosocial et certaines instances du ministère de la Santé et des Services sociaux l'utilisent. Six mythes ou scotomisations de la réalité en découlent : 1) la négation des maladies mentales ou MCP (maladies du cerveau à incidence psychiatrique) [...] ; 2) la négation du fait que le virage ambulatoire en psychiatrie a commencé il y a 30 ans [...] ; 3) la négation du fait que 20 p.100 des patients souffrant de MCP ont un parcours déficitaire et résistant au traitement [...] ; 4) la négation du fait qu'il est impossible de prévenir les MCP [...] ; 5) la négation du fait qu'il existe, en santé mentale, des maladies aussi graves que le cancer [...] ; 6) la négation par le concept de "santé mentale" de la nécessité de cibler des priorités tangibles et quantifiables, et aussi pertinentes. Il recommande donc, entre autres, d' « utiliser les indicateurs existants, fiables et tangibles. Par exemple, enquêter au plus tôt sur l'état et les besoins des 6 à 8 p.100 des enfants inscrits à des programmes pédagogiques destinés à des élèves handicapés et en difficulté d'adaptation et d'apprentissage et qui souffrent de divers troubles psychiatriques et de développement ; mettre en veilleuse l'objectif noble mais intangible de développer de nouveaux indicateurs comme la détresse psychologique dans la population » (Le Soleil, 11 avril 1997, p. B-9).

En somme, il y a dans le concept de santé mentale des enjeux politiques que le rapport présente tant bien que mal dans son premier chapitre. Néanmoins, ces enjeux politiques, et compte tenu des destinataires du document, ne peuvent être entièrement écartés, que cela plaise ou non.

PRÉVENTION, (RÉ) ADAPTATION, (RÉ) INSERTION SOCIALE

Dans le même chapitre, on tente également de cerner les définitions des éléments suivants : soin, réadaptation, réinsertion, prévention.

On précise que « Les soins apportés aux personnes souffrant de maladies mentales comportent, en grande partie, les mêmes caractéristiques que ceux apportés à celles souffrant d'autres types de maladies : traitement médicamenteux parfois prolongé, hospitalisation brève ou longue. Quelques rares traitements sont spécifiques, comme l'électroconvulsivothérapie. »

À la suite, Leona Bachrach et les auteurs décrivent ainsi le champ du soin et le champ de la réadaptation et tentent de distinguer ces deux moments dans la trajectoire psychopathologique d'un individu. Il faut néanmoins reconnaître que la distinction est plus abstraite qu'autre chose. À chaque moment de l'intervention auprès d'un individu en détresse mentale, il faut s'occuper à la fois du processus souffrant lui-même et de son retentissement sur le reste de la personne considérée dans ses dimensions bio-psycho-sociales. La position française n'est pas dénuée de sens car elle considère que « les soins de réadaptation sont des soins psychiatriques à part entière qui demandent du temps, et du personnel qualifié. »

Entre le Québec et la France, les divergences de points de vue ont des conséquences en terme de planification puisque la réadaptation doit être intégrée au système de soins spécialisés pour les uns alors qu'elle doit au contraire être le plus déprofessionnalisée possible pour les autres. Inutile de dire que la position des États n'est pas entièrement désintéressée dans cette histoire et que le processus de planification, à cause de son inévitable dimension politique, en sera affecté.

Plus loin, le rapport souligne l'importance des facteurs de risque dans le développement de toute maladie mentale, c'est à dire « n'importe quelle caractéristique associée à une probabilité augmentée d'avoir une maladie mentale ». Il faut distinguer le facteur de risque de l'indicateur de risque qui est simplement une variable associée à la fréquence d'une psychopathologie. Les auteurs suggèrent une prudence indiquée par rapport à une interprétation trop étiologique du rôle des facteurs de risque. Il est intéressant de voir qu'ils n'abandonnent pas la possibilité d'une prévention primaire, mais la situent dans un cadre réaliste : une prévention universelle, une prévention sélective (personnes âgées isolées, adolescentes enceintes, etc.) et des interventions spécifiques pour des groupes à haut risque (par exemple, enfants de parents souffrant de schizophrénie).

IDENTIFICATION DES BESOINS

Une autre partie du premier chapitre porte sur les besoins de soins. Du besoin psychique à la conscience du besoin et à la demande, il y a plusieurs étapes dont certaines de déguisement involontaire en symptômes physiques ou en symptômes appartenant à première vue à deux registres : le physique et le psychique. Un besoin non ressenti par l'individu ou par son entourage n'aboutira pas comme tel à une demande. Et entre le symptôme et le besoin, il y a la notion de retentissement de la morbidité sur la vie quotidienne, tantôt purement fonctionnel, tantôt purement psychique : c'est la souffrance. Le rapport considère que « dans une certaine mesure, le besoin concerne les troubles qui durent. La mesure de cette notion de durée n'est toutefois pas évidente ». Nous ne partageons ce point de vue que partiellement : il existe des besoins urgents de courte durée, nous rencontrons cela notamment lors de catastrophes : la tempête de neige en Montérégie, la chute d'un avion, etc.

Dans nos sociétés, la demande d'aide est formulée par les professionnels en réponse à ce qu'ils entendent et traduisent. Les actions professionnelles sont néanmoins balisées aujourd'hui par une sorte de négociation entre le client et l'intervenant, négociation dont le terme est le réalisable.

Ici, nos auteurs introduisent leur définition de besoin de soin : « Un besoin (de santé mentale) existe : 1) si une personne souffrant de maladie mentale présente un problème significatif dans les sphères cliniques ou sociales ; et 2) si une intervention thérapeutique ou sociale peut réduire ou contenir le problème ». La deuxième condition implique donc qu'un problème ne fait pas un besoin. « En effet, tous les problèmes n'ont pas de solution : toutes les interventions ne sont pas justifiées », ni la mobilisation de toutes les ressources, surtout si la personne visée n'en veut pas. Autrement dit, « la mesure des états de santé mentale, de ces interventions ou de ces ressources n'équivaut donc pas à mesurer les besoins [...] même si parfois, à l'intérieur de certaines balises, ils représentent des mesures indirectes des besoins. ». Bradshaw ne distingue-t-il pas les besoins ressentis, les besoins exprimés, les besoins normatifs (tels que définis par les experts) et les besoins comparatifs (pour une condition donnée, que la personne utilise ou non un service, elle a le même besoin que la personne qui les utilise). Les auteurs choisissent plutôt de distinguer les besoins d'intervention et la réponse aux besoins que sont les ressources.

Ceci les amène à éviter l'expression besoin de services, car ce dernier mot « peut impliquer dans certains contextes des interventions, dans d'autres, des intervenants ou des programmes ».

Il est certes parfois difficile d'évoquer une intervention sans penser à la ressource la permettant. Parfois elle en fournit trop, ou insuffisamment. On note ensuite de quelle manière les besoins représentent une charnière entre les états de santé mentale et les interventions. « La réponse des besoins, en termes de ressources pour accomplir ces interventions correspond à ce que nous appelons les besoins de ressources. [...] Les ressources comprennent les agents (par exemple les médecins, les psychologues, les intervenants de ressources associatives), les points de services (par exemple, une unité hospitalière, un atelier protégé, un centre de jour) et les programmes (par exemple, programme d'admission dans les lits de long séjour). » Est-ce aller trop loin ? La question est légitime puisque l'utilisation des ressources, en santé mentale comme en santé – en faisant l'hypothèse de leur efficacité et de leur efficience, ce qui ne va cependant pas de soi – fournit des indicateurs de l'évolution des besoins de services. L'usager n'entrevoit pas toujours la réponse à ses besoins sous un angle professionnel. À vrai dire, il ne ressent pas toujours ses besoins, que d'autres à l'évidence détectent. Les auteurs disent que, « pour la définition des besoins, il faut prendre en compte les différences de perception et de situation selon l'usager, l'intervenant, le planificateur et leur communauté », ce qui fait place, bien sûr, à la possibilité de divergences quant aux besoins ou aux réponses appropriées à ces derniers. « Si la réponse aux besoins est reconnue comme légitime par tous (planificateurs, intervenants, usagers), les besoins invoqués par les uns et les autres peuvent avoir une signification différente. La tâche du planificateur et celle des intervenants est donc fort différente. Par exemple, le planificateur doit s'assurer que les ressources nécessaires seront disponibles au bon moment et au bon endroit pour fournir les interventions requises à un usager. »

Il s'agit ici de besoins vus sous l'angle individuel d'intervention. Le rapport ramène principalement les besoins de prévention et de promotion au niveau du plus grand nombre. Comme on peut le constater, ce premier chapitre est très complexe et ce sont les chapitres suivants qui nous montreront, dans l'univers ainsi envisagé, ce qui peut se faire dans la réalité de l'évaluation des besoins en vue d'une planification.

MISE EN RELATION DE LA MESURE DES BESOINS À LA PLANIFICATION

C'est le quatrième chapitre, intitulé Propositions de stratégies de mesure des besoins, qui ouvre sur cette question. Il débute par la description de l'étude de Kamis-Gould et Minsky au New Jersey (1995) et la description des stratégies utilisées par cet État américain. À partir de cette expérience remarquable, les auteurs du rapport proposent de considérer deux axes pour le processus de planification, celui des niveaux, et celui des populations, lequel peut se centrer sur deux logiques distinctes, soit la mobilisation actuelle des ressources ou les caractéristiques de leur état de santé mentale. Dans ce dernier axe, chaque logique a ses avantages et ses inconvénients, la première partant des pratiques effectives lesquelles peuvent être inadéquates, alors que la seconde risque de moins tenir compte des réalités concrètes. Les auteurs du rapport proposent ensuite d'adopter une démarche de planification en fonction des besoins, ce qui implique de surmonter « l'une des faiblesses majeures de la démarche de planification dans plusieurs États, et notamment en France et au Québec, (...) avoir tardé à prendre en compte les résultats de la recherche, tant ceux de la recherche évaluative que de la recherche clinique et épidémiologique. » Mais cette démarche planificatrice doit être « fondée sur la concertation » notamment des trois groupes suivants : personnes atteintes ou à risque et leurs proches, intervenants professionnels et autres, élus et organismes responsables de l'allocation des budgets. Elle doit aussi être orientée vers des résultats attendus qui permettent d'en faire l'évaluation.

Pareille démarche suppose la mise au point d'indicateurs simples permettant une meilleure répartition des ressources.(1)

Les auteurs du rapport suggèrent de recourir à des indicateurs confrontés régulièrement aux résultats d'enquêtes épidémiologiques et choisis par une équipe compétente dans le cadre du programme national d'évaluation que les auteurs suggèrent plus loin. Il faut conduire des études de population en mettant l'accent sur le transfert des connaissances. En effet, de très bonnes études françaises et québécoises, décrites au troisième chapitre, ne semblent pas suffisamment connues. En outre, il arrive qu'elles soient à peu près complètement ignorées par les organismes de planification. Par ailleurs, on devrait inclure la santé mentale dans les enquêtes nationales périodiquement faites sur la santé.

Plus loin, les auteurs proposent un système d'information harmonisé sur l'ensemble du dispositif, respectant la confidentialité, élaboré en concertation et fournissant des données à un niveau géographique adapté à la planification.

Enfin, les auteurs proposent un programme national d'évaluation spécifique à la santé mentale, sur plusieurs années, avec un budget adéquat et associant divers milieux.

Ce dernier chapitre constitue certainement la partie la plus originale de ce rapport. Il est si bien fait qu'il ne laisse aux gouvernements concernés que d'avoir ou non la volonté d'agir.

Hubert Wallot
Psychiatre
Québec

RÉFÉRENCES

1. Côté C, Larouche D. Radiographie d'une mort fine – Dimension sociale de la maladie au Québec, éd. JCL, Chicoutimi, 2000.
2. Jelinek M. Institutionalizing innovation, New York, Praeger, 1979.
3. Mintzberg H. Grandeur et décadence de la planification stratégique, Dunod, 1994.
4. Wildavsky A. « If Planning is everything maybe it's nothing ». Policy Sciences, 1973, *4* : 127-153.

(1) Mentionnons à cet égard, dans le domaine de la santé, un indicateur qui pourrait être validé pour la santé mentale, le taux d'inoccupation. Charles Côté et Daniel Larouche ont montré l'intérêt du taux d'inoccupation comme prédicteur de la consommation de soins. Le taux d'inoccupation désigne « la proportion des 15 ans et plus sans emploi, exprimée en pourcentage (...). Il comprend, dans une même mesure, l'ensemble des chômeurs de même que l'ensemble de ceux qui ne font pas partie de la population active : les assistés sociaux, les conjoints au foyer sans emploi, les personnes placées en institution sur une longue période (plus de six mois) et les personnes âgées à la retraite. Bref, tous ceux qui dépendent d'un tiers pour l'acquisition des biens de première nécessité. » (Côté et Larouche, 2000, p. 36). En santé mentale (résultats non encore publiés) comme en santé, le taux d'inoccupation est un bon prédicteur (p. 115) et se comporte comme pour les maladies physiques dans le cas des troubles sévères et persistants. Mais « dans le cas des troubles transitoires, le TI du moment s'avère meilleur prédicteur que celui des années antérieures » (ibid., p. 115). Dès lors une hypothèse à étayer serait que dans le cas des troubles transitoires, il s'agit surtout d'une réaction à un facteur environnemental alors que dans les autres, l'inoccupation agirait comme facteur de déclenchement par rapport à une vulnérabilité constitutionnelle sinon génétique.

Achevé d'imprimer par Corlet, Imprimeur, S.A.
14110 Condé-sur-Noireau (France)
N° d'Éditeur : 10578 - N° d'Imprimeur : 1996 - Dépôt légal : juin 2001

Imprimé en U.E.